O CAPITAL

KARL MARX

O CAPITAL

CRÍTICA DA ECONOMIA POLÍTICA

Livro 2

O processo de circulação do capital

1ª edição

Tradução
Reginaldo Sant'Anna

Preparação
Friedrich Engels

Rio de Janeiro
2024

Título original: *Das Kapital: Kritik der politischen Ökonomie. Zweiter Band. Buch II: Der Zirkulationprozess des Kapitals*

Diagramação: Abreu's System
Projeto gráfico de box e capa: Casa Rex

Texto revisado segundo o Acordo Ortográfico da Língua Portuguesa de 1990.

Direitos desta tradução adquiridos pela
EDITORA CIVILIZAÇÃO BRASILEIRA
Um selo da
EDITORA JOSÉ OLYMPIO LTDA.
Rua Argentina, 171 – 3º andar – São Cristóvão
Rio de Janeiro, RJ – 20921-380
Tel.: (21) 2585-2000.

CIP-BRASIL. CATALOGAÇÃO NA PUBLICAÇÃO
SINDICATO NACIONAL DOS EDITORES DE LIVROS, RJ

M355c Marx, Karl, 1818-1883
O capital : crítica da economia política – o processo de circulação do capital / Karl Marx ; tradução Reginaldo Sant'Anna. – 1. ed. – Rio de Janeiro : Civilização Brasileira, 2024.

Tradução de: Das kapital : kritik der politischen ökonomie. zweiter band. buch II: der zirkulationsprozess des kapitals
ISBN 978-65-5802-140-7

1. Economia. 2. Capital (Economia). I. Sant'anna, Reginaldo. II. Título.

24-93678 CDD: 335.4
CDU: 330.85

Meri Gleice Rodrigues de Souza – Bibliotecária – CRB-7/6439

Impresso no Brasil
2024

SUMÁRIO

NOTA DO TRADUTOR

Este Livro 2 é a tradução do segundo volume de *O capital*, feita de acordo com as normas enunciadas em minha nota anterior.

Adicionalmente, alguns reparos.

As observações entre colchetes, na segunda edição do Livro 2 (1893), destinadas a esclarecer ou complementar o sentido do texto, distinguem-se, por sua natureza, das palavras ou frações delas, também entre colchetes, introduzidas na edição de 1965 da Dietz Verlag, de Berlim, e que servem para completar a indicação de fontes. Por isso, mantive, para ambos os casos, essa notação distintiva.

Uniformizei o emprego de subíndices, dando-lhe maior extensão. Numerei os capítulos e suas divisões, de conformidade com as regras adotadas no Livro 1.

REGINALDO SANT'ANNA

PREFÁCIO

Foi árdua a tarefa de preparar para a impressão o Livro 2 de *O capital*, de modo a ficar ele obra coerente e o mais possível acabada, e, além disso, obra exclusiva do autor, e não do editor. Agravava as dificuldades o grande número das redações existentes, na maioria fragmentárias. No máximo, uma apenas (manuscrito IV) estava inteiramente pronta para ser impressa, mas redações posteriores vieram modificá-la na maior parte. O grosso dos trabalhos encontrava-se quase todo ultimado quanto ao fundo, mas não quanto à forma. Estava na linguagem em que Marx costumava redigir seus apontamentos: estilo descuidado, entremeado com expressões e frases familiares ou de forte humorismo, com termos técnicos ingleses e franceses, com frases inteiras e até páginas em inglês; era o registro das ideias tais como iam se desenvolvendo na mente do autor. Ao lado de certas partes que eram tratadas pormenorizadamente, havia outras, da mesma importância, apenas esboçadas; o material coligido sobre os fatos destinados a elucidar a exposição estava, no máximo, classificado, mas bem longe de ser elaborado, no final dos capítulos; o afã de passar ao seguinte levava muitas vezes o autor a lançar algumas frases soltas, indicando ter naquele ponto deixado sua explanação por concluir; enfim, a famosa letra que o próprio Marx por vezes não conseguia ler.

Limitei-me a reproduzir os manuscritos o mais literalmente possível, a modificar no estilo apenas aquilo que o próprio Marx teria modificado e a só inserir frases explicativas complementares ou observações destinadas a estabelecer a transição de um para outro assunto, nos casos em que era absolutamente necessário e em que não tinha qualquer dúvida quanto ao sentido. Preferi apresentar textualmente as frases cuja interpretação oferecesse a mais ligeira dúvida. Ao todo, as passagens que refundi ou intercalei não chegam a dez páginas impressas e possuem caráter meramente formal.

A simples enumeração dos trabalhos manuscritos deixados por Marx para compor o Livro 2 patenteia o esmero sem par, a severa autocrítica com que se empenhava para dar a suas grandes descobertas econômicas o último acabamento, antes de divulgá-las; autocrítica que só raramente lhe permitia ajustar o conteúdo e a forma da exposição a seu horizonte constantemente ampliado por novos estudos. Eis os trabalhos.

Inicialmente, um manuscrito, *Contribuição à crítica da economia política*, com 1.472 páginas em quarto, formando 23 cadernos, escritos de agosto de 1861 a junho de 1863. É a continuação do primeiro caderno, com o mesmo título, publicado em Berlim em 1859. Trata, nas páginas 1 a 220 (cadernos I a V) e nas páginas 1.159 a 1.472 (cadernos XIX a XXIII), dos temas investigados no Livro 1 de *O capital*, a partir da transformação do dinheiro em capital até o fim, sendo a primeira redação disponível deles. As páginas 603 a 633 (cadernos XVI a XVIII) ocupam-se de capital e lucro, taxa de lucro, capital mercantil e capital-dinheiro, isto é, de temas desenvolvidos mais tarde no manuscrito do Livro 3. Mas os temas tratados no Livro 2 e muitos dos posteriormente versados no Livro 3 ainda não estavam apresentados em exposições especiais. São abordados de passagem, sobretudo na parte que constitui o corpo principal do manuscrito, páginas 233 a 602 (cadernos VI a XV): *Teorias da mais-valia*. Essa parte encerra história crítica pormenorizada do problema fundamental da economia política, a teoria da mais-valia, e, além disso, em oposição polêmica aos predecessores, a maioria das questões depois investigadas, de maneira especial e logicamente ordenada, nos manuscritos do Livro 2 e do Livro 3. Reservo-me a iniciativa de publicar, como o Livro 4 de *O capital*, a parte crítico-histórica desse manuscrito, após eliminar as numerosas passagens já incluídas nos livros 2 e 3. Esse manuscrito, apesar do imenso valor, não tinha elementos que pudessem ser utilizados na presente edição do Livro 2.

Pela ordem cronológica, o manuscrito seguinte é o do Livro 3, escrito, pelo menos na maior parte, em 1864 e 1865. Só após tê-lo concluído no essencial passou Marx a redigir o Livro 1, o volume publicado em 1867. Agora estou preparando para imprimir esse manuscrito do Livro 3.

No período subsequente, posterior ao aparecimento do Livro 1, fica pronta, para o Livro 2, uma coleção de quatro manuscritos em fólio, numerados pelo próprio Marx de I a IV. O manuscrito I (150 páginas), presumivelmente de 1865 ou 1867, é a primeira redação própria, porém mais ou menos fragmentária, do Livro 2 em sua ordenação atual. Dele nada foi possível utilizar. O manuscrito III contém um conjunto de citações e de referências remissivas aos cadernos de apontamentos de Marx, a maioria delas concernentes à Primeira Seção do Livro 2; redação de certas questões, notadamente a crítica às teses de Adam Smith sobre capital fixo e capital circulante e sobre a origem do lucro; além disso, aborda a relação entre a taxa de mais-valia e a taxa de lucro, matéria do Livro 3. As referências quase nada traziam de novo; as exposições feitas estavam superadas por redações posteriores para os Livros 2 e 3, e, por isso, tiveram de ser postas de lado, em sua maioria. – O manuscrito IV abrangia a redação, pronta para imprimir, da Primeira Seção e dos primeiros capítulos da Segunda Seção do Livro 2, sendo utilizado onde cabia. Embora se evidenciasse que era anterior ao manuscrito II, pôde ser utilizado com vantagem nas referidas partes, por mais acabado na forma; bastava fazer-lhe algumas adições tiradas do manuscrito II. – Este último manuscrito é a única redação que se poderia considerar completa do Livro 2, e data de 1870. As notas relativas à redação definitiva, logo adiante referidas, dizem expressamente: "Tomar por base a redação II."

Depois de 1870, nova interrupção, devida sobretudo ao precário estado de saúde do autor. Como sempre, nesse período realizou Marx estudos: agronomia, condições rurais americanas e notadamente russas, mercado financeiro e sistema bancário; ciências naturais, a geologia e a fisiologia, e especialmente trabalhos matemáticos próprios. Esses estudos constituem o conteúdo dos numerosos cadernos de apontamentos daquela época. Em 1877, sentiu-se em condições de retomar seu verdadeiro trabalho. Datam de fins de março de 1877 indicações e notas, tiradas dos quatro manuscritos mencionados para servir de base a uma nova redação do Livro 2, a qual tem seu início com o manuscrito V (56 páginas em fólio). Este abrange os primeiros quatro capítulos, mas precisa ainda ser retocado; pontos essenciais são tratados em notas de pé de página; a matéria está mais coligida do que joeirada, mas é a última exposição completa desse setor extremamente importante da Primeira Seção. – A primeira tentativa para pô-lo em condições de imprimir resultou no manuscrito VI (posterior a outubro de 1877 e anterior a julho de 1878), que se constitui apenas de 17 páginas em quarto compreendendo a maior parte do primeiro capítulo; a segunda e última tentativa, no manuscrito VII, de "2 de julho de 1878", com apenas 7 páginas em fólio.

Por essa ocasião, percebeu Marx que, se não houvesse transformação completa em seu estado de saúde, nunca chegaria a levar a cabo a redação dos Livros 2 e 3, de maneira que lhe fosse satisfatória. Nos manuscritos V a VIII transparecem, com a maior frequência, os indícios da imensa luta que travava contra o precário estado de saúde que o deprimia. A porção mais difícil da Primeira Seção está de novo redigida no manuscrito V; o resto da

Primeira Seção e toda a Segunda (excetuado o Capítulo XVII) não apresentavam grandes dificuldades teóricas; quanto à terceira, que versa sobre a reprodução e circulação do capital social, achava o autor absolutamente necessário refundi-la. Era restrita a amplitude com que o manuscrito II tratava a reprodução, sem considerar a circulação monetária que lhe serve de veículo e logo levando-a em conta. Importava corrigir isso e, sobretudo, refundir a Terceira Seção por inteiro, ajustando-a ao horizonte ampliado do autor. Surgiu assim o manuscrito VIII, um caderno que só tem 70 páginas em quarto; mas, para se ver o que Marx foi capaz de condensar nessas páginas, basta compulsar a Terceira Seção impressa, pondo-se de lado os trechos tirados do manuscrito II.

O manuscrito VIII ainda constitui estudo provisório da matéria, no qual relevava registrar e desenvolver pontos de vista novos em relação ao manuscrito II, omitindo-se aspectos para os quais nada de novo existia para dizer. Incorpora e amplia um fragmento do Capítulo XVII da Segunda Seção, de importância essencial e que se envolve no domínio da Terceira Seção. A sequência lógica é amiúde interrompida, a explanação apresenta lacunas em vários pontos e, notadamente, no final é muito fragmentária. Mas o que Marx quis dizer está dito desta ou daquela maneira.

Eis aí, do Livro 2, o material com que devia eu “fazer alguma coisa”, de acordo com as palavras de Marx a sua filha Eleanor, pouco antes de morrer. Tomei esse encargo no sentido mais estrito; sempre que possível, limitei minha atividade a escolher entre as diversas redações existentes. E, ao fazê-lo, tomava por base invariavelmente a última redação, cotejando-a com as anteriores. Só na Primeira e Terceira Seções meu propósito encontrava dificuldades reais, consideráveis, que não eram meramente técnicas. Procurei resolvê-las exclusivamente de acordo com o espírito do autor.

Em regra, traduzi as citações feitas para corroborar fatos ou nos casos em que o original está à disposição de qualquer um que deseje examinar a coisa a fundo, como é o caso das passagens de A. Smith. Não foi possível estender essa regra ao Capítulo X, pois aí se critica diretamente o texto inglês. – As citações do Livro 1 trazem os números das páginas da segunda edição, a última publicada em vida de Marx.

Para o Livro 3, temos a primeira redação contida no manuscrito *Contribuição à crítica* etc., os trechos referidos do manuscrito III, alguns breves comentários ocasionalmente lançados nos cadernos de apontamentos, o mencionado manuscrito em fólio de 1864 e 1865 (elaboração quase tão acabada quanto a do manuscrito II do Livro 2) e, finalmente, um caderno de 1875, em que se expõe matematicamente, em equações, a relação entre a taxa de mais-valia e a taxa de lucro. O preparo desse livro para impressão marcha rapidamente. Segundo posso avaliar até o momento, só apresentará de modo geral dificuldades de ordem técnica, excetuando-se naturalmente algumas partes muito importantes.

Cabe aqui repelir uma acusação contra Marx, no início sussurrada e esporádica, e agora, após sua morte, apregoada como fato verdadeiro pelos socialistas de cátedra e por seu séquito: a de que Marx teria plagiado Rodbertus. Já disse sobre o assunto o que era mais urgente dizer,[1] mas só aqui me é possível apresentar a documentação decisiva.

Essa acusação, pelo que sei, aparece pela primeira vez na obra de R. Meyer, *Emanzipationskampfs des vierten Standes*, p. 43:

> É *demonstrável* que Marx retirou dessas publicações (as publicações de Rodbertus, datadas de 1835 a 1840) a maior parte de sua crítica.

Até prova em contrário, permito-me admitir que toda a *demonstrabilidade* dessa afirmação consiste em ter ela sido feita a R. Meyer pelo próprio Rodbertus. – Em 1879, Rodbertus em pessoa entra em cena e escreve a J. Zeller (*Zeitschrift für die gesamte Staatswissenschaft*, de Tubingen, 1879, p. 210), declarando, a respeito de sua obra *Zur Erkenntnis unser staatswirtschaftlichen Zustände* (1842), o seguinte:

> Vereis que Marx [...] se enfeitou com estas ideias [as ideias ali desenvolvidas], sem me citar, naturalmente.

Seu editor póstumo Th. Kozak repetiu simplesmente essa afirmação (*Das Kapital*, de Rodbertus, Berlim, 1884. Introdução, p. xv). – Finalmente, na obra publicada por R. Meyer em 1881, *Briefe und sozialpolitische Aufsätze von Dr. Rodbertus-Jagetzow*,[I] diz Rodbertus sem rebuços:

> [...] hoje me vejo despojado por Schäffle e Marx, que omitem meu nome. (Carta 60, p. 134.)

1 No meu prefácio a *Das Elend der Philosophie. Antwort auf Proudhons Philosophie des Elends*, de Karl Marx. Trad. alemã de E. Bernstein e K. Kautsky, Stuttgart, 1885.

I *Cartas e dissertações político-sociais do Dr. Rodbertus-Jagetzow.*

Noutra passagem, a pretensão de Rodbertus configurou-se mais precisamente:

> A maneira como expliquei a origem da mais-valia do capitalista é, na essência, a mesma de Marx, porém mais concisa e mais clara. (Carta 48, p. 111.)

Essas acusações de plágio nunca chegaram ao conhecimento de Marx. Em seu exemplar de *Emanzipationskampfs,* só estavam cortadas as folhas concernentes à Internacional; as demais, cortei-as eu após sua morte. Ele nunca chegou a ver a revista (*Zeitschrift*) de Tubingen. Também desconhecia as cartas (*Briefe* etc.) dirigidas a R. Meyer, graças a quem tive minha atenção voltada para a passagem relativa ao "despojamento". Marx, entretanto, conhecia a carta 48; o Sr. Meyer, gentilmente, presenteou a filha mais jovem de Marx com o original. Marx, a quem por certo chegara algum misterioso rumor dizendo estar em Rodbertus a fonte secreta de sua crítica, mostrou-me a carta, observando que estava assim autenticamente informado sobre as pretensões de Rodbertus; até aí, nada tinha a objetar; além disso, podia deixar para Rodbertus o prazer de imaginar que a própria exposição era mais breve e mais clara. Na realidade, achou que a carta de Rodbertus encerrava definitivamente o assunto.

Tinha razão para assim proceder, pois, sem qualquer sombra de dúvida, ignorava toda a atividade literária rodbertiana até 1859, quando já estava pronta sua crítica à economia política, tanto nas linhas gerais quanto nos pormenores mais importantes. Começou seus estudos econômicos em Paris, em 1843, com os grandes autores ingleses e franceses; dos alemães, só conhecia Rau e List, e já achava bastante. Nem Marx nem eu supúnhamos existir Rodbertus, até 1848, quando tivemos de criticar, no *Neue Rheinische Zeitung*, seus discursos de deputado por Berlim e sua atuação como ministro. Nossa ignorância era tal que perguntamos aos deputados renanos quem era esse Rodbertus que tão subitamente se tornara ministro. Mas eles também nada sabiam, para informar, sobre os estudos econômicos de Rodbertus. Marx, entretanto, sem a ajuda de Rodbertus, já conhecia então perfeitamente "a origem da mais-valia do capitalista" e o *modo como* ela se produz, bastando para prová-lo a *Misère de la philosophie*, de 1847, e as conferências sobre trabalho assalariado e capital feitas em Bruxelas em 1847 e publicadas nos números 264 a 269 do *Neue Rheinische Zeitung*, em 1849. Só em 1859, por intermédio de Lassalle, soube Marx da existência de um Rodbertus economista, descobrindo então sua "terceira carta social" no Museu Britânico.

Estes são os fatos. Mas de que ideias se acusa Marx de ter "despojado" Rodbertus?

> A maneira como expliquei a origem da mais-valia do capitalista é a mesma de Marx, porém mais concisa e mais clara.

Assim, trata-se fundamentalmente da teoria da mais-valia, e, na realidade, é impossível encontrar outra coisa que Rodbertus pudesse eventualmente reclamar de Marx como sua propriedade. Rodbertus quer passar aí por verdadeiro criador da teoria da mais-valia, pretendendo que Marx o tenha despojado dela.

E que nos diz a terceira carta social sobre a origem da mais-valia? Simplesmente que a "renda", que para ele compreende renda (fundiária) e lucro, não provém de "acréscimo de valor" ao valor da mercadoria, mas

> [...] de um desconto de valor no salário; em outras palavras, da circunstância de o salário só constituir parte do valor do produto,

e, sendo suficiente a produtividade do trabalho, o salário

> precisa não ser igual ao valor de troca natural do produto desse trabalho, a fim de que sobre do produto alguma coisa para reposição do capital e para renda.

Rodbertus não nos diz que "valor de troca natural" é esse que, se for atingido, não deixa sobra para substituir o capital, ou, segundo parece, para repor as matérias-primas e o desgaste dos instrumentos de trabalho.

Tivemos a sorte de encontrar documentada a impressão que causou em Marx essa descoberta sensacional de Rodbertus. No manuscrito *Contribuição à crítica* etc., Caderno x, p. 445 e seguintes, encontramos: "Digressão. Rodbertus. Nova teoria da renda fundiária." A terceira carta social é considerada apenas sob esse aspecto. A teoria geral da mais-valia de Rodbertus é enquadrada na observação irônica: "Rodbertus investiga, primeiro, como as coisas andam num país onde não estão dissociadas a posse da terra e a do capital e então chega à notável conclusão de que a renda (nome que dá a toda a mais-valia) é simplesmente igual ao trabalho não pago ou à quantidade de produtos em que esse trabalho se configura."

Mas há vários séculos que a humanidade capitalista produz mais-valia, e, com o tempo, chegou ao ponto de preocupar-se com a origem dela. A primeira ideia decorreu diretamente da prática mercantil: a mais-valia provém de um acréscimo feito ao valor do produto. Era a concepção dos mercantilistas, mas James Stewart já percebera que, desse modo, um ganha o que outro necessariamente perde. Entretanto, essa quimera continuou persistindo, sobretudo entre socialistas. A. Smith expulsa-a da ciência clássica.

Diz ele, em *Wealth of Nations*, Livro I, Capítulo VI:

> Logo que o capital se tenha acumulado nas mãos de certas pessoas, haverá entre elas as que naturalmente o empregarão para pôr a trabalhar indivíduos laboriosos, fornecendo-lhes matérias-primas e meios de subsistência, com o objetivo de obter lucro com a venda do produto do trabalho deles ou com o que esse trabalho acrescenta ao valor daquelas matérias-primas. [...] O valor que os trabalhadores adicionam às matérias-primas divide-se em duas partes, servindo uma para pagar o salário, e a outra, o lucro do empregador, o que excede a importância global desembolsada em matérias-primas e salários.

E mais adiante:

> Quando as terras de um país são, em regra, objeto de propriedade privada, os proprietários delas, como as demais pessoas, gostam de colher onde não semearam e exigem pagamento de renda mesmo pelos produtos naturais do solo. [...] O trabalhador [...] tem de ceder ao proprietário parte do que recolheu ou produziu com seu trabalho. Essa parte ou, o que dá no mesmo, o preço dela, constitui a renda da terra.

A respeito dessa passagem, observa Marx, no mencionado manuscrito *Contribuição à crítica* etc., p. 253: "A. Smith concebe a mais-valia – isto é, o trabalho excedente, a sobra do trabalho executado e materializado na mercadoria depois de deduzido o trabalho pago, que encontra seu equivalente no salário – como a categoria geral, e o lucro propriamente dito e a renda da terra são apenas suas ramificações."

Diz ainda A. Smith, no Livro I, Capítulo VIII:

> Quando a terra se torna objeto de propriedade, exige o dono parte de quase todos os produtos que o trabalhador pode nela produzir ou colher. Sua renda constitui o primeiro desconto no produto do trabalho aplicado à terra. Mas raramente tem o homem que lavra a terra meios para se manter até a colheita. Em regra, um empregador, o arrendatário, com seu capital, lhe adianta o sustento, e não teria interesse em fazê-lo, se o trabalhador não repartisse o produto do trabalho com ele, ou se seu capital não lhe retornasse com lucro. Esse lucro representa um segundo desconto no trabalho aplicado à terra. O produto de quase todo o trabalho está sujeito a esse desconto em favor do lucro. Em todas as indústrias, os trabalhadores, em sua maioria, precisam de um empregador que lhes adiante matérias-primas, salários e meios de subsistência, até que o trabalho chegue ao resultado final. Esse empregador participa no produto do trabalho deles, ou no valor que esse trabalho adiciona às matérias-primas em que se aplica, e seu lucro decorre dessa participação.

Comentário de Marx (manuscrito, p. 256): "Com palavras secas, A. Smith qualifica a renda fundiária e o lucro (do capital) de meros descontos no produto do trabalhador ou no valor de seu produto, valor igual ao trabalho que acrescentou à matéria-prima. Mas essa dedução, conforme análise anterior do próprio A. Smith, só pode consistir na porção de trabalho a qual o trabalhador acrescenta às matérias, além da quantidade de trabalho destinada apenas a pagar seu salário ou que só fornece o equivalente de seu salário; em suma, no trabalho excedente, na parte não paga de seu trabalho."

A. Smith, portanto, já conhecia "a origem da mais-valia do capitalista" e, ademais, da do proprietário de terras; é o que Marx, já em 1861, reconhecia francamente, enquanto parecia disso se terem totalmente esquecido Rodbertus e o enxame de seus partidários que brotavam como cogumelos nas cálidas chuvas estivais do socialismo de Estado.

"Entretanto", continua Marx, "Smith não separou a mais-valia como tal, como categoria independente, das formas especiais que assume no lucro e na renda fundiária. Daí, e mais ainda em Ricardo, tantos erros e falhas em sua investigação." – Essa afirmação assenta como uma carapuça em Rodbertus. Sua "renda" é simplesmente a soma: renda fundiária + lucro; imagina uma teoria inteiramente falsa da renda fundiária e, quanto ao lucro, aceita sem exame o que vem dos antecessores. – A mais-valia de Marx, ao contrário, é a forma geral da soma de valor de que se apropriam, sem dar equivalente, os donos dos meios de produção, e que se reparte, segundo leis inteiramente próprias, descobertas por Marx, nas formas particulares, metamorfoseadas, de lucro e renda fundiária. Essas leis são apresentadas no Livro 3. Mostra-se aí, pela primeira vez, de quantas noções intermediárias precisamos para ir do conhecimento da mais-valia em geral para o de sua transformação em lucro e renda fundiária, portanto, para o das leis que regem a distribuição da mais-valia dentro da classe capitalista.

Ricardo já vai bem mais longe que A. Smith. Baseia sua concepção da mais-valia numa nova teoria do valor, ainda embrionária em A. Smith, que quase sempre a esquece quando se trata de desdobrá-la, teoria que se tornou o ponto de partida de toda a ciência econômica posterior. Da circunstância de o valor das mercadorias ser determinado pela quantidade de trabalho realizado nas mercadorias deriva Ricardo a distribuição, entre trabalhadores e capitalistas, da quantidade de valor adicionada às matérias-primas pelo trabalho, a divisão em salário e lucro (aqui, no sentido de mais-valia). Demonstra que o valor das mercadorias permanece o mesmo, qualquer que seja a relação quantitativa entre as duas porções, lei para a qual só admite exceções esporádicas. Estabelece algumas leis principais sobre as relações recíprocas entre salário e mais-valia (concebida sob a forma de lucro), explanando-as, embora de modo demasiado geral (Marx, *O capital*, Livro 1, Cap. xv, 1), e demonstra que a renda da terra é um excedente (que diminui em determinadas circunstâncias) sobre o lucro. – Em nenhum desses pontos Rodbertus ultrapassou Ricardo. As contradições teóricas internas em que soçobrou a escola ricardiana, quando não lhe eram inteiramente desconhecidas, apenas o levavam a estatuir (*Zur Erkenntnis* etc., p. 130) postulados utópicos, em vez de procurar soluções econômicas.

A doutrina ricardiana do valor e da mais-valia não precisava esperar pela obra de Rodbertus *Zur Erkenntnis* etc. para ser explorada pelo socialismo. Na página 609[I] do Livro 1 de *O capital* (segunda edição), cita Marx a expressão "os possuidores do produto excedente ou capital", tirada da brochura *The Source and Remedy of the National Difficulties. A Letter to Lord John Russell*, Londres, 1821. Já a expressão "produto excedente ou capital" deveria ter atraído a atenção para esse panfleto de 40 páginas que Marx arrancou do esquecimento, e onde se lê:

I P. 647.

> Por maior que seja a porção que por direito caiba ao capitalista [do ponto de vista do capitalista], só pode ele apropriar-se do trabalho excedente (*surplus labour*) do trabalhador, pois o trabalhador tem de viver. (p. 23)

Mas são coisas muito relativas o modo como vive o trabalhador e a correspondente magnitude do trabalho excedente da qual pode apropriar-se o capitalista.

> Se o capital não diminuiu o valor na proporção em que aumenta sua massa, procurará o capitalista extorquir de cada hora de trabalho produto maior que o permitido pelo mínimo necessário à vida do trabalhador. [...] Em suma, o capitalista pode dizer ao trabalhador: não deves comer pão, pois podes viver de beterraba e batatas; é a situação a que chegamos" (pp. 23, 24). "Quando o trabalhador é levado ao extremo de alimentar-se de batatas, em vez de pão, é claro que mais se pode extrair de seu trabalho; se, quando consumia pão, precisava *reter para si o trabalho de segunda e terça*, quando passa a alimentar-se de batatas, bastar-lhe-á a *metade da segunda-feira*; e *ficarão disponíveis* para o Estado ou *para os capitalistas* metade da segunda e toda a terça (p. 26). Não se contesta (*It is admitted*) que os juros pagos ao capitalista, tenham eles a forma de renda, juros de dinheiro ou lucro de uma empresa, são pagos com trabalho de outrem. (p. 23)

Reaparece aí, tal e qual, a "renda" de Rodbertus, com a única diferença de que passa a ter o nome de juros.

Sobre o assunto, observa Marx (manuscrito *Contribuição à crítica* etc., p. 852): "Esse panfleto quase desconhecido, que apareceu quando o 'incrível remendão' MacCulloch começava a ficar famoso, assinala um progresso essencial em relação a Ricardo. Qualifica diretamente a mais-valia ('lucro', segundo a denominação de Ricardo, que muitas vezes a chama de produto excedente, *surplus produce*; ou *interest*,[I] como a chama o autor do panfleto) de *surplus labour*, trabalho excedente, o que o trabalhador executa grátis, além da quantidade de trabalho com a qual repõe o valor de sua força de trabalho, isto é, produz um equivalente de seu salário. Tanto quanto reduzir o *valor a trabalho*, importava reduzir a *mais-valia* (*surplus value*, o valor excedente), representada num *produto excedente* (*surplus produce*), a *trabalho excedente* (*surplus labour*). Esta redução já se encontra em A. Smith, e cons-

I Juro, na terminologia econômica inglesa.

titui elemento fundamental da obra de Ricardo. Mas nunca foi por eles enunciada e definida na forma absoluta." Diz mais adiante o manuscrito, à página 859: "Demais, o autor está prisioneiro das categorias econômicas consagradas. Ricardo incide em contradições insanáveis, por confundir mais-valia e lucro, e ele, por batizar a mais-valia com o nome de juros do capital. Por certo, supera ele Ricardo: reduz toda a mais-valia a trabalho excedente e, ao mesmo tempo, embora chame a mais-valia de juros do capital, entende por *interest of capital* a forma geral de mais-valia, distinguindo-a das formas particulares, renda (fundiária), juro do dinheiro e lucro de empresa. Mas, juro, o nome de uma dessas formas particulares, ele o reemprega para designar a forma geral. E isto basta para fazê-lo recair na algaravia econômica [*slang*, diz o manuscrito]."

Este último trecho ajusta-se a Rodbertus como uma luva. Também está ele preso às categorias econômicas consagradas. Batiza também a mais--valia com o nome de uma das suas formas secundárias, transformadas, e, ainda por cima, torna extremamente vago o significado desse nome: renda. Desses dois desacertos, resulta recair ele na algaravia econômica e – em vez de ir adiante com a crítica, em seu progresso em relação a Ricardo – ser induzido a transformar sua teoria inacabada, ainda embrionária, em fundamento de uma utopia com que aparece tardiamente, como sempre. O panfleto foi publicado em 1821 e antecipa a "renda" rodbertiana, de 1842, por inteiro.

Nosso panfleto é apenas o ponto mais avançado de toda uma literatura que, de 1820 a 1830, emprega a teoria ricardiana do valor e da mais-valia no interesse do proletariado, contra a produção capitalista, combatendo a burguesia com suas próprias armas. Todo o comunismo de Owen, quando polemiza no plano econômico, apoia-se em Ricardo. E, ao lado do autor do panfleto, encontramos toda uma série de escritores dos quais Marx, em 1847, se limita a citar alguns contra Proudhon (*Misère de la philosophie*, p. 49): Edmonds, Thompson, Hodgskin etc. etc., e "mais quatro páginas de etc.". De seus inúmeros trabalhos escolheremos ao acaso *An Inquiry into the Principles of the Distribution of Wealth, Most Conducive to Human Happiness*, de William Thompson, nova edição, Londres, 1850. Obra escrita em 1822, só apareceu em 1824. Também aí, sem exceções, qualifica-se de desconto no produto do trabalhador a riqueza de que se apropriam as classes não produtoras, e em termos bastante fortes.

> O empenho do que chamamos de sociedade tem consistido em levar o trabalhador, pela fraude ou persuasão, pelo medo ou coação, a trabalhar pela menor porção possível do próprio trabalho. (p. 28) "Por que não recebe o trabalhador todo o produto do próprio trabalho?" (p. 32) "Essa compensação extorquida dos trabalhadores produtivos sob o nome de renda da terra ou lucro exigem-na os capitalistas pelo uso do solo ou de outros objetos. [...] Todas as matérias físicas sobre ou com as quais o trabalhador produtivo, que nada possui além de sua capacidade de produzir, pode fazer valer essa capacidade estão em poder de pessoas que têm interesses opostos aos seus e cujo consentimento é condição preliminar de sua atividade. Assim sendo, não depende e não tem de depender da mercê desses capitalistas a *fração* que será dada ao trabalhador, *dos frutos do próprio trabalho*, a título de recompensa? (p. 125) [...] proporcionalmente à magnitude do produto retido, tenha este [...] essas subtrações, o nome de tributos, lucro ou furto. (p. 126) E assim por diante.

É com certo sentimento de vergonha, confesso, que escrevo estas linhas. Ainda é tolerável que na Alemanha se ignore dessa maneira tão completa a literatura inglesa anticapitalista de 1820 a 1840, embora Marx, em *Misère de la philosophie*, a ela se referisse diretamente, e citasse bastante várias de suas publicações, o panfleto de 1821, Ravenstone, Hodgskin etc., no Livro 1 de *O capital*. Mas, hoje, a economia oficial desceu tanto que vemos fazer coro com um *literatus vulgaris*[I] – "que realmente nada aprendeu", desesperadamente agarrado às abas da casaca de Rodbertus – o professor,[II] que, do alto da dignidade de seu ofício, "se jacta de seu saber", mas esquece sua economia clássica, a ponto de acusar seriamente Marx de ter despojado Rodbertus de ideias que já se encontram em A. Smith e Ricardo.

Que disse Marx de novo sobre a mais-valia? Como se explica que a teoria da mais-valia de Marx tenha repercutido como um raio que cai do céu sereno, e em todos os países civilizados, enquanto as teorias de todos os antecessores socialistas, inclusive Rodbertus, nem deixaram vestígio de seus efeitos?

Podemos elucidar isto utilizando um exemplo da história da química.

No fim do século XVIII, dominava, como se sabe, a teoria flogística, que explicava a natureza de toda combustão, dizendo que se desprendia do corpo em combustão outro corpo hipotético, um combustível absoluto,

---

I R. Meyer.
II A. Wagner.

denominado flogisto. Essa teoria bastava para explicar a maioria dos fenômenos químicos então conhecidos, embora violentasse os fatos, em certos casos. Eis que, em 1774, Priestley isola uma espécie de ar,

> [...] que achou tão puro e isento de flogisto, que o ar comum, por comparação, já parece viciado.

Chamou-o de ar desflogistizado. Pouco depois, Scheele, na Suécia, isolou a mesma espécie de ar e demonstrou sua existência na atmosfera. Verificou ainda que desaparecia, quando se queimava um corpo nele ou no ar comum, e, por isso, chamou-o de ar ígneo.

> Partindo daí, concluiu que a combinação que se dá, unindo-se o flogisto com um dos componentes do ar [na combustão, portanto], nada mais é que fogo ou calor que escapa pelo vidro.[2]

Tanto Priestley quanto Scheele tinham isolado o oxigênio, mas nenhum dos dois sabia o que tinha nas mãos. Continuaram "prisioneiros das categorias" flogísticas "consagradas". O elemento que iria derrubar toda a concepção flogística e revolucionar a química permanecia estéril em suas mãos. Mas Priestley comunicara imediatamente sua descoberta a Lavoisier, em Paris, e este, na base desse fato novo, passou a investigar toda a química flogística e foi quem primeiro descobriu que a nova espécie de ar era um novo elemento químico e que, na combustão, ao invés de o misterioso flogisto *se desprender* do corpo em ignificação, esse novo elemento *se combina* com o corpo que combure. Desse modo, pôs de pé toda a química, que, na concepção flogística, estava invertida. Embora não seja verdadeira sua afirmação posterior de que isolara o oxigênio ao mesmo tempo que Priestley e Scheele e independentemente deles, ainda assim é ele o verdadeiro *descobridor* do oxigênio em relação aos dois, que apenas o isolaram, sem vislumbrar sequer o *que* tinham isolado.

Quanto à teoria da mais-valia, Marx está para seus predecessores na posição em que Lavoisier está para Priestley e Scheele. Bem antes de Marx, se averiguara a existência da fração do valor do produto a qual chamamos hoje de mais-valia; também se enunciara, com maior ou menor clareza, que

2 Roscoe-Schorlemmer, *Ausführliches Lehrbuch der Chemie*, Brunschweig, 1877, I, pp. 13, 18.

consiste no produto do trabalho de que o capitalista se apropria sem pagar equivalente. Mas as investigações não foram mais longe. Uns, os economistas clássicos burgueses, pesquisavam, no máximo, a proporção em que o produto do trabalho se repartia entre o trabalhador e o possuidor dos meios de produção. Os outros, os socialistas, achavam injusta essa repartição e procuravam eliminá-la por meios utópicos. Os dois lados continuavam prisioneiros das categorias econômicas consagradas.

Surgiu então Marx. E em oposição direta a todos os predecessores. Onde estes tinham visto uma *solução,* via ele apenas um *problema.* Percebeu que não havia ar desflogistizado nem ar ígneo, mas oxigênio – que não se tratava de comprovar simplesmente um fato econômico, nem do conflito desse fato com a justiça eterna e a moral verdadeira, mas de um fato destinado a revolucionar toda a economia e que oferecia a chave, a quem soubesse utilizá-la, para a compreensão da produção capitalista em seu conjunto. Na base desse fato, passou a investigar todas as categorias econômicas consagradas, como o fizera Lavoisier, a partir do oxigênio, com as categorias sancionadas pela química flogística. Para saber o que era mais-valia (valor excedente), tinha de saber antes o que era valor. Antes de tudo, era mister submeter à crítica a própria teoria do valor de Ricardo. Assim, analisou o trabalho em sua propriedade de criar valor e, pela primeira vez, evidenciou a *espécie* de trabalho que gera valor, por que e como o gera, e que valor não passa de trabalho cristalizado dessa espécie, um ponto que Rodbertus nunca chegou a compreender. Marx investigou a relação entre mercadoria e dinheiro, e demonstrou como e por quê, em virtude da propriedade-valor que nela reside, a mercadoria e a troca de mercadorias geram necessariamente a oposição entre mercadoria e dinheiro; sua teoria do dinheiro, que aí se fundamenta, é a primeira teoria completa, hoje aceita tácita e geralmente. Perquiriu a transformação do dinheiro em capital, e demonstrou que ela depende da compra e venda da força de trabalho. Ao substituir o trabalho pela força de trabalho, pela capacidade de criar valor, resolveu de um golpe uma das dificuldades em que soçobrou a escola ricardiana: a impossibilidade de harmonizar a troca entre capital e trabalho com a lei ricardiana da determinação do valor pelo trabalho. Depois de estabelecer a diferenciação do capital em constante e variável, foi-lhe possível descrever o processo da formação da mais-valia em sua marcha real e em seus pormenores, elucidando-o, o que seus predecessores não conseguiram fazer; estabeleceu assim uma distinção dentro do próprio capital, da qual nem Rodbertus nem os economistas burgueses estavam em condições de tirar qualquer proveito científico, e a qual fornece a chave para a solução dos mais intrincados problemas econômicos, conforme demonstra Marx de novo e de maneira contundente no Livro 2 e, mais ainda, no Livro 3, como se verá. Prosseguiu na investigação da mais--valia, e descobriu as duas formas, a mais-valia absoluta e a relativa, pondo em evidência o papel diferente e ao mesmo tempo decisivo por elas desempenhado no desenvolvimento histórico da produção capitalista. Elaborou, com fundamento na mais-valia, a primeira teoria racional que possuímos a respeito do salário, e foi o primeiro que expôs, em suas linhas fundamentais, uma história da acumulação capitalista cuja tendência delineou.

E Rodbertus? Economista aferrado a uma posição tendenciosa, depois de ler tudo isto, vê aí uma "irrupção contra a sociedade", e, enquanto presume que expôs de maneira mais concisa e mais clara a origem da mais-valia, acha que tudo isto se ajusta à "forma atual do capital", isto é, ao capital conforme existe historicamente, e não ao "conceito de capital", isto é, à ideia utópica dele, Rodbertus, acerca do capital. Rodbertus é a cópia fiel do velho Priestley, que, até o fim, jurou pelo flogisto e nada queria saber de oxigênio. Se há diferença a assinalar, é a de que Priestley fora realmente o primeiro a isolar o oxigênio, enquanto Rodbertus, com sua mais-valia, ou melhor, com sua "renda", apenas descobrira um lugar-comum, e a de que Marx, ao contrário de Lavoisier, negou-se a afirmar ter sido ele o primeiro a averiguar o *fato* da existência da mais-valia.

São do mesmo nível as outras contribuições econômicas de Rodbertus. A conversão que faz da mais-valia numa utopia já se encontra implícita e antecipadamente criticada por Marx, em *Misère de la philosophie*; no meu prefácio à tradução alemã, disse o que ainda havia a dizer sobre o assunto. Sua explicação das crises comerciais pelo subconsumo das classes trabalhadoras já fora exposta por Sismondi,[3] em *Nouveaux principes de l'économie politique*, Livro IV, Capítulo IV. Só que Sismondi nunca perde de vista o mercado mundial, enquanto o horizonte de Rodbertus não ultrapassa as lindes prussianas. Seus estudos especulativos para determinar se o salário provém do capital ou da renda não passam de elucubrações escolásticas, e

3 "Assim, restringe-se cada vez mais o mercado interno, em virtude da concentração das riquezas nas mãos de um pequeno número de proprietários, e a indústria é cada vez mais forçada a procurar saída para seus produtos nos mercados estrangeiros, onde os aguardam perturbações ainda maiores [a saber, a crise de 1817, descrita a seguir]." *Nouv. princ.*, ed. 1819, I, p. 336.

a insubsistência deles fica definitivamente à mostra com a Terceira Seção deste Livro 2 de *O capital*. Sua teoria da renda fundiária é realmente de sua exclusiva propriedade, e pode continuar dormitando até a publicação do manuscrito de Marx que a critica. Finalmente, as medidas que propõe para libertar a velha propriedade fundiária prussiana do jugo do capital também são absolutamente utópicas; elas contornam a única questão prática, a de que se trata no caso, a saber: como pode o arcaico fidalgo prussiano gastar, todo ano, digamos, 30 mil marcos, se sua renda é de 20 mil, e ao mesmo tempo não contrair dívidas?

Por volta de 1830, naufragava a escola ricardiana nos abrolhos da mais--valia. O que não pôde resolver, permaneceu mais insolúvel ainda para sua sucessora, a economia vulgar. Os dois pontos em que soçobrou foram:

Primeiro: O trabalho é a medida do valor. Mas, na troca com o capital, o trabalho vivo tem valor menor que o trabalho materializado por que se troca. O salário, o valor de determinada quantidade de trabalho vivo, é sempre menor que o valor do produto que é criado por essa quantidade de trabalho vivo, ou que a representa. Assim apresentada, a questão é realmente insolúvel. Adequadamente formulada por Marx, encontrou a solução. Não é o trabalho que tem um valor. Como atividade que cria valor, não pode ter um valor particular, do mesmo modo que a gravidade não tem um peso particular, o calor, uma temperatura particular, eletricidade, uma intensidade particular. O que se compra e vende, como mercadoria, não é o trabalho, e sim a *força* de trabalho. Desde que a força de trabalho se torna mercadoria, seu valor se regula pelo trabalho corporificado nela, isto é, na força de trabalho como produto social; é igual ao trabalho socialmente necessário a sua produção e reprodução. Na base desse valor, a compra e venda da força de trabalho não contradiz, portanto, de maneira alguma, a lei econômica do valor.

Segundo: De acordo com a lei ricardiana do valor, dois capitais que empregam trabalho vivo em igual quantidade e com igual remuneração, e desde que não se alterem as demais circunstâncias, produzem, em tempos iguais, produto de igual valor e mais-valia ou lucro de igual magnitude. Mas, se empregam quantidades desiguais de trabalho vivo, não podem produzir mais-valia ou, como dizem os ricardianos, lucro de montante igual. Ora, acontece justamente o contrário. Na realidade, capitais iguais, seja qual for a quantidade de trabalho vivo que empreguem, em média produzem, em tempos iguais, lucros iguais. Encontramos aí, portanto, uma contradição à lei do valor, contradição já notada por Ricardo e que sua escola também não foi capaz de resolver. Rodbertus não podia deixar de ver essa contradição; em vez de resolvê-la, fez dela ponto de partida de sua utopia (*Zur Erk.*, p. 131). Marx já tinha solvido essa contradição no manuscrito *Contribuição à crítica* etc.; de acordo com o plano de *O capital*, a solução se encontra no Livro 3,[I] que ainda levará meses para ser publicado. Assim, os economistas que veem em Rodbertus a fonte secreta de Marx e um precursor que o supera têm agora a oportunidade de mostrar de que é capaz a economia rodbertiana. Se demonstrarem como se pode formar e necessariamente se forma igual taxa média de lucro, sem ferir a lei do valor, mas, ao contrário, fundamentando-se nela, haverá condições para que prossiga o debate. Serão muito gentis se andarem depressa. As investigações estupendas deste Livro 2 e seus resultados absolutamente novos em domínios até agora quase inexplorados constituem apenas as premissas do Livro 3, que desenvolve os resultados finais da exposição de Marx acerca do processo social de reprodução, no sistema capitalista. Quando tiver aparecido o Livro 3, não haverá mais por que focalizar um economista chamado Rodbertus.

Marx expressou-me frequentemente o propósito de dedicar a sua esposa os Livros 2 e 3 de *O capital*.

FRIEDRICH ENGELS

LONDRES, DIA DO NASCIMENTO DE MARX, 5 DE MAIO DE 1885

I Primeira e segunda seções.

PREFÁCIO DA 2ª EDIÇÃO

Esta segunda edição é, em substância, uma reimpressão fiel da primeira. Foram corrigidos os erros de impressão, eliminados alguns deslizes de estilo, suprimidos alguns pequenos parágrafos. Que apenas continham repetições.

Estão quase prontos os originais do Livro 3, que apresentou dificuldades inteiramente inesperadas. Se não me faltar saúde, a impressão começará no próximo outono.

F. ENGELS

LONDRES, 15 DE JULHO DE 1893

MANUSCRITOS UTILIZADOS NO LIVRO 2[I]

O quadro abaixo relaciona os capítulos e páginas com os manuscritos donde foram extraídos:

PRIMEIRA SEÇÃO

CAPÍTULOS	PÁGINAS	MANUSCRITOS
I	37-39	II
	39-49	VII
	49-53	VI
	53-71	V
II e III	73-110	V
IV	111-131	V
V	133-136	nota encontrada entre excertos de leituras
V	136-141	IV
VI	143-146	VIII
	146-149	IV
	149-165	IV
	notas 12 e 16 em 149 e 155	II

SEGUNDA SEÇÃO

CAPÍTULOS	PÁGINAS	MANUSCRITOS
VII	169-174	IV
VIII	175-182	IV
	182-201	II
IX a XVII	203-387	II

I Foi feita uma adaptação, para maior comodidade do leitor, da nota original sobre o assunto.

TERCEIRA SEÇÃO

CAPÍTULOS	PÁGINAS	MANUSCRITOS
XVIII	391-400	II
XIX 1,2	401-433	VII
3	433-435	II
XX, 1	439-441	II
	441-442	VIII
2	442-444 (substancialmente)	II
3, 4, 5	444-468	VIII
6, 7, 8, 9	468-482	II
10, 11, 12	482-524	VIII
13	524-533	II
XXI	535-570	VIII

LIVRO 2

O processo de circulação do capital

PRIMEIRA SEÇÃO

AS METAMORFOSES DO CAPITAL E O CICLO DELAS

I.
O ciclo do capital-dinheiro

O processo cíclico[1] do capital realiza-se em *três estádios* que, segundo expusemos no Livro 1, se sucedem da seguinte maneira:

Primeiro. – O capitalista aparece como comprador no mercado de mercadorias e no mercado de trabalho; seu dinheiro converte-se em mercadoria ou efetua o ato de circulação D-M.

Segundo. – Consumo produtivo das mercadorias compradas pelo capitalista, que funciona como produtor capitalista de mercadorias. Seu capital percorre o processo de produção. Resultado: mercadoria cujo valor supera o dos elementos que concorreram para sua produção.

Terceiro. – O capitalista volta ao mercado como vendedor; sua mercadoria converte-se em dinheiro, isto é, efetua o ato de circulação M-D.

A fórmula do ciclo do capital-dinheiro é, portanto, D-M... P... M'-D'. Os pontos significam que se interrompeu o processo de circulação; M' e D' indicam que M e D estão acrescidos de mais-valia.

No Livro 1, só consideramos o primeiro e o terceiro estádios na medida do necessário para a compreensão do segundo, o processo de produção do capital. Por isso, não foram examinadas as diferentes formas de que se reveste o capital nos diversos estádios, as quais ele ora assume, ora abandona, no decorrer dos ciclos. Elas constituem agora objeto imediato de nossa pesquisa. Para apreender as formas em sua pureza, é mister, antes de mais nada, abstrair de todos os fatores que nada têm a ver essencialmente com a mudança e a produção das formas. Suporemos, por isso, que as mercadorias se vendem pelo seu valor e que essas vendas se realizam em circunstâncias invariáveis. Demais, não levaremos em conta as variações de valor que podem ocorrer durante o processo cíclico.

1. PRIMEIRO ESTÁDIO: D-M[2]

D-M representa a conversão de um montante de dinheiro numa soma de mercadorias; para o comprador, é transformação de dinheiro em mercadoria, e, para o vendedor, de mercadoria em dinheiro. O que faz com que essa ocorrência da circulação geral das mercadorias seja, ao mesmo tempo, uma etapa funcionalmente determinada do ciclo próprio de um capital individual não é a forma da ocorrência, mas sua substância material, o caráter

1 Do manuscrito II.

2 Daqui em diante, manuscrito VII, iniciado em 2 de julho de 1878.

específico do uso das mercadorias que trocam de lugar com o dinheiro. Elas se classificam em meios de produção e força de trabalho, em fatores objetivos e fatores pessoais da produção de mercadorias. A especificação desses fatores tem, naturalmente, de corresponder ao tipo de artigo a produzir. Chamemos de F a força de trabalho e de Mp os meios de produção; desse modo, a soma das mercadorias a comprar se representa por M = F + Mp, ou, mais concisamente, por $M<^{F}_{Mp}$. D-M, pelo conteúdo, se configura, portanto, em $D\text{-}M<^{F}_{Mp}$, isto é, D-M decompõe-se em D-F e D-Mp; a soma em dinheiro D divide-se em duas partes, uma que compra força de trabalho e outra que adquire meios de produção. Temos assim duas séries de compras que pertencem a mercados inteiramente diversos, uma ao mercado de mercadorias propriamente dito e a outra ao mercado de trabalho.

A fórmula $D\text{-}M<^{F}_{Mp}$ configura não só essa bifurcação qualitativa da soma de mercadorias a que se converte D, mas também uma relação quantitativa de alta significação.

Já vimos que o valor, ou seja, o preço, da força de trabalho vendida pelo seu detentor como mercadoria é pago sob a forma de salário, isto é, como o preço de uma soma de trabalho que contém trabalho excedente. Desse modo, se o valor da jornada da força de trabalho = 3 marcos, produto de 5 horas de trabalho, figura essa quantia no contrato entre comprador e vendedor como o preço ou salário, digamos, de 10 horas de trabalho. Se esse contrato é feito, por exemplo, com 50 trabalhadores, terão eles, durante uma jornada, de fornecer conjuntamente ao comprador 500 horas de trabalho, das quais a metade consiste em trabalho excedente, 250 horas de trabalho = 25 jornadas de 10 horas. A quantidade e o tamanho dos meios de produção a comprar têm de ser adequados ao emprego dessa massa de trabalho.

$D\text{-}M<^{F}_{Mp}$ expressa não só a relação qualitativa observada quando uma soma fixa de dinheiro, digamos 422 libras esterlinas, se converte em meios de produção e em força de trabalho mutuamente correspondentes, mas também uma relação quantitativa entre as duas partes do dinheiro, uma desembolsada em força de trabalho F e outra em meios de produção Mp. Esta última relação é determinada, antes de tudo, pela soma do trabalho excedente a ser despendido por um número fixo de trabalhadores.

Desse modo, supondo-se que seja de 50 libras esterlinas o salário semanal de 50 trabalhadores numa fiação, terão de ser gastas em meios de produção 372 libras, caso esta quantia seja o valor dos meios de produção que são convertidos em fio pelo trabalho semanal de 3.000 horas, das quais 1.500 constituem trabalho excedente.

Não se trata aqui de determinar o acréscimo de valor em cada ramo, decorrente do emprego de trabalho excedente. O que importa é que, em quaisquer circunstâncias, a parte do dinheiro gasta em meios de produção e, por consequência, os meios de produção comprados na operação D-Mp sejam suficientes, tenham sido obtidos, mediante prévio cálculo, nas proporções adequadas. Em outras palavras: o volume dos meios de produção tem de ser suficiente para absorver a massa de trabalho que os transforma em Produto. Se não houver meios de produção bastantes, não se poderá empregar o trabalho excedente de que dispõe o comprador; de nada serve seu direito de dispor. E os meios de produção que excederem o trabalho disponível não serão objeto de trabalho, não se transformarão em produto.

Efetuada a operação $D\text{-}M<^{F}_{Mp}$, o comprador não passa a contar apenas com os meios de produção e a força de trabalho necessários para produzir um artigo útil. Tem a possibilidade de mobilizar força de trabalho ou de empregar trabalho em quantidade maior que a necessária para substituir o valor da força de trabalho, ao mesmo tempo que dispõe dos meios de produção exigidos para corporificar ou materializar essa quantidade maior de trabalho; enfim, dispõe de fatores para produzir artigos de valor superior ao dos elementos que concorrem para sua produção, isto é, para produzir uma massa de mercadorias que contém mais-valia. O valor adiantado sob a forma dinheiro encontra-se agora na forma natural em que pode ser materializado em valor (na figura de mercadorias) que rende mais-valia. Em outras palavras: o valor encontra-se na situação ou na forma de capital produtivo, o capital capaz de produzir valor e mais-valia. Chamamos de P o capital sob essa forma.

Mas o valor de P = valor de F + Mp = D, que se converteu em F e Mp. D tem o mesmo valor de P, embora com modo de existência diverso, a saber, o de valor-capital em dinheiro ou sob a forma dinheiro, o de *capital-dinheiro.*

Por isso, $D\text{-}M<^{F}_{Mp}$, cuja forma geral é D-M, soma de compras de mercadorias, essa ocorrência da circulação geral de mercadorias é, ao mesmo tempo, como estádio do processo cíclico do capital, transformação do valor-capital, que passa da forma dinheiro para a forma produtiva, ou, concisamente, conversão de *capital-dinheiro* em *capital produtivo.* Na figura do ciclo que ora examinamos, o dinheiro aparece como o primeiro representante do valor-capital e, por isso, o capital-dinheiro como a forma em que o capital é adiantado.

Nessa forma, encontra-se o capital em situação em que pode realizar as funções de dinheiro como as desempenhadas no presente caso, a saber, a de meio geral de compra e a de meio geral de pagamento (esta última ocorre quando a força de trabalho, embora comprada, só é paga depois de ter operado. Quando os meios de produção não se encontram prontos no mercado, mas têm ainda de ser encomendados, o dinheiro funciona também como meio de pagamento em D-Mp). Esse poder não decorre de ser o capital-dinheiro capital, mas de ser dinheiro.

Por outro lado, o valor-capital, na condição de dinheiro, só pode desempenhar as funções de dinheiro, e mais nenhuma outra. O que faz delas funções de capital é o papel definido que possuem no movimento do capital e, por consequência, a conexão que liga o estádio em que elas aparecem com os outros estádios do ciclo do capital. No presente caso, o dinheiro se converte em mercadorias cuja combinação constitui a forma natural do capital produtivo, a qual, de maneira latente, potencial, já encerra o resultado do processo capitalista de produção.

Do dinheiro que executa o papel de capital-dinheiro em $\text{D-M}<^{\text{F}}_{\text{Mp}}$, uma parte, para completar a circulação, passa a desempenhar uma função em que desaparece seu caráter de capital e permanece seu caráter de dinheiro. A circulação do capital-dinheiro D decompõe-se em D-Mp e D-F, compra de meios de produção e compra de força de trabalho. Observemos em si mesma a última ocorrência. Do lado do capitalista, D-F é compra de força de trabalho; do lado do trabalhador, do detentor da força de trabalho, é venda da força de trabalho, podemos dizer, de trabalho, uma vez que estamos supondo a forma salário. O que neste caso é, para o comprador, D-M (= D-F), como em qualquer compra, é para o vendedor (o trabalhador), F-D (= M-D), venda de sua força de trabalho. Tal é o primeiro estádio da circulação ou a primeira metamorfose da mercadoria (Livro 1, Capítulo III, 2a); do lado do vendedor do trabalho, é transformação de sua mercadoria na forma dinheiro dela. O dinheiro assim recebido, gasta-o o trabalhador, pouco a pouco, numa soma de mercadorias que satisfazem a suas necessidades, os artigos de consumo. A circulação completa de sua mercadoria configura-se, portanto, em F-D-M, isto é, primeiro em F-D (= M-D) e segundo em D-M, de acordo com a forma geral da circulação simples das mercadorias M-D-M, em que o dinheiro se patenteia simples meio transitório de circulação, mero intermediário da troca de mercadoria contra mercadoria.

D-F é o fator que caracteriza a transformação do capital-dinheiro em capital produtivo, por ser a condição essencial para que o valor adiantado sob a forma dinheiro se transforme realmente em capital, em valor que produz mais-valia. D-Mp só é necessário para corporificar a massa de trabalho comprada por D-F. Foi sob esse ponto de vista que analisamos D-F no Livro 1, Segunda Seção: transformação de dinheiro em capital. Temos agora de observar o assunto sob outro aspecto, focalizando especialmente o capital-dinheiro como forma em que o capital aparece.

Geralmente, considera-se D-F característica do modo capitalista de produção. Mas não pelo fundamento apresentado, o de ser a compra da força de trabalho um contrato em que se estipula o fornecimento de quantidade de trabalho maior que a necessária para repor o preço da força de trabalho, o salário; fornecimento, portanto, de trabalho excedente, condição básica para capitalizar o valor adiantado, ou seja, para produzir mais-valia. Alega-se outra razão: a forma de D-F, pois sob a forma de salário compra-se trabalho com *dinheiro*, o que se reputa cunho característico da economia monetária.

Mais uma vez, não se considera característico o que a forma tem de irracional e, por cima, ainda se omite essa irracionalidade, que consiste no seguinte: o trabalho, como elemento que gera valor, não pode possuir valor; determinada quantidade de trabalho, portanto, não pode ter valor que se expresse em seu preço, em sua equivalência com determinada quantidade de dinheiro. Mas sabemos que o salário é apenas uma forma dissimulante em que, por exemplo, o preço diário da força de trabalho se apresenta como preço do trabalho por ela realizado durante uma jornada, de modo que o valor produzido por essa força em 6 horas de trabalho se exprime como valor de seu funcionamento ou do trabalho durante 12 horas.

D-F passa por característica, por marca distintiva da economia monetária, porque o trabalho aparece aí como mercadoria de seu possuidor e o dinheiro, como comprador – em virtude, portanto, da relação monetária (compra e venda de atividade humana). Mas o dinheiro já aparecia em tempos remotos como comprador dos chamados serviços, sem que D se transformasse em capital-dinheiro ou sem que mudasse o caráter geral da economia.

Não importa ao dinheiro a espécie de mercadoria em que se converte. Ele é a forma equivalente geral de todas as mercadorias, que, com os preços, indicam que representam idealmente determinada soma de dinheiro e esperam sua transformação em dinheiro. Ao serem trocadas por dinheiro, recebem a forma em que são transformáveis em valores de uso para seus possuidores. Quando o possuidor da força de trabalho leva-a ao mercado como mercadoria e a vende de acordo com a forma com que se paga trabalho, configurada no salário, essa compra e venda em nada se distingue da compra e venda de qualquer outra mercadoria. O característico não é que a mercadoria força de trabalho seja comprável, e sim que a força de trabalho apareça como mercadoria.

Por meio de $D\text{-}M<^{F}_{Mp}$, transformação do capital-dinheiro em capital produtivo, efetua o capitalista a combinação dos fatores materiais e dos fatores pessoais da produção, desde que esses fatores consistam em mercadorias. Se é a primeira vez que o dinheiro se transforma em capital produtivo ou funciona como capital-dinheiro para seu possuidor, tem este de comprar meios de produção, edifícios, máquinas etc., antes de adquirir força de trabalho, pois, quando esta passa ao domínio dele, já devem estar presentes meios de produção que permitam empregá-la.

A situação assim se apresenta do lado do capitalista.

Para o trabalhador, a função produtiva de sua força de trabalho só se torna possível a partir do momento em que, em virtude da venda, ela é posta em combinação com os meios de produção. Antes de ser vendida, ela existe, portanto, dissociada dos meios de produção, das condições objetivas de sua função. Nesse estado de separação, não pode ser empregada diretamente para produzir valores de uso para seu possuidor, nem para produzir mercadorias de cuja venda pudesse ele viver. Logo que é posta, com sua venda, em combinação com os meios de produção, constitui parte componente do capital produtivo do comprador dela, do mesmo modo que os meios de produção.

Embora, na operação D-F, o possuidor do dinheiro e o possuidor da força de trabalho se comportem reciprocamente como comprador e vendedor, se confrontem como possuidor do dinheiro e possuidor da mercadoria –, encontrando-se, sob esse aspecto, em relação puramente monetária –, o comprador se revela então, antes de tudo, possuidor dos meios de produção que constituem as condições objetivas do dispêndio produtivo da força de trabalho. Em outras palavras: esses meios de produção confrontam o possuidor da força de trabalho como propriedade de outrem. Por outro lado, o vendedor do trabalho apresenta-se perante o comprador como força de trabalho alheia que tem de passar a seu domínio, de incorporar-se a seu capital, a fim de que este funcione realmente como capital produtivo. Já existe, portanto, já se dá por suposta a relação de classe entre capitalista e assalariado, no momento em que ambos se defrontam na operação D-F (F-D, para o trabalhador). Trata-se de compra e venda, de relação monetária, mas de uma compra e venda que tem por pressupostos o comprador como capitalista e o vendedor como assalariado, e essa relação se estabelece quando as condições para a materialização da força de trabalho, os meios de subsistência e os meios de produção, estão separadas do detentor da força de trabalho, como propriedade alheia.

Não trataremos agora do processo como se operou essa dissociação. Ela existe quando se efetua D-F. O que importa agora é o seguinte: se D-F aparece como uma função do capital-dinheiro, ou o dinheiro como forma de existência do capital, não é por simplesmente apresentar-se o dinheiro como meio de pagamento de uma atividade humana cujo efeito é útil, de um serviço; não é, portanto, em virtude da função do dinheiro como meio de pagamento. O dinheiro só pode ser gasto sob essa forma por estar a força de trabalho dissociada de seus meios de produção (inclusive dos meios de subsistência, os meios de produção da própria força de trabalho); por essa dissociação só ser suprimida quando a força de trabalho se vende ao detentor dos meios de produção; por pertencer ao comprador, portanto, a operação da força de trabalho e os limites dessa operação de modo nenhum coincidirem com os limites da massa de trabalho necessária para reproduzir o preço dessa força. A relação de capital apenas surge durante o processo de produção porque ela já existe no ato de circulação, nas condições econômicas fundamentalmente diversas em que se defrontam comprador e vendedor, em sua relação de classe. Não é o dinheiro que, por sua natureza, estabelece essa relação; é antes a existência dessa relação que pode transmutar uma simples função monetária numa função de capital.

Comumente, dois erros correm paralelos ou se fundem no modo de ver o capital-dinheiro (por ora, só nos interessa a função em que ele aparece aqui). Primeiro: as funções desempenhadas pelo valor-capital, as quais ele pode desempenhar por se encontrar sob a forma dinheiro, são erroneamente atribuídas à sua condição de capital, quando apenas decorrem do estado monetário do valor-capital, da forma dinheiro em que aparece.

Segundo: inversamente, o teor específico da função monetária, o qual faz dela ao mesmo tempo uma função de capital, é derivado da natureza do dinheiro, confundindo-se dinheiro com capital, quando ela tem por pressupostos condições sociais, como no caso da operação D-F, as quais não estão subentendidas na circulação simples de mercadorias nem na correspondente circulação do dinheiro.

A compra e venda de escravos é também, na sua forma, compra e venda de mercadorias. Mas, se não existe a escravatura, o dinheiro não pode desempenhar essa função. Se a escravatura existe, o dinheiro pode ser empregado na aquisição de escravos. Reciprocamente, o dinheiro nas mãos do comprador não basta para possibilitar a escravatura.

A venda da própria força de trabalho, sob a forma de venda do próprio trabalho, ou seja, de salário, aparece não mais como fenômeno isolado, mas como norma socialmente dominante da produção de mercadorias, e o capital-dinheiro desempenha em escala social a função aqui observada de $D\text{-}M<^{F}_{Mp}$. Isto pressupõe processos históricos que dissociaram a combinação primitiva dos meios de produção com a força de trabalho; processos que levaram a massa do povo, os trabalhadores, os não proprietários, a se defrontarem com os não trabalhadores, os proprietários desses meios de produção. Não importa a forma que essa combinação possuía antes de ser dissolvida, se o próprio trabalhador era apenas um meio de produção dentre outros ou se era o proprietário desses meios.

A realidade subjacente à operação $D\text{-}M<^{F}_{Mp}$ é a distribuição; não a distribuição no sentido usual, relativa aos bens de consumo, mas a dos elementos da própria produção, dos quais os fatores objetivos se concentram de um lado e, do outro, a força de trabalho deles isolada.

Os meios de produção, a parte objetiva do capital produtivo, já devem antes defrontar o trabalhador como tais, como capital, para que a operação D-F possa tornar-se um ato social de caráter geral.

Já vimos que a produção capitalista,[I] uma vez estabelecida, em seu desenvolvimento não só reproduz essa dissociação, mas também a amplia cada vez mais até tornar-se o sistema social dominante. Mas há outro aspecto a considerar. Para o capital poder formar-se e apoderar-se da produção, é necessário certo nível de desenvolvimento do comércio, portanto da circulação e da produção de mercadorias; pois os artigos não podem entrar como mercadorias na circulação se não forem produzidos para a venda, como mercadorias.

I Ver Livro 1, Sétima Seção, pp. 611 a 831.

Mas a produção de mercadorias só se torna o sistema normal, dominante, na base da produção capitalista.

Os proprietários de terra russos, que, em virtude da chamada emancipação dos camponeses, exploram agora seus domínios com assalariados que substituíram os servos sujeitos a trabalhos forçados, formulam duas queixas. A primeira refere-se à escassez de capital-dinheiro. Antes de vender a colheita, dizem eles, é necessário pagar grande número de assalariados, e para isso falta a condição primordial, dinheiro efetivo. Para movimentar a produção em base capitalista, é mister que capital, sob a forma de dinheiro, esteja sempre presente, justamente para pagar os salários. Mas os proprietários de terras podem consolar-se. Depois de certo tempo, colhem-se rosas e o capitalista industrial[I] dispõe não só de seu próprio dinheiro, mas do alheio.

A segunda queixa é mais significativa. Mesmo com dinheiro, não se acharão forças de trabalho disponíveis para comprar em quantidade suficiente e no momento oportuno, enquanto o camponês russo, que dispõe ainda da propriedade comunal da aldeia, não for totalmente dissociado de seus meios de produção, não for, portanto, um "trabalhador livre" em toda a extensão da palavra. Mas a existência desse trabalhador livre em escala social é condição imprescindível para que D-M, transformação de dinheiro em mercadoria, possa configurar-se em transformação de capital-dinheiro em capital produtivo.

É evidente que a fórmula do ciclo do capital-dinheiro, D-M...P...M'-D', é a forma natural do ciclo do capital apenas na base da produção capitalista já desenvolvida, pois ela tem por pressuposto a existência da classe assalariada em escala social. Como vimos, a produção capitalista não produz apenas mercadoria e mais-valia; ela reproduz, em amplitude cada vez maior, a classe dos assalariados e transforma a imensa maioria dos produtores diretos em assalariados. D-M...P...M'-D', tendo por condição primordial de seu curso a existência permanente da classe assalariada, já pressupõe, por isso, o capital sob a forma de capital produtivo e, portanto, a forma do ciclo do capital produtivo.

2. SEGUNDO ESTÁDIO: FUNÇÃO DO CAPITAL PRODUTIVO

O ciclo do capital até agora observado começa com o ato de circulação D-M, transformação de dinheiro em mercadoria, compra. A circulação tem, portanto, de completar-se com a metamorfose oposta M-D, transformação de mercadoria em dinheiro, venda.

I A expressão *capitalista industrial* abrange também o capitalista que explora empresa agrícola.

Mas o resultado imediato de $D\text{-}M<^{F}_{Mp}$ é interromper-se a circulação do valor-capital adiantado sob a forma dinheiro. Ao transformar-se o capital-dinheiro em capital produtivo, o valor-capital assume uma forma natural em que não pode continuar a circular, mas tem de destinar-se ao consumo, ao consumo produtivo. O uso da força de trabalho, o trabalho, só pode concretizar-se no processo de trabalho. O capitalista não pode revender o trabalhador como mercadoria, uma vez que este não é seu escravo, e ele nada mais comprou que a utilização da força de trabalho por determinado tempo. Por outro lado, o capitalista só pode utilizar a força de trabalho se esta lhe permite empregar os meios de produção para gerar as mercadorias. O resultado do primeiro estádio é, portanto, a entrada no segundo, o estádio produtivo do capital.

O movimento configura-se em $D\text{-}M<^{F}_{Mp}\ldots P$, onde os pontos significam que o capital teve a circulação interrompida, mas prossegue em seu processo cíclico, passando da esfera da circulação de mercadorias para a esfera da produção. O primeiro estádio, transformação do capital-dinheiro em capital produtivo, aparece, portanto, como a fase precursora e introdutória do segundo, o estádio de funcionamento do capital produtivo.

O ato $D\text{-}M<^{F}_{Mp}$ supõe que o indivíduo que vai realizá-lo dispõe de valores não simplesmente numa forma de uso qualquer, mas na forma dinheiro; que ele é possuidor de dinheiro. O ato, porém, consiste precisamente na cessão do dinheiro, e o indivíduo só pode continuar sendo possuidor de dinheiro se o próprio ato de cessão implicar a volta do dinheiro às suas mãos. O dinheiro só volta às suas mãos com a venda de mercadorias. O ato, por isso, pressupõe que ele seja produtor de mercadorias.

D-F. O assalariado vive apenas da venda da força de trabalho. A manutenção desta e a conservação dele exigem consumo diário. É mister que os pagamentos ao trabalhador se efetuem em prazos bem curtos, a fim de que possa renovar as compras necessárias a seu sustento, através da operação FD-M ou M-D-M. Perante ele, tem o capitalista, portanto, de desempenhar constantemente o papel de capitalista de dinheiro, e seu capital, a função de capital-dinheiro. Mas, a fim de que a massa dos produtores imediatos, dos assalariados, possa realizar a operação F-D-M, é necessário que ela encontre à venda os meios de subsistência necessários, isto é, sob a forma de mercadoria. Essa situação já exige um estágio adiantado da circulação dos produtos como mercadoria, uma grande amplitude da produção de mercadorias. Quando a produção por meio de trabalho assalariado se torna geral, a produção de mercadorias tem de ser a forma geral da produção. Se ela é a forma geral, determina por sua vez uma divisão cada vez maior do trabalho social, isto é, uma especialização progressiva do produto que é produzido como mercadoria de determinado capitalista, uma dissociação cada vez mais acentuada de processos complementares que se tornam autônomos. D-Mp desenvolve-se na mesma escala de D-F; na mesma amplitude, separa-se a produção dos meios de produção daquela da mercadoria de que são os meios de produção. Estes são oferecidos como mercadorias a todo produtor de mercadoria que não os produz, mas os compra como elementos de seu próprio processo de produção. Provêm de ramos de produção autônomos, inteiramente separados desse produtor, e penetram em seu ramo de produção como mercadorias, tendo de ser comprados. As condições objetivas da produção de mercadorias se oferecem a ele, em proporção cada vez maior, como produtos de outros produtores de mercadorias, como mercadorias. Na mesma amplitude, tem o capitalista de apresentar-se como capitalista de dinheiro, isto é, aumenta a escala em que seu capital tem de funcionar como capital-dinheiro.

As mesmas circunstâncias que produzem a condição fundamental da produção capitalista, a existência de uma classe assalariada, exigem a transição de toda a produção de mercadorias para a produção capitalista de mercadorias. Esta, na medida em que se desenvolve, decompõe e dissolve as velhas formas de produção, voltadas de preferência para a subsistência imediata e que só transformam em mercadoria o excedente da produção. Ela faz com que a venda do produto se torne o interesse principal, aparentemente sem atacar, de início, o modo de produção existente, conforme procedeu o comércio mundial capitalista com povos como os chineses, hindus, árabes etc. Mas, depois, quando cria raízes, destrói todas as formas de produção de mercadorias que se baseiam no trabalho próprio dos produtores ou apenas na venda do excedente da produção como mercadoria. Começa generalizando a produção de mercadorias e, em seguida, transforma progressivamente em capitalista toda a produção de mercadorias.[3]

Quaisquer que sejam as formas sociais da produção, os trabalhadores e os meios de produção são sempre os seus fatores. Entretanto, quando separados uns dos outros, só o são potencialmente. Para haver produção é mister que eles se combinem. O modo em que se efetua essa combinação

3 Até aqui, manuscrito VII. Daqui em diante, manuscrito VI.

distingue as diversas épocas econômicas da estrutura social. O ponto de partida no presente caso é a dissociação entre o trabalhador livre e seus meios de produção, e vimos como e sob que condições esses fatores se associam nas mãos do capitalista, como modo produtivo de existência de seu capital. O processo que os fatores pessoais e materiais da mercadoria, assim reunidos, levam efetivamente a cabo, o processo de produção, torna-se ele mesmo uma função do capital, o processo capitalista de produção, cuja natureza foi objeto de longa exposição no Livro 1. Todo empreendimento de produção de mercadorias se torna ao mesmo tempo empreendimento de exploração de força de trabalho. Entretanto, só a produção capitalista de mercadorias se torna um modo de exploração que marca uma nova era e que, em seu desenvolvimento histórico, através da organização do processo de trabalho e dos gigantescos progressos da técnica, revoluciona toda a estrutura econômica da sociedade e ultrapassa incomparavelmente todos os períodos anteriores.

Em virtude dos papéis diversos que desempenham, durante o processo de produção, na formação do valor e, portanto, na produção de mais-valia, os meios de produção e a força de trabalho, enquanto formas de existência do valor-capital adiantado, se distinguem como capital constante e capital variável. Como partes diferentes do capital produtivo, distinguem-se ainda porque os primeiros, em mãos do capitalista, continuam sendo seu capital mesmo fora do processo de produção, quando a força de trabalho apenas dentro desse processo se torna a forma de existência de um capital individual. Se a força de trabalho só é mercadoria em poder de seu vendedor, o assalariado, ela só se torna capital em mãos de seu comprador, o capitalista, a quem cabe transitoriamente utilizá-la. Os próprios meios de produção só se tornam figuras materiais do capital produtivo ou capital produtivo a partir do momento em que lhes pode ser incorporada a força de trabalho, como forma de existência pessoal desse capital. A força de trabalho humana não é, por natureza, capital, nem tampouco os meios de produção. Só adquirem esse caráter social específico em determinadas condições, historicamente desenvolvidas, também indispensáveis para se imprimir aos metais preciosos o caráter de dinheiro ou ao dinheiro o caráter de capital-dinheiro.

Quando funciona, o capital produtivo consome suas partes componentes, a fim de transformá-las em massa de produtos de maior valor. Operando a força de trabalho como um dos seus órgãos, é também fruto do capital o excedente do valor do produto (gerado pelo trabalho excedente dessa força) acima do valor dos elementos constitutivos do produto. O trabalho excedente da força de trabalho é o trabalho gratuito para o capital e constitui, por isso, a mais-valia do capitalista, um valor que não lhe custa nenhum equivalente. O produto, portanto, não é apenas mercadoria e sim mercadoria enriquecida de mais-valia. Seu valor é = P + m, igual ao valor do capital produtivo P consumido em sua elaboração mais a mais-valia m que esse capital produziu. Suponhamos que essa mercadoria seja 10.000 libras-peso de fio em cuja fabricação se consumiram meios de produção no valor de 372 libras esterlinas e força de trabalho no valor de 50 libras esterlinas. Durante o processo de fiação, os fiandeiros transferiram ao fio o valor dos meios de produção consumidos por seu trabalho, no montante de 372 libras esterlinas, e, de acordo com seu dispêndio de trabalho, realizaram um valor novo, digamos de 128 libras. As 10.000 libras-peso são, por conseguinte, portadoras de um valor de 500 libras esterlinas.

3. TERCEIRO ESTÁDIO: M'-D'

A mercadoria torna-se *capital-mercadoria* por ser a forma de existência funcional do valor-capital já acrescido de mais-valia, forma que deriva diretamente do próprio processo de produção. Se a produção de mercadorias fosse empreendida, em toda a amplitude social, segundo o modo capitalista, toda mercadoria seria, de nascença, elemento de um capital-mercadoria, consistisse ela em ferro fundido ou rendas de Bruxelas, ácido sulfúrico ou cigarros. O problema de saber que espécies de mercadorias, por sua natureza, estão destinadas a desempenhar o papel de capital e quais as que devem ser apenas mercadorias é um dos inefáveis tormentos com que se martiriza a economia escolástica.

Sob forma de mercadoria, tem o capital de exercer função de mercadoria. Os artigos que o constituem, produzidos em sua origem para o mercado, têm de ser vendidos, transformados em dinheiro, de realizar, portanto, o movimento M-D.

Seja a mercadoria do capitalista 10.000 libras-peso de fio de algodão. Se no processo de fiação foram consumidos meios de produção no valor de 372 libras esterlinas e criado um novo valor de 128, tem o fio um valor de 500 libras esterlinas, quantia em que expressa seu preço. Admitamos que esse preço se realize com a venda M-D. Que é que faz que essa simples ocorrência de circulação de mercadoria seja, ao mesmo tempo, função de capital? Nenhuma mudança que nela se opere, nem com relação à natureza da utilidade da mercadoria, pois como objeto de uso passa às mãos do comprador, nem com relação a seu valor, pois este não experimenta nenhuma variação de magnitude, mas apenas de forma. Existia antes em fio, existe agora em dinheiro. Sobressai assim uma diferença essencial entre o primeiro estádio D-M e o último estádio M-D. Naquele, o dinheiro adiantado funciona como capital porque, através da circulação, se converte em mercadorias de valor de uso específico; neste, a mercadoria só pode funcionar como capital se o processo de produção já lhe imprimiu esse caráter antes de ela entrar em circulação. Durante o processo de fiação, os fiandeiros criaram um valor em fio de 128 libras esterlinas. Dessa quantia, digamos 50 libras esterlinas constituem mero equivalente da despesa feita pelo capitalista em força de trabalho e 78 libras esterlinas – o que supõe ser de 156% o grau de exploração da força de trabalho – representam mais-valia. O valor das 10.000 libras-peso de fio contém o valor do capital produtivo consumido P, do qual a parte constante = 372 libras esterlinas, a variável = 50 libras esterlinas, sua soma = 422 libras esterlinas = 8.440 libras-peso de fio. Mas o valor do capital produtivo é = M, o valor de seus elementos constitutivos, os quais no estádio D-M o capitalista encontrara como mercadorias em mãos de seus vendedores. Mas, além disso, contém o valor do fio mais-valia de 78 libras esterlinas = 1.560 libras-peso de fio. Expresso por M, o valor das 10.000 libras-peso é portanto = M + ΔM, M mais um incremento de M (= 78 libras esterlinas), o qual chamaremos de μ,[I] pois existe juntamente com o valor primitivo M sob a mesma forma de mercadoria. O valor das 10.000 libras-peso de fio = 500 libras esterlinas é portanto = M + μ = M'. O que faz de M M', ao expressar o valor das 10.000 libras-peso de fio, não é a magnitude absoluta do valor (500 libras esterlinas), pois essa magnitude, como ocorre em qualquer outro M que expresse o valor de qualquer outra soma de mercadorias, é determinada pela magnitude do trabalho que nela se objetivou. E a magnitude relativa do valor, isto é, a grandeza do valor da mercadoria comparada com o valor do capital P consumido em sua produção. Este valor está nela contido, acrescido da mais-valia fornecida pelo capital produtivo. O valor do capital é ultrapassado, excedido, e o valor excedente é constituído por μ. As 10.000 libras-peso de fio são portadoras de valor-capital valorizado, enriquecido de mais-valia,

I Atenção: distinguir m = mais-valia de μ. = mais-valia sob a forma de mercadoria = ΔM.

como produto do processo capitalista de produção. M' expressa uma relação de valor, a relação que o valor do produto mercadoria tem com o valor do capital despendido em sua produção, portanto a composição de seu próprio valor, constituído de valor-capital e mais-valia. As 10.000 libras-peso de fio só são capital-mercadoria, M', enquanto forma transmutada do capital produtivo P, portanto, numa conexão que, à primeira vista, só existe no ciclo desse capital individual, ou para o capitalista que produziu o fio com seu capital. É, por assim dizer, uma relação apenas interna e não externa, a que converte as 10.000 libras-peso de fio, como portadoras de valor, em capital-mercadoria; a marca capitalista que elas trazem não está na magnitude absoluta de seu valor, mas na relativa, isto é, comparada com a grandeza do valor que o capital produtivo nelas contido possuía antes de transformar-se em mercadoria. Por isso, se as 10.000 libras-peso de fio forem vendidas pelo seu valor de 500 libras, esse ato de circulação, considerado em si mesmo, é M-D, mera passagem de um valor determinado da forma mercadoria para a forma dinheiro. Mas, o mesmo ato, como estádio especial do ciclo de um capital individual, é a realização do valor-capital encerrado na mercadoria, 422 libras esterlinas, e da mais-valia nela contida, 78 libras esterlinas; é, portanto, M'-D', transformação do capital-mercadoria que deixa a forma mercadoria para assumir a forma dinheiro.[4]

A função de M' é então a de todo produto-mercadoria: converter-se em dinheiro, ser vendido, percorrer a fase de circulação M-D. Enquanto o capital ora valorizado conserva a forma de capital-mercadoria, permanece no mercado, paralisa-se o processo de produção. Deixa de funcionar na criação de produtos e na criação de valor. Segundo a rapidez com que o capital abandona a forma mercadoria e assume a forma dinheiro, ou conforme a velocidade da venda, servirá o mesmo valor-capital, em graus muito diferentes, para criar produto e para criar valor e a escala de reprodução ampliar-se-á ou reduzir-se-á. No Livro 1, vimos que o rendimento de um capital dado depende de potências do processo de produção, independentes até certo ponto da grandeza de seu próprio valor.[I] Aqui, veremos que o processo de circulação põe em movimento novas potências que concorrem para o rendimento, a expansão e a contração do capital e não dependem da magnitude deste.

---

4 Até aqui, manuscrito VI. Daqui em diante, manuscrito V.

I Ver Livro 1, pp. 654-658.

A massa de mercadorias M', representando o capital valorizado, tem de passar, completamente, pela metamorfose M'-D'. A quantidade vendida é aqui fator essencial. Cada unidade representa apenas parte integrante da massa global de mercadorias. O valor de 500 libras existe em 10.000 libras-peso de fio. Se o capitalista só consegue vender 7.440 libras-peso pelo valor de 372 libras esterlinas, só terá reposto o valor de seu capital constante, o valor dos meios de produção consumidos; se vende apenas 8.440 libras-peso: só terá reembolsado o valor do capital total adiantado. Tem de vender mais, para obter mais-valia, e tem de vender todas as 10.000 libras-peso de fio, para realizar toda a mais-valia de 78 libras esterlinas (= 1.560 libras-peso de fio). As 500 libras esterlinas em dinheiro que recebe são apenas um valor igual ao da mercadoria vendida; sua transação, na esfera da circulação, se reduz à simples fórmula M-D. Se tivesse pago aos seus trabalhadores 64 libras esterlinas em vez de 50, sua mais-valia seria de 64 libras esterlinas e não de 78, e o grau de exploração apenas de 100% em vez de 156%; mas o valor de seu fio continuaria sendo o mesmo; só mudaria a relação entre as partes; o ato de circulação M-D continuaria sendo venda de 10.000 libras-peso de fio por 500 libras esterlinas, o seu valor.

M' = M + μ (= 422 libras esterlinas + 78 libras esterlinas). – M é igual ao valor do capital produtivo, e este é igual ao valor de D que foi adiantado em D-M, na compra dos elementos de produção; em nosso exemplo = 422 libras esterlinas. Se a massa de mercadorias é vendida por seu valor, M = 422 libras esterlinas e μ = 78 libras esterlinas, o valor do produto excedente, constituído de 1.560 libras-peso de fio. Chamando-se de d a expressão em dinheiro de *m*, M'-D' = (M + μ) – (D + d), e a forma explicitada do ciclo D-M...P... M'-D', será portanto D-M$<^{F}_{Mp}$...P...(M = μ) – (D + d).

No primeiro estádio, o capitalista retira artigos úteis do mercado de mercadorias propriamente dito e do mercado de trabalho; no terceiro estádio volta ao mercado, para lançar suas mercadorias, mas apenas a um único mercado, o de mercadorias no sentido restrito. Entretanto, se com sua mercadoria retira do mercado mais valor que nele lançou, é apenas porque entrega ao mercado, em mercadorias, maior valor que o valor em mercadorias que antes dele recebeu. Lançou o valor D e recebeu o equivalente M; entrega M + μ e recebe o equivalente D + d. Em nosso exemplo, D tem o mesmo valor de 8.440 libras-peso de fio; mas ele lança ao mercado 10.000 libras-peso; dá-lhe, portanto, valor que supera o que lhe toma. E lança esse valor acrescido apenas porque, através da exploração da força de trabalho, criou mais-valia, valor excedente que se expressa em produto excedente, parte integrante do produto. A massa de mercadorias só é capital-mercadoria por ser produto desse processo, por ser portadora do valor-capital acrescido de mais-valia. Ao efetuar-se a operação M’-D’, realiza-se o valor-capital adiantado e a mais-valia. A realização de ambos se dá através da série de vendas ou da venda única que aliena a massa global de mercadorias, expressa em M’-D’. Mas essa ocorrência da circulação difere para o valor-capital e para a mais-valia, pois representa para cada um deles um estádio diverso de circulação, uma etapa diferente da série de metamorfoses a percorrer na esfera da circulação. Só no processo de produção vem ao mundo μ, a mais-valia. Daí passa pela primeira vez ao mercado de mercadorias e sob a forma de mercadoria; esta é a primeira forma que tem na circulação, e daí ser o ato μ-d seu primeiro ato de circulação ou sua primeira metamorfose, que deve ainda ser completada pelo ato de circulação oposto ou pela metamorfose inversa d-μ.[5]

É diferente o que ocorre com a circulação efetuada pelo valor-capital M no mesmo ato de circulação M’-D’, que para ele é o ato de circulação M-D, em que M = P, igual a D originalmente adiantado. Iniciou seu primeiro ato de circulação como D, como capital-dinheiro, e volta por meio da operação M-D à primeira forma; percorreu portanto ambas as fases opostas da circulação, 1) D-M e 2) M-D, e encontra-se agora na forma em que pode iniciar novamente o mesmo processo cíclico. O que para a mais-valia é conversão da forma mercadoria em forma dinheiro, é para o valor-capital retorno ou reversão à primitiva forma dinheiro.

Com o ato D-M$<^{F}_{Mp}$ transformou-se o capital-dinheiro numa soma de mercadorias de valor igual, F e Mp. Essas mercadorias não funcionam mais como mercadorias, como artigos de venda. Seu valor existe agora nas mãos do comprador, o capitalista, como valor do capital produtivo. Com o funcionamento de P, com o consumo produtivo, são transformadas numa espécie de mercadoria materialmente diversa dos meios de produção, em fio, no qual seu valor é não só conservado, mas aumentado de 422 libras esterlinas para 500. Por meio dessa transformação real, as mercadorias retiradas do mercado no primeiro estádio D-M são substituídas por mer-

5 Não importa o modo como se separem o valor-capital e a mais-valia. Em 10.000 libras-peso de fio há 1.560 libras-peso = 78 libras esterlinas de mais-valia, mas em 1 libra-peso de fio = 1 xelim há 2,496 onças = 1,872 *pence* de mais-valia.

cadoria diversa materialmente e pelo valor, a qual tem de funcionar como mercadoria, de ser transformada em dinheiro, vendida. Assim, o processo de produção se apresenta apenas como interrupção do processo de circulação do capital. Até aí só foi percorrida a primeira fase D-M deste processo, que passa pela fase segunda e final M-D depois que M se transformou materialmente e em seu valor. Quanto ao valor-capital considerado em si mesmo, experimentou ele apenas uma mudança em sua forma de uso, no processo de produção. Existia antes como o valor de 422 libras esterlinas em F e Mp, existe agora como o mesmo valor em 8.440 libras-peso de fio. Observando ambas as fases no processo de circulação do valor-capital, considerado separadamente da mais-valia, verificamos que ele percorre 1) D-M e 2) M-D, possuindo o segundo M uma forma de uso diversa, mas o mesmo valor que o primeiro. Temos aí D-M-D, uma forma de circulação que, ao deslocar a mercadoria duas vezes em sentido oposto, transformando dinheiro em mercadoria e transformando mercadoria em dinheiro, determina necessariamente o regresso do valor adiantado como dinheiro à forma dinheiro, seu retorno a dinheiro.

O mesmo ato de circulação M'-D' que, para o valor-capital adiantado em dinheiro, é a segunda e final metamorfose, retorno à forma dinheiro, é, para a mais-valia, também encerrada no capital-mercadoria e com a venda deste também transformada em dinheiro, primeira metamorfose, conversão da forma mercadoria em forma dinheiro, M-D, primeira fase da circulação.

Importa fazer agora duas observações. Primeira: a volta final do valor-capital à sua primitiva forma dinheiro é uma função do capital-mercadoria. Segunda: essa função abrange a primeira mudança de forma da mais-valia, isto é, de sua forma primitiva de mercadoria para a forma dinheiro. A forma dinheiro desempenha aqui duplo papel; ela é a forma a que regride um valor originalmente adiantado em dinheiro, portanto, volta à forma de valor que iniciou o processo, e, ao mesmo tempo, é a primeira forma transmutada de um valor que penetrou originalmente na circulação sob a forma de mercadoria. Se as mercadorias que constituem o capital-mercadoria são vendidas por seu valor, como se supõe aqui, M + μ se transforma em D + d, de igual valor; sob a forma D + d (422 libras esterlinas + 78 libras esterlinas = 500 libras esterlinas), existe agora nas mãos do capitalista o capital-mercadoria realizado. O valor-capital e a mais-valia se apresentam agora como dinheiro, isto é, sob a forma de equivalente geral.

Ao fim do processo, o valor-capital encontra-se novamente na mesma forma em que nele entrou, podendo reiniciá-lo como capital-dinheiro e novamente percorrê-lo. Justamente porque a forma inicial e a final do processo é a forma do capital-dinheiro, D, chamamos essa forma do processo cíclico de ciclo do capital-dinheiro. No final, o que muda não é a forma, mas a magnitude do valor adiantado.

D + d nada mais é que uma soma de dinheiro de magnitude determinada, em nosso caso, 500 libras esterlinas. Mas esta soma, como resultado do ciclo do capital, como capital-mercadoria realizado, contém o valor-capital e a mais-valia; e estes não estão mais confundidos como no fio; um está ao lado do outro. A realização de ambos deu a cada um forma dinheiro autônoma $\frac{211}{250}$ da soma são valor-capital, 422 libras esterlinas, e $\frac{39}{250}$, mais-valia, 78 libras esterlinas. Essa separação operada com a realização do capital-mercadoria não tem apenas a significação formal de que logo falaremos; ela se torna importante no processo de reprodução do capital, segundo d é juntado total ou parcialmente ou de modo nenhum a D, segundo prossegue ou não funcionando como parte constitutiva do valor-capital adiantado. D e d podem efetuar circulações inteiramente diversas.

Em D', o capital voltou à sua primitiva forma D, a sua forma dinheiro; mas a uma forma em que se realiza como capital.

Há, de início, uma diferença quantitativa. Era D, 422 libras esterlinas; é agora D', 500 libras esterlinas, e essa diferença se exprime em D...D', os extremos quantitativamente diversos do ciclo cujo movimento é indicado pelos pontos... D'>D, D'-D = m, a mais-valia. Mas, como resultado do ciclo D...D', só existe agora D'; é o produto e nele se extinguiu o processo que o formou: D' tem agora existência própria, independente do movimento que lhe deu origem. D' ocupa o lugar do movimento que findou.

Mas D', como D + d – 500 libras esterlinas como 422 de capital adiantado mais um incremento de 78 –, representa ao mesmo tempo uma relação qualitativa, embora essa relação só exista entre as partes de uma soma homogênea, portanto como relação quantitativa. D, o capital adiantado que reaparece em sua forma primitiva, 422 libras esterlinas, é agora capital realizado. Não só se conservou, mas também se realizou como capital, distinguindo-se como tal de d (78 libras esterlinas) que com ele se relaciona como seu *acréscimo*, seu *fruto,* como um incremento por ele mesmo gerado. Realizou-se como capital, isto é, como valor que gerou valor. D' existe como relação de capital; D não mais aparece simplesmente como dinheiro, mas se revelou capital-dinheiro, expresso em valor que se acresceu de mais-valia, possuindo, portanto, a propriedade de valorizar-se, de gerar mais valor que o que tem. D se revelou capital por sua relação com outra parte de D', por ele determinada, gerada por ele como causa, existente como consequência dele. Assim, D' aparece como soma de valor que em si mesma se diferencia, faz distinções funcionalmente (conceitualmente) em si mesma, exprimindo a relação de capital.

Mas o que se expressa aí é apenas resultado sem a mediação do processo donde provém.

Partes de valor como tais não se distinguem qualitativamente uma da outra, exceto quando aparecem como valores de artigos diferentes, de coisas concretas, de formas de uso distintas, isto é, de mercadorias diversas – diferença que não surge delas mesmas como meras partes de valor. No dinheiro, se apagam todas as diferenças das mercadorias, justamente porque ele é a forma equivalente comum delas todas. Uma soma de dinheiro de 500 libras é constituída apenas de elementos que têm um único nome, o de libra esterlina. A mera existência dessa soma de dinheiro não indica mais sua procedência, e desapareceu todo vestígio da diferença específica que distinguia as diversas partes componentes do capital no processo de produção. A distinção só existe agora sob a forma conceitual de uma quantia principal (*principal*, em inglês) e de uma quantia excedente: aquela = capital adiantado de 422 libras esterlinas e esta = 78 libras esterlinas. Admitamos D' = 110 libras esterlinas, das quais 100 = D, o principal, e 10 = m, mais-valia, a quantia excedente. Há absoluta homogeneidade, não se encontrando qualquer distinção conceitual entre as partes que constituem a soma de 110 libras esterlinas. Quaisquer 10 libras esterlinas são sempre $^1/_{11}$ da soma de 110 libras esterlinas, sejam elas $^1/_{10}$ do principal adiantado, de 100 libras, ou sejam elas o excedente de 10 libras sobre esse principal. Quantia principal e quantia adicional, capital e quantia excedente podem ser, portanto, expressos como frações da soma total; em nosso exemplo, $^{10}/_{11}$ constituem a quantia principal ou o capital, e $^1/_{11}$ a quantia excedente. É, portanto, com essa expressão conceitualmente vazia da relação de capital que se apresenta o capital sob forma monetária, realizado no final de seu processo.

O mesmo, por certo, se aplica a M' (= M + μ). Mas com a diferença de que M', embora seus componentes M e μ sejam partes de valor proporcionais da mesma massa homogênea de mercadorias, trai sua origem P, do qual é produto imediato, enquanto D', forma que deriva diretamente da circulação, não tem nenhuma relação direta com P.

A diferença conceitualmente vazia entre quantia principal e quantia adicional, contida em D', enquanto exprime o resultado do movimento D...D', desaparece logo que passa a funcionar como expressão monetária do capital industrial valorizado. O ciclo do capital-dinheiro nunca pode começar com D' (embora D' funcione agora como D), mas somente com D; isto é, nunca como expressão da relação de capital, mas apenas como forma de adiantamento do valor-capital. Ao serem adiantadas as 500 libras esterlinas como capital, a fim de se obter novamente mais-valia, elas são ponto de partida e não mais ponto de chegada. Em vez de um capital de 422 libras esterlinas, foi adiantado agora um capital de 500 libras, mais dinheiro que antes, mais valor-capital, mas desapareceu a relação entre as duas partes componentes, como se tivesse podido funcionar antes como capital a soma de 500 libras esterlinas, e não a de 422 libras esterlinas.

Aparecer como D' não é função ativa do capital-dinheiro, mas de M'. Já na simples circulação de mercadorias, 1) M_1-D, 2) D-M_2, D só tem função ativa no segundo ato, D-M_2; aparecer como D é resultado apenas do primeiro ato, em virtude do qual surge como forma transmutada de M_1. A relação de capital contida em D', a relação entre suas duas partes, o valor-capital e o valor acrescido, adquire certamente significação funcional quando D', com a repetição constante do ciclo D...D', bifurca-se em duas circulações, a do capital e a da mais-valia, passando ambas as partes, D e d, a desempenhar funções diversas quantitativa e qualitativamente. Considerada em si mesma, a forma D...D' não abrange o consumo do capitalista, e sim expressa exclusivamente a valorização e a acumulação do capital, esta última quando se apresenta no acréscimo periódico do capital-dinheiro que constantemente é de novo adiantado.

Embora forma conceitualmente vazia do capital, D' = D + d é, ao mesmo tempo, capital-dinheiro em sua forma realizada, como dinheiro que gerou dinheiro. Mas é mister não confundir esta função com a do capital-dinheiro no primeiro estádio $D\text{-}M<^{F}_{Mp}$. Neste, D circula como dinheiro. Só funciona como capital-dinheiro porque, em sua condição de dinheiro, pode desempenhar uma função monetária, converter-se nos elementos de P, F e Mp, que a ele se apresentam como mercadorias. Nesse ato de circulação funciona apenas como dinheiro; mas esse ato, sendo o primeiro estádio do processo do valor-capital, é, ao mesmo tempo, função do capital-dinheiro, em virtude da forma específica do uso das mercadorias F e MP, que são compradas. Já D', composto de D, o valor-capital e da mais-valia por este produzida, d, expressa o valor-capital aumentado, o fim e o resultado, a função de todo o processo cíclico do capital. Exprime esse resultado sob a forma dinheiro, como capital realizado, não por ser a forma dinheiro do capital, capital-*dinheiro*, e sim por ser *capital*-dinheiro, capital sob a forma dinheiro, e por ter o capital iniciado o processo sob essa forma, ter sido adiantado sob a forma dinheiro. Conforme vimos, o retorno à forma dinheiro é uma função do capital-mercadoria M', e não do capital-dinheiro. A diferença entre D' e D é apenas d, a forma dinheiro de μ, o incremento de M; D' só é igual a D + d porque M' era igual a M + μ. Essa diferença e a relação entre o valor-capital e a mais-valia por ele gerada já se encontram e se expressam em M', antes de se transformarem em D', numa soma de dinheiro em que ambas as partes do valor ficam independentes uma da outra, podendo ser aplicadas em funções autônomas e distintas.

D' é apenas o resultado da realização de M'. Ambos, M' e D', não passam de formas diversas, a forma mercadoria e a forma dinheiro, do valor-capital aumentado; ambos têm a propriedade comum de ser valor-capital aumentado. Ambos são capital realizado, porque o valor-capital aí existe como tal junto com a mais-valia como fruto dele diverso, por ele obtido, embora essa relação só se expresse sob a forma conceitualmente vazia de relação entre duas partes de uma soma em dinheiro ou de um valor em mercadoria. Como expressões do capital em relação com a mais-valia por ele produzida e em contraste com esta, como expressões, portanto, do valor acrescido, D' e M' são a mesma coisa, expressam a mesma coisa, apenas de forma diferente; distinguem-se não como capital-dinheiro e capital-mercadoria, mas como dinheiro e mercadoria. Quando representam valor acrescido, capital que serviu de capital, expressam apenas o resultado da função do capital produtivo, a única função em que o valor-capital gera valor. Ambos, o capital-dinheiro e o capital-mercadoria, têm de comum serem modos de existência do capital. Um é capital sob a forma dinheiro; o outro, sob a forma mercadoria. As funções específicas que os distinguem não podem ser outras que as funções de dinheiro e as de mercadoria. O capital-mercadoria, sendo produto direto do processo capitalista de produção, lembra esta sua origem e é por isso mais racional em sua forma, menos conceitualmente vazio que o capital-dinheiro em que não se acha qualquer vestígio desse processo, pois, de mais a mais, desaparece no dinheiro toda forma específica de uso da mercadoria. Por isso, D' só perde sua forma estranha quando funciona como capital-mercadoria, quando é produto imediato de um processo de produção e não forma transmutada desse produto, isto é, na produção do próprio material dinheiro. Na produção de ouro, por exemplo, a fórmula seria: $D\text{-}M<^{F}_{Mp} \ldots P \ldots D'$ (D + d), na qual D' figura como produto-mercadoria, porque P fornece mais ouro do que o que fora adiantado para os elementos de produção do ouro no primeiro D, o capital-dinheiro. Aí desaparece, portanto, o irracional da expressão D...D' (D+ d), na qual uma parte de uma quantidade de dinheiro aparece como geradora de outra parte dessa mesma quantidade.

4. O CICLO VISTO GLOBALMENTE

Vimos que, após o decurso de sua primeira fase $D\text{-}M<^{F}_{Mp}$, o processo de circulação é interrompido por P, quando as mercadorias compradas no mercado, F e Mp, são consumidas como componentes materiais e do valor do capital produtivo; o produto desse consumo é uma nova mercadoria, M', diferente materialmente e segundo o valor. O processo de circulação interrompido, D-M, tem de ser completado por M-D. Mas, como veículo dessa fase segunda e final da circulação aparece M', uma mercadoria que difere de M materialmente e pelo valor. A série da circulação passa a ser portanto, 1) $D\text{-}M_1$ e 2) $M'_2\text{-}D'$, e, ao chegar a segunda fase, a primeira mercadoria M_1 está substituída por outra mercadoria de maior valor e de diversa forma de uso, M'_2. A substituição se dá durante a interrupção causada pelo funcionamento de P, ou seja, durante a produção de M' pelos elementos de M, as formas de existência do capital produtivo P. Entretanto, a primeira forma em que nos apareceu o capital (Livro 1, Capítulo IV, 1), D-M-D' (decompondo-a: 1) $D\text{-}M_1$ e 2) $M_1\text{-}D'$) mostra a mesma mercadoria duas vezes. A mercadoria em que o dinheiro se transforma na primeira fase é a mesma que volta a converter-se em mais dinheiro na segunda fase. Apesar dessa diferença essencial, ambas as circulações têm em comum isso: na primeira fase, dinheiro se transforma em mercadoria e, na segunda, mercadoria em dinheiro, refluindo na segunda o dinheiro despendido na primeira fase. É-lhes comum a volta do dinheiro ao ponto de partida e, ainda, o excedente do dinheiro que volta sobre o que foi adiantado. Sob esse aspecto D-M...M'-D' se contém na fórmula geral D-M-D'.

Nas duas metamorfoses pertencentes à circulação, em D-M e M'-D', confrontam-se e se substituem, de cada vez, valores de igual magnitude e que existem simultaneamente. A modificação do valor é função exclusiva da metamorfose P, do processo de produção, que configura assim a metamorfose real do capital, em contraste com as metamorfoses puramente formais da circulação.

Observemos globalmente o ciclo D-M...P... M'-D', ou sua forma explicitada $D\text{-}M<^{F}_{Mp}\ldots P\ldots M\ (M + m) - D'\ (D + d)$. O capital aparece aí como um valor que percorre uma série de modificações conexas, reciprocamente determinadas, uma série de metamorfoses que constituem também fases ou estádios de um processo global. Duas dessas fases pertencem à esfera da circulação e uma à esfera da produção. Em cada uma dessas fases, o valor-capital se encontra sob diferente figura, cada uma correspondendo a uma função diversa, específica. No decurso desse movimento, o valor adiantado se conserva e, ainda, cresce, aumenta sua magnitude. Por fim, no último estádio, volta à mesma forma em que apareceu no início do processo global. Esse processo é, portanto, cíclico.

Nos estádios de circulação, o valor-capital assume duas formas, a de *capital-dinheiro* e a de *capital-mercadoria*; no estádio de produção, a forma de *capital produtivo*. O capital que, no decurso de todo o seu ciclo, ora assume, ora abandona essas formas, executando através de cada uma delas a função correspondente, é o *capital-industrial*, industrial aqui no sentido de abranger todo ramo de produção explorado segundo o modo capitalista.

Capital-dinheiro, capital-mercadoria, capital produtivo designam aqui, portanto, não espécies autônomas de capital, cujas funções estejam ligadas ao conteúdo de ramos de atividade igualmente autônomos e separados uns dos outros. Aqui designam apenas formas específicas de funcionamento do capital industrial, que as assume sucessivamente.

O ciclo do capital só decorre normalmente quando suas diferentes fases se sucedem de maneira contínua. Se o capital não se move na primeira fase D-M, o capital-dinheiro se congelará em tesouro; se isso ocorre na fase de produção, os meios de produção não serão empregados e a força de trabalho ficará desocupada; se na fase final M'-D', as mercadorias invendáveis acumuladas obstruirão o fluxo da circulação.

Por outro lado, está na natureza das coisas que o próprio ciclo estabeleça a fixação do capital, por determinado tempo, em cada uma de suas etapas. Em cada uma de suas fases, o capital-industrial está ligado a uma de suas formas: capital-dinheiro, capital produtivo e capital-mercadoria. Somente depois de ter preenchido a função correspondente à sua forma ocasional receberá a forma em que pode entrar em nova fase de transformação. Para elucidar isto, admitimos em nosso exemplo que o valor-capital da massa de mercadorias saída do estádio de produção era igual ao montante do valor primitivamente adiantado sob a forma dinheiro; em outras palavras, que todo o valor-capital adiantado sob a forma dinheiro passa, de uma vez, de um estádio para o estádio seguinte. Mas vimos (Livro 1, Capítulo VI) que uma parte do capital constante, os meios de produção propriamente ditos, as máquinas, por exemplo, servem a um número maior ou menor de repetições dos mesmos processos de produção, só cedendo, assim, por partes, seu valor ao produto. Mais adiante, veremos até onde essa circunstância altera o processo cíclico do capital. Por ora, basta o seguinte: em nosso exemplo, o valor do capital produtivo = 422 libras esterlinas continha apenas o desgaste médio dos edifícios, da maquinaria etc., somente, portanto, a parte do valor que eles, na transformação das 10.600 libras-peso de algodão em 10.000 libras-peso de fio, transferem ao fio, ou seja, ao produto de um processo de fiação semanal de 60 horas. Nos meios de produção em que se convertia o capital constante adiantado, também figuravam, portanto, os meios de trabalho, edifícios, maquinaria etc., como se tivessem sido obtidos no mercado mediante aluguel semanal. Isto em nada altera a situação. A fim de transferir todo o valor que os meios de trabalho comprados, durante o período em que são consumidos, transferem ao fio, temos de obter o produto da multiplicação da quantidade semanalmente fabricada de fio, 10.000 libras-peso, pelo número de semanas contidas no mesmo período. Está claro que o capital adiantado em dinheiro tem primeiro de transformar-se nesses meios, de sair, portanto, do primeiro estádio D-M, antes de poder funcionar como capital produtivo. Também está claro em nosso exemplo que o valor-capital incorporado ao fio, durante o processo de produção, no montante de 422 libras esterlinas, não pode entrar na fase de circulação M'-D', como parte componente das 10.000 libras-peso de fio, antes que este esteja fabricado. O fio não pode ser vendido antes de ser feito.

Na fórmula geral, o produto de P é considerado coisa material diversa dos elementos do capital produtivo, objeto que tem existência destacada do processo de produção e possui forma de uso diversa da dos elementos da produção. É o que se dá sempre que o resultado do processo de produção é um objeto, mesmo quando parte do produto constitui elemento da produção renovada. O trigo serve de semente para sua própria produção; mas o produto consiste apenas em trigo, diferindo em sua figura dos demais elementos empregados: força de trabalho, instrumentos, adubo. Há, entretanto, ramos industriais autônomos em que o resultado do processo de produção não é nenhum produto, nenhuma mercadoria. Entre eles, o único setor importante, do ponto de vista econômico, é o de transportes e comunicações, que abrange tanto o transporte de mercadorias e pessoas quanto a transmissão de notícias, serviço postal etc.

Sobre o assunto, diz A. Tchuprov:[6]

> O fabricante pode primeiro produzir os artigos e depois procurar os consumidores [seu produto, depois de sair pronto e acabado do processo de produção, entra na circulação como mercadoria dele destacada].
>
> Produção e consumo aparecem, portanto, como dois atos separados, no tempo e no espaço. A indústria de transportes, que não cria nenhum produto novo, mas apenas desloca homens e coisas, faz ambos os atos coincidirem; os serviços [a mudança de lugar] têm de ser produzidos no mesmo momento em que são consumidos. Por isso se estende no máximo a 50 verstas (53 km), de ambos os lados, o raio dentro do qual as ferrovias podem procurar clientela.

O resultado, transportem-se homens ou mercadorias, é a mudança de lugar. Assim, encontram-se agora na Índia fios que foram produzidos na Inglaterra.

O que a indústria de transportes vende é a própria mudança de lugar. O efeito útil produzido está inseparavelmente ligado ao processo de transporte, isto é, ao processo de produção da indústria de transportes. Homens e mercadorias viajam com o meio de transporte, e seu deslocamento, seu movimento no espaço, é precisamente o processo de produção que ele realiza. O efeito útil só pode ser usufruído durante o processo de produção; não existe como objeto de uso diverso desse processo, objeto que funcionasse, depois de ser produzido, como artigo de comércio, que circulasse como mercadoria. Mas o valor de troca desse efeito útil é determinado, como o de qualquer outra mercadoria, pelo valor dos elementos de produção (força de trabalho e meios de produção) consumidos para obtê-lo mais a mais-valia gerada pelo trabalho excedente dos trabalhadores

---

6 A. Tchuprov, *Economia das vias férreas*, Moscou, 1875, pp. 69, 70.

empregados na indústria de transportes. Também no tocante ao consumo, esse efeito útil se comporta como qualquer outra mercadoria. Se é consumido individualmente, seu valor desaparece com o consumo; se produtivamente, sendo um estágio da produção da mercadoria que se transporta, seu valor se transfere à mercadoria como valor adicional. A fórmula da indústria de transportes seria, portanto, $D\text{-}M<^{F}_{Mp}\ldots P\text{-}D'$, uma vez que é consumido o próprio processo de produção, e não um produto dele separável. Ela se parece bastante com a fórmula da produção dos metais preciosos. A diferença está apenas em que D', na primeira fórmula, é apenas a forma transmutada do efeito útil gerado no processo de produção, enquanto, na segunda, é a forma natural do ouro ou da prata obtido durante o processo de produção e dele expelido.

O capital industrial é o único modo de existência do capital em que este tem por função não só apropriar-se da mais-valia ou do produto excedente, mas também criá-la. Por isso, determina o caráter capitalista de produção; sua existência implica a oposição entre a classe capitalista e a trabalhadora. Na medida em que se apodera da produção social, são revolucionadas a técnica e a organização social do processo de trabalho e com elas o tipo econômico-histórico da sociedade. As outras espécies de capital, que surgiram antes dele em meio a condições sociais desaparecidas ou em decadência, a ele se subordinam, modificando o mecanismo de suas funções e, além disso, movem-se nele fundamentadas, com ele vivem ou morrem, firmam-se ou caem. O capital-dinheiro e o capital-mercadoria, quando funcionam como veículo de um ramo específico, ao lado do capital industrial, não são mais do que modos de existência, que a divisão social do trabalho tornou autônomos e especializados, das diferentes formas de funcionamento que o capital industrial ora assume, ora abandona, na esfera da circulação.

O ciclo D...D' entrelaça-se com a circulação geral de mercadorias, sai dela e nela entra e é parte dela. Entretanto, constitui, para o capitalista individual, movimento próprio autônomo do valor-capital, movimento que se efetua parte na esfera da circulação geral das mercadorias e parte fora dela, mas conservando sempre seu caráter autônomo. Primeiro porque ambas as suas fases ocorrentes na esfera da circulação, D-M e M'-D', possuem caracteres funcionalmente definidos como fases do movimento do capital; em D-M se define materialmente M como força de trabalho e meios de produção; em M'-D', o valor-capital se realiza com a mais-valia. Segundo, o processo de produção P abrange o consumo produtivo.

Terceiro, a volta de dinheiro ao ponto de partida faz do movimento D...D' um ciclo fechado.

Todo capital individual constitui, portanto, em suas duas fases de circulação, D-M e M'-D', um agente da circulação geral das mercadorias, na qual funciona ou se encadeia como dinheiro ou mercadoria, participando assim da série geral de metamorfoses do mundo das mercadorias. Mas, além disso, percorre, na esfera da circulação geral, seu próprio ciclo autônomo, em que o domínio da produção constitui um estágio intermediário e em que volta ao ponto de partida na mesma forma em que iniciou seu movimento. Dentro de seu próprio ciclo, que abrange sua metamorfose real no processo de produção, modifica-se também a magnitude de seu valor. Retorna como valor em dinheiro, mas como valor em dinheiro aumentado, acrescido.

Comparando D-M...P...M'-D', uma das formas do processo cíclico do capital, com as outras formas que examinaremos mais tarde, veremos que ela se destaca pelo que segue.

1. Aparece como ciclo do *capital-dinheiro*, porque o capital industrial sob sua forma dinheiro, como capital-dinheiro, constitui o ponto de partida e o de retorno de todo o processo. A própria fórmula indica que o dinheiro aqui não é despendido como dinheiro, mas apenas adiantado; é, portanto, capital sob a forma dinheiro, capital-dinheiro. Indica ainda que a finalidade absoluta que determina o movimento é o valor de troca e não o valor de uso. Justamente porque o valor tem na figura do dinheiro sua forma autônoma, palpável de manifestação, expressa a forma de circulação D...D', que começa e acaba realmente em dinheiro, da maneira mais contundente, o motivo que impulsiona a produção capitalista: fazer dinheiro. O processo de produção não passa de elo intermediário inevitável, de mal necessário do mister de fazer dinheiro. [Todas as nações capitalistas são periodicamente por isso acometidas de um desvario, o de procurar fazer dinheiro sem recorrer ao processo de produção.]

2. O estádio de produção, a função de P, constitui nesse processo cíclico a interrupção das duas fases da circulação D-M...M'-D', que serve de meio para que se efetue a circulação simples D-M-D'. Na forma do próprio processo cíclico, o processo de produção manifesta formal e expressamente o que é no modo de produção capitalista: mero meio de acrescer o valor adiantado, sendo, portanto, o enriquecimento como tal, fim absoluto da produção.

3. Começando por D-M a série das fases, o segundo elo da circulação é M'–D'; portanto, o ponto de partida é D, o capital-dinheiro a valorizar, e o ponto de chegada, D', o capital-dinheiro valorizado D + d, em que D figura como capital realizado junto a seu rebento d. Isto distingue o ciclo D dos dois outros ciclos, P e M', e de duas maneiras. De um lado, pela forma dinheiro de ambos os extremos; o dinheiro é a forma de existência autônoma, palpável, do valor, o valor do produto em sua forma valor autônoma, em que desapareceu qualquer vestígio do valor de uso das mercadorias. Por outro lado, a forma P...P não se torna necessariamente P...P' (P + p), e na forma M'...M' não se pode perceber qualquer diferença de valor entre os dois extremos. A fórmula D...D' se caracteriza por constituir o valor-capital o ponto de partida e o valor-capital acrescido o ponto de chegada, revelando-se o adiantamento do valor-capital, meio, e o valor-capital acrescido, fim de toda a operação; além disso, por expressar essa relação sob a forma dinheiro, a forma valor autônoma, apresentando-se por isso o capital-dinheiro como dinheiro que gera dinheiro. Produzir, na forma resplandecente do dinheiro, mais-valia com o valor é o alfa e ômega do processo.

4. Uma vez que D', o capital-dinheiro realizado como resultado de M'-D', a fase que completa e conclui D-M, encontra-se absolutamente na mesma forma em que iniciou seu primeiro ciclo, pode agora, tal como dele saiu, recomeçar o mesmo ciclo como capital-dinheiro aumentado (acumulado): D' = + d; e na forma D...D' nada indica que, ao repetir-se o ciclo, a circulação de d se separe da de D. Em sua figura isolada, formalmente, o ciclo do capital-dinheiro expressa, por isso, apenas o processo de valorização e o de acumulação. O consumo nele só se expressa através de $D\text{-}M<^{F}_{Mp}$, como consumo produtivo, o único que está incluído nesse ciclo do capital individual. D-F é F-D ou M-D para o trabalhador; é a primeira fase da circulação, a que serve de elemento intermediário para seu consumo individual: F-D-M (meios de subsistência). A segunda fase D-M já está fora do ciclo do capital individual; mas ele a introduz, a pressupõe, uma vez que o trabalhador, para ser sempre encontrado no mercado como matéria explorável do capitalista, tem antes de tudo de viver, de manter-se através do consumo individual. Contudo, esse consumo se pressupõe aí como condição do consumo produtivo da força de trabalho pelo capital, portanto, na medida apenas em que o trabalhador se mantém e se reproduz como força de trabalho por meio de seu consumo individual. Os Mp, as mercadorias propriamente ditas que entram no ciclo, constituem

apenas o material que alimenta o consumo produtivo. O ato F-D possibilita o consumo individual do trabalhador, a transformação dos meios de subsistência em sua carne e sangue. Sem dúvida, é mister que exista o capitalista, que ele exista e consuma, para funcionar como capitalista. Para exercer sua função, bastaria que consumisse como qualquer trabalhador, não supondo mais que isso a forma do processo de circulação. Do ponto de vista meramente formal, nem mesmo esse consumo, uma vez que a fórmula termina em D', em resultado que pode, sem demora, funcionar de novo como capital-dinheiro aumentado.

Em M'-D' contém-se diretamente a venda de M'; mas M'-D', venda por um lado, é compra por outro, D-M, e, em última análise, a mercadoria só é vendida em virtude de seu valor de uso (excluídas as vendas intermediárias), a fim de entrar no processo de consumo, seja este individual ou produtivo, segundo a natureza do artigo comprado. Esse consumo, porém, não se efetua no ciclo do capital individual de que M' é o produto; esse produto é expulso do ciclo como mercadoria que se vende. M' destina-se expressamente ao consumo alheio. Por isso, os defensores do sistema mercantilista, fundado na fórmula D-M...P... M'-D', se derramam em longas prédicas sobre o imperativo de o capitalista individual não consumir mais do que o trabalhador, e sobre o dever de a nação capitalista deixar o consumo de suas mercadorias para as outras nações desassisadas, fazendo do consumo produtivo a razão de sua vida. Essas prédicas, pela forma e conteúdo, lembram muitas vezes exortações ascéticas análogas dos patriarcas da Igreja.

O processo cíclico do capital é, portanto, unidade de circulação e produção, abrange ambas. Em suas duas fases D-M e M'-D', como ocorrências da circulação, constitui a circulação do capital parte da circulação geral das mercadorias. Mas, se consideramos essas fases como etapas funcionalmente definidas, estádios do ciclo do capital, ciclo que pertence tanto à esfera da circulação quanto à da produção, verificamos que o capital consuma seu próprio ciclo dentro da circulação geral das mercadorias. Na primeira fase, a circulação geral das mercadorias serve-lhe para assumir a figura em que pode funcionar como capital produtivo; na segunda, para eliminar a função mercadoria com a qual não pode renovar seu ciclo; ao mesmo tempo, abre-lhe a possibilidade de separar seu próprio ciclo da circulação da mais-valia de que foi acrescido.

Assim, o ciclo do capital-dinheiro é a forma mais exclusiva, mais contundente e mais característica de manifestar-se o ciclo do capital industrial.

O objetivo e o motivo propulsor deste nele saltam aos olhos: expandir o valor, fazer dinheiro e acumular (comprar, para vender mais caro). Sendo a primeira fase D-M, evidencia-se que as partes componentes do capital produtivo procedem do mercado de mercadorias e que o processo de produção capitalista tem por condição a circulação, o comércio. O ciclo do capital-dinheiro, além de ser produção de mercadorias, só se efetiva através da circulação e a pressupõe. Isto já deriva de a forma D pertencente à circulação aparecer como a forma primeira e pura do valor-capital adiantado, o que não sucede nas outras duas formas do ciclo.

O ciclo do capital-dinheiro é a expressão geral do capital industrial, no sentido de implicar sempre a expansão do valor adiantado. Em P...P, a expressão monetária do capital aparece apenas como preço dos elementos da produção, portanto apenas como valor expresso em dinheiro de conta, e sob essa forma é registrada pela contabilidade.

D...D' é forma particular do ciclo do capital industrial, quando o capital estreia sendo pela primeira vez adiantado na forma dinheiro e quando na mesma forma é retirado da cena, seja na mudança de um ramo de atividade para outro, seja ao sair do negócio o capital industrial. Compreende-se aí a função de capital exercida pela mais-valia quando pela primeira vez é adiantada, o que se torna mais evidente quando ela procede de outro negócio diverso daquele donde procede. D...D' pode ser o primeiro ciclo de um capital; pode ser o último; pode ser considerado forma do capital social total; é a forma de novo capital empregado, seja capital novamente acumulado sob a forma dinheiro, seja capital velho que é totalmente transmutado em dinheiro, a fim de ser transferido de um ramo de atividade para outro.

O capital-dinheiro, como forma implícita em todos os ciclos, realiza esse ciclo justamente para a parte do capital que produz a mais-valia, o capital variável. A forma normal de adiantar o salário é o pagamento em dinheiro; esse pagamento tem de renovar-se em prazos bem curtos, pois é precária a existência do trabalhador. É mister, portanto, que se confronte constantemente com o trabalhador o capitalista detentor de dinheiro, o capital como capital-dinheiro. Não pode haver aqui, como na compra dos meios de produção e na venda das mercadorias produtivas, compensação direta ou indireta (figurando a maior parte do capital-dinheiro simplesmente sob a forma de mercadoria, o dinheiro sob a forma de dinheiro de conta e o numerário servindo apenas para liquidar os saldos). Além disso, procede a mais-valia do capital variável e parte dela é gasta pelo capitalista para seu consumo privado, atendido pelo comércio retalhista, e esse dispêndio se efetua, de qualquer modo, em numerário, sob a forma dinheiro da mais-valia. Não importa qual o montante dessa parte da mais-valia. Incessantemente, reaparece o capital variável como capital-dinheiro empregado em salários, D-F, e d como mais-valia que é gasta no custeio das necessidades particulares do capitalista. Assim, o valor do capital variável D e seu rebento d são mantidos sob a forma dinheiro, para serem despendidos sob essa forma.

A fórmula D-M...P...M'-D', com o resultado D' = D + d, encerra uma ilusão em sua forma, é portadora de um caráter quimérico decorrente de existir o valor adiantado e acrescido na forma de equivalente, em dinheiro. O que se destaca não é a produção da mais-valia, mas a forma dinheiro desse processo, a circunstância de se retirar da circulação mais valor sob a forma dinheiro do que nela primitivamente se lançou, o aumento, portanto, da massa de ouro e de prata pertencente ao capitalista. O chamado sistema monetário (mercantilismo) apenas exprime a forma conceitualmente vazia D-M-D', movimento efetuado exclusivamente na circulação. Por isso, só pode explicar os dois atos, 1) D-M e 2) M-D', alegando que M se vende no segundo ato acima de seu valor, retirando assim mais dinheiro da circulação do que nela lançou com sua compra. Entretanto, o sistema mercantilista aperfeiçoado estabelece como forma exclusiva D-M...P...M'-D', a qual lhe serve de base, e considera elemento necessário não só a circulação de mercadorias, mas também a produção de mercadorias.

O caráter ilusório de D-M...P...M'-D', inclusive o da interpretação daí oriunda, nasce da fixidez que se dá a essa forma que flui e constantemente se renova, e de ser ela considerada não uma entre outras formas do ciclo, mas sua forma exclusiva. Entretanto, ela sugere outras formas.

Primeiro: todo esse ciclo tem por pressuposto o caráter capitalista do processo de produção e consequentemente por base esse processo de produção e o sistema social específico que lhe corresponde. D-M = $D\text{-}M<^{F}_{Mp}$; mas D-F supõe a existência do trabalhador assalariado, por conseguinte, os meios de produção como parte do capital produtivo, e já como função do capital o processo de trabalho e de produzir mais-valia, o processo de produção.

Segundo: se D...D' se repete, a volta à forma dinheiro se patenteia tão transitória como a forma dinheiro no primeiro estádio. D-M desaparece para ceder lugar a P. O adiantamento constante em dinheiro e a volta constante à forma dinheiro se revelam fatores que somem no ciclo.

Terceiro:

D-M...P...M'-D' . D-M...P...M'-D' . D-M...P... etc.

Já ao repetir-se o ciclo de D e antes de ele concluir-se, aparece o ciclo P...M'-D'. D-M...P e daí em diante todos os demais ciclos podem ser considerados sob a forma P...M'-D-M...P, de modo que D-M, primeira fase do primeiro ciclo, passa a constituir a preparação passageira do ciclo do capital produtivo que constantemente se renova, conforme realmente sucede quando o capital industrial é empregado pela primeira vez sob a forma de capital-dinheiro.

Antes de terminar o segundo ciclo de P, conclui-se M'-D'. D-M...P...M', mais concisamente M'...M', o ciclo do capital-mercadoria. Assim, a primeira forma já encerra as duas outras, e com isso vê-se desaparecer a forma dinheiro que seja expressão de valor na forma de equivalente, em dinheiro, e não mera expressão de valor.

Por fim: observando um capital individual novo que, pela primeira vez, efetua o ciclo D-M...P...M'-D', verificamos que D-M é a fase preparatória, precursora do primeiro processo de produção que esse capital individual percorre. Nem por isso a fase D-M predetermina o processo de produção, sendo antes por este estabelecida e motivada. Mas isto só é válido para esse capital individual. O ciclo do capital-dinheiro é forma geral do ciclo do capital industrial quando se pressupõe um modo de produção capitalista, isto é, dentro de um sistema social determinado, pela produção capitalista. Assim, o processo de produção capitalista, pressupõe-se, é condição primordial, se não dentro, pelo menos fora do primeiro ciclo do capital-dinheiro de um capital industrial novamente investido; a existência ininterrupta desse processo de produção supõe a renovação contínua do ciclo P...P. O pressuposto da produção capitalista já se evidencia no primeiro estádio $D\text{-}M<^{F}_{Mp}$, que supõe a existência da classe trabalhadora assalariada; e o que é o primeiro estádio D-M para o comprador dos meios de produção, é M'-D' para o vendedor, e M' supõe o capital-mercadoria, a própria mercadoria que resulta do processo de produção e por conseguinte a função do capital produtivo.

II.
O ciclo do capital produtivo

Fórmula geral do ciclo do capital produtivo: P...M'-D'-M...P. Este ciclo significa o funcionamento periodicamente renovado do capital produtivo, portanto a reprodução, ou seja, seu processo de produção como processo de reprodução com referência à mais-valia; não só a produção, mas a reprodução periódica de mais-valia; função do capital industrial em sua forma produtiva, não como função que se exerce uma única vez, mas como função que periodicamente se repete, de modo que o reinício já se supõe com o ponto de partida. Parte de M' pode ser diretamente utilizada como meio de produção (casos, às vezes, ocorrentes em ramos do capital industrial) no mesmo processo de trabalho de que saiu como mercadoria; desse modo, seu valor, em vez de converter-se em dinheiro, real ou simbólico, apenas adquire expressão autônoma na forma de dinheiro de conta. Essa parte do valor não entra na circulação. Assim, participam do processo de produção valores que não aparecem no processo de circulação. O mesmo se pode dizer da parte de M' que o capitalista consome como parte do produto excedente. Isto, porém, não tem importância na produção capitalista; só na agricultura mereceria alguma consideração.

Neste ciclo, duas coisas saltam logo à vista.

Primeiro. Na primeira forma D...D', a função de P, o processo de produção, interrompe a circulação do capital-dinheiro e aparece apenas como etapa intermediária entre ambas as fases D-M e M'-D'; aqui, todo o processo de circulação do capital industrial, todo o seu movimento na fase de circulação, constitui apenas interrupção e, portanto, o elo intermediário entre o capital produtivo que como primeiro termo inicia o ciclo e como último o encerra na mesma forma, isto é, na forma de recomeçá-lo. A circulação propriamente dita só aparece como elemento que serve de meio à reprodução periodicamente renovada e, portanto, contínua.

Segundo. No ciclo do capital-dinheiro, a circulação global tem forma oposta à que assume aqui. Lá ela é: D-M-D (D-M. M-D), não se determinando o valor; aqui ela é, pondo de lado a determinação do valor, M-D-M (M-D. D-M), isto é, a forma da circulação simples de mercadorias.

1. REPRODUÇÃO SIMPLES

Observemos, inicialmente, o processo M'-D'-M que decorre entre os extremos P...P, na esfera da circulação.

O ponto de partida dessa circulação é o capital-mercadoria M' = M + μ = P + μ. Na primeira forma do ciclo, observou-se a função do capital-

-mercadoria M'-D' (a realização do valor-capital = P nele contido – existindo P agora como M, parte componente das mercadorias – e a da mais-valia nele contida, que existe como parte componente da mesma massa de mercadorias, com o valor μ). Ali, porém, constituía a segunda fase da circulação que fora interrompida e a fase final de todo o ciclo. Aqui representa a segunda fase do ciclo, mas a primeira fase da circulação. Terminando o primeiro ciclo com D' e podendo D', do mesmo modo que o primitivo D, reiniciar o ciclo seguinte como capital-dinheiro, não era, de início, necessário verificar se D e d, a mais-valia, continuavam seu curso em conjunto ou separados. Isto teria sido necessário se tivéssemos ido além do primeiro ciclo, acompanhando sua renovação. Mas é uma questão que tem de ser resolvida no ciclo do capital produtivo, uma vez que a própria determinação do ciclo inicial dela depende, e M'-D', que nele aparece como primeira fase da circulação, tem de ser completado por D-M. Conforme a solução, a fórmula representara reprodução simples ou reprodução ampliada. O caráter do ciclo muda, portanto, com a solução.

Consideremos, inicialmente, a reprodução simples do capital produtivo, supondo, como no Capítulo I, que são invariáveis as condições e que as mercadorias se compram e vendem pelo seu valor. Com esse pressuposto, toda a mais-valia se destina ao consumo pessoal do capitalista. Depois de haver a transformação do capital-mercadoria M' numa quantia em dinheiro, a parte desta que representa o valor-capital continua a circular no ciclo do capital industrial; a outra, a mais-valia transformada em dinheiro, entra na circulação geral de mercadorias, é circulação de dinheiro que sai do capitalista, mas ocorrendo fora da circulação de seu capital individual.

Em nosso exemplo tínhamos um capital-mercadoria M' de 10.000 libras-peso de fio, no valor de 500 libras esterlinas; destas, 422 são o valor do capital produtivo e continuam, como a forma dinheiro de 8.440 libras-peso de fio, a circulação do capital iniciada por M', enquanto a mais-valia de 78 libras esterlinas, a forma dinheiro de 1.560 libras-peso, a porção excedente da mercadoria produzida, sai dessa circulação e percorre um curso separado na circulação geral das mercadorias.

$$M'\begin{pmatrix}M\\+\\\mu\end{pmatrix} \equiv \underline{\overline{D'}} \begin{pmatrix}D\\+\\d\end{pmatrix} \begin{matrix} — M<^{F}_{Mp} \\ — \mu \end{matrix}$$

d-μ constitui uma série de compras feitas com o dinheiro que o capitalista gasta seja em mercadorias propriamente, seja em serviços para sua excelência e para sua família. As compras são dispersas e ocorrem em ocasiões diversas. O dinheiro existe, portanto, temporariamente, sob a forma de determinada reserva para consumo corrente, ou seja, de um tesouro, pois é dinheiro entesourado o que tem sua circulação interrompida. Sua função de meio de circulação, que abrange a forma transitória de tesouro, não se exerce (com a forma D) na circulação do capital. O dinheiro não é adiantado, mas gasto.

Continuamos a supor que o capital global adiantado passa por inteiro de uma fase para outra, e desse modo a mercadoria produzida por P é portadora do valor global do capital produtivo P, acrescido da mais-valia gerada durante o processo de produção, ou seja, = 422 libras esterlinas + 78 libras esterlinas. Em nosso exemplo, em que a mercadoria produzida é divisível, existe a mais-valia sob a forma de 1.560 libras-peso de fio; ela existiria sob a forma de 2,496 onças de fio, se o cálculo fosse feito na base de 1 libra-peso de fio. Se a mercadoria produzida fosse uma máquina de 500 libras esterlinas, tendo seu valor a mesma composição, uma parte do valor dessa máquina seria a mais-valia = 78 libras esterlinas, mas esta quantia só existiria na máquina globalmente considerada; para dividir esta em valor-capital e mais-valia, seria necessário quebrá-la, destruindo seu valor de uso e consequentemente seu valor. As duas partes do valor só idealmente podem aí ser consideradas partes do corpo da mercadoria, não constituindo elementos autônomos da mercadoria M', como ocorre com o fio, em que cada libra-peso pode se destacar, existindo como mercadoria independente no conjunto das 10.000 libras-peso. No primeiro caso, é necessário vender em sua totalidade a mercadoria, o capital-mercadoria, a máquina, antes de d poder efetuar sua circulação particular. Mas, se o capitalista tiver vendido 8.440 libras-peso, a venda das outras 1.560 libras-peso representará uma circulação, inteiramente separada, da mais-valia sob a forma μ (1.560 libras-peso) – d (78 libras esterlinas) = μ (artigos de consumo). Os componentes do valor são representáveis em partes do produto tanto para as 10.000 libras-peso de fio globalmente consideradas quanto para qualquer porção do total. O produto global, as 10.000 libras-peso de fio, pode dividir-se em valor-capital constante c – 7.440 libras-peso de fio no valor de 372 libras esterlinas, valor-capital variável v – 1.000 libras-peso de fio no valor de 50 libras esterlinas e mais-valia m – 1.560 libras-peso no valor de 78 libras esterlinas. Do mesmo modo, cada libra-peso de fio se divide em c = 11,904 onças no valor de 8,928 *pence*, v = 1,600 onças de fio no valor de 1,200 *pence*, m = 2,496 onças de fio no valor de 1,872 *pence*.

O capitalista poderia, com a venda parcelada das 10.000 libras-peso, consumir progressivamente os elementos da mais-valia contidos nas porções sucessivas e assim realizar por parcelas a soma c + v. Essa operação, porém, pressupõe que todas as 10.000 libras-peso sejam vendidas, que seja reposto, portanto, com a venda de 8.440 libras-peso, o valor de c e v (Livro 1, Capítulo VII, 2).

Seja como for, o valor-capital e a mais-valia contidos em M' adquirem através de M'-D' existência separável, a existência de somas de dinheiro distintas. Em ambos os casos, D e d são realmente forma transmutada do valor, que originalmente possui expressão própria, mas ideal em M', como preço da mercadoria.

μ-d-μ é simples circulação de mercadorias, mas sua primeira fase μ-d se inclui na circulação do capital-mercadoria M'-D', portanto no ciclo do capital, e sua fase complementar d-μ se processa fora desse ciclo, como ocorrência, dele separada, da circulação geral de mercadorias. A circulação de M e de μ, do valor-capital e da mais-valia, se biparte após a transformação de M' em D'. Daí resulta o seguinte:

1º Quando o capital-mercadoria se realiza por meio de M'-D' = M'-(D + d), pode cindir-se o movimento do valor-capital e da mais-valia – movimento que em M'-D' ainda é comum e veiculado pela mesma massa de mercadoria –, ao assumirem ambos formas autônomas como soma de dinheiro.

2º Se ocorre essa dissociação, sendo d gasto como renda do capitalista, prosseguindo D, como forma funcional do valor-capital, seu trajeto determinado pelo ciclo, pode o primeiro ato M'-D', em conexão com os atos seguintes D-M e d-μ, ser representado por duas circulações diversas, M-D-M e μ-d-μ, ambas as séries pertencentes, pela forma geral, à circulação simples de mercadorias.

Na prática, são isoladas idealmente as partes do valor global das mercadorias indivisíveis. Em Londres, por exemplo, no ramo de construção, que opera, na sua maior parte, a crédito, recebe o empresário adiantamentos segundo o estágio em que se encontra a construção da casa. A casa não existe em nenhum dos estágios, e, se objetiva, em cada um deles, apenas parte de uma casa futura, fração ideal do todo. Mas cada etapa que se materializa é suficientemente real para servir de garantia a novos adiantamentos (ver adiante Capítulo XII).

3º Se o movimento do valor-capital e da mais-valia, comum em M e D, não se biparte ou só se biparte parcialmente, de modo que parte da mais-valia não é gasta como renda, alterar-se-á o valor-capital dentro de seu próprio ciclo, antes de concluí-lo, portanto. Em nosso exemplo o valor do capital produtivo era de 422 libras esterlinas. Se o capital prossegue em D-M, como, por exemplo, 480 ou 500 libras esterlinas, percorrerá ele os últimos estádios do ciclo como um valor superior ao inicial, em 58 ou 78 libras esterlinas. Além disso, poderá alterar-se a composição do valor.

M'-D', o segundo estádio da circulação e o final do ciclo I (D...D'), é segundo estádio em nosso ciclo e primeiro na circulação de mercadorias. Do ponto de vista da circulação, tem, portanto, de ser completado por D'M'. Mas M'-D' tem atrás de si o processo de produzir mais-valia (aqui função de P, o primeiro estádio), com a materialização do resultado desse processo, a mercadoria produzida M'. Conclui-se assim com M'-D' o processo de valorização do capital e a realização da mercadoria produzida na qual aparece o valor-capital acrescido.

Supusemos reprodução simples, isto é, que d-*μ* se separa totalmente de D-M. Pertencendo ambas as circulações, *μ*-d-*μ* e M-D-M, por sua forma geral, à circulação das mercadorias (sem haver, portanto, diferenças entre os extremos), fica fácil, como o faz a economia vulgar, conceber o processo de produção capitalista como simples produção de mercadorias, de valores de uso destinados a consumo de qualquer espécie, produzidos pelo capitalista para substituí-los ou trocá-los por mercadorias com outro valor de uso, o que constitui um postulado falso.

M' se patenteia, antes de mais nada, capital-mercadoria, e o objetivo de todo o processo, o enriquecimento, a valorização, não exclui, mas antes implica consumo do capitalista, crescente com a grandeza da mais-valia e, portanto, do capital.

Na circulação da renda a consumir do capitalista, a mercadoria produzida *μ* (ou a fração ideal, que lhe corresponde, da mercadoria M') tem primeiro de ser transformada em dinheiro, e, de dinheiro, numa série de outras mercadorias adequadas ao consumo privado. Mas há um pormenor a ser lembrado: *μ* é valor-mercadoria que nada custou ao capitalista, materialização de trabalho excedente, e por isso aparece originalmente em cena como parte componente do capital-mercadoria M'. Esse *μ* tem sua existência dependente do ciclo do valor-capital, e, se este para ou é de algum modo perturbado, limita-se ou cessa o consumo de *μ* e, simultaneamente, a venda da série de mercadorias que substituem *μ*. Dá-se o mesmo quando falha M'-D' ou só se pode vender parte de M'.

Vimos que μ-d-μ, a circulação da renda objeto de consumo do capitalista, só figura na circulação do capital enquanto μ é parte do valor de M', o capital em sua forma funcional de capital-mercadoria; mas, logo que adquire existência autônoma por meio de d, assumindo a forma completa μ-d-μ, não entra no movimento do capital adiantado pelo capitalista, embora dele proceda. Liga-se a esse movimento porquanto a existência do capital supõe a existência do capitalista, e esta tem por condição o consumo da mais-valia pelo capitalista.

Na circulação geral, M' – fio, por exemplo – funciona apenas como mercadoria; mas, como fator da circulação do capital, opera como capital-mercadoria, figura que o valor-capital alternativamente assume e abandona. Após ser vendido ao comerciante, desliga-se o fio do processo cíclico do capital do qual é o produto, mas, como mercadoria, continua a mover-se no âmbito da circulação geral. A circulação da mesma massa de mercadoria prossegue, embora tenha deixado de constituir um fator do ciclo autônomo do capital do fabricante. A metamorfose real, definitiva, da massa de mercadoria, M-D, lançada na circulação pelo capitalista – seu ingresso finalmente no consumo –, pode estar separada, no tempo e no espaço, da metamorfose em que essa massa de mercadoria funcionou como seu capital-mercadoria. A mesma metamorfose já efetuada na circulação do capital tem de efetuar-se na circulação geral.

Não importa que o fio entre no ciclo de outro capital industrial. A circulação geral abrange não só o entrosamento dos ciclos das diferentes frações autônomas do capital social, isto é, a totalidade dos capitais particulares, mas também a circulação dos valores que não são lançados no mercado como capital, destinando-se ao consumo individual.

O ciclo do capital pode ser visto, portanto, como parte da circulação geral e como criador de elos de um ciclo autônomo. A relação entre esses dois aspectos evidencia-se, ainda, quando observamos a circulação de D' = D + d. D, como capital-dinheiro, prossegue o ciclo do capital, e d, como renda despendida (d-μ), entra na circulação geral, saindo do ciclo do capital. Só participa desse ciclo a parte que funciona como capital adicional. Em μ-d-μ, o dinheiro funciona apenas como moeda; a finalidade dessa circulação é o consumo individual do capitalista. A economia vulgar, cretinamente, considera como ciclo característico do capital essa circulação que não entra no ciclo do capital, isto é, a da parte do valor produzido que é consumida como renda.

Na segunda fase, D-M, o valor-capital D = P (valor do capital produtivo que abre aqui o ciclo do capital industrial) aparece novamente, sem acréscimo de mais-valia, portanto com a mesma magnitude de valor do primeiro estádio do ciclo do capital-dinheiro D-M. Apesar da diferença de posição, a função do capital-dinheiro, em que se transformou o capital-mercadoria, é a mesma: sua conversão em MP e F, meios de produção e força de trabalho. O valor-capital na função de capital-mercadoria M'-D' percorreu, simultaneamente com μ-d, a fase M-D e entra na fase complementar D-M$<^{F}_{Mp}$; sua circulação completa é, portanto, M-D-M$<^{F}_{Mp}$.

1º O capital-dinheiro D aparecia na forma I (ciclo D...D') como a forma original em que se adianta o valor-capital; aparece aqui, de saída, como parte da soma de dinheiro a que se converteu o capital-mercadoria na primeira fase da circulação M'-D', por conseguinte como transformação de P, o capital produtivo, em capital-dinheiro, em virtude da venda da mercadoria produzida. O capital-dinheiro não existe aqui como forma inicial nem como forma final do valor-capital, pois só desaparecendo a forma dinheiro pode ocorrer a fase D-M que completa a fase M-D. Por isso, a parte de D-M, que corresponde a D-F, deixa de ser mero adiantamento de dinheiro para a compra da força de trabalho, para ser adiantamento em que se entrega à força de trabalho, sob a forma dinheiro, as mesmas 1.000 libras-peso de fio no valor de 50 libras esterlinas que constituem parte do valor-mercadoria criado pela força de trabalho. O dinheiro que se adianta então ao trabalhador é apenas forma equivalente transmutada de uma parte do valor-mercadoria por ele produzido. Por esse motivo, o ato D-M, quando se refere a D-F, não é apenas substituição de mercadoria sob a forma dinheiro por mercadoria sob a forma de valor de uso, mas envolve outros elementos independentes da circulação geral de mercadorias como tal.

D' aparece como forma transmutada de M', produto da função exercida por P, o processo de produção; toda a soma de dinheiro D' é apenas expressão monetária de trabalho que se efetuou no passado. Em nosso exemplo, temos: 10.000 libras-peso de fio – 500 libras esterlinas, produto do processo de fiação; desse total, 7.440 libras-peso – capital constante *c* antecipado – 372 libras esterlinas, 1.000 libras-peso = capital variável *v* antecipado = 50 libras esterlinas, e 1.560 libras-peso de fio = mais-valia *m* = 78 libras esterlinas. Na semana seguinte receberá o trabalhador, em D-F, parte das 10.000 libras-peso de fio (o valor em dinheiro das 1.000 libras-peso) produzidas na semana atual, se se recomeçar a operação, adiantando-

-se de D' apenas o capital original – 422 libras esterlinas, e permanecendo invariáveis as demais condições. Como resultado de M-D, o dinheiro é sempre expressão de trabalho anteriormente realizado. Quando se efetua o ato D-M no mercado de mercadorias, trocando-se D por mercadorias de fato existentes no mercado, verifica-se, em retorno, conversão de trabalho pretérito de uma forma (dinheiro) em outra (mercadorias). Mas D-M e M-D não são simultâneos. Podem ser simultâneos excepcionalmente, quando, por exemplo, o capitalista que efetiva o ato D-M e o capitalista para quem este ato é M-D entregam um ao outro suas mercadorias e D apenas liquida a diferença. Pode ser mais ou menos considerável a diferença entre o tempo em que se efetiva M-D e aquele em que se efetiva D-M. Como resultado do ato M-D, D representa trabalho anterior; entretanto, pode representar, para o ato D-M, a forma transmutada de mercadorias que ainda não se encontram no mercado, mas que nele aparecerão futuramente, pois D-M só precisa efetivar-se depois que a mercadoria esperada é produzida. D pode também representar mercadorias que são produzidas no mesmo tempo do M que tem sua expressão monetária em D. Por exemplo, na operação D-M, compra de meios de produção, carvão pode ser comprado antes de ser extraído da mina. Figurando acumulação de dinheiro, não sendo gasto, portanto, como renda, d pode representar mercadoria, algodão que só será produzido no próximo ano. O mesmo vale para o dispêndio da renda do capitalista, d-μ, e para o salário F = 50 libras esterlinas; esse dinheiro é não só forma dinheiro de trabalho anterior do operário, mas também direito de obter trabalho atual ou futuro, trabalho que está sendo realizado ou que se realizará. Com o dinheiro recebido pode o trabalhador comprar roupa que só será feita na próxima semana. Casos dessa natureza ocorrem notadamente com grande número de meios de subsistência que, para não se deteriorarem, têm de ser consumidos quase no mesmo momento de sua produção. Assim, o trabalhador recebe, no dinheiro com que é pago seu salário, a forma transmutada de seu próprio trabalho futuro ou do de outros trabalhadores. Com uma porção do trabalho passado, o trabalhador recebe do capitalista o direito ao próprio trabalho futuro. É o trabalho atual ou futuro que forma a reserva com que se paga seu trabalho passado. Desaparece inteiramente a ideia de constituição de um fundo.

2º Na circulação M-D-M$<^{F}_{Mp}$, o mesmo dinheiro muda de posição duas vezes; o capitalista recebe-o como vendedor e desfaz-se dele como comprador; a conversão de mercadoria à forma dinheiro serve apenas para fazê-la retornar da forma dinheiro à forma mercadoria; por isso, nesse movimento, a forma dinheiro do capital, sua existência como capital-dinheiro, é elemento transitório; em outras palavras, o capital-dinheiro, enquanto o movimento prossegue, nada mais é que meio de circulação servindo de meio de compra; aparece como meio de pagamento propriamente dito, quando capitalistas fazem compras recíprocas, ficando para liquidar apenas a diferença entre os pagamentos.

3º Sirva o capital-dinheiro de mero meio de circulação ou meio de pagamento, sua função possibilita simplesmente a troca de M por F e Mp, ou seja, a substituição do fio, da mercadoria produzida em que resulta o capital produtivo (depois de deduzida a mais-valia a ser gasta como renda), o emprego de seus elementos de produção, deixando assim o valor-capital sua forma mercadoria para se transformar nos elementos constitutivos dessa mercadoria; enfim, essa função apenas permite que o capital-mercadoria se reconverta em capital produtivo.

A fim de o ciclo completar-se normalmente, é mister que M' se venda por seu valor e em sua totalidade. Além disso, M-D-M envolve não só a substituição de uma mercadoria por outra, mas também substituição em condições de valor sempre iguais. Assim ocorre, segundo o pressuposto que aqui estabelecemos. Na realidade, porém, variam os valores dos meios de produção. É próprio da produção capitalista a variação contínua das condições de valor oriunda notadamente da contínua variação da produtividade do trabalho, característica da produção capitalista. Por ora, limitamo-nos a assinalar essa variação de valor dos fatores de produção e dela trataremos mais tarde.[I] Na esfera da produção, dá-se a transformação dos elementos da produção em mercadoria produzida, de P em M', e, na esfera da circulação, o retorno de M' a P, possibilitado pela circulação simples de mercadorias. O conteúdo dessa reversão, entretanto, é um fator do processo de reprodução considerado um todo. M-D-M, como forma de circulação do capital, importa numa transformação material funcionalmente definida. Demais, a operação M-D-M requer M = elementos de produção da quantidade de mercadorias M', e que se mantenham reciprocamente as condições primitivas de valor deles. Assim, estabelecemos o pressuposto de que as mercadorias se vendem pelo seu valor e não experimentam variação de valor durante o ciclo; caso contrário, o processo não poderia decorrer normalmente.

I Ver pp. 301-310.

Em D...D', D é a forma primitiva do valor-capital, abandonada para ser depois reassumida. Em P...M'-D'-M...P, D é apenas forma que aparece no processo para nele desaparecer. A forma dinheiro se apresenta aqui como forma evanescente do valor do capital. O capital sob a forma de M' está tão ansioso por assumi-la quanto, ao assumi-la como D', por abandoná-la, para converter-se novamente à forma de capital produtivo. Enquanto se imobiliza na figura do dinheiro, o capital não funciona e por isso não se valoriza; o capital fica estéril. D funciona aqui como meio de circulação, mas como meio de circulação do capital. A aparência de autonomia que a forma dinheiro do valor-capital apresenta na primeira forma do ciclo desse valor (ciclo do capital-dinheiro) desaparece nesta segunda forma, que constitui, assim, a crítica da forma I e a reduz simplesmente a uma forma particular. Se a segunda metamorfose D-M esbarra em obstáculos (faltam, por exemplo, meios de produção no mercado), interrompe-se o ciclo, o fluir do processo de reprodução, como quando o capital se cristaliza na forma de capital-mercadoria. Há, entretanto, uma diferença: o capital pode durar mais sob a forma dinheiro do que sob a forma perecível de mercadoria. Não deixa de ser dinheiro, por não funcionar como capital-dinheiro; mas, deixa de ser mercadoria e valor de uso em geral, quando é obstado por tempo demasiadamente longo em sua função de capital-mercadoria. Demais, sob a forma dinheiro, é capaz de assumir outra forma em lugar de sua forma primitiva de capital produtivo, enquanto que, sob a forma de M', não pode sair de onde está.

M'-D'-M, do ponto de vista da forma, só encerra para M' atos de circulação que são seus fatores de reprodução; mas a reprodução real do M em que se converte M' é necessária para que se realize M'-D'-M, e depende de processos diferentes do processo de reprodução do capital individual representado em M'.

Na forma I, D-M$<^{F}_{Mp}$ possibilita apenas a primeira transformação do capital-dinheiro em capital produtivo; na forma II, a reversão do capital-mercadoria a capital produtivo; se não muda a aplicação do capital industrial, há volta, portanto, do capital-mercadoria aos mesmos elementos de produção dos quais surgiu. Na forma II, revela-se fase preparatória do processo de produção, conforme ocorre na I, mas, além disso, aparece como retorno a esse processo, renovação dele, prefigurando, portanto, o processo de reprodução, a repetição do processo de valorização.

Mais uma vez, importa observar que D-F é mais do que simples troca de mercadorias; é compra de uma mercadoria F destinada a produzir mais-valia, do mesmo modo que D-Mp é meio materialmente imprescindível para a consecução desse objetivo.

Ao consumar-se a operação $D\text{-}M<^{F}_{Mp}$, D volta a transformar-se em capital produtivo, em P, e o ciclo recomeça.

A forma explicitada de P...M'-D'-M...P é, portanto:

$$P\ldots M' \begin{Bmatrix} M \\ + \\ \mu \end{Bmatrix} \begin{matrix} - \\ - \end{matrix} \begin{Bmatrix} D \\ + \\ d \end{Bmatrix} \begin{matrix} - M<^{F}_{Mp}\ldots P \\ - \mu \end{matrix}$$

A transformação de capital-dinheiro em capital produtivo é compra de mercadorias para produzir mercadorias. O consumo só entra no ciclo do próprio capital quando é produtivo; tem por condição que se produza mais-valia através das mercadorias assim consumidas. Isto muito difere da produção, e mesmo da produção de mercadorias, quando o objetivo é a existência dos produtores; uma substituição de mercadoria por mercadoria, subordinada à produção de mais-valia, é algo totalmente diverso da troca de produtos em que o dinheiro serve apenas de intermediário. Mas os economistas admitem o contrário, para demonstrar que é impossível a superprodução.

Além do consumo produtivo de D, transformado em F e Mp, o ciclo contém o primeiro elo de D-F, que, para o trabalhador, é F-D = M-D. Da circulação que concerne ao trabalhador, F-D-M, a qual encerra seu consumo, só o primeiro elo resultante de D-F entra no ciclo do capital. O segundo ato, D-M, não figura na circulação do capital individual, embora dele se origine. A existência contínua da classe trabalhadora, porém, é necessária à classe capitalista, e, assim, é necessário também o consumo do trabalhador por meio de D-M.

Para continuar o ciclo do valor-capital e para a mais-valia ser consumida pelo capitalista, o ato M'-D' supõe apenas que M' se converte em dinheiro, se vende. Vende-se naturalmente porque o artigo M' é um valor de uso, adequado, portanto, a um consumo qualquer, produtivo ou individual. Se M' prossegue circulando depois de chegar, por exemplo, às mãos do comerciante que comprou o fio, não tem isso qualquer influência sobre a continuação do ciclo do capital individual que produziu o fio e o vendeu ao comerciante. O processo por inteiro prossegue em sua marcha e, com ele, o consumo individual dele dependente, do capitalista e do trabalhador. Importa considerar este ponto no estudo das crises.

Depois que M' se vende, se transforma em dinheiro, pode voltar a converter-se nos fatores reais do processo de trabalho e, por conseguinte, do processo de reprodução. Por isso, não acarreta nenhuma alteração imediata no ciclo a circunstância de M' ter sido vendido ao consumidor final ou ao comerciante. O volume das massas de mercadorias produzidas pela produção capitalista é estabelecido pela escala dessa produção e pelo imperativo de expansão contínua dela, e não por uma órbita predeterminada da oferta e da procura, das necessidades a satisfazer. A produção em massa só pode ter por comprador imediato, além de outro capitalista industrial, o comerciante por atacado. Até certo ponto, pode dar-se o processo de reprodução na mesma escala ou em escala ampliada, embora as mercadorias dele oriundas não entrem realmente no consumo individual ou produtivo. O consumo das mercadorias não está incluído no ciclo do capital do qual sai. Depois de vendido o fio, pode recomeçar o ciclo do valor-capital figurado no fio, não importando o que ocorra com o fio vendido. Do ponto de vista do produtor capitalista, tudo segue seu curso normal, desde que se venda o produto. Não se interrompe o ciclo do valor-capital que ele representa. Se esse processo é ampliado, o que implica consumo ampliado nos meios de produção, pode acompanhar essa reprodução do capital maior consumo (de natureza individual), e consequentemente procura, da parte dos trabalhadores, uma vez que o consumo produtivo instaura e possibilita o processo. Assim, pode aumentar a produção da mais-valia e, com ela, o consumo individual do capitalista, encontrar-se em pleno progresso todo o processo de reprodução, e, apesar disso, grande parte das mercadorias ter entrado na esfera da circulação apenas na aparência, continuando na realidade armazenada nas mãos dos revendedores sem ser vendida, retida, portanto, no mercado. Uma remessa de mercadoria sucede a outra, para se verificar no fim que a remessa anterior apenas aparentemente foi absorvida pelo consumo. Os capitais-mercadorias disputam entre si um lugar no mercado. Os retardatários, para vender, vendem abaixo do preço. As remessas anteriores de mercadorias não foram ainda liquidadas, mas já venceram os prazos de pagá-las. Quem detém as mercadorias invendáveis tem de declarar-se insolvente ou vendê-las a qualquer preço, para pagá-las. Essa venda nada tem a ver com a verdadeira situação da procura. Está relacionada apenas com a *procura de meios de pagamento*, com a necessidade absoluta de converter mercadoria em dinheiro. Estala então a crise. Torna-se visível, não na queda imediata da procura de mercadorias de consumo, da procura relacionada com o consumo individual, e sim na diminuição da troca entre os capitais, do processo de reprodução do capital.

Se as mercadorias MP e F (nas quais D se transforma a fim de desempenhar sua função de capital-dinheiro, de valor-capital que se reconverte em capital produtivo) têm de ser compradas ou pagas em datas diferentes, representando D-M uma série de compras e pagamentos sucessivos, realiza parte de D o ato D-M, permanecendo a outra parte em estado monetário, a fim de servir a atos simultâneos ou sucessivos D-M em oportunidade determinada pelas condições do próprio processo. Essa parte restante fica temporariamente retirada da circulação, para entrar em ação no momento escolhido e desempenhar sua função. Assim, esse dinheiro armazenado está exercendo função determinada por sua circulação e para a circulação. Sua existência como fundo de compra e de pagamento, a suspensão de seu movimento, a parada de sua circulação, é um estado em que o dinheiro desempenha uma de suas funções de capital-dinheiro. Isto porque, no caso, o dinheiro que se imobiliza temporariamente é parte do capital-dinheiro D (D'-d = D = parte do valor do capital-mercadoria), e D = P, o valor do capital produtivo, ponto de partida do ciclo. Todo dinheiro retirado da circulação está sob a forma de tesouro. A forma tesouro do dinheiro torna-se aqui, portanto, função do capital-dinheiro, do mesmo modo que em D-M se torna função do capital-dinheiro a função do dinheiro de meio de compra e a de meio de pagamento, exatamente porque o valor-capital existe aqui sob a forma dinheiro, sendo a condição de dinheiro um estado, imposto pela engrenagem do ciclo, do capital industrial num de seus estádios. Além disso, confirma-se mais uma vez que o capital-dinheiro só desempenha no ciclo do capital industrial funções de dinheiro e essas funções só assumem simultaneamente o significado de funções do capital em virtude de sua relação com os outros estádios do ciclo.

Se D' se revela relação entre d e D, relação de capital, é por força de função imediata não do capital-dinheiro, mas do capital-mercadoria M', que, por sua vez, expressa como relação entre μ e M o resultado do processo de produção, a expansão do valor-capital nele ocorrida.

Quando a sequência do processo de circulação esbarra em obstáculos, sendo D, em virtude de circunstâncias externas, situação do mercado etc., forçado a suspender sua função D-M e por isso a permanecer por tempo mais ou menos longo em seu estado monetário, teremos novamente dinheiro entesourado, o que se dá na circulação simples de mercadorias quando se interrompe a transição de M-D para D-M, em virtude de circunstâncias externas. É o entesouramento involuntário. Em nosso caso, assume o dinheiro a forma de capital-dinheiro latente, improdutivo. Não insistiremos, por ora, neste assunto.

Nos dois casos, a permanência do capital-dinheiro em seu estado monetário se patenteia resultado do movimento interrompido, seja essa interrupção adequada ou inadequada, voluntária ou involuntária, favorável ou contrária ao funcionamento do capital.

2. ACUMULAÇÃO E REPRODUÇÃO EM ESCALA AMPLIADA

As proporções em que se pode ampliar o processo de produção não são arbitrárias, mas tecnicamente prescritas. Mesmo que seja destinada à capitalização, muitas vezes a mais-valia realizada, só após a repetição de diversos ciclos, pode atingir o nível (e até aí tem de ser juntada) em que pode funcionar realmente como capital adicional ou entrar no ciclo do valor-capital em marcha. A mais-valia petrifica-se, portanto, em tesouro e constitui, sob essa forma, capital-dinheiro latente. Latente porque não pode funcionar como capital enquanto se conserva sob a forma dinheiro.[6a] O entesouramento se revela fator implícito no processo de acumulação capitalista, a ele ligado, mas dele essencialmente diverso. Na realidade, não se amplia o próprio processo de reprodução ao formar-se capital-dinheiro latente. Ao contrário. Forma-se aí capital latente porque o produtor capitalista não pode ampliar imediatamente a escala de sua produção. Se vende seu produto excedente a um produtor de ouro ou de prata, que lança na circulação nova quantidade de ouro ou de prata, ou, o que dá no mesmo, a um comerciante que importa do exterior quantidades adicionais de ouro ou de prata em troca de parte do produto excedente nacional, constituirá seu capital-dinheiro latente acréscimo do tesouro nacional de ouro ou de prata. Em todos os demais casos, as 78 libras esterlinas, por exemplo, que eram meio de circulação nas mãos do comprador, passam a assumir nas mãos do

6a A expressão "latente" foi tirada da concepção física de calor latente, hoje bastante superada pela teoria da transformação da energia. Por isso, na Terceira Seção (redação posterior), Marx usa, em lugar de "latente", "potencial", termo tomado de empréstimo à concepção de energia, potencial ou "virtual" por analogia com as velocidades virtuais D'Alembert. — F.E.

capitalista a forma tesouro, havendo apenas nova distribuição do tesouro nacional de ouro ou de prata.

Se, nas transações de nosso capitalista, o dinheiro tem a função de meio de pagamento, devendo a mercadoria ser paga pelo comprador em prazos mais ou menos longos, o produto excedente destinado à capitalização não se transformará em dinheiro, mas em título de crédito, em direito a um equivalente que o comprador já pode possuir ou apenas ter em perspectiva. Não entra no processo de reprodução do ciclo, do mesmo modo que dinheiro aplicado em papéis que rendem juros etc., embora possa entrar no ciclo de outros capitais industriais individuais.

Todo o caráter da produção capitalista é determinado pelo imperativo de aumentar o valor-capital adiantado, de produzir portanto, antes de tudo, a maior quantidade possível de mais-valia; em seguida, pelo imperativo de produzir capital, ou seja, de transformar mais-valia em capital (ver Livro 1, Capítulo XXII). A acumulação ou produção em escala ampliada se revela meio de produzir mais-valia em quantidade cada vez maior e de enriquecer o capitalista, que vê no enriquecimento seu objetivo pessoal; ela está compreendida na tendência geral da produção capitalista, e torna-se, com seu desenvolvimento, conforme vimos no Livro 1, uma necessidade para cada capitalista individual. O aumento contínuo de seu capital torna-se condição para conservá-lo. Não é mister, porém, voltar a assunto de que já tratamos.

Estudamos, primeiro, a reprodução simples, quando supusemos que toda a mais-valia era renda que constituía objeto de consumo do capitalista. Na realidade, em condições normais, parte da mais-valia tem de ser consumida como renda e parte tem de ser capitalizada, não importando que a mais-valia produzida em certos períodos seja totalmente consumida ou inteiramente capitalizada. A fórmula geral só pode representar a média do movimento, e neste ocorrem capitalização e consumo. Para não complicar a fórmula, entretanto, é melhor admitir que toda a mais-valia é acumulada. A fórmula $P \dots M'\text{-}M<^{F}_{Mp} \dots P'$ representa capital produtivo que se reproduz em escala ampliada e com maior valor e que, como capital produtivo acrescido, começa o segundo ciclo, ou, o que é o mesmo, renova o primeiro ciclo. Quando se inicia o segundo ciclo, P é ponto de partida; o segundo P se distingue do primeiro por ser simplesmente um capital produtivo maior. Quando na fórmula D...D' o segundo ciclo começa com D', D' funciona como D, como capital-dinheiro adiantado de determinada magnitude; é capital-dinheiro maior do que o que iniciou o primeiro ciclo, mas, ao surgir na função de capital-dinheiro adiantado, desaparece toda relação com seu acréscimo por meio da capitalização da mais-valia. Essa origem se apaga na forma de capital-dinheiro que inicia seu ciclo. O mesmo se estende a P', quando serve de ponto de partida de novo ciclo.

Comparando P...P' com D...D', o primeiro ciclo, verificamos que não têm a mesma significação. D...D', considerado em si mesmo, como ciclo à parte, expressa apenas que D, o capital-dinheiro (ou o capital industrial em seu ciclo de capital-dinheiro), é dinheiro que gera dinheiro, valor que gera valor, produz mais-valia. No ciclo de P, ao contrário, o processo de produzir mais-valia já está concluído, ao fim do primeiro estádio, do processo de produção, e, após o decurso do segundo estádio M'-D', o primeiro da circulação, o valor-capital + mais-valia passam a existir no capital realizado, D', que, no primeiro ciclo, aparecia como último termo. A produção da mais-valia está expressa na forma primeiramente observada de P...P (ver fórmula explicitada à p. 85) por meio de μ-d-μ, que, em seu segundo estádio, sai fora da circulação do capital e representa a circulação da mais-valia consumida como renda. P...P expressa todo o movimento, não havendo diferença de valor entre os dois extremos, nele figurando do mesmo modo que em D...D' o acréscimo do valor antecipado, a produção da mais-valia; a única diferença é que, em D...D', M'-D' aparece como o último estádio e, em P...P, aparece como o segundo estádio do ciclo e o primeiro da circulação.

Em P...P', P' expressa não a produção de mais-valia, e sim a capitalização da mais-valia produzida, a acumulação de capital, portanto, consistindo por isso P', em relação a P, no valor-capital primitivo acrescido do valor do capital que, em virtude de seu movimento, se acumulou.

D', simplesmente como último termo de D...D', e M', conforme aparece em todos esses ciclos, expressam, considerados em si mesmos, não o movimento, mas o resultado deste: o acréscimo do valor-capital, realizado sob a forma mercadoria ou sob a forma dinheiro, o valor-capital como D + d ou como M + μ, como relação do valor-capital para com sua mais-valia, seu rebento. Expressam este resultado como formas diversas de circulação do valor-capital acrescido. Mas a valorização ocorrida, sob a forma de M' ou sob a forma de D', não é função do capital-dinheiro nem do capital-mercadoria. Como formas, modos de existência, particulares, diversos, correspondentes a funções específicas do capital industrial, capital-dinheiro só pode desempenhar funções de dinheiro, e capital-mercadoria, funções de mercadoria, e a única diferença que há entre eles é a que existe entre dinheiro e mercadoria. Do mesmo modo, o capital industrial, na forma de capital produtivo, consiste nos mesmos elementos de qualquer outro processo de trabalho que crie produtos: de um lado, condições materiais de trabalho, meios de produção; do outro, força de trabalho que opera produtiva e adequadamente. Na esfera da produção, o capital industrial só pode existir na composição correspondente ao processo de produção em geral e, portanto, ao processo de produção não capitalista; do mesmo modo, na esfera da circulação, só pode existir nas duas formas que a ela correspondem, a de mercadoria e a de dinheiro. A soma dos elementos de produção se patenteia de saída capital produtivo, por ser a força de trabalho força de trabalho alheia que o capitalista comprou ao possuidor dela, da mesma maneira que adquiriu os meios de produção de outros possuidores; por isso, o processo de produção aparece como função produtiva do capital industrial. Do mesmo modo, dinheiro e mercadoria aparecem como formas de circulação do capital industrial, suas funções como funções de circulação desse capital, que dão origem às funções do capital produtivo ou delas derivam. A função de dinheiro e a função de mercadoria são aqui simultaneamente função de capital-dinheiro e função de capital-mercadoria, em virtude apenas de estarem entrosadas como formas de funções que o capital industrial tem de desempenhar nos diferentes estádios do processo cíclico. Tanto é falso derivar as qualidades e funções específicas que caracterizam o dinheiro como dinheiro e a mercadoria como mercadoria, de seu caráter de capital, quanto deduzir as qualidades do capital produtivo de seu modo de existência em meios de produção.

Em D' e M', definidos como D + d ou M + μ, está expressa a relação entre valor-capital e seu rebento, a mais-valia no primeiro, sob a forma dinheiro e, no segundo, sob a forma mercadoria, o que em nada altera a substância da coisa. Essa relação não decorre de propriedades e funções que pertençam ao dinheiro ou à mercadoria como tais. Em ambos os casos, a propriedade que caracteriza o capital, de ser valor que gera valor, é expressa apenas como resultado. M' é sempre produto da função de P, e D' não passa da forma M' transmutada no ciclo do capital industrial. Por isso, logo que o capital-dinheiro realizado retoma sua função específica de capital-dinheiro, cessa de expressar a relação capital contida em D' = D + d. Quando se conclui o percurso D...D', e D' recomeça o ciclo, não figura mais como D', mas como D mesmo quando se capitaliza toda a mais-valia contida em D'. Em nosso caso, o segundo ciclo começa com um capital-dinheiro de 500 libras esterlinas, em lugar das primeiras 422. O capital-dinheiro que abre o segundo ciclo supera o do primeiro em 78 libras esterlinas; essa diferença existe ao comparar-se um ciclo com outro; mas não existe essa confrontação dentro de cada ciclo isolado. As 500 libras adiantadas como capital-dinheiro, das quais 78 eram anteriormente mais-valia, desempenham o mesmo papel de 500 libras com que outro capitalista abrisse seu primeiro ciclo. O mesmo ocorre no ciclo do capital produtivo. P', embora maior, apresenta-se como P ao reiniciar-se o ciclo, no mesmo papel de P na reprodução simples P...P.

No estádio $D'\text{-}M<^{F}_{Mp}$, o acréscimo de magnitude é indicado por M' e não por F' e Mp'. Sendo M soma de F e Mp, M' já indica que a soma de F e Mp nele contida é maior que o P anterior. Além disso, seria falsa a designação F' e Mp', pois sabemos que a composição do valor se modifica com o incremento do capital, quando o valor de Mp aumenta e o de F sempre decresce relativamente e às vezes em termos absolutos.

3. ACUMULAÇÃO DE DINHEIRO

Depende de circunstâncias que não estão subordinadas à mera existência de d (a mais-valia convertida em dinheiro) a possibilidade de d juntar-se imediatamente ao valor-capital em operação, e assim entrar no processo cíclico juntamente com o capital D, constituindo parcela da magnitude de D'. Quando o que está em jogo é servir d de capital-dinheiro num segundo negócio independente do primeiro, é evidente que só pode ser aplicado quando atinge a grandeza mínima exigida pelo novo negócio. Quando o problema é empregá-lo para expandir o negócio primitivo, as relações existentes entre os fatores materiais de P e seus valores exigem também que d possua determinada grandeza mínima. Todos os meios de produção que operam no negócio têm, entre si, não só uma relação qualitativa, mas também quantitativa, uma proporcionalidade. Essas relações materiais e os valores correspondentes dos fatores que entram no capital produtivo determinam a dimensão mínima que d tem de possuir, a fim de poder transformar-se em meios de produção e força de trabalho adicionais, ou apenas nos primeiros, acrescendo o capital produtivo. Assim, o industrial de fiação não pode aumentar o número de seus fusos, sem adquirir simultaneamente as correspondentes cardas e demais aparelhos complementares de fiação, para não falarmos no dispêndio maior com algodão e salários, exigido por essa expansão do negócio. Para efetuá-la (calcula-se em regra 1 libra esterlina por cada fuso adquirido), já tem a mais-valia de atingir uma soma regular. Enquanto d não atinge esse montante mínimo, é mister que o ciclo do capital se repita várias vezes até que a soma dos d sucessivamente produzidos possa funcionar juntamente com D, isto é, em $D'\text{-}M'M <_{Mp}^{F}$. Pequenas modificações, por exemplo, na maquinaria de fiação, tornando-a mais produtiva, exigem maior dispêndio em material de fiação, ampliação da maquinaria complementar etc. Durante certo tempo, acumula-se d, e sua acumulação não é função dele, mas resulta de repetir-se P...P. A função que lhe é própria é a de permanecer em estado de dinheiro, até que aumente bastante em virtude dos ciclos de valorização repetidos, em virtude de causa externa, portanto, a fim de alcançar a grandeza mínima exigida por sua função ativa, grandeza sem a qual não pode realmente entrar na função do capital-dinheiro D como capital-dinheiro constituindo a parte que se acumulou com o movimento de D. Durante o intervalo em que se acumula, existe apenas na figura de um tesouro em formação, em crescimento. Acumulação de dinheiro, entesouramento, patenteia-se aqui um processo que acompanha transitoriamente a acumulação real, a expansão da escala em que opera o capital industrial. Transitoriamente, pois, enquanto o tesouro não sai de seu estado de tesouro, não funciona como capital, não participa do processo de valorização, continua sendo uma soma de dinheiro que só aumenta porque, sem sua interferência, se lança, no mesmo cofre em que se encontra, mais dinheiro.

A forma tesouro é apenas a forma do dinheiro que não se encontra em circulação, do dinheiro que teve sua circulação interrompida e por isso se mantém em sua forma. O processo de entesourar é comum a toda produção mercantil e só constitui um fim em si mesmo nas formas pré-capitalistas, rudimentares. Aqui, porém, o tesouro aparece como forma do capital-dinheiro e o entesouramento como processo que acompanha transitoriamente a acumulação do capital, porque e enquanto o dinheiro figura como *capital-dinheiro latente*, o entesouramento, o estado de tesouro da mais-valia existente sob a forma dinheiro, é um estádio preparatório ocorrente fora do ciclo do capital, e tem por função transformar a mais-valia em capital realmente operante. Por sua destinação, é, portanto, capital-dinheiro latente, e daí ser o montante que tem de atingir para entrar no processo, determinado pela composição ocasional do valor do capital produtivo. Enquanto permanece em estado de tesouro, não funciona como capital-dinheiro, é capital-dinheiro parado, mas não por ter sua função interrompida, e sim por não ter atingido o nível exigido para poder funcionar.

Consideramos aqui o amealhamento em sua forma primitiva, real, como tesouro em dinheiro efetivo. Ela pode existir também sob a forma de direitos, créditos do capitalista que vendeu M'. Não trataremos aqui das outras formas em que, nesse intervalo, existe o capital-dinheiro latente, inclusive na figura de dinheiro que gera dinheiro, por exemplo, nos depósitos em banco que rendem juros, em letras de câmbio ou em papéis de qualquer natureza. A mais-valia realizada em dinheiro desempenha então funções específicas de capital fora do ciclo do capital industrial donde se originou; funções que nada têm a ver com esse ciclo considerado em si mesmo e, além disso, supõem funções de capital que ainda não foram estudadas, distintas das funções do capital industrial.

4. FUNDO DE RESERVA

Na forma que acabamos de observar, o tesouro que representa a mais-valia é fundo de acumulação de dinheiro, a forma dinheiro que a acumulação de capital possui transitoriamente, e, sob esse aspecto, condição da acumulação de capital. Esse fundo de acumulação pode desempenhar também funções acessórias, por exemplo, entrar no processo cíclico do capital, sem que este possua a forma D...D', sem que se amplie, portanto, a reprodução capitalista.

Se o processo M'-D' demora além do normal, se o capital-mercadoria anormalmente custa a converter-se à forma dinheiro ou, se tendo havido essa conversão, os preços, por exemplo, dos meios de produção nos quais o capital-dinheiro tem de converter-se, subiram além do nível em que se encontravam no começo do ciclo, pode o tesouro que funciona como fundo de acumulação ser empregado a fim de repor total ou parcialmente o capital-dinheiro. O fundo de acumulação de dinheiro serve assim de fundo de reserva, a fim de eliminar as perturbações do ciclo.

Quando o seu papel é de fundo de reserva, difere do fundo de meios de compra ou de pagamento, observado no ciclo P...P. Os últimos são parte do capital-dinheiro em funcionamento (formas de existência, portanto, de uma parte do valor-capital em movimento), constituída de frações que entram em função uma após outra em datas diferentes. Na continuidade do processo de produção, forma-se ininterruptamente capital-dinheiro de reserva, havendo hoje pagamentos a receber e mais tarde pagamentos a realizar, hoje volumosas vendas feitas, mais tarde volumosas compras; nesses intervalos, encontra-se, portanto, constantemente, parte do capital circulante sob a forma dinheiro. O fundo de reserva, pelo contrário, não é parte componente do capital operante, do capital-dinheiro, e sim do capital que se encontra em estádio preliminar de sua acumulação, da mais-valia que não se transformou ainda em capital ativo. É claro que o capitalista em aperturas não vai se preocupar em perquirir as funções do dinheiro que se encontra em suas mãos, mas aplicar o que tem a fim de manter em movimento o processo cíclico de seu capital. Em nosso exemplo D = 422 libras esterlinas, D' = 500 libras esterlinas. Se parte do capital, das 422 libras esterlinas, existe como fundo de meios de pagamento e de compra, como provisão de dinheiro, calcula-se que essa parte, permanecendo invariáveis as circunstâncias, entrará totalmente no ciclo e será suficiente. Mas o fundo de reserva é parte da mais-valia, das 78 libras esterlinas; só pode entrar no processo cíclico do capital de 422 libras esterlinas, se variarem as circunstâncias em que se efetua o ciclo, pois é parte do fundo de acumulação e aqui figura sem que seja ampliada a escala da reprodução.

O fundo de acumulação de dinheiro já é existência de capital-dinheiro latente, transformação, portanto, de dinheiro em capital-dinheiro.

A fórmula geral do ciclo do capital produtivo, a qual abrange a reprodução simples e a reprodução em escala ampliada, é:

$$P \ldots \overset{1}{\overbrace{M' - D'}}. \quad \overset{2}{\overbrace{D - M}} < \begin{matrix} F \\ Mp \end{matrix} \ldots P(P')$$

Se P = P, D em 2) = D' – d; se P = P', D em 2) é maior do que D'-d; isto é, d converteu-se em capital-dinheiro, total ou parcialmente.

O ciclo do capital produtivo é a forma sob a qual a economia clássica observa o processo cíclico do capital industrial.

III.
O ciclo do capital-mercadoria

A fórmula geral do ciclo do capital-mercadoria é: M'-D'-M...P...M'. M' patenteia-se produto e pressuposto de ambos os ciclos anteriores, pois a operação D-M de um capital implica a operação M'-D' de outro, pelo menos na medida em que parte dos meios de produção é mercadoria produzida por outros capitais individuais que efetuam seu ciclo. Em nosso caso, carvão é capital-mercadoria do explorador da mina; máquinas, do construtor de máquinas etc. No Capítulo I, 4, vimos que, ao repetir-se pela primeira vez D...D' e antes de concluir-se o segundo ciclo do capital-dinheiro, supõem-se os ciclos P...P e M'...M'.

Se ocorre reprodução em escala ampliada, o M' final será maior que o M' inicial e por isso chamá-lo-emos aqui de M".

A terceira forma difere das duas primeiras sob dois aspectos.

Primeiro. Nela, a circulação completa com as duas fases opostas abre o ciclo, enquanto na forma I a circulação é interrompida pelo processo de produção e na forma II a circulação completa, com suas duas fases complementares, se revela o fator que possibilita o processo de reprodução, constituindo por isso o movimento intercalado em P...P. Em D...D', a forma de circulação é D-M...M'-D' = D-M-D. Em P...P, ao contrário, ela é M'-D'. D-M = M-D-M. Esta última forma é também a de M'...M'.

Segundo. Desaparece a forma em que foram produzidos os termos finais D' e P', ao se repetirem os ciclos I e II, mesmo quando constituam os termos iniciais do ciclo renovado. D' = D + d e P' = P + p começam o novo processo simplesmente como D e P. Na forma III, entretanto, o ponto de partida pode ser chamado de M', mesmo quando o ciclo se renova na mesma escala, pela razão apresentada a seguir. Na forma I, quando é o próprio D' que abre novo ciclo, funciona ele como capital-dinheiro D, adiantamento sob a forma dinheiro do valor-capital a ser acrescido. Aumentou a magnitude do capital-dinheiro adiantado, em virtude da acumulação efetuada no primeiro ciclo. O capital-dinheiro adiantado, seja qual for sua grandeza, 422 libras esterlinas ou 500, apresenta-se sempre como mero valor-capital. D' então não existe mais como capital valorizado, enriquecido de mais-valia, como relação de capital. Tem apenas de valorizar-se, no processo. O mesmo se aplica a P...P'; P' tem sempre de funcionar, de renovar o ciclo como P, valor-capital que deve produzir mais-valia. Mas o ciclo do capital-mercadoria começa não com o simples valor-capital, mas com o valor-capital acrescido sob a forma mercadoria, abrangendo, desde o início, o ciclo do valor-capital e, ainda, da mais-valia, ambos existentes sob a forma mercadoria. Por isso, quando há, nessa forma, reprodução simples, o termo final M' tem a mesma grandeza do termo inicial. Se parte da mais-valia entra no ciclo do capital, aparecerá no fim, em vez de M', M", um M' maior, mas o ciclo seguinte será iniciado por M', que é apenas um M' maior que o do ciclo anterior, iniciando seu novo ciclo com valor-capital acumulado maior e consequentemente com nova mais-valia produzida relativamente maior. Em todos os casos, M' começa sempre o ciclo como um capital-mercadoria = valor-capital + mais-valia.

M' aparece como M no ciclo de um capital industrial singular, mas não como forma desse capital e sim como forma de outro capital industrial donde provêm os meios de produção. A operação D-M (isto é, D-Mp) do primeiro capital é, para o segundo, M'-D'.

Na ocorrência da circulação $D\text{-}M<^{F}_{Mp}$, F e Mp se comportam de maneira idêntica como mercadorias em mãos de seus vendedores, o trabalhador e o possuidor dos meios de produção: um vende sua força de trabalho e o outro, aqueles meios. Para o comprador cujo dinheiro no caso funciona como capital-dinheiro, esses fatores, enquanto não forem comprados, funcionam apenas como mercadorias, confrontando, como mercadorias dos outros, seu capital existente sob a forma dinheiro. Mp e F diferem aqui porque Mp é ou pode ser M' nas mãos do vendedor, seu capital, portanto, forma mercadoria de seu capital, quando F, para o trabalhador, jamais deixa de ser mercadoria e só se torna capital nas mãos do comprador, como parte componente de P.

Por isso, M' nunca pode iniciar um ciclo como simples M, como simples forma mercadoria do valor-capital. Como capital-mercadoria é sempre duas coisas. Do ponto de vista do valor de uso, é o produto da função de P, fio, cujos elementos originários da circulação como mercadorias, F e Mp, funcionaram apenas como fatores desse produto. Do ponto de vista do valor, é o valor-capital P acrescido da mais-valia produzida durante o funcionamento de P.

Só no ciclo de M', M = P = valor-capital pode separar-se da parte de M' em que existe a mais-valia, do produto excedente que encerra a mais-valia, sejam ambos materialmente separáveis, como no fio, ou não, como na máquina. Podem ser separados quando M' se converte em D'.

Se toda a mercadoria produzida é divisível em partes homogêneas, autônomas, como nossas 10.000 libras-peso de fio, podendo por isso a operação

M'-D' representar soma de vendas sucessivas, poderá o valor-capital funcionar sob a forma mercadoria como M, separar-se de M', antes de a mais-valia realizar-se, antes, portanto, de realizar-se M' por inteiro.

Das 10.000 libras-peso de fio, ou seja, das 500 libras esterlinas, o valor de 8.440 libras-peso = 422 libras esterlinas = valor-capital, separado da mais-valia. Se o capitalista só vender 8.440 libras-peso de fio por 422 libras esterlinas, essas 8.440 libras-peso de fio representariam M, o valor-capital sob a forma mercadoria; o produto excedente contido em M', de 1.560 libras-peso de fio = mais-valia de 78 libras esterlinas, circularia mais tarde; o capitalista poderia concluir a operação $M\text{-}D\text{-}M<^{F}_{Mp}$ antes da circulação do produto excedente *μ*-d-*μ*.

Se sua primeira venda é de 7.440 libras-peso de fio no valor de 372 libras esterlinas, seguida de outra de 1.000 libras-peso de fio no valor de 50 libras esterlinas, poderia ele com a primeira parte de M repor os meios de produção, o capital constante *c*, e, com a segunda parte, o capital variável *v*, a força de trabalho, seguindo daí por diante conforme já se expôs.

Quando as vendas são sucessivas e as condições do ciclo o permitem, pode o capitalista dividir partes alíquotas de M' em c + v + m, como se faz com M'.

Por exemplo: 7.440 libras-peso de fio = 372 libras esterlinas que, como parte de M' (10.000 libras-peso de fio = 500 libras esterlinas), representam o capital constante, são, por sua vez, divisíveis em: 5.535,360 libras-peso de fio no valor de 276,768 libras esterlinas, que simplesmente repõem o capital constante, o valor dos meios de produção consumidos nas 7.440 libras-peso de fio; 744 libras-peso no valor de 37,200 libras esterlinas, que apenas repõem o capital variável; 1.160,640 libras-peso de fio que têm o valor de 58,032 libras esterlinas e que, como produto excedente, são portadoras da mais-valia. O capitalista pode repor o valor-capital contido nas 7.440 libras-peso com a venda de 6.279,360 libras-peso de fio por 313,968 libras esterlinas, e gastar como renda o valor do produto excedente, as 1.160,640 libras-peso = 58,032 libras esterlinas.

Pode igualmente vender 1.000 libras-peso de fio = 50 libras esterlinas – valor do capital variável, decompondo-as em: 744 libras-peso de fio por 37,200 libras esterlinas, valor do capital constante de 1.000 libras-peso de fio; 100 libras de fio por 5.000 libras esterlinas, capital variável da mesma quantidade de fio; ou seja, 844 libras-peso de fio por 42,200 libras esterlinas, para repor o valor-capital contido nas 1.000 libras-peso de fio; por fim,

156 libras-peso de fio no valor de 7,800 libras esterlinas, que representam o produto excedente e como tal podem ser consumidas.

Pode também, se lograr vender as restantes 1.560 libras-peso de fio no valor de 78 libras esterlinas, decompô-las da seguinte maneira: 1.160,640 libras-peso de fio por 58,032 libras esterlinas para repor o valor dos meios de produção contidos em 1.560 libras-peso de fio, e 156 libras-peso de fio no valor de 7,800 libras esterlinas para substituir o valor do capital variável, perfazendo-se assim a soma de 1.316,640 libras-peso de fio = 65,832 libras esterlinas, que repõem todo o valor-capital; finalmente, 243,360 libras-peso = 12,168 libras esterlinas, correspondentes ao produto excedente, a ser gasto como renda.

Cada um dos elementos do fio c, v ou m, é divisível em c, v e m. O mesmo se pode dizer de cada libra-peso de fio no valor de 1 xelim = 12 *pence.*

c = 0,744 libra-peso de fio = 8,928 *pence*
v = 0,100 libra-peso de fio = 1,200 *pence*
m = 0,156 libra-peso de fio = 1,872 *pence*
c + v + m = 1,000 libra-peso de fio = 12 *pence*

Somando os resultados das três vendas parciais anteriormente apresentadas, obteremos o mesmo resultado que conseguiríamos com a venda, de uma vez, das 10.000 libras-peso de fio.

Em capital constante temos:

na 1ª venda: 5.535,360 libras-peso de fio = 276,768 libras esterlinas
na 2ª venda: 744,000 libras-peso de fio = 37,200 libras esterlinas
na 3ª venda: 1.160,640 libras-peso de fio = 58,032 libras esterlinas

soma: 7.440,000 libras-peso de fio = 372,000 libras esterlinas

Em capital variável:

na 1ª venda: 744,000 libras-peso de fio = 37,200 libras esterlinas
na 2ª venda: 100,000 libras-peso de fio = 5,000 libras esterlinas
na 3ª venda: 156,000 libras-peso de fio = 7,800 libras esterlinas

soma: 1.000,000 libras-peso de fio = 50 libras esterlinas

Em mais-valia:

na 1ª venda: 1.160,640 libras-peso de fio = 58,032 libras esterlinas
na 2ª venda: 156,000 libras-peso de fio = 7,800 libras esterlinas
na 3ª venda: 243,360 libras-peso de fio = 12,168 libras esterlinas

---

soma: 1.560,000 libras-peso de fio = 78,000 libras esterlinas

Total das somas:

capital constante: 7.440 libras-peso de fio = 372 libras esterlinas
capital variável: 1.000 libras-peso de fio = 50 libras esterlinas
mais-valia: 1.560 libras-peso de fio = 78 libras esterlinas

---

totalizando: 10.000 libras-peso de fio = 500 libras esterlinas

M'-D', considerado de *per se*, nada mais é que venda de 10.000 libras-peso de fio, de mercadoria como qualquer outro fio. Atrai o interesse do comprador o preço de 1 xelim por libra-peso ou de 500 libras esterlinas por 10.000 libras-peso. E se, ao comerciar, se empenha em saber a composição do valor, é apenas com a intenção maliciosa de demonstrar que a libra-peso pode ser vendida abaixo de 1 xelim e que o vendedor, mesmo assim, faz um bom negócio. A quantidade que compra depende das suas necessidades; se dono de tecelagem, da composição do capital nela empregado, não da do capital da fiação de quem ele compra. As proporções em que M' tem de repor o capital consumido em sua produção, isto é, seus elementos componentes, e de constituir produto excedente, mais-valia a ser despendida ou acumulada, só existem no ciclo do capital que tem por forma-mercadoria as 10.000 libras esterlinas. Elas nada têm a ver com a venda como tal. Demais, aqui se supõe que M' se vende por seu valor, tratando-se, portanto, apenas de sua transição da forma-mercadoria para a forma dinheiro. Para M', forma funcional do ciclo desse capital, a partir da qual se tem de repor o capital produtivo, é naturalmente importante a diferença que exista entre preço e valor por ocasião da venda, mas não nos ocuparemos com este problema, pois por ora estamos cuidando simplesmente das mudanças de forma.

Na forma I, D...D', o processo de produção aparece interposto entre as duas fases de circulação do capital que se complementam e se opõem;

conclui-se antes de sobrevir a fase final M'-D'. O dinheiro é adiantado como capital, sendo convertido primeiro em elementos de produção e, a partir daí, em mercadoria produzida, e esta transformada em dinheiro. É um ciclo de negócio pronto e acabado, e seu resultado é dinheiro que pode ser aplicado a todo e qualquer fim. O reinício depende apenas das possibilidades. D...P...D' tanto pode ser o último ciclo que encerra o funcionamento de um capital individual que se retira do negócio, quanto o primeiro ciclo de um novo capital que entra em função. O movimento geral aqui é D...D', partindo de uma quantidade de dinheiro para outra maior.

Na forma II, P...M'-D'-M...P (P'), todo o processo de circulação segue o primeiro P que precede o segundo, ocorrendo na ordem oposta à da forma I. O primeiro P é o capital produtivo, e sua função é o processo de produção, como precondição do processo de circulação subsequente. O P final, ao contrário, não é processo de produção, é apenas o reaparecimento do capital industrial sob a forma de capital produtivo. E esse resultado decorre de o valor-capital, na última fase da circulação, se ter transformado em F + Mp, nos fatores subjetivos e objetivos que, reunidos, constituem a forma de existência do capital produtivo. No fim, o capital, seja P ou P', encontra-se outra vez na forma em que tem de funcionar novamente como capital produtivo, de levar a cabo o processo de produção. A forma geral do movimento P...P é a forma da reprodução e não indica, como D...D', que a valorização é a finalidade do processo. Por isso, ela torna mais fácil para a economia clássica abstrair-se da forma capitalista específica do processo de produção e apresentar a própria produção como objetivo do processo: produzir a maior quantidade e o mais barato possível e trocar o produto pela maior variedade possível de outros produtos, seja para renovar a produção (D-M), seja para o consumo (d-μ). Uma vez que D e d aparecem aqui como meios fugazes da circulação, podem ser descuidadas as particularidades do dinheiro e do capital-dinheiro, e todo o processo se apresenta de maneira simples e natural, com a naturalidade que caracteriza o racionalismo superficial. Esquece-se, na ocasião, o lucro quando se trata de capital-mercadoria, que figura como mercadoria quando se considera o ciclo global de produção, e como capital-mercadoria quando o que se debate são as partes componentes do valor. A acumulação, evidentemente, apresenta-se da mesma maneira que a produção.

Na forma III, M'-D'-M...P...M', as duas fases do processo de circulação abrem o ciclo e na mesma ordem da forma II, P...P; sobrevém então P, como na forma I, com sua função, o processo de produção; com M', dele resultante, encerra-se o ciclo. Esse M' é o capital-mercadoria que torna a aparecer, do mesmo modo que, na forma II, o P final é simplesmente o reaparecimento do capital produtivo; na forma II, o capital, em sua forma final P, tem de reiniciar o processo como processo de produção, e aqui, na forma III, com o reaparecimento do capital industrial, sob a forma de capital-mercadoria, tem o ciclo de reiniciar-se com a fase de circulação M'-D'. Ambas as formas do ciclo são incompletas, porque não terminam com D', com o valor-capital acrescido reconvertido em dinheiro. Ambas têm, portanto, de prosseguir e implicam por isso a reprodução. Na forma III, o ciclo total é M'...M'.

O que distingue a terceira forma das duas primeiras é que nela a valorização tem por ponto de partida o valor-capital acrescido, e não o valor-capital primitivo a ser ainda incrementado. O ponto de partida aqui é M' como relação de capital, e, como tal, tem influência determinante sobre todo o ciclo, abrangendo o ciclo do valor-capital e o da mais-valia já em sua primeira fase e devendo a mais-valia, se não em cada ciclo, mas pelo menos em média, em parte ser gasta como renda, efetuando a circulação μ-d-μ, e em parte funcionar como elemento da acumulação de capital.

Na forma M'...M', supõe-se o consumo de toda a mercadoria produzida condição do curso normal do ciclo do capital. O consumo individual do trabalhador e o consumo individual da parte do produto excedente não acumulada abrangem todo o consumo individual. O consumo em sua totalidade, o individual e o produtivo, constitui, portanto, condição do ciclo M'. O consumo produtivo (em que se inclui de fato o consumo individual do trabalhador, uma vez que a força de trabalho, até certo ponto, está sendo continuamente produzida pelo consumo individual do trabalhador) resulta da atuação de cada capital individual. Supõe-se o consumo individual ato social, e de modo nenhum ato do capitalista individual, exceto quando necessário à existência do capitalista individual.

Nas formas I e II, todo o movimento se revela movimento do valor-capital adiantado. Na forma III, o capital valorizado, configurado em toda a mercadoria produzida, constitui o ponto de partida e possui a forma do capital em movimento, do capital-mercadoria. Só depois do capital-mercadoria converter-se em dinheiro biparte-se esse movimento em movimento de capital e movimento de renda (a consumir). Esta forma do ciclo do capital compreende a distribuição de todo o produto social e também a distribuição particular do produto, do ponto de vista de cada capital-mercadoria individual, em fundo de consumo individual e em fundo de reprodução.

Em D...D' está implícita a possibilidade de ampliar-se o ciclo segundo o montante de d que entra no ciclo renovado.

Em P...P, pode P, com o mesmo valor e até com valor menor, iniciar o novo ciclo e, apesar disso, configurar reprodução em escala ampliada, quando, por exemplo, barateiam os fatores de produção em virtude de maior produtividade do trabalho. Inversamente, pode capital produtivo de maior valor representar reprodução em escala materialmente diminuída, quando, por exemplo, encarecem os elementos de produção. O mesmo se pode dizer de M'...M'.

Em M'...M', o capital sob a forma mercadoria é condição preliminar da produção e volta a aparecer no segundo M como requisito necessário no interior do ciclo. Se este M não é produzido nem reproduzido, paralisa-se o ciclo; este M tem de ser reproduzido, em regra, como M' de outro capital industrial. Assim, M' está sempre presente no começo, no meio e no fim do ciclo. É condição permanente do processo de reprodução.

M'...M' distingue-se por outra circunstância das formas I e II. É comum aos três ciclos o capital encerrar seu processo cíclico com a mesma forma com que o iniciou, voltando assim à forma inicial com que recomeçará o mesmo ciclo. A forma inicial D, P, M' é sempre a forma em que se adianta o valor-capital (acrescido da mais-valia na forma III), sua forma primitiva, portanto, com relação ao ciclo; a forma final D', P, M' é sempre forma transmutada de uma forma funcional que a precede no ciclo e que não é a forma primitiva.

Em I, D' é forma transmutada de M': em II, o P final é forma transmutada de D (em I e II, a simples circulação das mercadorias, a troca formal de posição entre dinheiro e mercadoria efetua essa transformação); em III, M' é forma transmutada de P, o capital produtivo. Mas, na forma III, a mudança se dá não só na forma funcional do capital, mas também na magnitude de seu valor; além disso, ela resulta não de permuta simplesmente formal, ocorrida na esfera da circulação, mas da verdadeira transformação por que passaram a forma de uso e o valor das mercadorias componentes do capital produtivo no processo de produção.

A forma do primeiro termo, D, P, M', é condição preliminar de cada um dos ciclos I, II e III; a forma que reaparece no último termo é determinada pela série de metamorfoses do ciclo, a qual possibilita sua existência. M', como termo final de um ciclo de capital industrial individual, vem apenas da forma P que não pertence à circulação do capital industrial de que é o produto. D', último termo de I, forma transmutada de M' (M'-D'), supõe

D nas mãos do comprador, isto é, fora do ciclo D...D', sendo trazido para o ciclo e convertido na forma final deste, com a venda de M'. Em II, o P final supõe F e Mp (M), existentes fora do ciclo e a ele incorporados como forma final por meio de D-M. Mas, excetuado o último termo, o ciclo do capital-dinheiro individual não tem por condição preliminar a existência do capital-dinheiro em geral nem o ciclo do capital produtivo individual a do capital produtivo, nos respectivos ciclos. Em I, D pode ser o primeiro capital-dinheiro; em II, P pode ser o primeiro capital produtivo que aparece em cena; mas em III

$$M' \begin{cases} M - \\ \mu - \end{cases} D' \begin{cases} D\text{-}M <^{F}_{Mp} \ldots P \ldots M' \\ d - \mu \end{cases}$$

supõe-se M, por duas vezes, fora do ciclo. Uma vez, na operação $M'\text{-}D'\text{-}M<^{F}_{Mp}$. Este M, na parte em que se constitui de Mp, é mercadoria nas mãos do comprador; é capital-mercadoria, enquanto produto de processo capitalista de produção; e quando não é, aparece como capital-mercadoria nas mãos do comerciante. Outra vez, no segundo μ em μ-d-μ, que tem também de existir sob a forma mercadoria, a fim de ser comprado. Em todo caso, capital-mercadoria ou não, F e Mp são mercadorias do mesmo modo que M' e comportam-se reciprocamente como mercadorias. O mesmo se pode dizer do segundo μ em μ-d-μ. Quando M' = M (= F + Mp), as mercadorias que o constituem devem ser repostas na circulação por outras iguais; do mesmo modo, em μ-d-μ, as mercadorias que compõem o segundo μ devem ser substituídas na circulação por outras da mesma espécie.

Dominando o modo de produção capitalista e na base dele, toda mercadoria tem de ser capital-mercadoria nas mãos do vendedor. Em mãos do comerciante, continua a sê-lo, ou vem a sê-lo se ainda não o era. Ou será então mercadoria, por exemplo, artigo importado que substitui capital-mercadoria primitivo, dando-lhe outra forma de existência.

Os elementos F e Mp, em que consiste o capital produtivo P, possuem como formas de existência de P aspecto diverso daquele que apresentam nos diferentes mercados onde são adquiridos. Estão agora combinados e nessa combinação podem funcionar como capital produtivo.

Somente na forma III, M aparece, no desenrolar do ciclo, como condição preliminar de M, e isso decorre de o ponto de partida ser o capital sob a forma mercadoria. O ciclo se inaugura com a transformação de M' (funcionando como valor-capital, acrescido ou não de mais-valia) nas mercadorias que constituem seus elementos de produção. Essa transformação, entretanto, abrange todo o processo de circulação M-D-M (= F + Mp) e dele resulta. M ocupa aí os dois extremos, mas o segundo extremo que recebe sua forma M de fora, do mercado, por meio de D-M, não é o último termo do ciclo, mas de seus dois primeiros estádios que constituem o processo de circulação. Daí deriva P, cuja função, o processo de produção, então se inicia. Procedendo deste, e não do processo de circulação, aparece M' como último termo do ciclo e sob a mesma forma do primeiro termo M'. Em D...D' e P...P, ao contrário, os termos finais D' e P são resultados diretos do processo de circulação, e só no final, portanto, se supõem em outras mãos. Enquanto o ciclo se desenrola entre os dois extremos, nem D num caso nem P no outro aparecem (D existente como dinheiro alheio e P como processo de produção alheio) como condição desses ciclos. M'...M', ao contrário, tem por pressuposto M (= F + Mp), mercadorias alheias em mãos alheias, as quais são trazidas para o ciclo através do processo de circulação e transformam-se no capital produtivo cujo funcionamento gera novamente M', como forma final do ciclo.

O ciclo M'...M' supõe, em seu próprio decurso, outro capital industrial sob a forma M (= F + Mp, e Mp em nosso caso abrange diversos outros capitais, por exemplo, máquinas, carvão, óleo etc.). Justamente por isso, convém considerá-lo: forma *geral* do ciclo, isto é, forma social sob a qual pode ser observado cada capital industrial isolado (exceto em seu primeiro emprego), forma de movimento, portanto, comum a todos os capitais industriais individuais, e, além disso, forma de movimento da soma dos capitais individuais, por conseguinte do capital global da classe capitalista. Nesse movimento global, o de cada capital industrial individual, aparece como movimento parcial que se entrosa com os outros movimentos, sendo por eles condicionado. Quando observamos, por exemplo, a totalidade do produto anual de mercadorias de um país e analisamos o movimento, com que uma parte desse produto repõe o capital produtivo em todos os negócios individuais, e outra parte entra no consumo individual das diferentes classes, M'...M' se patenteia forma de movimento do capital social e da mais-valia por este produzida, ou seja, do produto excedente. O capital social = soma dos capitais individuais (inclusive os capitais das sociedades por ações e os do Estado, nos casos em que o governo funciona como capitalista industrial, empregando trabalho assalariado produtivo em minas, ferrovias etc.), e o movimento global do capital social soma algébrica dos movimentos dos capitais individuais. As duas igualdades não impossibilitam que o movimento do capital individual isolado manifeste fenômenos diferentes dos apresentados pelo mesmo movimento, quando considerado parte do movimento global do capital social, portanto em sua conexão com os movimentos das outras partes desse capital, nem que o movimento global resolva problemas cuja solução tem de ser pressuposta quando se estuda o ciclo de um capital individual, em vez de resultar desse estudo.

M'...M' é o único ciclo em que o valor-capital originalmente adiantado constitui apenas parte do termo que inicia o movimento e em que o movimento se apresenta, desde o princípio, como movimento total do capital industrial, isto é, tanto da parte do produto que substitui o capital produtivo, quanto da parte do produto que constitui o produto excedente e que, em média, em parte é gasto como renda e em parte tem de servir como elemento da acumulação. O consumo individual se compreende nesse ciclo na proporção em que nele se inclui o dispêndio de mais-valia como renda. Mas o consumo individual ainda está implícito nesse ciclo porque o ponto de partida M, mercadoria, existe sob a forma de qualquer artigo de uso; e todo artigo produzido segundo o modo capitalista é capital-mercadoria, não importando que, por sua forma de uso, se destine a consumo produtivo ou a consumo individual, ou a ambos ao mesmo tempo. D...D' focaliza apenas o valor, o incremento do valor-capital adiantado como objetivo de todo o processo; P...P (P'), o processo de produção do capital como processo de reprodução com igual ou maior magnitude do capital produtivo (acumulação); M'...M', em seu primeiro termo já se patenteando figura da produção capitalista de mercadorias, implica, desde logo, o consumo produtivo e o consumo individual; o consumo produtivo com a valorização nele incluída aparece apenas como parte de seu movimento. Finalmente, podendo M' existir sob forma de uso que não pode entrar em novo processo de produção, evidencia-se imediatamente que as diversas partes constitutivas do valor de M', expressas em partes do produto, têm de ocupar posição diversa, segundo se considere M'...M' forma do movimento do capital social global ou movimento autônomo de um capital industrial individual. Com todas essas particularidades, este ciclo transborda a condição de simples capital individual.

Na figura M'...M', o movimento do capital-mercadoria, isto é, do produto capitalista global, aparece determinando o ciclo autônomo do capital individual e ao mesmo tempo sendo por ele determinado. Para penetrar na intimidade dessa figura, não basta considerar que as metamorfoses M'-D' e D-M são etapas funcionalmente determinadas da metamorfose do capital e, além disso, elos da circulação geral das mercadorias. É mister elucidar os entrelaçamentos das metamorfoses de um capital individual com as de outros capitais individuais e com a parte do produto global destinada ao consumo individual. Por isso, na análise do ciclo do capital industrial individual, recorremos de preferência às duas primeiras formas.

O ciclo M'...M' aparece como forma de um capital individual isolado, por exemplo, na agricultura, onde se calcula de colheita a colheita. Na figura II parte-se da semeadura, na figura III, da colheita; ou, como dizem os fisiocratas, naquela, dos *avances* (adiantamentos), nesta, das *reprises* (entradas). O movimento do valor-capital se patenteia em III, desde o início, parte do movimento da massa geral de mercadorias, e em I e II, o movimento de M' constitui apenas uma fase do movimento de um capital isolado.

Na figura III, as mercadorias que se encontram no mercado constituem condição permanente do processo de produção e de reprodução. Por isso, se nos fixamos nessa figura, todos os elementos do processo de produção parecem provir da circulação de mercadorias e constituir-se apenas de mercadorias. Essa concepção unilateral não leva em conta os elementos do processo de produção independentes dos elementos-mercadorias.

Uma vez que em M'...M' o produto todo (o valor total) é o ponto de partida, é claro que (excetuado o comércio exterior) só pode ocorrer reprodução em escala ampliada – supondo-se invariável a produtividade – se na parte do produto excedente a ser capitalizada se contêm os elementos materiais do capital produtivo adicional; é mister, portanto, que – se a produção de um ano serve de condição à do ano seguinte, ou se isto ocorre simultaneamente dentro do ano juntamente com o processo de reprodução simples – se produza logo produto excedente sob a forma que o capacite a funcionar como capital adicional. O incremento da produtividade só pode aumentar o capital materialmente, sem acrescer seu valor; mas, com isso, proporciona material adicional para a valorização.

M'...M' serve de base econômica ao quadro de Quesnay, que revelou grande discernimento ao escolher essa forma e não P...P, opondo-a a D...D', o molde a que se aferrou unilateralmente o mercantilismo.

IV.
As três figuras do processo cíclico

Se chamamos de C o processo total da circulação, as três figuras passam a apresentar-se da seguinte maneira:

I) D-M...P...M'-D'
II) P...C...P
III) C...P (M')

Se fizermos uma síntese das três formas, todas as condições prévias do processo se mostram resultado dele, por ele mesmo produzidas. Cada elemento aparece como ponto donde se parte, por onde se passa e para onde se volta. O processo total se apresenta como unidade do processo de produção e do processo de circulação; o processo de produção serve de meio para o processo de circulação e vice-versa.

É comum a todos os três ciclos: incremento do valor como objetivo determinante, motivo propulsor. É o que está expresso na própria forma I. A forma II começa com P, o próprio processo de produzir valor excedente. Em III, o ciclo começa com o valor acrescido e termina com o valor novamente acrescido, mesmo quando se repete o movimento na mesma escala.

Quando M-D é para o comprador D-M, e D-M é para o vendedor M-D, a circulação do capital representa apenas a metamorfose comum das mercadorias, e são válidas as leis apresentadas quando tratamos dessa metamorfose (Livro 1, Capítulo III, 2), relativas à quantidade do dinheiro circulante. Mas, se não ficamos presos a esse aspecto formal e examinamos a conexão real das metamorfoses dos diferentes capitais individuais, portanto a conexão dos ciclos dos capitais individuais, como movimentos parciais do processo de reprodução do capital social global, não serve mais para explicar o que efetivamente se passa, a mera mudança de forma do dinheiro e da mercadoria.

Num circuito em movimento contínuo, retorna-se ao ponto donde se parte. Se interrompemos a rotação, nem todo ponto de partida é ponto de regresso. Vimos que cada ciclo particular traz implícito o outro e, ainda, que a repetição do ciclo sob uma forma implica a realização do ciclo sob as demais formas. Toda a diferença se patenteia, assim, puramente formal ou subjetiva, existindo apenas para o observador.

Quando se considera cada um desses ciclos forma particular do movimento em que se encontram diferentes capitais industriais individuais, essa diversidade só existe de um ponto de vista meramente subjetivo.

Na realidade, cada capital industrial individual encontra-se em todos os três ao mesmo tempo. Os três ciclos, as formas de reprodução das três figuras do capital, efetuam-se continuamente um ao lado do outro. Parte do valor-capital, por exemplo, que funciona agora como capital-mercadoria transforma-se em capital-dinheiro, mas ao mesmo tempo outra parte sai do processo de produção e entra na circulação como novo capital-mercadoria. Assim M'...M' descreve continuamente seu ciclo e o mesmo ocorre com as duas outras formas. A reprodução do capital em cada uma de suas formas e em cada um de seus estádios é contínua, do mesmo modo que a mudança dessas formas e a passagem sucessiva pelos três estádios. Aqui, portanto, o ciclo total é unidade efetiva de suas três formas.

Supusemos que o valor-capital por inteiro aparece como capital-dinheiro, como capital produtivo ou como capital-mercadoria. No exemplo que demos, todo o capital-dinheiro, as 422 libras esterlinas, se transformava em capital produtivo e finalmente em capital-mercadoria, fio no valor de 500 libras esterlinas (nestas se incluíam 78 libras esterlinas de mais-valia). Os diversos estádios constituíam aí outras tantas interrupções. Enquanto as 422 libras esterlinas permaneciam sob a forma dinheiro, antes de se realizarem as compras D-M (= F + Mp), todo o capital só existia e funcionava como capital-dinheiro. Quando se transformava em capital produtivo, não funcionava como capital-dinheiro nem como capital-mercadoria. Interrompia-se então o processo completo de circulação, do mesmo modo que estancava todo o processo de produção, quando funcionava num dos dois estádios da circulação, seja como D ou M'. Desse modo, o ciclo P...P se apresentaria não só como renovação periódica do capital produtivo, mas também como interrupção de sua função, o processo de produção, até que terminasse o processo de circulação; a produção decorreria não contínua, mas intermitentemente, e renovar-se-ia em períodos de duração fortuita, dependentes da maior ou menor rapidez com que se efetivassem os estádios do processo de circulação. É o que ocorre, por exemplo, com o artesão chinês que trabalha por encomendas individualmente feitas e cujo processo de produção para quando não há encomendas.

Na realidade, isto se aplica a cada parte em movimento do capital, e todas as partes do capital levam a cabo esse movimento sucessivamente. As 10.000 libras-peso de fio, por exemplo, são o produto semanal de um fabricante. Saem inteiramente da esfera da produção e entram na esfera da circulação; o valor-capital nelas contido tem de transformar-se inteiramente em capital-dinheiro, e, enquanto permanece sob a forma de capital-dinheiro, não pode entrar novamente no processo de produção; tem antes de penetrar na circulação e de reconverter-se nos elementos do capital produtivo F + Mp. O processo cíclico do capital é interrupção contínua, abandono de um estádio para entrar no próximo; rejeição de uma forma, passando a existir noutra; cada um desses estádios é condição do outro e ao mesmo tempo o exclui.

Mas o cunho característico da produção capitalista é a continuidade, determinada pela base técnica dessa produção, embora nem sempre seja alcançável incondicionalmente. Vejamos o que se passa na realidade. Quando, por exemplo, as 10.000 libras-peso de fio como capital-mercadoria surgem no mercado e se transformam em dinheiro, seja este meio de pagamento, meio de compra ou dinheiro de conta, entram no processo de produção donde elas saíram novas quantidades de algodão, carvão etc., como capital que deixou a forma dinheiro e a forma mercadoria para se reconverter à forma de capital produtivo, iniciando a função correspondente; enquanto as primeiras 10.000 libras-peso de fio são convertidas em dinheiro, 10.000 libras-peso anteriores já percorreram o segundo estádio da circulação e, tendo deixado a forma dinheiro, voltaram a ser elementos do capital produtivo. Todas as partes do capital percorrem sucessivamente o processo cíclico, encontrando-se simultaneamente em diferentes estádios. O capital industrial na continuidade de seu ciclo está simultaneamente em todos os estádios e nas formas funcionais correspondentes. O ciclo M'...M' abre-se para a parte que pela primeira vez se transforma de capital-mercadoria em dinheiro, embora o tenha percorrido o capital industrial como um todo em movimento. Dinheiro adianta-se com uma mão e recolhe-se com outra; o ciclo D...D' começa num ponto e, ao mesmo tempo, termina noutro. O mesmo se estende ao capital produtivo.

O verdadeiro ciclo do capital industrial em sua continuidade é, por isso, além de unidade do processo de circulação e do processo de produção, unidade de todos os seus três ciclos. Só pode ser essa unidade enquanto cada uma das diferentes partes do capital pode passar pelas fases sucessivas do ciclo, transitar de uma fase, de uma forma funcional, para outra, enquanto o capital industrial, como conjunto dessas partes, se encontra simultaneamente nas diferentes fases e funções, descrevendo assim, simultaneamente, todos os três ciclos. A sequência das partes tem por condição a justaposição das partes, isto é, a divisão do capital. Assim, no sistema fabril organizado, o produto se encontra continuamente nos diversos estádios do processo de produção e em transição de um estádio para outro. Representando o capital industrial individual uma grandeza determinada, dependente dos meios do capitalista e tendo de respeitar o mínimo vigente para cada ramo, devem existir, para sua divisão, determinadas relações quantitativas. A grandeza do capital existente determina a magnitude do processo de produção; esta, o montante do capital-mercadoria e do capital-dinheiro que funcionam juntamente com o processo de produção. Mas a justaposição que constitui condição da continuidade da produção só existe em virtude do movimento das partes do capital que descrevem sucessivamente os diferentes estádios. Ela é apenas resultado da sequência, da sucessão. Se uma parte estaca em M'-D', se a mercadoria é invendável, interrompe-se o ciclo desta parte, não se efetivando sua substituição pelos respectivos meios de produção; as partes seguintes que surgem no processo de produção como M' são impedidas, pela que as precede, de mudar de função. Se isto se prolongar bastante, restringir-se-á a produção e todo o processo se deterá. Quando para a sequência, a sucessão, desorganiza-se a justaposição, e todo estorvo num estádio causa maior ou menor paralisação em todo o ciclo da parte do capital estorvada e ainda do capital individual por inteiro.

A forma em que o processo imediatamente se apresenta é a de uma sucessão de fases, dependendo a passagem para uma nova fase do abandono de outra. Cada ciclo particular tem, por isso, como ponto de partida e ponto final uma das formas funcionais do capital. Por outro lado, o processo global é, de fato, a unidade dos três ciclos, que são as formas diferentes em que se expressa a continuidade do processo. Para cada forma funcional do capital, o ciclo global apresenta-se como seu ciclo específico, e cada um desses ciclos é condição da continuidade do processo global; o percurso circulatório de uma forma funcional implica o de outra. Para o processo global de produção, e especialmente para o capital social, é condição necessária ser ao mesmo tempo processo de reprodução e consequentemente ciclo de cada um de seus elementos. As diversas frações do capital percorrem sucessivamente os diferentes estádios e formas funcionais. Cada forma funcional, embora represente de cada vez parte diferente do capital, percorre, por isso, simultaneamente com as outras, seu próprio ciclo. Sempre mudando de forma e se reproduzindo, parte do capital existe como capital-mercadoria que se converte em dinheiro; outra, como capital-dinheiro que se transforma em capital produtivo; uma terceira, como capital produtivo que se torna capital-mercadoria. A existência contínua dessas três formas decorre de o ciclo do capital global passar por essas três fases.

Globalmente, o capital se encontra, ao mesmo tempo, em suas diferentes fases que se justapõem. Mas cada parte passa, ininterrupta e sucessivamente de uma fase, de uma forma funcional, para outra, funcionando sucessivamente em todas. As formas são, portanto, fluidas e sua simultaneidade decorre de sua sucessão. Cada forma sucede e precede a outra, de modo que o retorno de uma parte do capital a uma forma tem por condição o regresso de outra parte a outra forma. Cada parte descreve continuamente seu próprio circuito, mas de cada vez se encontra em dada forma outra parte do capital, e esses circuitos particulares constituem apenas elementos simultâneos e sucessivos do movimento global.

Só na unidade dos três ciclos se realiza a continuidade do processo global em lugar da interrupção que supuséramos anteriormente. O capital global da sociedade possui sempre essa continuidade e seu processo possui sempre a unidade dos três ciclos.

Às vezes, a continuidade da reprodução dos capitais individuais é mais ou menos obstada. Primeiro, nos diferentes períodos, as massas de valores se distribuem em porções desiguais nos diferentes estádios e formas funcionais. Segundo, essas porções podem repartir-se de maneira diferente, consoante o caráter da mercadoria a produzir, conforme, portanto, a esfera particular de produção em que se aplica o capital. Terceiro, a continuidade pode ser mais ou menos interrompida nos ramos de produção que dependem das estações do ano, em virtude de condições naturais (agricultura, pesca de arenque etc.) ou em virtude de convenção, como em certas atividades sazonais. O processo transcorre com maior regularidade e uniformidade nas fábricas e na exploração das minas. Mas essa diversidade dos ramos de produção não ocasiona diferença nas formas gerais do processo cíclico.

O capital, como valor que acresce, implica relações de classe, determinado caráter social que se baseia na existência do trabalho como trabalho assalariado. Mas, além disso, é movimento, processo com diferentes estádios, o qual abrange três formas diferentes do processo cíclico. Só pode ser apreendido como movimento, e não como algo estático. Aqueles que acham que atribuir ao valor existência independente é mera abstração esquecem que o movimento do capital industrial é essa abstração como realidade operante (*in actu*). O valor percorre aqui diversas formas, efetua diversos movimentos em que se mantém e ao mesmo tempo aumenta, acresce. Uma vez que estamos nos cingindo agora ao estudo da forma do movimento, não levaremos em conta os transtornos que o valor-capital pode experimentar em seu processo cíclico; mas é claro que, apesar deles, a produção capitalista só pode existir e continuar existindo enquanto acresce o valor-capital como ente autônomo que efetua seu processo cíclico, enquanto os transtornos de valor são de qualquer modo dominados e eliminados. Os movimentos do capital aparecem como ações do capitalista industrial individual, no sentido de que este funciona como comprador de mercadoria e de trabalho, vendedor de mercadoria e capitalista produtivo, com sua atividade possibilitando, portanto, o ciclo. Se o capital social experimenta uma revolução no valor, pode um capital individual sucumbir e desaparecer por não preencher as condições dessa revolução. Quanto mais agudas e mais frequentes as revoluções do valor, tanto mais o movimento automático do valor como ente autônomo, operando com a força de um fenômeno elementar da natureza, se impõe em confronto com as previsões e os cálculos do capitalista individual, tanto mais o curso da produção normal se subordina à especulação anormal, tanto maior o perigo para a existência dos capitais individuais. Essas revoluções periódicas confirmam, portanto, o que se quer que elas desmintam: a existência independente que o valor como capital adquire e, com seu movimento, mantém e exacerba.

Essa sucessão das metamorfoses do capital em movimento leva a que se compare continuamente o valor primitivo do capital com as variações em sua magnitude ocorridas durante o ciclo. A independência do valor se instaura, ao defrontar-se com a força criadora do valor, a força de trabalho, na operação D-F (compra da força de trabalho), e realiza-se durante o processo de produção como exploração da força de trabalho; mas não continua a ostentar-se nesse ciclo em que dinheiro, mercadoria, elementos de produção são apenas formas alternativas do valor-capital em movimento e em que se confronta a magnitude anterior do valor com a magnitude atual modificada do capital.

> Valor, diz Bailey, considerando ilusão a existência independente do valor que caracteriza o modo capitalista de produção, é uma relação entre mercadorias simultaneamente existentes, as únicas que podem ser objeto de troca.

É o que diz contra a comparação dos valores das mercadorias em diferentes épocas, uma comparação que, uma vez fixado um valor monetário constante para cada época, significa apenas comparar os dispêndios de trabalho exigidos nas diferentes épocas para produzir a mesma espécie de mercadoria. Seu erro decorre da falsa concepção segundo a qual valor de troca = valor, sendo a forma do valor o próprio valor; os valores das mercadorias não seriam mais comparáveis enquanto não pudessem funcionar como valores de troca, se realmente permutados uns pelos outros. Não desconfia que o valor só funciona como valor-capital ou como capital, enquanto permanece idêntico a si mesmo e se compara consigo mesmo nas diferentes fases de seu ciclo, as quais não são simultâneas, mas sucessivas.

Para estudar a fórmula do ciclo em sua pureza, é mister supor não só que as mercadorias são vendidas pelo seu valor, mas também que o são em condições invariáveis. Tomemos, por exemplo, a forma P...P, abstraindo de todas as revoluções técnicas que ocorram dentro do processo de produção, e que podem depreciar o capital produtivo de determinado capitalista, e pondo de lado também qualquer repercussão de uma variação dos valores componentes do capital-produtivo sobre o valor do capital-mercadoria existente, fazendo-o subir ou descer, se houver estoques. Seja M', as 10.000 libras-peso de fio, vendidas por seu valor de 500 libras esterlinas; 8.440 libras-peso = 422 libras esterlinas substituem o valor-capital contido em M'. Mas, se subir o valor do algodão, do carvão etc. (estamos pondo de lado meras oscilações de preços), as 422 libras esterlinas não chegariam para repor os elementos do capital produtivo por inteiro. É necessário capital-dinheiro adicional, compromete-se aí capital-dinheiro. Quando os preços caem, ao contrário, libera-se capital-dinheiro. O processo *só* transcorre de maneira absolutamente normal quando as relações de valor permanecem constantes; transcorre de fato, enquanto as perturbações se compensam ao repetir-se o ciclo; quanto maiores as perturbações, tanto maior o montante de capital-dinheiro de que deve dispor o capitalista industrial, para aguardar o momento de compensar as diferenças. E, uma vez que se amplia, com o progresso da produção capitalista, a escala de cada processo individual de produção e com ela a magnitude mínima do capital a adiantar, àquela circunstância se acrescem outras que transformam cada vez mais a função do capitalista industrial no monopólio de grandes capitalistas de dinheiro, isolados ou associados.

De passagem, cabe observar: havendo mudança no valor dos elementos da produção, configura-se uma diferença entre a forma D... D' e as formas P...P e M'...M'.

Em D...D', como fórmula de novo capital investido, que surge pela primeira vez, o início de um negócio de determinado tamanho exigirá menor dispêndio de capital-dinheiro, se houver uma queda no valor dos meios de produção, por exemplo, matérias-primas, matérias acessórias etc. Isto porque o tamanho do processo de produção, ficando invariável a força produtiva, depende da massa e do tamanho dos meios de produção que podem ser dominados por dada quantidade de força de trabalho, e não do valor desses meios de produção nem do valor da força de trabalho (este último influi apenas na magnitude da valorização). Se, ao contrário, elevar-se o valor dos elementos de produção das mercadorias, ou seja, dos elementos do capital produtivo, será necessário mais capital-dinheiro para começar um negócio de tamanho determinado. Em ambos os casos, só se altera a quantidade do capital-dinheiro a ser novamente investido; no primeiro caso, sobra capital-dinheiro, e, no segundo, compromete-se capital-dinheiro, desde que, no ramo de produção considerado, se conte antecipadamente com acréscimo de capitais industriais individuais.

Os ciclos P...P e M'...M' equiparam-se a D...D', quando o movimento de P e M' é ao mesmo tempo acumulação, convertendo-se o dinheiro adicional *d* em capital-dinheiro. Fora isso, a maneira como são influenciados pela variação do valor dos elementos do capital produtivo não é a mesma que se observa em D...D'; estamos abstraindo da repercussão dessa variação de valor sobre as partes componentes do capital que se encontram no processo de produção. O que é diretamente influenciado não é o desembolso primitivo, mas um capital industrial que está em seu processo de reprodução e não em seu primeiro ciclo; é, portanto, $M'\ldots M<^{F}_{Mp}$, a reversão do capital-mercadoria a seus elementos de produção, desde que estes consistam em mercadorias. Caindo o valor (ou os preços), são possíveis três casos: o processo de reprodução prossegue na mesma escala, parte do capital-dinheiro anterior libera-se, amontoa-se capital-dinheiro sem ter havido acumulação real (produção em escala ampliada) ou a transformação, que a prepara e acompanha, de d (mais-valia) em fundo de acumulação; ou o processo de reprodução se efetua em escala maior do que teria sido possível, caso as proporções técnicas o permitam; ou se fazem maiores estoques de matérias-primas etc.

Temos o contrário se subir o valor dos elementos destinados a refazer o capital-mercadoria. A reprodução não se dá mais em sua dimensão normal (trabalha-se, por exemplo, menos tempo); ou é necessário capital-dinheiro adicional a fim de prossegui-la em sua dimensão anterior (compromete-se capital-dinheiro); ou o fundo de acumulação em dinheiro, se existe, serve total ou parcialmente, não para ampliar o processo de reprodução, e sim para mantê-lo na escala antiga. Neste caso, compromete-se também capital--dinheiro, mas esse capital-dinheiro adicional não vem de fora, do mercado de dinheiro, e sim dos recursos do próprio capitalista industrial.

Certas circunstâncias podem trazer modificações a P...P, M'...M'. Se nosso fabricante de fios, por exemplo, tem grande estoque de algodão (grande parte, portanto, do capital produtivo sob a forma de algodão armazenado), parte de seu capital produtivo será depreciado com a queda dos preços do algodão; se estes sobem, aumenta o valor dessa parte do capital produtivo. Por outro lado, se imobilizou grande montante sob a forma de capital-mercadoria (de fio, por exemplo), desvaloriza-se, com a queda do algodão, parte de seu capital-mercadoria e, portanto, do capital em geral que se encontra no ciclo; com a elevação dos preços do algodão dá-se o contrário. Finalmente, no processo $M'\text{-}D\text{-}M<^{F}_{Mp}$: se a variação do valor dos elementos de M ocorrer depois da realização do capital-mercadoria, depois de M'-D, a repercussão sobre o capital será a observada no primeiro caso, isto é, dar-se-á no segundo ato da circulação $D\text{-}M<^{F}_{Mp}$; mas, se essa variação ocorreu antes, a queda ou subida do preço do algodão, não se alterando as demais circunstâncias, provocará queda ou alta correspondentes no preço do fio. O efeito sobre os diversos capitais empregados no mesmo ramo de produção pode ser diferente segundo as circunstâncias diferentes em que se encontrem. A liberação e o comprometimento do capital-dinheiro podem decorrer também das diversidades da duração do processo de circulação e, portanto, da velocidade da circulação. É o que veremos ao estudar a rotação. Agora interessa-nos apenas a diferença que se manifesta entre D...D' e as duas outras formas do processo cíclico, com relação à variação do valor dos elementos do capital produtivo.

Quando o modo de produção capitalista já está desenvolvido e se torna predominante, acontece que, na etapa da circulação $D\text{-}M<^{F}_{Mp}$, grande parte das mercadorias que constituem Mp, os meios de produção, é capital-mercadoria estrangeiro em funcionamento. Do ponto de vista do vendedor, ocorre, portanto, M'-D', transformação do capital-mercadoria em capital-dinheiro. Mas isto não tem validade absoluta. Ao contrário. O capital industrial, em seu processo de circulação, funciona como dinheiro ou como mercadoria, e seu ciclo entrecruza-se, seja como capital-dinheiro, seja como capital-mercadoria, com a circulação de mercadorias dos mais diversos modos sociais de produção, desde que sejam ao mesmo tempo produção de mercadorias. Não importa que a mercadoria seja produto da produção baseada na escravatura, ou de camponeses (chineses, indianos), ou de comunas (Índias Orientais Holandesas), ou do Estado (como antigamente na Rússia, no tempo da servidão), ou de povos caçadores semisselvagens etc.; as mercadorias e o dinheiro dessas procedências se confrontam com o dinheiro e as mercadorias em que se configura o capital industrial, e entram tanto no seu ciclo quanto no da mais-valia contida no capital-mercadoria, quando ela é gasta como renda; penetram, portanto, nos dois ramos de circulação do capital-mercadoria. É indiferente o caráter do processo de produção donde provêm; funcionam no mercado como mercadorias e como tais entram no ciclo do capital industrial e na circulação da mais-valia por ele trazida. É a universalidade da origem das mercadorias, a existência do mercado como mercado mundial, que distingue o processo de circulação do capital industrial. O que se diz das mercadorias estrangeiras aplica-se também ao dinheiro estrangeiro; perante o dinheiro estrangeiro, o capital-mercadoria funciona apenas como mercadoria, e o dinheiro, apenas como dinheiro; o dinheiro funciona então como dinheiro universal.

São oportunas agora duas observações:

1º As mercadorias MP, após concluído o ato D-MP, cessam de ser mercadorias e se tornam um dos modos de existência do capital industrial, sua forma funcional P, o capital produtivo. Assim, apaga-se a origem delas, e passam a ser apenas formas de existência do capital industrial, a ele se incorporando. Mas, para repô-las, continua sendo necessário reproduzi-las, e, sob esse aspecto, o modo capitalista de produção depende de modos de produção situados fora de seu estádio de desenvolvimento. A tendência da produção capitalista, entretanto, é transformar, sempre que possa, toda produção em produção de mercadorias, e seu principal instrumento para isto é trazê-la para seu processo de circulação. A produção capitalista de mercadorias é a própria produção de mercadorias quando atinge certo desenvolvimento. A intervenção do capital industrial promove por toda a parte essa transformação e, com ela, a transformação de todos os produtores diretos em trabalhadores assalariados.

2º As mercadorias que entram no processo de circulação do capital industrial (figurando entre elas os meios de subsistência em que o capital variável, depois de pago ao trabalhador se converte, a fim de se reproduzir a força de trabalho), seja qual for sua origem e forma social do processo de produção donde provêm, já se confrontam com o capital industrial sob a forma de capital-mercadoria, sob a forma de capital comercial ou mercantil, que, por sua natureza, abrange mercadorias de todos os modos de produção.

O modo capitalista de produção supõe produção em grande escala e necessariamente venda em grande escala; venda, portanto, ao comerciante e não ao consumidor isolado. Quando o consumidor é consumidor produtivo, capitalista industrial, fornecendo o capital industrial de um ramo de produção meios de produção a outro ramo, há venda direta (sob a forma de encomendas etc.) de um capitalista industrial a muitos outros. Como vendedor direto, o capitalista é seu próprio comerciante, o que ele é também quando vende a comerciante.

O comércio de mercadorias como função do capital mercantil é condição do desenvolvimento da produção capitalista e com ela se desenvolve cada vez mais. Por isso, ocasionalmente o pressupomos para ilustrar certos aspectos do processo capitalista de circulação; mas, na análise geral deste, admitimos venda direta sem interferência do comerciante, a qual dissimula diversos aspectos do movimento.

Vejamos a maneira um tanto ingênua como Sismondi expõe o problema:

> O comércio emprega um capital considerável que, à primeira vista, parece não fazer parte do capital cuja marcha pormenorizamos. O valor dos tecidos acumulados nas lojas do comerciante parece, ao primeiro exame, nada ter a ver com a parte da produção anual que o rico dá ao pobre como salário, a fim de o fazer trabalhar. O primeiro capital, entretanto, apenas substitui aquele de que falamos. Para apreender com clareza a marcha da riqueza, acompanhamo-lo da produção até o consumo. Então, o capital empregado na fabricação de tecidos, por exemplo, nos pareceu ser sempre o mesmo; trocado por receita do consumidor, apenas se dividiu em duas partes: uma representava como lucro a renda do fabricante, a outra, como salário, a renda dos trabalhadores, enquanto produziam novos tecidos.
>
> Mas logo se verificou ser melhor para todos que houvesse para as diversas partes desse capital uma reposição recíproca e que, caso 100.000 escudos chegassem para toda a circulação entre o fabricante e o consumidor, se dividissem eles igualmente entre o fabricante, o atacadista e o retalhista. Com um terço da quantia o primeiro passava a realizar a mesma produção onde empregava antes toda a quantia, pois ao acabar a fabricação encontrava o comerciante comprador

> muito mais rapidamente que o consumidor. Por sua vez, o capital do comerciante atacadista era reposto muito mais rapidamente pelo capital do retalhista. [...] A diferença entre a soma dos salários adiantados e o preço de compra do último consumidor devia constituir o lucro dos capitais. Ela se reparte entre o fabricante, o atacadista e o retalhista, depois que dividiram entre si suas funções, e a tarefa realizada ficou sendo a mesma, embora exigisse três pessoas e três frações do capital em vez do capital inteiro. *(Nouveaux principes*, I, pp. 139, 140.) – Todos (os comerciantes) participavam assim indiretamente da produção, pois esta, tendo por objetivo o consumo, só pode ser considerada concluída quando a coisa produzida é entregue ao consumidor. (*Op. cit.*, p. 137.)

No estudo das formas gerais do ciclo e de modo geral neste Livro 2, consideramos dinheiro apenas o dinheiro metálico, excluindo o dinheiro simbólico – as moedas fiduciárias, emitidas por certos Estados – e também o dinheiro de crédito, a ser objeto ainda de desenvolvimento. Primeiro, isto se harmoniza com a marcha histórica; o dinheiro de crédito desempenha papel nulo ou insignificante na primeira época da produção capitalista. Segundo, a necessidade de assim proceder teoricamente se patenteia com as análises críticas até hoje feitas sobre a circulação do dinheiro de crédito, realizadas por Tooke e outros, obrigados que foram a investigar como as coisas se passariam na base da circulação puramente metálica. Não esqueçamos, entretanto, que o dinheiro metálico pode servir de meio de compra e de meio de pagamento. Para simplificar, geralmente só o consideramos, neste Livro 2, sob a primeira forma funcional.

O processo de circulação do capital industrial (parte de seu processo cíclico individual) é determinado, enquanto representa apenas uma sequência de atos da circulação geral de mercadorias, pelas leis gerais anteriormente expostas (Livro 1, Capítulo III). A mesma quantidade de dinheiro, por exemplo, 500 libras esterlinas, põe em circulação sucessivamente tanto mais capitais industriais (ou capitais individuais em sua forma de capitais-mercadorias) quanto maior a velocidade do dinheiro, quanto mais rápido, portanto, cada capital individual percorre a série de suas metamorfoses em mercadoria ou em dinheiro. O mesmo valor-capital exige para sua circulação tanto menos dinheiro quanto mais o dinheiro funcione como meio de pagamento, quanto mais, ao ser substituído um capital-mercadoria por seus meios de produção, se paguem simples saldos, e quanto mais curtos sejam os prazos de pagamento, por exemplo, os relativos aos salários.

Demais, permanecendo invariáveis a velocidade da circulação e todas as demais circunstâncias, a quantidade de dinheiro que tem de funcionar como capital-dinheiro é determinada pelo preço total das mercadorias (preço multiplicado pela quantidade das mercadorias), ou, dados a quantidade e os valores das mercadorias, pelo valor do próprio dinheiro.

Mas as leis da circulação geral das mercadorias só são válidas quando o processo de circulação do capital forma uma série de ocorrências da circulação simples, e perdem validade quando estas constituem etapas funcionalmente determinadas do ciclo dos capitais industriais individuais.

Para esclarecer o assunto, é melhor observar o processo de circulação em sua conexão contínua, conforme aparece nas duas formas:

$$\text{II)}\quad P\ldots M'\begin{cases} M - \\ -D' \\ \mu - \end{cases}\begin{cases} D\text{-}M<^{F}_{Mp}\ldots P(P') \\ \\ d - \mu \end{cases}$$

$$\text{III)}\quad M'\begin{cases} M - \\ -D' \\ \mu - \end{cases}\begin{cases} D\text{-}M<^{F}_{Mp}\ldots P\ldots M' \\ \\ d - \mu \end{cases}$$

Como série de ocorrências da circulação, o processo de circulação M-D-M ou D-M-D representa apenas ambas as séries opostas das metamorfoses da mercadoria, das quais cada metamorfose implica a metamorfose oposta da mercadoria de outrem ou do dinheiro alheio que se contrapõe.

O que é M-D para o possuidor da mercadoria, é D-M para o comprador; a primeira metamorfose da mercadoria em M-D é a segunda metamorfose da mercadoria que se apresenta sob a forma de D; o contrário se dá com D-M. O que expomos sobre o entrelaçamento da metamorfose da mercadoria num estádio com a metamorfose de outra mercadoria noutro estádio aplica-se à circulação do capital, quando o capitalista funciona como comprador e vendedor de mercadoria, operando seu capital, portanto, como dinheiro perante mercadoria alheia ou como mercadoria perante dinheiro alheio. Mas esse entrelaçamento não expressa simultaneamente o entrelaçamento das metamorfoses dos capitais.

1º Conforme vimos, D-M (Mp) pode representar um entrelaçamento das metamorfoses de diferentes capitais individuais. Por exemplo, o capital-mercadoria do fabricante de fio é substituído em parte por carvão.

Parte de seu capital se encontra sob a forma dinheiro e então se converte à forma mercadoria, enquanto o capital do capitalista produtor de carvão se encontra sob a forma mercadoria e se converte à forma dinheiro; o mesmo ato de circulação representa aqui metamorfoses opostas de dois capitais industriais, pertencentes a ramos de produção diversos, havendo, portanto, entrelaçamento da série de metamorfoses desses capitais. Todavia, já vimos que MP, a que se converte D, não precisa pertencer à categoria de capital-mercadoria – como forma funcional do capital industrial – produzido por um capitalista. De um lado está sempre D-M, e do outro M-D, mas nem sempre há entrelaçamento de metamorfoses do capital. Além disso, DF compra da força de trabalho, nunca é entrelaçamento de metamorfoses do capital, pois a força de trabalho, mercadoria do trabalhador, só é capital depois de vendida ao capitalista. Por outro lado, no processo M'-D' D' não é necessariamente capital-mercadoria transmutado; pode ser conversão em dinheiro da mercadoria força de trabalho (salário) ou de um produto criado por trabalhador independente, escravo, servo, comunidade.

2º O papel funcionalmente definido desempenhado por toda metamorfose ocorrente no processo de circulação de um capital individual não representa necessariamente a correspondente metamorfose oposta no ciclo do outro capital, mesmo quando supomos que seja capitalista toda a produção do mercado mundial. Por exemplo, no ciclo P...P, D', M', convertido em dinheiro, pode ser, do lado do comprador, a mais-valia em dinheiro (se a mercadoria é artigo de consumo); ou, em $D'\text{-}M'M<^{F}_{Mp}$ (onde o capital, portanto, se apresenta acumulado), D' pode, para o vendedor de MP, repor apenas seu capital adiantado, ou mesmo não entrar na circulação de seu capital, quando é gasto como renda.

Os simples entrelaçamentos das metamorfoses da circulação das mercadorias, comuns às ocorrências da circulação do capital, não esclarecem, seja com relação ao capital ou à mais-valia, como se substituem reciprocamente no processo de circulação os diversos elementos do capital social global, do qual os capitais individuais são apenas partes componentes que funcionam independentemente. Para isso, é mister investigação de outra natureza. Sobre o assunto tem havido até hoje um torneio de frases, que, analisadas de perto, nada mais contêm que ideias imprecisas, tiradas exclusivamente dos entrelaçamentos das metamorfoses observadas na circulação das mercadorias em geral.

Uma das particularidades mais evidentes do processo cíclico do capital industrial e, portanto, da produção capitalista: os elementos constitutivos do capital produtivo provêm do mercado de mercadorias onde são continuamente renovados, tendo de ser vendidos como mercadorias, e o produto do processo de trabalho sai dele como mercadoria, tendo de ser vendido continuamente como mercadoria. Compare-se, por exemplo, o moderno arrendatário das terras baixas da Escócia com um camponês continental à moda antiga. O primeiro vende todo o seu produto e, por isso, tem de repor os elementos dele, mesmo as sementes, por meio do mercado; o segundo consome diretamente a maior parte de seu produto, compra e vende o mínimo possível e faz suas ferramentas, suas roupas etc., com seu próprio trabalho.

A partir daí, procurou-se distinguir três formas características do movimento da produção social, e que seriam a economia natural, a economia monetária e a economia de crédito.

1º Essas três formas não representam fases de desenvolvimento equiparáveis. A chamada economia de crédito é apenas forma da economia monetária, enquanto ambas as denominações expressam funções ou modos de troca entre os próprios produtores. Na produção capitalista desenvolvida, a economia monetária aparece apenas como base da economia de crédito. Economia monetária e economia de crédito correspondem simplesmente a estádios diferentes de desenvolvimento da produção capitalista, e não são formas autônomas diversas de troca a contrapor à economia natural. Com a mesma razão, a elas poder-se-iam opor, como equiparáveis, as formas extremamente diversas da economia natural.

2º Uma vez que nas categorias economia monetária e economia de crédito não se destaca a economia, o processo de produção, como característica marcante, mas o modo de circulação correspondente à economia, estabelecido entre os diferentes agentes da produção ou os produtores, deveria o mesmo critério ter sido seguido no tocante à primeira categoria. Portanto, em vez de economia natural, economia de escambo (troca direta). A economia natural inteiramente fechada, por exemplo, a do Estado inca, não cai em nenhuma dessas categorias de circulação econômica.

3º A economia monetária é comum a toda produção de mercadorias, e o produto aparece como mercadoria nos mais diversos organismos de produção social. O que caracterizaria a produção capitalista seria apenas a extensão em que o produto é fabricado como artigo de comércio, como mercadoria, em que, portanto, seus elementos constitutivos têm de entrar, como artigos de comércio, mercadorias, na economia donde ele provém.

Na realidade, a produção capitalista é a produção de mercadorias como forma geral da produção, o que ela é cada vez mais à medida que se desenvolve. Mas isto só acontece porque o trabalho aparece como mercadoria, porque o trabalhador vende o trabalho, o funcionamento de sua força de trabalho, e, conforme admitimos, pelo valor determinado pelo custo de reprodução dessa força. Na medida em que o trabalho se torna trabalho assalariado, o produtor se torna capitalista industrial; por isso, a produção capitalista, e, portanto, a produção de mercadorias, só aparece em toda a sua extensão quando o produtor agrícola direto é trabalhador assalariado. Na relação entre capitalista e assalariado, a relação monetária passa a ser relação entre comprador e vendedor, relação imanente à própria produção. Esta relação repousa fundamentalmente sobre o caráter social da produção e não sobre o modo de troca; este decorre daquele. A concepção burguesa, ao colocar os negócios em primeiro plano, não vê no caráter do modo de produção a base do correspondente modo de troca ou circulação sustentando o oposto.[7]

Sob a forma dinheiro, o capitalista lança menos valor na circulação do que dela retira, e sob a forma mercadoria lança na circulação mais valor do que dela retira. Enquanto personifica apenas o capital, funcionando como capitalista industrial, sua oferta de valor-mercadoria é sempre maior que sua procura. A igualdade entre ambas equivaleria à não valorização de seu capital, que não teria funcionado como capital produtivo. Este ter-se-ia transformado em capital-mercadoria que não estaria enriquecido de mais-valia; durante o processo de produção, não teria extraído da força de trabalho mais-valia sob a forma de mercadoria, não teria de maneira alguma funcionado como capital. O capitalista tem realmente "de vender mais caro do que comprou", mas só consegue isso porque, através do processo de produção capitalista, transforma a mercadoria mais barata, de menor valor que adquiriu, em mercadoria de maior valor, mais cara. Vende mais caro não por vender sua mercadoria acima do valor, mas por estar o valor de sua mercadoria acima do valor global dos elementos de sua produção.

---

7 Até aqui, manuscrito v. O que segue é uma nota encontrada, entre excertos de leituras, num caderno de 1877 ou 1878.

A taxa à qual o capitalista valoriza seu capital é tanto maior quanto maior for a diferença entre sua oferta e sua procura, isto é, quanto maior o excedente do valor-mercadoria que fornece sobre o valor-mercadoria que adquire. Seu objetivo não é a coincidência, mas a maior disparidade possível entre ambas, a maior superioridade possível da oferta sobre a procura.

Isto se aplica tanto ao capitalista isolado quanto à classe capitalista.

Enquanto o capitalista personifica apenas o capital industrial, sua procura consiste apenas na procura de meios de produção e de força de trabalho. Sua procura de MP é, quanto ao valor, menor do que seu capital adiantado; compra meios de produção de menor valor que o de seu capital e, portanto, bem menor que o do capital-mercadoria que fornece.

Sua procura de força de trabalho é determinada em valor pela relação entre seu capital variável e seu capital global, v:C. Por isso, na produção capitalista, ela é cada vez menor em relação à sua procura de meios de produção. Ele é, cada vez mais, maior comprador de MP que de F.

Enquanto o trabalhador converte em regra seu salário em meios de subsistência, na maior parte meios de subsistência necessários, a procura de força de trabalho pelo capitalista é indiretamente procura de artigos que entram no consumo da classe trabalhadora. Mas esta procura = v, nem um átomo maior (se o trabalhador poupa algo de seu salário – estamos necessariamente pondo de lado o crédito –, transforma ele parte de seu salário em tesouro e, portanto, não a utiliza como comprador, reduzindo sua procura). Limite máximo da procura do capitalista = C = c + v, mas sua oferta = c + v + m; se a constituição de seu capital-mercadoria for $80_c + 20_v + 20_m$, será sua procura = $80_c + 20_v$, valor inferior ao da oferta em $^1/_6$ (de 120).[I] Quanto maior a percentagem da massa m produzida, a taxa de lucro, tanto menor será sua procura em relação a sua oferta. Embora a procura da força de trabalho pelo capitalista, e indiretamente a dos meios de subsistência necessários, se torne, com o progresso da produção, cada vez menor do que sua procura de meios de produção, não se deve esquecer que sua procura de MP é em média sempre menor que seu capital. Sua procura de meios de produção tem, portanto, de possuir menor valor que o produto-mercadoria do capitalista fornecedor desses meios que opere com igual capital e nas mesmas condições. O problema não se altera, se, em vez de um, houver muitos capitalistas fornecedores. Seja o capital do primeiro = 1.000 libras

I Mudamos a maneira de calcular as frações apresentadas até o fim deste capítulo.

esterlinas, e a parte constante = 800 libras esterlinas; desse modo, sua procura abrangendo todos os fornecimentos dos demais capitalistas = 800 libras esterlinas. Os vendedores fornecem, para 1.000 libras esterlinas de capital (seja qual for o montante que caiba a cada um ou as partes do capital global do primeiro, correspondentes aos fornecimentos de cada um), sendo igual a taxa de lucro, meios de produção no valor de 1.200 libras esterlinas; quanto ao valor, a procura do primeiro cobre apenas $^2/_3$ da oferta dos seus fornecedores, enquanto sua procura global (c + v) = $^5/_6$ de sua própria oferta (c + v + m).

É mister agora adiantar algo sobre a rotação. Seja o capital global 5.000 libras esterlinas, das quais 4.000 constituem capital fixo e 1.000 capital circulante, essas 1.000 = $800_c + 200_v$, segundo a suposição anterior. O capital circulante tem de fazer por ano cinco rotações, a fim de que o capital global descreva anualmente uma rotação; assim, a mercadoria produzida = 6.000 libras esterlinas, superando em 1.000 libras esterlinas o capital adiantado, o que resulta na mesma relação anterior de mais-valia: 5.000 c : 1.000_m, = $100_{(c+v)} : 20_m$. Esta rotação em nada altera a relação entre a procura global e a oferta global, a primeira continua sendo $^1/_6$ menor que a segunda.

Tenha o capital fixo de ser renovado em 10 anos. O capitalista amortizará anualmente $^1/_{10}$ = 400 libras esterlinas. No fim do primeiro ano, terá 3.600 libras esterlinas em capital fixo + 400 libras esterlinas em dinheiro. Os consertos necessários que não ultrapassam a média não são mais do que aplicação de capital, feita posteriormente. Podemos admitir que os custos dos consertos foram incluídos na avaliação dos investimentos originais, na medida em que estes entram na mercadoria anualmente produzida, ficando assim aqueles custos incluídos no décimo correspondente à amortização. (Se as necessidades de consertos estiverem abaixo da média, terá ele um ganho; se acima, uma perda. Essas diferenças se compensam para toda a classe dos capitalistas que operam no mesmo ramo industrial.) Em todo caso, embora com uma só rotação anual de todo o capital permaneça sua procura anual – 5.000 libras esterlinas, o valor-capital originalmente adiantado, aumenta ela com relação à parte circulante do capital, enquanto está em decréscimo constante com relação à parte fixa.

Passemos à reprodução. Suponhamos que o capitalista consuma toda a mais-valia, d, e reconverta a magnitude primitiva do capital, C, em capital produtivo. Agora, a procura do capitalista se equipara com sua oferta, mas não com respeito ao movimento de seu capital. Como capitalista, sua procura corresponde a $^5/_6$ de sua oferta (do ponto de vista do valor); consome $^1/_6$ restante não em sua função de capitalista, mas para satisfazer suas necessidades pessoais, seus prazeres.

Calculando na base de 100, temos o seguinte quadro:

como capitalista,	procura = 100, oferta = 120
como fruidor,	procura = 20, oferta = 0
soma:	procura = 120, oferta = 120

Isto equivaleria a afirmar que não existe a produção capitalista nem o capitalista industrial. Destrói o capitalismo pela base a suposição de que tem por motivo determinante o gozo, e não o próprio enriquecimento.

Essa suposição, porém, é tecnicamente impossível. O capitalista tem de constituir um capital de reserva para enfrentar as oscilações de preços e poder aproveitar-se das conjunturas favoráveis de compra e venda; tem ainda de acumular capital, a fim de ampliar a produção e incorporar os progressos técnicos a seu organismo produtivo.

A fim de acumular capital, tem ele, antes de tudo, de subtrair da circulação parte da mais-valia nela convertida em dinheiro, entesourando-a, até que atinja as dimensões necessárias para expandir o velho negócio ou iniciar outro. O entesouramento, enquanto prossegue, não aumenta a procura do capitalista; o dinheiro se imobiliza; não retira do mercado nenhum equivalente em mercadoria pelo equivalente em dinheiro subtraído do mercado por mercadoria fornecida.

Pusemos de lado o crédito e por conseguinte os depósitos com juros, em conta corrente, que o capitalista realiza nos bancos à medida que vai amontoando o dinheiro.

V.
O tempo de circulação[8]

8 Daqui em diante, manuscrito IV.

Conforme vimos, o capital movimenta-se na esfera da produção e nas duas fases da esfera da circulação de acordo com determinada sequência. O tempo que permanece na esfera da produção constitui o tempo de produção, e o que permanece na esfera da circulação, o tempo de circulação. O tempo global em que descreve seu ciclo é, por isso, igual à soma do tempo de produção e do tempo de circulação.

O tempo de produção abrange naturalmente o período do processo de trabalho, mas este não abrange aquele. Convém lembrar que parte do capital constante se configura em meios de produção, tais como máquinas, edifícios etc., os quais, até o fim de sua existência, servem nos mesmos processos de trabalho ininterruptamente repetidos. A interrupção periódica do processo de trabalho – à noite, por exemplo – impede a função desses meios de trabalho, mas não sua permanência no local de produção a que pertencem, na hora em que estão e na hora em que não estão funcionando. Demais, o capitalista precisa ter determinado estoque de matérias-primas e substâncias auxiliares, a fim de poder realizar o processo de produção em escala previamente estabelecida durante períodos mais ou menos longos, sem depender das flutuações cotidianas do mercado. Esse estoque de matérias-primas etc. só pouco a pouco é consumido produtivamente. O tempo de produção[9] delas diverge, portanto, do tempo de funcionamento. O tempo de produção dos meios de produção abrange: 1) o tempo durante o qual funcionam como meios de produção, servem ao processo de produção; 2) os intervalos em que se interrompe o processo de produção e em consequência o funcionamento dos meios de produção que a ele se incorporam; 3) o tempo em que estão disponíveis como condições do processo, representando já capital produtivo, embora não tenham ainda entrado no processo de produção.

A diferença até agora observada resulta numa diferença entre o tempo em que o capital produtivo está na esfera da produção e o tempo em que está no processo de produção. Mas podem fazer parte do processo de produção interrupções do processo de trabalho e, por conseguinte, do tempo de trabalho, intervalos em que o objeto de trabalho fica exposto à influência de processos físicos sem haver qualquer interferência humana. Neste caso, prossegue o processo de produção e, portanto, a função dos meios

9 Tempo de produção no sentido ativo: não o tempo em que se produzem os meios de produção, mas o tempo em que estes participam do processo de produção de um produto-mercadoria. — F.E.

de produção, embora se interrompa o processo de trabalho e a função dos meios de produção como meios de trabalho. É o que acontece com o trigo que é semeado; o vinho que fermenta na adega; o material de trabalho de muitas manufaturas, tais como curtumes, submetido a processos químicos. O tempo de produção é maior que o tempo de trabalho. A diferença entre ambos é o excesso do tempo de produção sobre o tempo de trabalho. Esse excesso decorre de o capital produtivo encontrar-se em estado latente na esfera da produção, sem funcionar no processo de produção, ou em virtude de funcionar no processo de produção, sem estar no processo de trabalho.

A parte do capital produtivo latente, mantida disponível como condição do processo de produção, conforme acontece com o algodão, o carvão etc. na fábrica de fiação, não gera produto nem forma valor. É capital parado, embora essa pausa constitua condição do fluxo ininterrupto do processo de produção. Os edifícios, aparelhos etc. necessários para guardar os estoques produtivos (capital latente) são condições do processo de produção e constituem, por isso, partes componentes do capital produtivo adiantado. Preenchem sua função conservando os elementos produtivos na fase de espera. Se necessários nesta fase, os processos de trabalho encarecem a matéria-prima etc., mas são trabalhos produtivos e constituem mais-valia, pois aí não se paga parte do trabalho, como acontece com qualquer outro trabalho assalariado. As interrupções normais de todo o processo de produção e, portanto, os intervalos em que não funciona o capital produtivo não produzem valor nem mais-valia. Daí o empenho capitalista de fazer trabalhar também à noite (Livro 1, Capítulo VIII, 4). As interrupções do tempo de trabalho, pelas quais tem de passar o objeto de trabalho durante o processo de produção, não geram valor nem mais-valia; mas beneficiam o produto, constituem parte de sua vida, um processo que tem de percorrer. O valor dos aparelhos etc. se transfere ao produto proporcionalmente ao tempo global em que funcionam; o próprio trabalho leva o produto a esse estádio, e o uso desses aparelhos é condição da produção, do mesmo modo que a parte do algodão desfeita em pó e que não entra no produto transfere a este seu valor. A outra parte do capital latente, como edifícios, máquinas etc. – isto é, os meios de trabalho cujo funcionamento só se interrompe por pausas regulares do processo de produção (as interrupções irregulares decorrentes de contração da produção, de crises etc. são puras perdas) – transfere valor, sem entrar na formação do produto; o valor global que acrescenta ao produto é determinado por sua duração média; perde valor, ao perder valor de uso, tanto no tempo em que funciona quanto no tempo em que não funciona.

Finalmente, o valor do capital constante que continua no processo de produção, embora interrompido o processo de trabalho, reaparece no resultado do processo de produção. O trabalho põe os meios de produção em condições nas quais, por si mesmos, percorrem certos processos naturais cujo resultado é determinado efeito útil ou forma modificada de seu valor de uso. O trabalho transfere sempre ao produto o valor dos meios de produção, desde que os consuma de maneira realmente adequada, como meios de produção. Não importa que o trabalho, para obter esse efeito útil, tenha de atuar continuamente com os meios de trabalho sobre o objeto de trabalho, ou que precise apenas dar o primeiro impulso, colocando os meios de produção em condições nas quais, sem mais intervenção do trabalho, recebam por si mesmos, em virtude de processos naturais, a modificação desejada.

Qualquer que seja a razão por que o tempo de produção excede o tempo de trabalho – seja porque os meios de produção constituam apenas capital produtivo latente, estejam, portanto, num estádio preliminar do verdadeiro processo de produção, seja porque seu funcionamento se interrompe no processo de produção em virtude de pausas deste, ou porque o processo de produção exige interrupções do processo de trabalho –, em nenhum desses casos os meios de produção absorvem trabalho, nem trabalho excedente, portanto. Não há, por isso, acréscimo de valor do capital produtivo, enquanto se encontra na parte de seu tempo de produção que excede o tempo de trabalho, por mais necessárias que sejam essas pausas para a consecução do processo de produzir mais-valia. Evidentemente, a produtividade e o acréscimo de valor de dado capital produtivo em dado espaço de tempo serão tanto maiores quanto mais coincidam o tempo de produção e o de trabalho. Daí a tendência da produção capitalista de reduzir ao máximo possível o excesso do tempo de produção sobre o tempo de trabalho. Embora o tempo de produção do capital possa discordar de seu tempo de trabalho, abrange-o sempre, e essa diferença é condição do processo de produção. O tempo de produção é, portanto, o tempo em que o capital produz valores de uso e acresce seu próprio valor, funcionando como capital produtivo, embora inclua tempo em que se encontra em estado latente ou produz sem gerar mais-valia.

O capital aparece na esfera da circulação como capital-mercadoria e capital-dinheiro. Seus dois processos de circulação consistem em passar ele da forma mercadoria para a forma dinheiro e da forma dinheiro para a forma mercadoria. A transformação da mercadoria em dinheiro é, ao mesmo tempo, realização da mais-valia incorporada à mercadoria, e a transformação do dinheiro em mercadoria é, ao mesmo tempo, conversão ou reversão do valor-capital à figura de seus elementos de produção. Apesar dessa simultaneidade, esses processos, enquanto processos de circulação, são processos da simples metamorfose das mercadorias.

Excluem-se reciprocamente o tempo de circulação e o tempo de produção. Durante seu tempo de circulação, funciona o capital não como capital produtivo, e, por isso, não produz mercadoria nem mais-valia. Observando o ciclo na forma mais simples em que o valor-capital, de uma vez, passa todo de uma fase para outra, vemos que o processo de produção se interrompe e consequentemente o acréscimo de valor do capital, enquanto dura seu tempo de circulação, e que depende da duração desta a velocidade em que se renova o processo de produção. Se, ao contrário, as diferentes porções do capital percorrem o ciclo uma após a outra, de modo que o ciclo do valor-capital global se efetua sucessivamente no ciclo de suas diferentes frações, é claro que, quanto maior for a permanência de suas partes alíquotas na esfera da circulação, tanto menor será a parte que funciona continuamente na esfera da produção. Por isso, a expansão e a contração do tempo de circulação atuam como limites inversos da contração ou da expansão do tempo de produção ou da capacidade em que um capital de grandeza dada funciona como capital produtivo. Quanto mais são ideais as metamorfoses da circulação do capital – isto é, quanto mais se torna o tempo de circulação = zero, ou mais se aproxima de zero –, tanto mais funciona o capital, tanto maiores se tornam sua produtividade e produção de mais-valia. Se o capitalista, por exemplo, trabalha por encomenda, sendo pago ao entregar o produto, e o pagamento é feito com os meios de produção que utiliza, aproximar-se-á de zero o tempo de circulação.

O tempo de circulação do capital limita, portanto, o tempo de produção e, portanto, o processo de produzir mais-valia. Restringe-o proporcionalmente à própria duração. Esta pode variar, limitando, nos graus mais diversos, o período de produção do capital. A economia política vê a *aparência*, isto é, o efeito do tempo de circulação sobre o processo do capital de produzir mais-valia. Considera positivo esse efeito negativo que, na razão inversa, tem consequências positivas. Aferra-se ainda mais a essa aparência porque ela parece demonstrar que o capital possui um manancial místico para se valorizar e que lhe aflui da esfera da circulação, independentemente de seu processo de produção, e, por conseguinte, da exploração do trabalho. Veremos depois como a própria economia científica se deixou levar por essa quimera e como contribuem para mantê-la diversos fenômenos, a saber: 1) a maneira capitalista de computar o lucro, em que a razão negativa figura como positiva; assim, para capitais em diversas esferas de aplicação, diferindo apenas quanto ao tempo de circulação, maior tempo de circulação serve de razão para elevar preços, em suma, é uma das razões para igualar os lucros; 2) o tempo de circulação constitui apenas um elemento do tempo de rotação; este, porém, inclui o tempo de produção ou de reprodução; atribui-se ao primeiro o que pertence ao último; 3) a conversão das mercadorias em capital variável (salários) tem por pressuposto sua prévia transformação em dinheiro; com a acumulação de capital, a conversão em capital variável adicional se dá na esfera da circulação ou durante o tempo de circulação. Assim, fica parecendo decorrer deste a acumulação resultante.

Na esfera da circulação, o capital percorre, numa ou noutra sequência, as duas fases opostas M-D e D-M. Seu tempo de circulação se decompõe em duas partes: o tempo que precisa para se transformar de mercadoria em dinheiro e o que precisa para se converter de dinheiro em mercadoria. Sabemos, pela análise da circulação simples de mercadorias (Livro 1, Capítulo III), que M-D, a venda, é a parte mais difícil de sua metamorfose e por isso constitui, em circunstâncias normais, a parte maior do tempo de circulação. Como dinheiro, o valor encontra-se em forma sempre conversível. Como mercadoria tem primeiro de converter-se em dinheiro, de adquirir a figura da permutabilidade imediata e por isso capaz de operar a qualquer momento. Mas, no processo de circulação do capital em sua fase D-M, transforma-se ele em mercadorias que constituem elementos determinados do capital produtivo num dado investimento. É possível que não se encontrem os meios de produção no mercado, que tenham de ser produzidos ainda ou obtidos em mercados distantes, ou haja carências em seu fornecimento normal, variações de preços etc., em suma, um conjunto de circunstâncias que não se revelam na mudança de forma D-M, e exigem, ora mais, ora menos tempo para essa parte da circulação. Separados no tempo, M-D e D-M podem estar também separados no espaço, sendo diversas a localização geográfica do mercado de compra e a do mercado de venda. Nas fábricas, por exemplo, comprador e vendedor são frequentemente pessoas distintas. A circulação é tão necessária à produção de mercadorias quanto a própria produção, e os agentes de circulação, portanto, tão necessários quanto os agentes de produção. O processo de reprodução abrange ambas as funções do capital, exigindo que por elas se torne responsável o capitalista ou assalariados, agentes do capitalista. Mas isto não justifica que se misturem os agentes da circulação com os agentes da produção, nem as funções do capital-mercadoria e do capital-dinheiro com as do capital produtivo. Os agentes da produção têm de pagar os agentes da circulação. Os capitalistas que compram e vendem entre si, com esse ato, não criam produtos nem valor, e isto em nada se altera se a amplitude de seus negócios os capacita e os força a transferir a outros essa função. Em vários negócios, o comprador e o vendedor são pagos com certa percentagem sobre o lucro. De nada vale dizer que são pagos pelos consumidores. Os consumidores só podem pagar se, como agentes da produção, produzem para si mesmos um equivalente em mercadorias ou se retiram um equivalente dos agentes de produção, em virtude de um título jurídico (como associados, por exemplo), ou em razão de serviços pessoais.

Há uma diferença entre M-D e D-M que nada tem a ver com a diferença de forma existente entre mercadoria e dinheiro, decorrendo do caráter capitalista da produção. Em si mesmos, M-D e D-M são meras transições de uma forma para outra, de dado valor. Mas M'-D' é, ao mesmo tempo, realização da mais-valia contida em M'. O mesmo não se dá com D-M. Por isso, a venda é mais importante do que a compra. Em condições normais, D-M é ato necessário para se aumentar o valor expresso em D, mas não é realização de mais-valia; vem antes, e não depois da produção.

A forma de existência das mercadorias, sua vida como valores de uso, traça determinados limites à circulação do capital-mercadoria M'-D'. Por natureza, elas são perecíveis. Se, de acordo com sua destinação, não forem objeto de consumo individual ou produtivo, em outras palavras, se não forem vendidas a tempo, estragar-se-ão e perderão, com seu valor de uso, a propriedade de serem portadoras do valor de troca. Perde-se o valor-capital nelas contido junto com o correspondente acréscimo de mais-valia. Os valores de uso só continuam a ser veículos do valor-capital que se eterniza e acresce enquanto continuamente se renovam, se reproduzem e são repostos por novos valores de uso da mesma espécie ou de espécie diferente. Mas a condição que continuamente se renova de sua reprodução é sua venda sob a forma acabada de mercadoria, portanto sua entrada na esfera do consumo produtivo ou individual. Têm de mudar, dentro de determinado período, a antiga forma de uso, a fim de continuar existindo sob forma nova. O valor de troca só se conserva renovando continuamente seu corpo. Os valores de uso de diferentes mercadorias se deterioram mais ou menos rapidamente; pode decorrer intervalo maior ou menor entre sua produção e seu consumo; podem, portanto, sem perecer, como capital-mercadoria, demorar mais ou menos tempo na fase de circulação M-D, aguentar mais ou menos tempo na circulação como mercadorias. A deterioração do corpo da mercadoria estabelece o limite do tempo de circulação do capital-mercadoria: é o limite absoluto a essa parte do tempo da circulação, ou ao tempo durante o qual o capital-mercadoria funciona como capital-mercadoria. Quanto mais perecível uma mercadoria, tanto mais rapidamente tem de ser vendida e consumida após a produção, tanto menos pode afastar-se do local de produção, tanto menor será a área em que circula, tanto mais local o caráter do mercado de venda. Quanto mais perecível uma mercadoria, tanto mais estreito o limite que antepõe ao tempo de sua circulação, tanto menos se presta a ser objeto da produção capitalista. Só se adapta a esta em lugares populosos ou na medida em que o desenvolvimento dos meios de transportes encurta as distâncias. A produção de um artigo, concentrada em poucas mãos e em área populosa, pode proporcionar mercado relativamente grande mesmo para mercadorias desse gênero, como acontece, por exemplo, com as grandes cervejarias, leiterias etc.

VI.
Os custos de circulação

1. CUSTOS ESTRITOS DE CIRCULAÇÃO

a) Tempo gasto em compra e venda

As transformações do capital, de mercadoria em dinheiro e de dinheiro em mercadoria, são também negócios do capitalista, atos de compra e de venda. O tempo em que se efetuam essas transformações são subjetivamente, do ponto de vista do capitalista, tempo de venda e tempo de compra, quando funciona no mercado como vendedor e comprador. O tempo de circulação do capital constitui parte de seu tempo de reprodução, e do mesmo modo o tempo em que o capitalista compra e vende, vagueia pelo mercado, representa parte do tempo em que funciona como capitalista, como capital personificado. Faz parte do tempo que emprega em seus negócios.

[Conforme supusemos, as mercadorias são compradas e vendidas por seu valor, e agora trata-se apenas de converter o mesmo valor de uma forma em outra, da forma mercadoria na forma dinheiro e da forma dinheiro na forma mercadoria, havendo apenas mudança de estado. Se as mercadorias são vendidas por seu valor, a grandeza deste permanece inalterada nas mãos do comprador ou nas do vendedor; muda apenas a forma de existência do valor. Se as mercadorias não são vendidas por seu valor, permanece inalterada a soma dos valores movimentados; o que é um mais (+) de um lado é um menos (-) do outro.

As metamorfoses M-D e D-M são atos de comércio praticados por comprador e vendedor; estes precisam de tempo para entrar em acordo, tanto mais que se estabelece uma luta em que cada parte procura sobrepujar a outra, e comerciantes se guerreiam quando se encontram. A mudança de forma custa tempo e força de trabalho, mas não para criar valor, e sim para efetuar a conversão de uma forma do valor em outra, e em nada altera a natureza da coisa que ambas as partes procurem, na oportunidade, apropriar-se de uma quantidade adicional de valor. Este trabalho acrescido pelas intenções maliciosas das duas partes não cria valor (do mesmo modo que o trabalho empregado num processo judicial não aumenta a magnitude do valor do objeto em litígio). É um elemento necessário do processo de produção capitalista em sua totalidade; esse processo inclui a circulação ou nela está implícito. Há certa analogia entre esse trabalho e o de combustão de um corpo utilizado para produzir calor. O trabalho de combustão não gera calor, embora seja elemento necessário ao processo de produzir calor. Para usar o carvão como combustível, temos de combiná-lo com oxigênio, fazendo-o passar do estado sólido para o gasoso (o carvão fica em estado gasoso no óxido de carbono, resultado da combustão), provocando mudança física em sua forma de existência. Separam-se as moléculas de carbono que formavam um todo sólido e desintegram-se em átomos, vindo a seguir aquela combinação, o que custa certo emprego de energia, que não se transforma em calor, mas dele se desconta. Quando os detentores de mercadorias não são capitalistas, mas produtores diretos autônomos, desconta-se do tempo de trabalho o tempo gasto na compra e venda, e, na Antiguidade e na Idade Média, procuravam eles transferir essas operações para os dias de festa.

As dimensões que o comércio assume nas mãos dos capitalistas não podem, evidentemente, transformar em fonte de valor esse trabalho, que não cria valor, mas apenas possibilita mudança de forma do valor. O milagre dessa transubstanciação não poderia, tampouco, operar-se por meio de uma transposição, isto é, se os capitalistas industriais, em vez de efetuarem diretamente aquele "trabalho de combustão", tornassem-no tarefa exclusiva de terceiras pessoas por eles pagas. Não será pelos belos olhos dos capitalistas que essas terceiras pessoas porão sua força de trabalho à disposição deles. Ao coletor de rendas de um latifundiário não importa que seu trabalho em nada aumente a magnitude do valor das rendas, nem, ao bancário, que fique o mesmo o valor das peças de ouro trasladadas para outro banco.][10]

Para o capitalista, que faz outros trabalharem para ele, compra e venda constituem função fundamental. Apropriando-se do produto de muitos em ampla escala social, tem de vender na mesma escala e, em seguida, reconverter o dinheiro nos elementos da produção. Como sempre, o tempo empregado na compra e venda não cria valor. O funcionamento do capital mercantil dá origem a uma ilusão. Mas, sem entrar em pormenores, fica desde já evidente: se uma função, em si mesma improdutiva, embora necessária à reprodução, se transforma, com a divisão do trabalho, de uma tarefa acessória de muitos em tarefa exclusiva, especializada, de poucos, não muda ela, com isso, de caráter. Um comerciante apenas (considerado aqui mero agente da conversão formal das mercadorias, somente comprador e vendedor) pode, com suas operações, encurtar o tempo de compra e o de venda de muitos produtores. É como se fosse uma máquina que

10 O trecho entre colchetes foi tirado de uma nota do fim do manuscrito VIII.

reduz emprego inútil de energia ou ajuda a aumentar o tempo que se pode destinar à produção.[11]

Para simplificar o problema (uma vez que só mais tarde estudaremos o comerciante como capitalista e o capital mercantil), vamos supor que esse agente de compra e venda seja um indivíduo que vende seu trabalho. Gasta sua força de trabalho e seu tempo de trabalho nas operações M-D e D-M. Vive disso como outros que vivem de fiar ou de fazer pílulas. Realiza função necessária, pois o processo de reprodução também abrange funções improdutivas. Trabalha como qualquer outra pessoa, mas o conteúdo de seu trabalho não cria valor nem produto. Figura entre os custos improdutivos mas necessários da produção. Sua utilidade não consiste em transformar em produtiva função improdutiva, em produtivo trabalho improdutivo. Seria um milagre que se pudesse efetuar semelhante transformação mediante simples transferência de função. Sua utilidade, ao contrário, consiste em que se compromete parte menor da força de trabalho e do tempo de trabalho da sociedade nessa função improdutiva. E mais. Suponhamos que esse agente comercial seja um assalariado mais bem pago que os outros. Como assalariado, qualquer que seja seu pagamento, trabalha gratuitamente parte do tempo. Recebe por dia, digamos, o valor que corresponde a um produto de oito horas de trabalho e funciona durante dez. As duas horas de trabalho excedente que ele executa não produzem valor, nem tampouco as oito horas de trabalho necessário, embora, em virtude destas, a ele se transfira uma parte do produto social. Nas dez horas dessa função de mera circulação, gasta-se sempre, do ponto de vista social, uma força de trabalho. Ela não pode ser aplicada em outra tarefa, em trabalho produtivo. Além disso, a sociedade não paga essas duas horas de trabalho excedente, embora tenham sido gastas pelo indivíduo que o executa. Mas, com isso, não se apropria a

11 "Os custos do comércio, embora necessários, representam necessariamente gravame" (Quesnay, "Analyse du Tableau Économique", em Daire, *Physiocrates*, Parte I, Paris, 1846, p. 71). Segundo Quesnay, o lucro resultante da concorrência entre os comerciantes, a qual os força "a reduzirem sua compensação ou seu ganho, não passa, rigorosamente falando, de uma perda a que escaparam o vendedor de primeira mão e o comprador consumidor. Ora, uma perda a que se evita nos custos do comércio não é *produto real*, nem acréscimo de riqueza obtido pelo comércio, considere-se esse comércio independentemente dos custos de transportes, em si mesmo, como simples troca, ou em conjunto com os custos de transportes" (pp. 145, 146). "Os custos do comércio são pagos pelos vendedores dos produtos; estes disporiam de todo o preço que os compradores pagam, se não houvesse as despesas intermediárias" (p. 163). Os proprietários das terras e os produtores "pagam salários", os comerciantes são "assalariados" (Quesnay, "Dialogues sur le commerce et sur les travaux des artisans", em Daire, *Physiocrates*, Parte I, Paris, 1846, p. 164).

sociedade de produto excedente nem de valor. Mas os custos de circulação representados pelo agente comercial reduzem-se de um quinto, de dez para oito horas. A sociedade não paga equivalente por um quinto do trabalho do tempo de circulação. Se é o capitalista quem paga ao agente, diminuem, por não serem pagas as duas horas, os custos de circulação de seu capital, os quais constituem redução de sua receita. Para ele é um ganho positivo, pois decresce um elemento negativo para a valorização de seu capital. Quando pequenos produtores autônomos de mercadorias despendem parte de seu próprio tempo em compra e venda, esse dispêndio só poderá ser ou tempo gasto nos intervalos de sua função produtiva ou interrupção de seu tempo de produção.

De qualquer modo, o tempo assim empregado é um custo de circulação, o qual nada acrescenta aos valores trocados. É o custo necessário para convertê-los da forma mercadoria à forma dinheiro. Quando o produtor capitalista de mercadorias aparece como agente da circulação, distingue-se do produtor direto de mercadorias apenas porque compra e vende em maior escala e, portanto, funciona como agente da circulação com maior amplitude. O fenômeno não se altera objetivamente quando a extensão do negócio força-o ou capacita-o a comprar (alugar) como assalariados agentes específicos de circulação. No processo de circulação, tem de ser gasta, para a mera conversão de forma, certa quantidade de força de trabalho, de tempo de trabalho. Mas isto se patenteia agora dispêndio suplementar de capital, parte do capital variável tem agora de ser empregada na compra dessas forças de trabalho que funcionam na circulação. Esse adiantamento de capital não cria produto nem valor. Diminui de quantidade correspondente à amplitude em que funciona produtivamente o capital adiantado. É como se parte do produto se transformasse numa máquina que compra e vende o produto restante. Essa máquina faz um desconto no produto. Não funciona no processo de produção, embora possa diminuir a força de trabalho etc. gasta na circulação, representando apenas parte dos custos de circulação.

b) Contabilidade

Além do tempo empregado em compra e venda, existe o despendido na contabilidade, que absorve ainda trabalho materializado em penas, tinta, papel, móveis, custos de escritório. Gasta-se, portanto, força de trabalho, além de meios de trabalho. O que se dá aqui é o mesmo que observamos com referência ao tempo consumido em compra e venda.

Unidade de seus próprios ciclos, valor em movimento, na esfera da produção ou nas duas fases da circulação, o capital existe apenas idealmente na figura do dinheiro de conta, antes de mais nada na cabeça do produtor de mercadorias, do produtor capitalista de mercadorias. Registra-se e controla-se esse movimento com a contabilidade que abrange também a fixação ou o cálculo dos preços das mercadorias. Desse modo, recebem uma representação simbólica o movimento da produção e, notadamente, o da valorização em que as mercadorias constituem apenas veículos de valor, nomes de coisas cuja existência ideal como valor é fixada em dinheiro de conta. Quando o produtor individual de mercadorias faz mentalmente sua contabilidade (o camponês, por exemplo, até que a agricultura capitalista faz aparecer o arrendatário que organiza sua contabilidade) ou apenas registra, incidentalmente, fora do tempo de produção, suas despesas, receitas, prazos de pagamento etc., fica evidente que essa função e os correspondentes meios de trabalho utilizado, como papel etc., representam dispêndio adicional de tempo de trabalho e de meios de trabalho, dispêndio necessário mas que reduz o tempo que pode ser empregado produtivamente e os meios de trabalho que funcionam efetivamente no processo de produção, na criação de produto e de valor.[12] A natureza da função não muda quando ela se amplia por concentrar-se nas mãos do produtor capitalista de mercadorias e surgir dentro de um processo de produção de grande escala, como função de um capitalista apenas, em vez de dispersar-se por muitos pequenos produtores de mercadorias; também não muda, ao destacar-se das funções produtivas das quais constituía um elemento acessório, tornando-se função autônoma de agentes especializados, dela exclusivamente incumbidos.

A divisão do trabalho, ao tornar autônoma uma função, não faz dela criadora de produto e de valor, se já não o era antes de tornar-se independente. O capitalista que emprega capital em nova empresa tem de despender parte dele na compra de um contador etc. e nos materiais da contabilidade. Se seu capital já está em funcionamento, comprometido com

12 Na Idade Média, só nos mosteiros encontramos a contabilidade agrícola. Mas vimos no Livro 1, p. 412, que nas mais antigas comunidades indianas existe um contador para a agricultura. A contabilidade é aí função autônoma e exclusiva de um funcionário da comunidade. Com essa divisão de trabalho poupam-se tempo, esforço e despesas, mas a produção e sua contabilidade permanecem tão diferentes quanto a carga e o conhecimento de carga. Com o contador retira-se da comunidade parte da força de trabalho, e os custos de sua função não são repostos com seu próprio trabalho, mas com um desconto que se faz no produto global. Com o contador da comunidade indiana se dá a mesma coisa que se observa, *mutatis mutandis*, com o contador do capitalista. (Manuscrito II.)

o processo contínuo de reprodução, terá ele de reconverter constantemente parte do produto-mercadoria, depois de reduzido à forma dinheiro, em contador, caixeiros etc. Essa parte do capital é subtraída ao processo de produção e entra nos custos de circulação, nas deduções que se fazem ao produto global (inclusive a própria força de trabalho empregada exclusivamente nessa função).

Há, entretanto, certa diferença entre os custos oriundos da contabilidade, do dispêndio improdutivo do tempo de trabalho em geral, e aqueles oriundos apenas do tempo gasto em compra e venda. Os últimos decorrem de determinada forma social do processo de produção, a que tem por objetivo produzir mercadorias. A contabilidade, por controlar e sumariar idealmente o processo, torna-se tanto mais necessária quanto mais o processo se desenrola em escala social e perde o caráter puramente individual; é, portanto, mais necessária na produção capitalista do que na pequena produção dispersa dos artesãos e camponeses, e mais necessária na produção de caráter coletivo do que na capitalista. Os custos da contabilidade, porém, reduzem-se com a concentração da produção e quanto mais ela se torna contabilidade social.

Trata-se aqui apenas do caráter geral dos custos de circulação decorrentes da metamorfose meramente formal. Não cabe aqui descer a todos os pormenores. As formas relativas à conversão pura do valor, resultantes de determinada forma social do processo de produção, são elementos fugazes, quase imperceptíveis da atividade do produtor individual de mercadorias, quando estão juntas com suas funções produtivas, com elas se entrelaçando. Essas formas, entretanto, podem adquirir aspecto impressionante nos custos de circulação em massa, com a mera entrada e saída de dinheiro, com a movimentação monetária autônoma, concentrada em grande escala, como função exclusiva de bancos etc. ou de caixas das empresas individuais. O que não se deve esquecer é que os custos de circulação não mudam de caráter, por se alterar sua configuração.

c) Dinheiro

Seja mercadoria ou não, um produto é sempre figura material da riqueza, valor de uso, destinado ao consumo individual ou produtivo. Como mercadoria, seu valor existe idealmente no preço que em nada altera a configuração efetiva de sua utilidade. A circunstância de certas mercadorias, tais como ouro e prata, funcionarem como dinheiro e, nessa qualidade, viverem no processo de circulação (até na condição de tesouro, reserva etc., continuam, embora latentes, na esfera da circulação) é simples decorrência da forma social estabelecida do processo de produção, que no caso é o processo de produção de mercadorias. Quando domina a produção capitalista, a mercadoria se torna a figura geral do produto; é de mercadorias a maior parte da produção; cresce, portanto, a massa de mercadorias, a parte da riqueza social que funciona como mercadoria. Por isso, tendo a mercadoria de assumir a forma dinheiro, também cresce a quantidade de ouro e de prata que serve de meio de circulação, de meio de pagamento, de reserva etc. Estas mercadorias, ao servirem de dinheiro, não entram no consumo individual nem no produtivo. É trabalho social fixado numa forma em que funciona como simples máquina de circulação além de parte da riqueza social ficar presa a essa forma improdutiva, o desgaste do dinheiro exige reposição contínua ou conversão de mais trabalho social, sob a forma de produtos, em mais ouro e prata. Os custos para repor esse desgaste são significativos nas nações desenvolvidas em regime capitalista, porque nelas é avultada a parte da riqueza que fica presa à forma de dinheiro. Ouro e prata, enquanto mercadorias-dinheiro, constituem para a sociedade custos de circulação oriundos apenas da forma social da produção. São custos improdutivos da produção de mercadorias, que crescem com o desenvolvimento da produção de mercadorias, e especialmente da produção capitalista. É parte da riqueza social, que tem de ser sacrificada ao processo de circulação.[13]

2. CUSTOS DE CONSERVAÇÃO

Os custos de circulação decorrentes de simples mudança de forma do valor, da circulação idealmente considerada, não entram no valor das mercadorias. As partes do capital neles despendidas constituem, se temos em vista o capitalista, meras deduções do capital produtivamente empregado. De outra natureza são os custos de circulação que ora passamos a examinar. Podem originar-se de processos de produção que prosseguem na circulação, ficando o caráter produtivo dissimulado pela forma circulatória. Por outro lado, do ponto de vista social, podem não passar de meros custos,

13 "O dinheiro que circula num país é certa porção do capital do país, totalmente retirada de finalidades produtivas, a fim de facilitar ou aumentar a produtividade do resto; certa porção da riqueza é por isso necessária, tanto para tornar o ouro meio de circulação, quanto para construir uma máquina destinada a facilitar qualquer outra opção." (*Economist*, vol. v, p. 520.)

de dispêndio improdutivo de trabalho vivo ou de trabalho materializado, mas, em virtude desse dispêndio, criar valor para o capitalista individual, constituir acréscimo ao preço de venda de sua mercadoria. Isto já decorre de serem diferentes esses custos segundo os ramos de produção e, às vezes, para diferentes capitais individuais do mesmo ramo. Acrescentados ao preço da mercadoria, repartem-se na proporção em que recaem sobre os capitalistas individuais. Mas todo trabalho que adiciona valor pode adicionar também mais-valia, e adicioná-la-á sempre no regime capitalista, uma vez que o valor que ele cria depende de sua própria magnitude, e a mais-valia que gera, da proporção em que é pago pelo capitalista. Custos que encarecem a mercadoria sem acrescer-lhe valor de uso, e que, para a sociedade, pertencem, portanto, aos custos improdutivos (embora necessários) da produção, podem constituir para o capitalista individual fonte de enriquecimento. Esses custos de circulação não deixam de ter caráter improdutivo por se repartirem uniformemente através do acréscimo que sobrepõem ao preço da mercadoria. As companhias de seguros, por exemplo, repartem as perdas dos capitalistas individuais pela classe capitalista. Isto, porém, não impede que as perdas assim compensadas continuem sendo perdas do ponto de vista do capital global da sociedade.

a) Formação de estoques em geral

Ao existir como capital-mercadoria ou ao permanecer no mercado – ao encontrar-se, portanto, no intervalo entre o processo de produção de onde vem e o processo de consumo para onde vai –, o produto representa mercadoria em estoque. Como mercadoria no mercado e por isso em estoque, o capital-mercadoria aparece duplamente em cada ciclo: como produto-mercadoria do próprio capital em movimento cujo ciclo se observa, e como produto-mercadoria que outro capital tem de encontrar no mercado, a fim de comprá-lo e transformá-lo em capital produtivo. É possível que o segundo capital-mercadoria só se produza por encomenda, e então esperarse-á até que seja produzido. Mas o curso do processo de produção e de reprodução exige que exista continuamente no mercado uma massa de mercadorias (meios de produção), constituindo, portanto, estoque. O capital produtivo abrange também a compra da força de trabalho, e a forma dinheiro, no caso, é apenas a forma valor dos meios de subsistência que o trabalhador tem de encontrar disponíveis no mercado, em sua maior parte. Adiante, entramos em pormenores sobre o assunto, ficando este ponto desde já esclarecido. Para o valor-capital em movimento – que se transformou em produto-mercadoria e tem de vender-se ou reconverter-se em dinheiro, que funciona, portanto, no mercado como capital-mercadoria –, formar estoque é uma permanência inconveniente e involuntária no mercado. Quanto mais rápida a venda, tanto melhor corre o processo de reprodução. A estada em M'-D' impede a mudança real de matéria que tem de ocorrer no ciclo do capital e o funcionamento ulterior do capital produtivo. Por outro lado, para D-M, a existência permanente da mercadoria no mercado se patenteia condição da continuidade do processo de reprodução e do emprego de capitais novos ou adicionais.

A permanência do capital-mercadoria no mercado como mercadoria disponível exige construções, lojas, depósitos, armazéns, portanto dispêndio de capital constante; demais, pagamento de força de trabalho para armazenar as mercadorias nos depósitos. Além disso, as mercadorias se deterioram e estão expostas à ação de elementos prejudiciais. Para protegê-las, é mister despender capital adicional em meios de trabalho, ou seja, em forma materializada, e em força de trabalho.[14]

A existência do capital na forma de capital-mercadoria, de mercadoria em estoque, ocasiona custos que, não pertencendo à esfera da produção, figuram entre os custos de circulação. Esses custos de circulação se distinguem dos apresentados na seção 1 por entrarem, até certo ponto, no valor das mercadorias, encarecendo-as, portanto. De qualquer modo, o capital e a força de trabalho que servem à conservação e à manutenção dos estoques são retirados do processo direto de produção. Por outro lado, os capitais neles empregados, inclusive a força de trabalho, como parte componente do capital, têm de ser repostos pelo produto social. Seu dispêndio tem, por isso, o efeito de diminuir a força de produção do trabalho, de modo que se exige quantidade maior de capital e de trabalho para obter determinado resultado útil. Temos, assim, gastos indiretos. Os custos de circulação determinados pela formação de estoques, quando considerados consequência exclusiva do tempo que levam os valores existentes para passar da forma

14 Corbet calculou, em 1841, os custos de armazenamento de trigo, num período de nove meses, em ½% para perda em quantidade, 3% para juros sobre o preço do trigo, 2% para aluguel do depósito, 1% para serviços de conservação e transporte, 1 ½ % para o trabalho de entrega, ao todo 7% ou 3 xelins e 6 pence por quarta de trigo, ao preço de 50 xelins (Th. Corbet, *An Inquiry into the Causes and Modes of the Wealth of Individuals* etc., Londres, 1841 [p. 140]). Segundo os depoimentos de comerciantes de Liverpool perante a comissão de transportes ferroviários, os custos estritos de armazenamento de cereais, em 1865, importavam, por mês, em 2 pence por quarta ou 9-10 pence por tonelada (*Royal Commission on Railways*, 1867, p. 19, nº 331).

mercadoria para a forma dinheiro – isto é, quando decorrem unicamente da forma social estabelecida do processo de produção (apenas de ser o produto produzido como mercadoria e de ter por isso de transformar-se em dinheiro) –, participam inteiramente do caráter dos custos de circulação enunciados na seção 1. Entretanto, durante a estocagem, o valor das mercadorias só é conservado ou aumentado porque o valor de uso, o próprio produto, é colocado em determinadas condições materiais que exigem dispêndio de capital, e é submetido a operações em que trabalho adicional atua sobre os valores de uso. O cômputo dos valores das mercadorias, a contabilidade desse processo, os negócios de compra e venda, ao contrário, não influem sobre o valor de uso em que existe o valor das mercadorias. Relacionam-se apenas com a forma do valor das mercadorias. Por isso, embora supondo-se que os custos de formação de estoques (involuntária no caso) decorram apenas de demora na conversão de forma e da necessidade dessa conversão, distinguem-se eles, apesar disso, dos custos enunciados na seção 1, por ser sua finalidade não a conversão de forma do valor e sim a manutenção do valor, que existe na mercadoria, como produto, valor de uso, e que por conseguinte só pode manter-se com a conservação do produto, do valor de uso. Neste caso, o valor de uso não aumenta; ao contrário, diminui. Mas limita-se a diminuição e ele se conserva. Nessas circunstâncias, também não acresce o valor adiantado existente na mercadoria. Há, entretanto, acréscimo de novo trabalho, tanto materializado quanto vivo.

Convém investigar agora até que ponto esses custos provêm do caráter peculiar que distingue a produção de mercadorias, qualquer que seja sua forma, e a produção de mercadorias em sua forma geral, absoluta, isto é, a produção capitalista de mercadorias; até que ponto são comuns a qualquer produção social e até que ponto se diferenciam na figura particular, na forma especial de manifestação que assumem na produção capitalista.

Segundo a fabulosa ideia de A. Smith, a formação de estoques é fenômeno peculiar da produção capitalista.[15] Economistas posteriores – Lalor, por exemplo – afirmam, ao contrário, que ela decresce com o desenvolvimento da produção capitalista. Sismondi considera-a até aspecto negativo dessa produção.

Na realidade, os estoques existem sob três formas: a de capital produtivo, a de fundo de consumo individual e a de mercadorias em estoque ou

---

15 Livro II. Introdução.

de capital-mercadoria. O estoque numa forma diminui quando aumenta na outra, embora possa aumentar de maneira absoluta nas três formas ao mesmo tempo.

É evidente que o estoque de produtos na forma de mercadorias ou o estoque de mercadorias constitui apenas parte pequena e insignificante da riqueza quando a produção se realiza diretamente para satisfazer as necessidades do produtor e parte ínfima dela se destina à troca ou à venda, quando, portanto, o produto social não assume ou só muito modestamente assume a forma de mercadoria. Neste caso, porém, o fundo de consumo é relativamente grande, sobretudo o dos meios de subsistência propriamente ditos. Basta observar a antiga economia camponesa. Neste caso, a maior parte do produto, justamente por continuar nas mãos de seu possuidor, imediatamente se transforma, sem constituir mercadorias em estoque, em meios de produção ou meios de subsistência em reserva. Por não assumir a forma de mercadorias em estoque, acha A. Smith que não existe estoque em sociedades baseadas nesse modo de produção. A. Smith confunde a forma do estoque com o próprio estoque e acredita que a sociedade, até nossa época, vivia do dia a dia ou se entregava às eventualidades do dia seguinte.[16] Confusão infantil.

Estoque sob a forma de capital produtivo existe na forma de meios de produção que já se encontram no processo de produção ou pelo menos nas mãos do produtor, de maneira latente no processo de produção. Vimos que, com o desenvolvimento da produtividade do trabalho – com o desenvolvimento, portanto, do modo capitalista de produção (que tem contribuído para o desenvolvimento da força produtiva do trabalho mais que todos os outros modos anteriores de produção) –, a quantidade dos

16 A formação de estoques não decorre, conforme A. Smith imagina, da transformação do produto em mercadoria e da provisão de consumo em estoque de mercadorias; ao contrário, essa mudança de forma causa as mais violentas crises na economia dos produtores, quando se passa da produção destinada às suas necessidades próprias para a produção de mercadorias. Na Índia, por exemplo, conservou-se até recentemente "o hábito de armazenar trigo em grandes quantidades, razão por que não era fácil obtê-lo nos anos de abundância" (*Return. Bengal and Orissa Famine. H. of C.* 1867, I, pp. 230, 231, nº 74). A procura de algodão, juta etc. subitamente aumentada pela Guerra Civil Americana levou muitas partes da Índia a reduzirem a rizicultura, elevar os preços do arroz e vender as velhas reservas de arroz que eram mantidas pelos produtores. Além disso, houve no período 1864-1866 uma exportação extraordinária de arroz para Austrália, Madagascar etc. Daí o caráter agudo da epidemia da fome de 1866, a qual, só no distrito de Orissa, ceifou a vida de um milhão de seres humanos (ib., pp. 174, 175, 213, 214 e III: *Papers relating to the Famine in Behar*, pp. 32, 33, onde dentre as causas da epidemia de fome se destaca o esgotamento do velho estoque). (Extraído do manuscrito II.)

meios de produção (construções, máquinas etc.) incorporados ao processo de uma vez por todas sob a forma de meios de trabalho, e nele funcionando reiterada e ininterruptamente em período mais ou menos longo, cresce de maneira contínua, e que esse crescimento é condição prévia e ao mesmo tempo resultado do desenvolvimento da produtividade social do trabalho. O crescimento tanto absoluto quanto relativo da riqueza sob essa forma (ver Livro 1, Capítulo XXIII, 2) caracteriza, acima de tudo, o modo capitalista de produção. As formas materiais de existência do capital constante, os meios de produção, consistem não só nesses meios de trabalho, mas também em material de trabalho nos mais diversos graus de elaboração e ainda em matérias auxiliares. Com a escala da produção e o incremento da produtividade do trabalho por meio da cooperação, divisão, maquinaria etc., cresce a quantidade de matéria-prima, de matérias auxiliares etc. que entram no processo diário de reprodução. Esses elementos têm de estar disponíveis no local de produção. O volume do estoque existente sob a forma de capital produtivo cresce, portanto, em termos absolutos. Para o processo ser contínuo, seja qual for o prazo em que se possa renovar esse estoque, tem de estar disponível no local de produção quantidade de matéria-prima maior do que a consumida, por exemplo, diária ou semanalmente. A fluidez do processo exige que suas condições não dependam de possível interrupção de compras diárias nem tampouco da venda diária ou semanal da mercadoria produzida; com essa dependência, só irregularmente haveria a reversão aos elementos de produção. Está claro que o capital produtivo pode, com amplitude diversa, estar latente ou constituir estoque. Faz grande diferença, por exemplo, que seja de três meses ou de um a reserva de algodão ou de carvão que uma fiação tenha de manter. É evidente que esse estoque pode decrescer relativamente, embora aumente em termos absolutos.

Isto depende de diversas condições que essencialmente se reduzem à velocidade, regularidade e segurança com as quais a quantidade necessária de matéria-prima pode ser permanentemente fornecida, de modo a não haver interrupção. Quanto menos se preencham essas condições, quanto menor a segurança, a regularidade e a velocidade da oferta, tanto maior tem de ser a parte latente do capital produtivo, isto é, o estoque de matérias-primas etc. em mãos do produtor, esperando entrar no processo de trabalho. Tais condições estão em relação inversa com o nível de desenvolvimento da produção capitalista e, por conseguinte, com a produtividade do trabalho social. O mesmo se estende à forma correspondente de estoque.

Mas, o que aparece como redução de estoque (em Lalor, por exemplo) é, em parte, apenas redução do estoque sob a forma de capital-mercadoria, do estoque de mercadorias propriamente dito; mera mudança de forma, portanto, do mesmo estoque. Se, por exemplo, a quantidade de carvão produzida diariamente no país, se o volume e a energia da produção de carvão forem suficientemente grandes, a fábrica de fiação não precisa de grande armazenamento desse combustível para assegurar a continuidade de sua produção. A renovação contínua e segura da oferta de carvão torna supérflua essa providência. Segundo: a velocidade com que o produto de um processo pode passar como meio de produção para outro processo depende do desenvolvimento dos meios de transporte e de comunicação. O preço do transporte desempenha, no caso, importante papel. O transporte continuamente renovado, por exemplo, de carvão da mina para a fiação poderá sair mais caro do que o fornecimento de maior quantidade de carvão por período mais longo com transporte relativamente mais barato. Ambas as circunstâncias consideradas têm sua origem no próprio processo de produção. Terceiro: há a influência do desenvolvimento do sistema de crédito. Quanto menos a fábrica de fiação depender da venda imediata do fio para renovar seus estoques de algodão, carvão etc. e quanto mais desenvolvido for o sistema de crédito, quanto menor for essa dependência imediata, tanto menor pode ser a magnitude relativa desse estoque, a fim de assegurar uma produção contínua de fio em escala determinada, independente das incertezas da venda do fio. Quarto: muitas matérias-primas, produtos semiacabados etc. precisam de períodos longos para sua produção, e isto é notadamente verdadeiro para todas as matérias-primas fornecidas pela agricultura. Para não interromper-se o processo de produção, é necessário determinado estoque suficiente para todo o período em que novo produto não possa repor o velho. Se esse estoque diminui nas mãos do capitalista industrial, necessariamente terá de aumentar nas mãos do comerciante sob a forma de estoque de mercadorias. O desenvolvimento dos meios de transporte, por exemplo, permite levar rapidamente a Manchester o algodão armazenado no porto de importação em Liverpool, de modo que o fabricante pode renovar, segundo suas necessidades, em quantidades relativamente pequenas, seu estoque de algodão. Mas, em consequência, há aumentos correspondentes de estoque de mercadorias nas mãos dos comerciantes de Liverpool. Há simples mudança de estoque, o que Lalor e outros não mencionaram. E, do ponto de vista do capital social, continua sob a forma de estoque a mesma quantidade de produção. Para um só país, diminui, com o desenvolvimento dos meios de transporte, a quantidade que tem de estar disponível, por exemplo, anualmente. Se é grande o movimento de navios a vapor e a vela entre a América e a Inglaterra, aumentam para a Inglaterra as oportunidades de renovar seus estoques de algodão e diminui a quantidade de algodão que tem, em média, de armazenar. O mesmo efeito têm o desenvolvimento do comércio mundial e a multiplicação das fontes de abastecimento do mesmo artigo. O artigo é fornecido parceladamente por diversos países, em prazos diversos.

b) Estoque de mercadorias propriamente dito

Vimos que, no regime de produção capitalista, a mercadoria se torna a forma geral do produto, e tanto mais quanto mais se desenvolve esse regime em amplitude e profundidade. Parte incomparavelmente maior (mesmo para igual volume de produção) do produto existe como mercadoria, em confronto com os modos anteriores de produção e com a produção capitalista menos desenvolvida. Toda mercadoria e, por conseguinte, todo capital-mercadoria, que nada mais é que mercadoria, embora como forma de existência do valor-capital, quando não passa imediatamente da esfera da produção para o consumo produtivo ou individual, encontrando-se, portanto, no intervalo em que permanece no mercado, constitui um elemento do estoque de mercadorias. Por isso, mesmo que não se altere o volume da produção, cresce por si mesmo o estoque de mercadorias (isto é, essa emancipação e fixação da forma mercadoria do produto) com a produção capitalista. Já sabemos que muda apenas a forma do estoque, que o estoque aumenta, de um lado, sob a forma mercadoria, porque diminui, do outro, sob a forma de estoque direto da produção ou do consumo. Só mudou a forma social do estoque. Se aumenta a magnitude relativa do estoque de mercadorias em relação ao produto global da sociedade e ao mesmo tempo a magnitude absoluta, é porque, com a produção capitalista, cresce a massa do produto global.

À medida que se desenvolve a produção capitalista, a escala de produção passa a ser menos determinada pela procura imediata do produto e mais pelo montante do capital de que dispõe o capitalista individual, pelo impulso de valorizar seu capital e pela necessidade de tornar seu processo de produção contínuo e expandi-lo. Desse modo, cresce necessariamente, para cada ramo de produção, a massa de produtos que se encontra como mercadoria no mercado ou procura escoamento; aumenta a massa de capital que se fixa sob a forma de capital-mercadoria, durante mais ou menos tempo, e consequentemente o estoque de mercadorias.

Finalmente, a maior parte da sociedade se transforma em assalariados, pessoas que vivem sem dispor de reservas, recebem seu salário por semana e o gastam diariamente, tendo de encontrar em estoque os meios de subsistência. Qualquer que seja a quantidade que se escoe dos elementos desse estoque, parte deles tem de estar permanentemente armazenada, a fim de que o estoque possa continuar sempre fluindo.

Tudo isto decorre da forma de produção e da forma de transformação nela implícita, pela qual tem de passar o produto no processo de circulação.

Qualquer que seja a forma social do estoque de produtos, sua conservação exige custos: construções, recipientes etc. onde se guardam os produtos; certa quantidade, variável segundo a natureza do produto, de meios de produção e de trabalho que têm de ser gastos para evitar a deterioração. Quanto maior a concentração social dos estoques, tanto menores são esses custos relativamente. Esses dispêndios representam sempre parte do trabalho social, materializado ou vivo, e, na forma capitalista, dispêndios de capital que não entram na criação do produto, mas constituem deduções deste. São gastos acessórios mas necessários da riqueza social. São custos de manutenção do produto social, não importando que a existência do produto social em estoque de mercadorias decorra apenas da forma social da produção, portanto da forma mercadoria e da sua necessária transformação, ou que consideremos o estoque de mercadorias apenas uma forma especial do estoque de produtos comum a todas as sociedades, embora este não tenha sempre a forma de estoque de *mercadorias*, essa forma de estoque de produtos ligada ao processo de circulação.

O problema agora é saber até onde esses custos entram no valor das mercadorias.

Quando o capitalista transforma seu capital, adiantado sob a forma de meios de produção e de força de trabalho, em produtos, em determinada quantidade de mercadoria pronta e acabada para ser vendida, e esta permanece invendável, armazenada, não se paralisa apenas, nesse período, o processo de valorização de seu capital. As despesas exigidas para manter esse estoque, em construções, trabalho adicional etc., constituem perda positiva. Aquele que por fim lhe aparecesse para comprar a mercadoria dele zombaria se ele dissesse: "Minha mercadoria ficou invendável durante seis meses, e sua conservação nesse período imobilizou tanto de meu capital e me custou tanto em despesas." "Tanto pior para você", replicaria o comprador. "Ao seu lado está outro vendedor cuja mercadoria acabou de ser produzida ontem. Sua mercadoria é um encalhe e provavelmente está mais ou menos deteriorada pelo tempo. Você tem, portanto, de vender mais barato que seu concorrente." Em nada altera as condições de existência da mercadoria que seu produtor seja produtor efetivo ou produtor capitalista que aparece como se fosse o efetivo. Ele tem de transformar as coisas produzidas em dinheiro. Os gastos que tem com a demora delas na forma mercadoria constituem seus riscos individuais, que não interessam ao comprador da mercadoria. Este não lhe paga o tempo de circulação de sua mercadoria. Mesmo quando, intencionalmente, o capitalista mantém sua mercadoria fora do mercado, em ocasiões de revolução real ou presumida do valor, a indenização dos custos adicionais dependerá de se positivar essa revolução, de ter sido ou não acertada sua especulação. Mas, a revolução do valor não é consequência desses gastos. Por conseguinte, enquanto a formação de estoques é parada na circulação, os custos da mercadoria daí decorrentes não acrescentam valor. Por outro lado, não pode haver estoque sem pausa na esfera da circulação, sem detença mais ou menos longa do capital em sua forma mercadoria; não há, portanto, estoque sem parada da circulação, do mesmo modo que dinheiro não pode circular sem formação de reservas de dinheiro. Sem estoques de mercadoria, portanto, não há circulação de mercadorias. Essa necessidade, se não surge para o capitalista em M'-D', aparece-lhe em D-M; se não surge em relação a seu capital-mercadoria, aparece em relação ao capital-mercadoria de outros capitalistas que produzem meios de produção para ele e meios de subsistência para seus trabalhadores.

Parece em nada alterar a essência da coisa que a formação de estoques seja voluntária ou involuntária, isto é, que o produtor de mercadorias mantenha intencionalmente estoque ou que suas mercadorias formem estoque em virtude da resistência que as circunstâncias do processo de circulação opõem à sua venda. Mas, para resolver esse problema, convém distinguir entre formação de estoques voluntária e involuntária. A formação involuntária de estoques decorre de, ou é idêntica a, uma parada na circulação, a qual não depende do conhecimento do produtor e se antepõe a seus projetos. Que caracteriza a formação voluntária de estoques? O vendedor procura sempre desfazer-se o mais rápido possível de sua mercadoria. Tem seu produto sempre à venda como mercadoria. Se o subtrai à venda, passa o produto a constituir elemento potencial, e não efetivo do estoque de mercadorias. Para ele, a mercadoria continua sendo veículo do próprio valor de troca, e nessa condição só pode operar abandonando a forma mercadoria e assumindo a forma dinheiro.

O estoque de mercadorias tem de atingir um volume em que possa atender à dimensão da procura, em determinado período. Além disso, conta-se com a expansão constante do círculo dos compradores. A fim de atender à procura, no período de um dia, por exemplo, tem uma parte das mercadorias que estão no mercado de permanecer sob a forma mercadoria, enquanto a outra flui, se transforma em dinheiro. A parte estagnada, enquanto a outra flui, reduz-se continuamente, como o próprio estoque, até ser por fim inteiramente vendida. A imobilização da mercadoria, no caso, é considerada condição necessária da venda. É mister ainda que seu volume seja maior que o da compra média ou da procura média. Do contrário, não se poderia satisfazer ao que ultrapassasse essa média. Por outro lado, o estoque tem de ser renovado continuamente, pois se desfaz de maneira ininterrupta. Essa renovação só pode provir, em última instância, da produção, de um fornecimento de mercadorias. Não importa sua origem, que elas venham ou não do estrangeiro. A renovação depende do tempo que as mercadorias precisam para sua reprodução. O estoque tem de ser suficiente durante esse tempo. Altera a aparência da coisa, mas não a coisa, a circunstância de o estoque não permanecer nas mãos do produtor primitivo, e passar por depósitos diversos, do grande comerciante até o varejista. Do ponto de vista social, parte do capital está sempre sob a forma de estoque de mercadorias, enquanto a mercadoria não tenha entrado no consumo produtivo ou individual. O próprio produtor procura ter um estoque correspondente à procura média, a fim de não depender imediatamente da produção e dispor de um círculo constante de fregueses. De acordo com os períodos de produção, fixam-se prazos de compra e formam-se estoques de mercadorias por tempo mais ou menos longo, até que possam ser substituídas por exemplares da mesma espécie. Essa formação de estoques assegura a permanência e a continuidade do processo de circulação e, por consequência, do processo de reprodução que abrange o processo de circulação. Lembremos que a operação M'-D' pode estar realizada para o produtor de M, embora M ainda se encontre no mercado. Se o produtor quiser manter sua mercadoria no mercado até vendê-la ao consumidor definitivo, terá ele de pôr em movimento um duplo capital, o de produtor de mercadoria e o de comerciante. Para a mercadoria, seja ela considerada isoladamente ou como parte do capital social, não traz nenhuma alteração que os custos da formação de estoque recaiam em seu produtor ou numa série de intermediários.

Enquanto o estoque de mercadorias é apenas a forma mercadoria do estoque – que, se não existisse como estoque de mercadorias, existiria em dada escala da produção social como estoque produtivo (fundo latente de produção) ou como fundo de consumo (reserva de meios de consumo) –, os custos exigidos pela manutenção do estoque, os custos de formação de estoques, isto é, o trabalho vivo ou materializado aí aplicados são apenas custos, transpostos, da conservação do fundo social de produção ou do fundo social de consumo. Ao elevar-se o valor das mercadorias em virtude desses custos, rateiam-se eles pelas diferentes mercadorias, pois diferem para as diferentes espécies de mercadorias. Como dantes, os custos de formação de estoques continuam sendo reduções da riqueza social, embora desta sejam condição de existência.

O estoque de mercadorias só é normal enquanto for apenas condição da circulação de mercadorias e forma necessariamente surgida nessa circulação, enquanto essa estagnação aparente for, portanto, forma de giro, do mesmo modo que a formação de reservas de dinheiro é condição da circulação de dinheiro. Se, entretanto, as mercadorias se detêm nos depósitos de circulação, não cedendo lugar à onda da produção que vem depois, se os depósitos, portanto, ficam abarrotados, expande-se o estoque de mercadorias em virtude da parada da circulação, do mesmo modo que os tesouros crescem quando se paralisa a circulação de dinheiro. Tanto faz que essa parada ocorra nos armazéns do capitalista industrial ou nos do comerciante. Então, o estoque de mercadorias não é condição da venda ininterrupta, mas consequência da impossibilidade de vender as mercadorias. Prosseguem os mesmos custos, mas, decorrendo eles agora apenas da forma, isto é, da necessidade de converter as mercadorias em dinheiro e da dificuldade dessa metamorfose, não entram no valor da mercadoria, mas representam descontos, perda de valor na realização do valor. Uma vez que, do ponto de vista da forma, não se distinguem a forma normal e a anormal de estoque, sendo ambas paradas da circulação, podem os dois fenômenos ser confundidos e iludir o próprio agente da produção, tanto mais que, para ele, o processo de circulação de seu capital pode fluir, enquanto fica paralisado o processo de circulação de suas mercadorias que passaram às mãos do comerciante. Se aumentam a produção e o consumo, não se alterando as demais circunstâncias, aumenta também o estoque de mercadorias. Renova-se e é absorvido com velocidade correspondente, mas seu volume é maior. O acréscimo do estoque de mercadorias decorrente de paralisar-se a circulação pode ser erroneamente tomado por sintoma de que se ampliou o processo de reprodução, e sobretudo o desenvolvimento do sistema de crédito permite que se disfarce o movimento real.

Os custos de estocagem abrangem: 1) redução quantitativa na massa do produto (farinha, por exemplo); 2) deterioração da qualidade; 3) trabalho materializado e vivo, exigidos pela conservação do estoque.

3. CUSTOS DE TRANSPORTE

Não é mister aqui entrar em pormenores dos custos de circulação, como, por exemplo, embalagem, classificação etc. A lei geral é: *todos os custos de circulação que decorrem apenas da mudança de forma da mercadoria não acrescentam a esta valor.* São apenas custos para realizar o valor, para fazê-lo passar de uma forma para outra. O capital despendido nesses custos (inclusive o trabalho que ele comanda) pertence aos custos improdutivos necessários da produção capitalista. Seu reembolso tem de provir do produto excedente e constitui, para a classe capitalista em seu conjunto, um desconto na mais-valia ou no produto excedente, do mesmo modo que, para o trabalhador, é tempo perdido o que utiliza na compra de meios de subsistência. Mas, dada a importância dos custos de transporte, deles trataremos agora, embora de maneira sucinta.

No ciclo do capital e na metamorfose das mercadorias nele incluída realiza-se o intercâmbio de matérias de trabalho social. Esse intercâmbio pode determinar mudança de espaço dos produtos, seu movimento efetivo de um lugar para outro. Mas as mercadorias podem circular sem se moverem fisicamente e pode haver transporte de produto sem circulação de mercadorias e até sem troca direta de produtos. A casa que A vende a B circula como mercadoria, mas não sai do lugar. Mercadorias móveis, como algodão, ferro gusa, não mudam de depósito enquanto passam por inúmeros processos de circulação, compradas e revendidas por especuladores.[17] Neste caso, o que se move realmente não é a coisa, mas o título de propriedade sobre a coisa. Em sentido contrário, temos o importante papel que a indústria

---

17 É o que Storch chama de circulação artificial.

de transportes desempenhava, por exemplo, no Império Inca, embora o produto social não circulasse como mercadoria, nem fosse distribuído por meio de troca.

Por isso, embora a indústria de transporte se apresente no regime de produção capitalista como causa de custos de circulação, esse fenômeno particular em nada altera a substância da coisa.

O transporte não aumenta a quantidade dos produtos. Se eventualmente altera as qualidades naturais destes, essa alteração não é efeito útil almejado, e sim mal inevitável. Mas o valor de uso das coisas só se realiza com seu consumo, e esse consumo pode tornar necessário o deslocamento delas, o processo adicional de produção da indústria de transportes. Assim, o capital produtivo nela aplicado acrescenta valor aos produtos transportados, formado pela transferência de valor dos meios de transporte e pelo valor adicional criado pelo trabalho de transporte. Este valor adicional se divide, como em toda produção capitalista, em reposição de salário e em mais-valia.

Importante papel desempenham, no interior de todo processo de produção, a mudança de lugar do objeto de trabalho e os meios de trabalho e forças de trabalho para isso necessários, como, por exemplo, o algodão que se desloca da seção de cardas para a de fiação, o carvão que é transportado do fundo da mina para a superfície. A passagem do produto pronto como mercadoria acabada do local imediato de produção para outro, afastado no espaço, mostra, em maior escala, o mesmo fenômeno. Além desse transporte, existe o dos produtos acabados da esfera da produção para a esfera do consumo. Só depois de consumado este movimento, está o produto pronto para o consumo.

Conforme já vimos, é lei geral da produção de mercadorias: a produtividade do trabalho e o valor que ele cria estão em relação inversa. Esta lei se aplica à indústria de transportes como a qualquer outra. Quanto menor a quantidade de trabalho materializado e vivo que o transporte da mercadoria exige para determinada distância, tanto maior a produtividade do trabalho, e vice-versa.[18]

---

18 Say, citado por Ricardo, considera uma benemerência do comércio encarecer os produtos ou elevar seu valor com os custos de transporte. Diz ele: "O comércio permite-nos ir buscar mercadorias nos lugares onde existe e transportá-la para os lugares onde é consumida. Dá-nos, portanto, os meios de acrescentar ao valor de uma mercadoria toda a diferença entre os preços correntes nos diversos lugares." A isso objeta Ricardo: "Muito bem, mas donde procede esse valor adicional? Da adição, feita aos

A magnitude absoluta do valor que o transporte acrescenta às mercadorias, não se alterando as demais circunstâncias, está na razão inversa da produtividade da indústria de transportes e na direta das distâncias a percorrer.

A proporção de valor que os custos de transporte, não variando as demais circunstâncias, acrescentam ao preço da mercadoria está na razão direta do volume e do peso dela. Variam, entretanto, numerosas circunstâncias. Variam, por exemplo, as medidas de precaução exigidas pelo transporte, o correspondente dispêndio de trabalho e de meios de trabalho, de acordo com a relativa fragilidade do artigo, a facilidade com que se deteriora ou explode. A esse respeito, os magnatas das ferrovias são mais geniais que os botânicos ou geólogos para descobrir gêneros e espécies fantásticos. A classificação dos artigos nas ferrovias inglesas, por exemplo, enche volumes e revela, em geral, a tendência de transformar as múltiplas propriedades naturais dos artigos em outros tantos defeitos, do ponto de vista do transporte, e em motivos para impor extorsões.

> O vidro que valia antes 11 libras esterlinas por caixa, vale agora, em virtude do progresso industrial e da isenção de imposto, apenas 2 libras esterlinas, mas os custos de transporte continuam os mesmos, e até aumentaram os fretes por canal. Antes, vidros e artigos de vidro eram transportados num raio de 50 milhas em volta de Birmingham, a 10 xelins por tonelada. Hoje, triplicou-se o preço do transporte, sob a alegação do risco da fragilidade do vidro. Mas quem não paga os objetos quebrados é a direção da estrada de ferro.[19]

A proporção que os custos de transporte representam no valor de um artigo está na razão inversa desse valor, mas isto constitui, para os magnatas das ferrovias, motivo especial para gravar um artigo na razão direta de seu valor. As queixas dos industriais e comerciantes a esse respeito se repetem, a cada passo, nos depoimentos inseridos no relatório citado.

O modo capitalista de produção diminui os custos de transporte para cada mercadoria com o desenvolvimento dos meios de transporte e

---

custos de produção, das despesas de transporte e do lucro sobre o capital adiantado pelo comerciante. A razão por que a mercadoria tem mais valor é a mesma por que qualquer outra mercadoria vale mais, a saber: mais trabalho foi empregado em sua produção e em seu transporte antes de ser comprada pelo consumidor. É um erro considerar isso um dos benefícios proporcionados pelo comércio." (Ricardo, *Principes of Political Economy*, 3ª ed., Londres, 1821, pp. 309, 310.)

19 *Royal Commission on Railways*, p. 31, nº 630.

de comunicação, com a concentração (a magnitude da escala) do transporte. Aumenta a parte do trabalho social vivo e materializado, aplicada no transporte de mercadorias, primeiro transformando a grande maioria dos produtos em mercadorias e, segundo, substituindo mercados locais por mercados longínquos.

A movimentação das mercadorias, a circulação efetiva das mercadorias no espaço, identifica-se com o transporte delas. A indústria de transportes constitui ramo autônomo da produção e, por consequência, esfera particular de emprego do capital produtivo. Singulariza-se por aparecer como continuação de um processo de produção *dentro* do processo de circulação e *para* o processo de circulação.

SEGUNDA SEÇÃO
A ROTAÇÃO DO CAPITAL

VII.
Tempo de rotação e número de rotações

Conforme vimos, o tempo em que determinado capital faz uma circulação completa é igual à soma de seu tempo de circulação propriamente dito e de seu tempo de produção. E o período em que o valor-capital se move, a partir do momento em que é adiantado sob determinada forma até o momento em que volta à mesma forma.

O objetivo determinante da produção capitalista é sempre o acréscimo do valor adiantado, em sua forma autônoma, a forma dinheiro, ou na forma mercadoria, possuindo então a forma valor autonomia apenas ideal no preço das mercadorias adiantadas. Em ambos os casos, o valor-capital percorre, durante seu ciclo, formas de existência diversas. Sua identidade está registrada nos livros do capitalista ou se verifica sob a forma de dinheiro de conta.

A forma D...D' e a forma P...P supõem que o valor adiantado funcionou como valor-capital tendo um acréscimo de mais-valia, e que voltou à forma em que iniciou o processo depois de percorrê-lo. Patenteiam-se claramente em D...D' o acréscimo do valor adiantado D e a volta do capital a essa forma (a forma dinheiro). Os mesmos fatos se dão com a forma P...P, cujo ponto de partida é a existência dos elementos de produção, mercadorias de determinado valor. A forma abrange o acréscimo desse valor (M' e D') e a volta à forma inicial, pois no segundo P o valor adiantado possui novamente a forma dos elementos de produção na qual foi originalmente adiantado.

Vimos anteriormente: "Se a produção tem a forma capitalista, também a terá a reprodução. No modo capitalista de produção, o processo de trabalho é apenas um meio de criar valor; analogamente, a reprodução é apenas um meio de reproduzir o valor adiantado como capital, isto é, como valor que se expande." (Livro 1, Capítulo XXI, p. 661-2.)

Consideremos as diferenças entre as formas I) D...D', II) P...P e III) M'...M'. Na forma II (P...P), a renovação do processo, o processo de reprodução se expressa de maneira real; na forma I, de maneira virtual. Distinguem-se ambas da forma III, em virtude de o valor-capital adiantado (na forma dinheiro ou na figura dos elementos materiais da produção) constituir o ponto de partida e, por consequência, ponto de regresso. Em D...D', regressa-se a D' = D + d. Se o processo se renova na mesma escala, D volta a ser o ponto de partida e d não entra no processo, mas indica que D se valorizou como capital produzindo a mais-valia d, embora depois a afastasse de si. Do mesmo modo, na forma P...P, o valor-capital adiantado sob a forma dos elementos de produção P constitui o ponto de partida. A forma encerra o acréscimo do valor-capital. Se houver reprodução simples, o mesmo valor-capital recomeça seu processo sob a mesma forma. Havendo acumulação, P' (com magnitude de valor = D' = M') inicia o processo como valor-capital acrescido. Mas o valor-capital, embora maior que antes, recomeça sob a forma inicial. Na forma III, o valor-capital não começa como valor adiantado, e sim como valor acrescido de mais-valia, como riqueza global sob a forma de mercadorias, da qual o valor-capital adiantado é apenas uma parte. Esta forma é de importância fundamental para a Terceira Seção, onde examinaremos o movimento dos capitais individuais em conexão com o movimento de todo o capital da sociedade. Não é útil, entretanto, para estudarmos a rotação do capital, a qual sempre começa com o adiantamento do valor-capital, sob a forma de dinheiro ou de mercadoria, e sempre exige a volta do valor-capital em rotação à forma em que foi adiantado. Devemos ater-nos ao ciclo I quando se trata fundamentalmente da influência da rotação sobre a criação de mais-valia; ao ciclo II, quando se trata dessa influência sobre a formação de produto.

Os economistas não discriminaram as várias formas dos ciclos nem as examinaram separadamente do ponto de vista da rotação do capital. Na maioria dos casos, utilizam a forma D...D', por dominar ela o capitalista individual que utiliza em seus cálculos, mesmo quando o dinheiro constitua o ponto de partida na figura do dinheiro de conta. Outros vão do dispêndio sob a forma dos elementos de produção até refluir o capital, mas sem se deter na forma em que se dá esse retorno, se em mercadoria ou em dinheiro. Por exemplo:

> O ciclo econômico, [...] o curso completo da produção, indo do tempo em que se realiza o dispêndio até quando se dá o reembolso com a receita. ("*Economic cycle, [...] the whole course of production, from the time that outlays are made till returns are received. In agriculture seedtime is its commencement, and harvesting its ending.*"[I] – S.P. Newman, *Elements of Political Economy*, Andover and New York, p. 81.)

Outros começam com M' (forma III):

I Na agricultura, o começo (do ciclo) é a semeadura, e o fim, a colheita.

> A atividade da produção pode ser considerada um momento circular, a que chamaremos de ciclo econômico, concluindo-se cada rotação quando o negócio, após se efetuarem suas operações sucessivas, volta ao ponto de onde partiu. O começo pode ser fixado no ponto em que o capitalista recebe as receitas que lhe trazem de volta seu capital; a partir daí, passa a recrutar trabalhadores e a proporcionar-lhes o sustento sob a forma de salário, ou melhor, o poder de consegui-lo; a receber deles prontos os artigos em que comercia, a levar esses artigos ao mercado, onde conclui essa série de movimentos, vendendo sua mercadoria, com o que recupera todo o capital que despendeu. (Th. Chalmers, *On Political Economy*, 2ª ed., Glasgow, 1832, p. 85.)

Quando todo o valor-capital empregado por um capitalista individual num ramo de produção qualquer conclui o movimento cíclico, volta a encontrar-se em sua forma inicial e pode repetir o mesmo processo. Tem de repeti-lo, se o propósito é perpetuar e expandir o valor como valor-capital. Cada ciclo constitui na vida do capital apenas uma etapa que se renova constantemente, um período, portanto. No fim do período D...D', o capital reaparece como capital-dinheiro, que percorre novamente a série de transformações em que está implícito seu processo de reprodução ou de valorização. Ao fim do período P...P, volta o capital a encontrar-se sob a forma dos elementos de produção que constituem condição para renovar-se o ciclo. Chama-se rotação do capital o seu ciclo definido como processo periódico, e não como acontecimento isolado. Sua duração é determinada pela soma do tempo de produção e do tempo de circulação do capital. Esta soma constitui o tempo de rotação do capital. Mede, portanto, o tempo que dura o período cíclico do valor-capital total até poder passar ao período seguinte, a periodicidade do processo de vida do capital, ou, em outras palavras, o tempo que dura a renovação, a repetição do processo de criar mais-valia ou de produzir o mesmo valor-capital.

Excetuados eventos singulares que podem apressar ou diminuir o tempo de rotação de um capital isolado, o tempo de rotação dos capitais varia segundo os diversos ramos de produção.

Se o dia de trabalho constitui a unidade natural de medida do funcionamento da força de trabalho, o ano representa a unidade natural de medida das rotações do capital em movimento. Essa unidade de medida tem seu fundamento natural na circunstância de serem anuais os produtos agrícolas mais importantes da zona temperada, o berço da produção capitalista.

Se chamamos de R o ano, a unidade de medida do tempo de rotação, de r o tempo de rotação de determinado capital, de n o número de suas rotações, teremos então $n = {}^{R}/_{r}$. Se, por exemplo, o tempo de rotação r é de 3 meses, teremos $n = {}^{12}/_{3} = 4$; o capital realiza 4 rotações por ano, rota ou roda 4 vezes. Se r = 18 meses, teremos $n = {}^{12}/_{18} = {}^{2}/_{3}$, isto é, o capital percorre num ano apenas $^{2}/_{3}$ de seu tempo de rotação. Se seu tempo de rotação for de vários anos, será ele calculado por múltiplos de 1 ano.

Para o capitalista, o tempo de rotação de seu capital é o período durante o qual tem de adiantar o capital para valorizá-lo e recuperá-lo na sua figura primitiva.

Antes de examinar mais de perto a influência da rotação sobre o processo de produção e de criação de mais-valia, teremos de observar duas novas formas, assumidas pelo capital em virtude do processo de circulação, as quais influem na forma de sua rotação.

VIII.
Capital fixo e capital circulante

1. AS DIFERENÇAS DE FORMA

Vimos que parte do capital constante (Livro 1, Capítulo VI)[I] conserva, em face dos produtos para cuja formação concorre, a forma de uso determinada em que entra no processo de produção. Executa, por isso, as mesmas funções em processos de trabalho sempre repetidos, durante períodos mais ou menos longos. É o que se dá, por exemplo, com edifícios, máquinas etc., em suma com tudo o que chamamos de *meio de trabalho.* Essa parte do capital constante cede valor ao produto na proporção em que perde, com seu valor de uso, o valor de troca. Mensura-se pela média essa transferência ou transição do valor desses meios de produção ao produto para cuja formação contribuem; é medida pela duração média da função que exercem, a partir do momento em que entram no processo de produção até ao momento em que, inteiramente gastos, morrem, e têm de ser reproduzidos ou substituídos por novo exemplar da mesma espécie.

A característica dessa parte do capital constante, os meios de trabalho propriamente ditos, é, portanto:

Parte do capital, adiantada sob a forma de capital constante, consiste em meios de produção que funcionam como fatores do processo de trabalho enquanto perdura a forma autônoma de uso com que nele entraram. O produto acabado, e com ele os elementos constitutivos na proporção em que se transformaram no produto, é expelido do processo de produção, passando da esfera da produção para a da circulação. Os meios de trabalho, entretanto, não abandonam a esfera da produção depois de nela ter entrado. Nela os prende sua função. Parte do valor-capital adiantado se *fixa* nessa forma determinada pela função dos meios de trabalho no processo. Com o funcionamento, e por isso com o desgaste do meio de trabalho, parte de seu valor se transfere ao produto, e outra continua fixada no meio de trabalho e por consequência no processo de produção. O valor assim fixado decresce gradualmente até o meio de trabalho não servir mais e ter repartido seu valor por uma massa de produtos saídos, em período mais ou menos longo, de uma série de processos de trabalho continuamente repetidos. Enquanto o meio de trabalho for eficaz, enquanto não tiver de ser substituído por novo exemplar da mesma espécie, haverá nele valor-capital constante, enquanto outra parte do valor primitivamente nele fixado

---

I Ver Livro 1, pp. 227-230.

se transfere ao produto e por isso circula como elemento do estoque de mercadorias. Quanto mais tempo dura o meio de trabalho, quanto mais demora seu desgaste, tanto mais tempo permanece fixado nessa forma de uso valor-capital constante. Qualquer que seja sua durabilidade, a proporção em que transfere valor está na razão inversa do tempo global de seu funcionamento. Se uma máquina se desgasta em cinco anos e outra em dez, possuindo ambas igual valor, a primeira transfere, no mesmo espaço de tempo, duas vezes mais valor que a outra.

Essa parte do valor-capital fixada no meio de trabalho circula como qualquer outra. De maneira genérica, vimos que todo o valor-capital está em circulação contínua, e, nesse sentido, todo capital é capital circulante. Mas tem característica peculiar a circulação da parte do capital que ora estamos observando. Antes de mais nada, não circula sob forma de uso; o que circula é apenas seu valor, e de maneira gradual, fracionária, na medida em que se transfere ao produto que circula como mercadoria. Durante todo o período de seu funcionamento, encontra-se uma fração de seu valor nele fixada, independentemente das mercadorias que ajuda a produzir. Essa peculiaridade dá a essa parte do capital constante a forma de *capital fixo.* Em contraposição, todos os demais elementos materiais do capital adiantado no processo de produção constituem o *capital circulante.*

Certos elementos de produção não entram materialmente no produto, a saber, as matérias auxiliares que são consumidas pelos meios de trabalho em seu funcionamento, como o carvão da máquina a vapor, ou que apenas auxiliam o processo, como o gás de iluminação etc. Seu valor circula na circulação do produto. É o que têm de comum com o capital fixo. Em cada processo de trabalho em que entram são consumidos por inteiro e por isso têm de ser substituídos, em cada novo processo de trabalho, por novos exemplares da mesma espécie. Durante seu funcionamento, não conservam sua forma de uso autônoma. Durante seu funcionamento, não permanece fixa em sua antiga figura de uso, em sua forma natural, nenhuma parte do valor-capital. Essa classe de matérias auxiliares não entra no produto materialmente, mas pelo seu valor como parte do valor do produto, e a função que exerce, relacionada com essa circunstância, se confina à esfera da produção; estes fatos levaram economistas como Ramsay a incluí-las na categoria de capital fixo, confundindo capital fixo e capital constante.

Há os meios de produção que entram materialmente no produto, as matérias-primas etc., e por isso recebem formas que os tornam apropriados para o consumo individual. Os meios de trabalho propriamente ditos, os veículos materiais do capital fixo, são consumidos apenas produtivamente e não podem entrar no consumo individual, pois não entram no produto, no valor de uso que ajudam a produzir; pelo contrário, mantêm perante este sua figura autônoma até completar seu desgaste. Os meios de transporte constituem exceção. O efeito útil que gera durante sua função produtiva, durante sua estada na esfera da produção, a mudança de lugar, entra simultaneamente no consumo individual, do viajante, por exemplo. Este paga sua fruição como a de qualquer outro bem de consumo. Vimos, por exemplo, que, na indústria química, se desvanece a linha divisória que existe entre matéria-prima e matérias auxiliares.[I] O mesmo pode acontecer com meios de trabalho, matérias ou substâncias auxiliares e matérias-primas. Assim, na agricultura, por exemplo, as substâncias empregadas para enriquecer o solo entram por parte no produto para cuja formação contribuem. Seu efeito se distribui por um período longo, de 4-5 anos por exemplo. Parte delas entra materialmente no produto ao qual transfere simultaneamente seu valor, enquanto outra parte em sua velha forma de uso conserva seu valor. Continua a ser meio de produção e adquire por isso a forma de capital fixo. Como besta de carga, um boi é capital fixo. Quando é consumido, não funciona como meio de trabalho, não sendo, portanto, capital fixo.

O que dá a uma parte do valor-capital despendido em meios de produção o caráter de capital fixo é apenas a maneira peculiar como circula o correspondente valor. Essa maneira específica de circulação corresponde ao modo especial como o meio de trabalho transfere seu valor ao produto, ou como se comporta como elemento que forma valor no processo de produção. Esse modo, por sua vez, tem sua origem na natureza particular da função dos meios de trabalho no processo de trabalho.

Sabemos que o mesmo valor de uso que sai como produto de um processo de trabalho entra noutro como meio de produção. O que faz de um produto capital fixo é a sua função de meio de trabalho no processo de produção. Ao sair de um processo como seu resultado, não é capital fixo. Uma máquina, enquanto produto ou mercadoria de seu fabricante, pertence ao capital-mercadoria. Só se torna capital fixo nas mãos de seu comprador, o capitalista que a aplica produtivamente.

I Ver Livro 1, pp. 204-206.

Igualadas todas as demais circunstâncias, o grau de fixidez do valor-capital depende da durabilidade, do meio de trabalho. Dessa durabilidade, portanto, depende a magnitude da diferença entre o valor-capital fixado nos meios de trabalho e o valor que estes transferem ao produto nos processos de trabalho repetidos. E os meios de trabalho transferem valor toda vez que se repete o mesmo processo de trabalho. Quanto mais lenta essa transferência, tanto maior o capital fixado, tanto maior a diferença entre o capital aplicado e o capital consumido no processo de produção. Ao desaparecer essa diferença, o meio de trabalho se exaure e perde o valor, ao perder o valor de uso. Deixa de ser veículo de valor. Uma vez que o meio de trabalho, como qualquer outro veículo material do capital constante, só transfere valor ao produto na medida em que, junto com o valor de uso, perde valor, é evidente que, quanto mais lentamente se desvanecer seu valor de uso, mais longo será o tempo em que perdurará no processo de produção e mais longo o período em que permanecerá nele fixado valor-capital constante.

Se um meio de produção que não é propriamente meio de trabalho – por exemplo, matéria auxiliar, matéria-prima, produto semiacabado etc. – se comporta do ponto de vista da transferência de valor e, portanto, do modo de circulação de seu valor, como se fosse meio de trabalho, passa a ser igualmente veículo material, forma de existência de capital fixo. É o que ocorre com a mencionada adubação do solo, que acrescenta à terra elementos químicos cujos efeitos se estendem por vários períodos de produção ou anos. No caso, uma parte do valor continua a existir em sua figura autônoma, de capital fixo, ao lado do produto, enquanto outra é transferida ao produto e com ele circula. Nessas condições, entra no produto não só parte do valor do capital fixo, mas também o valor de uso, a substância em que existe essa parte do valor.

Além do erro fundamental – de misturar as categorias capital fixo e capital circulante com as categorias capital constante e capital variável – os equívocos até hoje reinantes na conceituação dos economistas têm sua origem sobretudo nos seguintes pontos:

Transformam certas propriedades materiais dos meios de trabalho em propriedades diretas do capital fixo, por exemplo, a imobilidade física de um edifício. Fica então fácil de demonstrar que outros meios de trabalho que, como tais, são também capital fixo possuem a propriedade oposta, a mobilidade física: um navio, por exemplo.

Ou confundem a forma econômica que provém da circulação do valor com uma propriedade material; como se as coisas que em si mesmas não são capital e só se tornam capital em determinadas condições sociais já pudessem ser, de *per se*, por natureza, capital em determinada forma, fixo ou circulante. Vimos no Livro 1, Capítulo v,[I] que os meios de produção em todo processo de trabalho, quaisquer que sejam as condições sociais, se dividem em meios de trabalho e objetos de trabalho. Mas só no modo capitalista de produção uns e outros viram capital, e "capital produtivo", conforme conceituamos na Primeira Seção. Assim, a diferença entre meio de trabalho e objeto de trabalho fundamentada na natureza do processo de trabalho reflete-se, de nova forma, na diferença entre capital fixo e capital circulante. Só por isso, uma coisa que funciona como meio de trabalho se torna capital fixo. Se, de acordo com suas propriedades materiais, pode exercer outras funções que não a de meio de trabalho, será ou não capital fixo segundo a função que exerça. O gado utilizado para carga é capital fixo; o gado de engorda é matéria-prima, que, por fim, entra na circulação como produto, não sendo, portanto, capital fixo e sim circulante.

A mera fixação por algum tempo de um meio de produção em processos de trabalho repetidos, mas conexos e contínuos, constituindo por isso um período de produção, isto é, o tempo de produção por inteiro, necessário para aprontar o produto, determina, do mesmo modo que o capital fixo, adiantamentos mais ou menos longos do capitalista, sem fazer, contudo, de seu capital, capital fixo. Sementes, por exemplo, não são capital fixo, e sim matéria-prima que se fixa ao processo de produção durante um ano aproximadamente. Todo capital, ao funcionar como capital produtivo, está fixado ao processo de produção; isto se aplica, portanto, a todos os elementos do capital produtivo, qualquer que seja sua feição material, sua função e o modo de circulação de seu valor. A condição de estar fixado por tempo mais ou menos longo, segundo a natureza do processo de produção ou o efeito útil almejado, não determina a diferença entre capital fixo e capital circulante.[20]

Certos meios de trabalho, entre os quais figuram as condições gerais de trabalho, só depois de fixados num local determinado entram no processo

---

I Pp. 201-206.

20 Em virtude da dificuldade de definir capital fixo e capital circulante, acha Lorenz Stein que essa distinção serve apenas para facilitar o trabalho de exposição.

de produção como meios de trabalho ou ficam prontos para funcionar produtivamente, como, por exemplo, as máquinas. Outros já são produzidos nessa forma fixa, localmente vinculada, como, por exemplo, adubação, edifícios de fábricas, altos-fornos, canais, ferrovias etc. No caso, o modo material de existência do meio de trabalho constitui fator determinante de sua vinculação contínua ao processo de produção em que deve funcionar. Por outro lado, um meio de trabalho pode mudar fisicamente de lugar, de maneira constante, mas apesar disso encontra-se constantemente no processo de produção, como uma locomotiva, um navio, uma besta de carga etc. Não é a imobilidade que, num caso, lhe dá o caráter de capital fixo, nem a mobilidade, no outro, lhe tira esse caráter. Mas a circunstância de haver meios de trabalho localmente fixados, radicados, presos ao solo, confere a essa parte do capital fixo papel peculiar na economia das nações. Esses meios de trabalho não podem ser remetidos para o estrangeiro, nem circular como mercadorias no mercado mundial. Os títulos de propriedade relativos a esse capital fixo podem ser transferidos, comprados e vendidos, circulando assim idealmente esse capital. Esses títulos podem mesmo circular em mercados estrangeiros, sob a forma de ações, por exemplo. Mas, ao mudarem as pessoas que são proprietárias dessa espécie de capital fixo, não muda a relação que existe, num país, entre a parte imobilizada materialmente fixa da riqueza e a parte móvel.[21]

A circulação peculiar do capital fixo resulta numa rotação peculiar. A parte de valor que perde em sua forma natural, em virtude de desgaste, circula como parte do valor do produto. Por meio da circulação, o produto se transforma, isto é, a mercadoria se converte em dinheiro; por conseguinte, também se converte em dinheiro a parte do valor do meio de trabalho, posta em circulação pelo produto. E este valor volta gotejando do processo de circulação, como dinheiro, na mesma proporção em que esse meio de trabalho vai deixando de ser depositário de valor no processo de produção. Seu valor adquire então existência dupla. Parte dele permanece vinculada à sua forma de uso ou natural pertencente ao processo de produção, outra dela se desprende como dinheiro. Durante o funcionamento do meio de trabalho, decresce constantemente a parte do valor que existe sob a forma natural, enquanto aumenta sempre a parte que se transforma em dinheiro, até que ele chegue ao fim e todo o seu valor global, separado de seus restos

21 Até aqui, manuscrito IV. Daqui em diante, manuscrito II.

mortais, se tenha convertido em dinheiro. Revela-se aí a peculiaridade da rotação desse elemento do capital produtivo. A transformação de seu valor em dinheiro segue no mesmo ritmo em que se converte em dinheiro a mercadoria, veículo desse valor. Mas a reversão da forma dinheiro para a forma de uso, experimentada pelo meio de trabalho, não acompanha a mercadoria quando esta se reconverte aos demais elementos de sua produção; essa reversão é antes determinada pelo próprio período de reprodução do meio de trabalho, pelo tempo durante o qual se gasta, tendo de ser substituído por outro exemplar da mesma espécie. Se, por exemplo, é de 10 anos a duração do funcionamento de uma máquina, no valor de 10.000 libras esterlinas, será de 10 anos o tempo de rotação do valor nela primitivamente adiantado. Antes de decorrer esse prazo, não cabe renová-la, continuando ela a operar em sua forma natural. Entrementes, seu valor circula, de maneira parcelada, como parte do valor das mercadorias que ela ajuda a produzir continuamente, e assim se converte gradualmente em dinheiro, até que, ao fim de 10 anos, se terá transformado totalmente em dinheiro e de dinheiro em máquina, levando a cabo, portanto, sua rotação. Enquanto a máquina espera a ocasião de reproduzir-se, seu valor se acumula pouco a pouco sob a forma de um fundo de reserva em dinheiro.

Os demais elementos do capital produtivo são constituídos por componentes do capital constante, existentes nas matérias auxiliares e nas matérias-primas, e pelo capital variável, desembolsado em força de trabalho.

A análise do processo de trabalho e do processo de produzir mais-valia (Livro 1, Capítulo v) revelou que esses diferentes elementos se comportam de maneira totalmente diversa quando se trata da formação do produto e da formação do valor. O valor da parte do capital constante composta de matérias auxiliares e de matérias-primas, do mesmo modo que o valor de sua parte constituída de meios de trabalho, reaparece no valor do produto apenas como valor transferido, enquanto a força de trabalho, através do processo de trabalho, acrescenta ao produto um equivalente de seu valor, isto é, reproduz realmente seu valor. Além disso, uma parte das matérias auxiliares, combustível, gás de iluminação etc., se consome no processo de trabalho, sem entrar materialmente no produto, enquanto outra se incorpora fisicamente no produto e constitui material de sua substância. Todas essas diferenças, entretanto, em nada alteram a circulação nem, portanto, o modo de rotação. Ao serem totalmente consumidas na formação do produto, as matérias auxiliares e as matérias-primas transferem seu valor por inteiro ao produto. Este faz circular, em sua totalidade, esse valor que se transforma em dinheiro e de dinheiro volta a converter-se em elementos de produção da mercadoria. A rotação desse valor não se interrompe como a do capital fixo, mas percorre ininterruptamente todo o ciclo de suas formas, de modo que esses elementos do capital produtivo se renovam fisicamente de maneira contínua.

Quanto à parte variável do capital produtivo, empregada em força de trabalho, sabemos que esta se compra por determinado tempo. Comprada pelo capitalista e incorporada ao processo de produção, passa a constituir parte componente do capital dele, a parte variável. Opera diariamente durante um período em que acrescenta ao produto, além de todo o seu valor por dia, um valor excedente, a mais-valia, que por ora estamos pondo de lado. Se a força de trabalho se compra, digamos, por semana, tem a compra de ser renovada depois de ter essa força operado durante uma semana: é necessária essa renovação contínua dentro dos prazos usuais. A força de trabalho, durante seu funcionamento, acrescenta o equivalente de seu valor ao produto. Esse equivalente se transforma em dinheiro com a circulação do produto, e tem constantemente de abandonar a forma dinheiro para reconverter-se em força de trabalho; em suma, tem de descrever o ciclo completo de suas formas de maneira ininterrupta, de levar a cabo sua rotação, a fim de que não se interrompa o ciclo da produção contínua.

A parte do valor do capital produtivo, desembolsada em força de trabalho, passa integralmente, portanto, para o produto (continuamos a abstrair da mais-valia), realiza com ele as duas metamorfoses pertencentes à esfera da circulação e, com essa renovação constante, permanece sempre incorporada ao processo de produção. Quaisquer que sejam, do ponto de vista da formação do valor, as diferenças entre a força de trabalho e os elementos do capital constante que não constituem capital fixo, tem ela em comum com esses elementos e em oposição ao capital fixo essa espécie de rotação de seu valor. Esses elementos do capital produtivo – as partes do valor dele desembolsadas em força de trabalho e em meios de produção que não constituem capital fixo –, em virtude do caráter comum de sua rotação, se opõem, como capital circulante ou de giro, ao capital fixo.

Conforme vimos anteriormente,[I] o dinheiro que o capitalista paga ao trabalhador para utilizar a força de trabalho é, na realidade, apenas o equi-

---

I Livro 1, pp. 186-195.

valente, em sua forma geral, dos meios de subsistência necessários ao trabalhador. Nesse sentido, o capital variável consiste materialmente em meios de subsistência. Mas, agora, no estudo da rotação, trata-se da forma. O que o capitalista compra não são os meios de subsistência do trabalhador, mas a força de trabalho. O que constitui a parte variável de seu capital não são os meios de subsistência do trabalhador, mas a força de trabalho deste em função. O que o capitalista consome produtivamente é a própria força de trabalho do trabalhador, e não os meios de subsistência deste. É o próprio trabalhador que converte em meios de subsistência o dinheiro recebido por sua força de trabalho, a fim de reconvertê-los em força de trabalho e manter-se vivo, do mesmo modo que o capitalista transforma em meios de subsistência para si parte da mais-valia da mercadoria que vende por dinheiro, sem que se diga por isso que o comprador lhe pagou a mercadoria com meios de subsistência. Mesmo quando se paga em meios de subsistência, em espécie, parte do salário do trabalhador, representa esse ato hoje em dia uma segunda transação. Vende sua força de trabalho por preço determinado e estipula-se então que receberá parte desse preço em meios de subsistência. Isto só modifica a forma de pagamento, e o que realmente vende continua a ser sua força de trabalho. É uma transação que já não se passa entre trabalhador e capitalista, e sim entre trabalhador como comprador de mercadoria e capitalista como vendedor de mercadoria, quando na primeira transação o trabalhador é vendedor de mercadoria (sua força de trabalho), e o capitalista, comprador dela. O mesmo se dá com o capitalista quando aceita mercadoria em pagamento por mercadoria que vende, como, por exemplo, aço de uma empresa siderúrgica à qual vendeu máquina. Não são, portanto, os meios de subsistência do trabalhador que assumem o papel de capital circulante em oposição ao capital fixo. Nem tampouco sua força de trabalho. É a parte do valor do capital produtivo nela empregada, a qual, em virtude da forma de sua rotação, assume esse caráter em conjunto com uns e em oposição a outros elementos do capital constante.

O valor do capital circulante em força de trabalho e em meios de produção é adiantado pelo tempo necessário para fabricar o produto, segundo a escala de produção, dada pela magnitude do capital fixo. Esse valor entra por inteiro no produto, e, com a venda do produto, volta da circulação em sua totalidade, podendo ser novamente adiantado. A força de trabalho e os meios de produção em que existe o capital circulante são retirados da circulação na medida necessária à fabricação e à venda do produto acabado;

é necessário substituí-los e renová-los continuamente com novas aquisições em que, deixando a forma dinheiro, voltam eles a converter-se em elementos de produção. A magnitude deles cada vez mais retirada do mercado é menor que a das seções do capital fixo, mas eles são retirados com mais frequência, renovando-se em períodos mais curtos o adiantamento do capital neles empregado. Essa renovação contínua se efetua em virtude da venda contínua do produto. Em seu valor e em sua forma material, realizam incessantemente todo o ciclo das metamorfoses; executam uma reversão ininterrupta, como mercadoria que se torna os elementos de produção de si mesma.

Além do próprio valor, a força de trabalho acrescenta incessantemente ao produto mais-valia, encarnação de trabalho não pago. A mais-valia, portanto, é posta também em circulação pelo produto acabado e convertida em dinheiro como os demais elementos do valor do produto. Mas, por ora, só trataremos da rotação do valor-capital, pondo de lado a mais-valia que com ele se movimenta.

Do exposto resulta o seguinte:

1. A diferença na conceituação das formas capital fixo e capital circulante decorre de diferença que se verifica na rotação do capital produtivo, isto é, do valor-capital que funciona no processo de produção. Essa diversidade de rotação decorre da maneira diversa como se transporta para o produto o valor dos diferentes elementos do capital produtivo, e não da diversidade no papel que esses elementos desempenham na formação do valor dos produtos nem do procedimento que os caracteriza no processo de produzir mais-valia. A diversidade quanto ao transporte do valor ao produto (e consequentemente o modo diferente como esse valor circula através do produto e, através das metamorfoses deste, se renova em sua forma física primitiva) decorre da diversidade das figuras materiais em que existe o capital primitivo e das quais uma parte se consome por inteiro na fabricação de cada produto e outra apenas se desgasta pouco a pouco. Só o capital produtivo, portanto, pode cindir-se em capital fixo e capital circulante. Essa oposição não existe para os dois outros modos de existência do capital industrial, o capital-mercadoria e o capital-dinheiro, nem mesmo se contrapomos ambos ao capital produtivo. Ela só existe *para o capital produtivo e dentro dele.* O capital-dinheiro e o capital-mercadoria, por mais que funcionem como capital e por mais fluente que seja sua circulação, só podem se tornar capital circulante, em oposição ao fixo, depois de trans-

formados em elementos circulantes do capital produtivo. A circunstância de essas duas formas do capital pertencerem à esfera da circulação induziu a economia, desde A. Smith, conforme veremos adiante, a englobá-las juntamente com a parte circulante do capital produtivo na categoria de capital circulante. São, com efeito, capital de circulação em oposição a capital produtivo, mas não são capital circulante em oposição a capital fixo.

2. A rotação dos elementos fixos do capital, e por conseguinte o tempo necessário a essa rotação, compreende várias rotações dos elementos circulantes. Enquanto o capital fixo realiza uma rotação, o circulante realiza várias. Um elemento do valor do capital produtivo só adquire a forma de capital fixo se o meio de produção em que existe não é inteiramente consumido no espaço de tempo em que o produto é fabricado e expelido do processo de produção como mercadoria. É necessário que parte de seu valor perdure em sua antiga forma de uso, enquanto a outra circula através do produto acabado cuja circulação movimenta ao mesmo tempo o valor global dos elementos circulantes do capital.

3. A parte do valor do capital produtivo empregada em capital fixo é adiantada toda de uma vez, por todo o tempo em que funcionam aqueles meios de produção que compõem o capital fixo. Esse valor é lançado de uma vez na circulação pelo capitalista; mas só é retirado da circulação pouco a pouco, progressivamente, com a realização das partes do valor as quais o capital fixo, gradualmente, acrescenta às mercadorias. Demais, os elementos de produção que constituem um componente fixo do capital produtivo são retirados da circulação de uma vez, a fim de incorporar-se ao processo de produção durante todo o tempo em que funcionam, mas, durante esse tempo, não precisam ser repostos por novos exemplares da mesma espécie, nem ser reproduzidos. Por tempo mais ou menos longo, continuam a concorrer para produzir as mercadorias lançadas à circulação, sem desta retirarem os elementos físicos da própria renovação. Durante esse tempo, não exigem, portanto, que o capitalista volte a fazer adiantamento para renová-los. Enfim, o valor-capital empregado em capital fixo, enquanto perdura o funcionamento dos meios de produção em que existe, percorre o ciclo de suas formas, não materialmente, mas apenas do ponto de vista do valor, e de maneira parcelada, gradual. Em outras palavras, parte de seu valor é posta continuamente em circulação como parte do valor da mercadoria e transformada em dinheiro, sem que daí reverta para forma primitiva natural. Essa reversão do dinheiro à forma natural do

meio de produção só se dá ao fim do período de funcionamento, quando o meio de produção está inteiramente exaurido.

4. Para que o processo de produção seja contínuo, nele se fixam os elementos do capital circulante de maneira tão constante quanto os elementos do capital fixo. Mas aqueles elementos são continuamente renovados em espécie (os meios de produção por novos exemplares da mesma espécie, a força de trabalho por compras sucessivas), e estes não são substituídos, nem é renovada sua compra, enquanto perduram funcionando. Encontram-se continuamente matérias-primas e matérias auxiliares no processo de produção, mas sempre novos exemplares da mesma espécie, enquanto os antigos já foram consumidos na fabricação do produto. Não cessa de haver também força de trabalho no processo de produção, mas apenas em virtude de compras continuamente renovadas e muitas vezes com substituição das pessoas. Entretanto, os mesmos edifícios, as mesmas máquinas etc. continuam a funcionar durante rotações renovadas do capital circulante nos mesmos processos repetidos de produção.

2. CAPITAL FIXO: COMPONENTES, REPOSIÇÃO, CONSERTOS E ACUMULAÇÃO

No mesmo investimento, são diferentes, para os diversos elementos do capital fixo, a duração da existência e consequentemente o tempo de rotação. Numa ferrovia, por exemplo, diferem, quanto ao tempo que duram e que precisam para reproduzir-se, os trilhos, os dormentes, as obras de terraplenagem, os edifícios das estações, as pontes, os túneis, as locomotivas e os vagões. O capital adiantado nesses itens apresenta, portanto, tempos diferentes de rotação. Por muitos anos, não precisa de renovação tudo aquilo que a técnica ferroviária inglesa chama de obras de arte, como edifícios, cais, reservatórios, viadutos, túneis, fossos e muralhas. O que mais se desgasta é a via férrea e o material rodante.

Quando começaram a surgir as estradas de ferro modernas, a opinião dominante, corroborada pelos engenheiros práticos mais eminentes, era a de que seria secular a duração de uma estrada de ferro, e o desgaste dos trilhos, tão imperceptível que, do ponto de vista financeiro e prático, não devia constituir motivo de preocupação; achava-se que bons trilhos duravam 100-150 anos. Cedo se verificou que a duração de um trilho, a qual depende naturalmente da velocidade das locomotivas, do peso e do número dos trens, da espessura dos próprios trilhos e de uma série de outras circunstâncias, não passa, em média, de 20 anos. Em certas estações, centros de tráfego intenso, os trilhos se desgastam mesmo anualmente. Por volta de 1867, começou-se a empregar trilhos de aço, de custo duas vezes maior que os trilhos de ferro, durando em compensação mais de duas vezes que estes. A vida dos dormentes era de 12-15 anos. Quanto ao material rodante, verificou-se que os vagões de carga sofrem um desgaste bem maior que os de passageiros. Em 1867, estimou-se a vida de uma locomotiva em 10-12 anos.

O desgaste decorre, em primeiro lugar, do próprio uso. De modo geral, os trilhos se desgastam na proporção do número de trens que sobre eles passam (R.C., n. 17.645).[22] Ao aumentar a velocidade dos trens, a proporção do crescimento do desgaste evidenciou-se maior que o quadrado da proporção do aumento da velocidade, isto é, ao duplicar-se a velocidade, foi mais do que quadruplicado o desgaste (R.C., n. 17.046).

Outra causa do desgaste é a influência das forças naturais. Assim, os dormentes, além de sofrerem o desgaste real, apodrecem.

> Os custos de manutenção das ferrovias não dependem tanto do desgaste que o tráfego acarreta, quanto da qualidade da madeira, do ferro e das obras de alvenaria, expostos à ação do tempo. Um mês de inverno rigoroso causa mais danos às vias férreas do que o tráfego de um ano inteiro. (R.P. Williams. *On the Maintenance of Permanent Way.* Conferência realizada no *Institute of Civil Engineers*, outono de 1867.)

Finalmente, como em toda a indústria moderna, o desgaste moral desempenha aqui seu papel: a mesma quantidade de vagões e locomotivas que custava 40.000 libras esterlinas pode ser comprada, 10 anos depois, por 30.000. Temos, assim, de computar, para esse material, uma depreciação de 25% sobre o preço do mercado, mesmo quando não haja depreciação do valor de uso (Lardner, *Railway Economy*, p. 1201).

> Pontes tubulares não serão mais renovadas em sua forma atual (pois hoje há melhores formas para esse gênero de pontes). Na forma em que eram construídas não permitem os reparos normais, a retirada e a substituição de peças. (W.B. Adams, *Roads and Rails*, Londres, 1862 [p. 136].)

---

22 As citações assinaladas com as iniciais R. C. foram extraídas de *Royal Commission on Railways, Minutes of Evidence taken before the Commissioners. Presented to both Houses of Parliament.* Londres, 1867. – As perguntas e respostas estão numeradas; reproduzimos os números.

Os meios de trabalho são, de ordinário, continuamente revolucionados pelo progresso da indústria. Por isso, não se repõem na forma antiga, e sim na forma nova. De um lado, a massa de capital fixo aplicada em determinada forma material que tem de perdurar determinado espaço de tempo constitui razão para que seja apenas gradual a introdução de novas máquinas etc., erigindo-se em empecilho ao emprego rápido e generalizado dos meios de trabalho aperfeiçoados. Por outro lado, notadamente quando se trata de transformações decisivas, a luta da concorrência força que se substituam por novos os antigos meios de trabalho, antes de chegarem ao fim de sua vida. São sobretudo catástrofes, crises que obrigam as empresas a renovar antecipadamente maquinaria e instalações em grande escala social.

O desgaste (excetuado o moral) é a parte de valor que, com o uso, o capital fixo cede pouco a pouco ao produto, na medida em que perde, em média, valor de uso.

Em parte, esse desgaste se realiza de modo que o capital fixo tem uma vida média, sendo adiantado por inteiro pelo tempo de sua duração, findo o qual tem de ser integralmente substituído. A própria natureza prescreve o tempo de reprodução dos meios de trabalho vivos, cavalos, por exemplo. As leis naturais determinam seu tempo médio de vida como meio de trabalho. Chegados ao fim de sua existência útil, os exemplares desgastados têm de ser substituídos por novos. Um cavalo não pode ser reposto por pedaços, mas por outro cavalo.

Outros elementos do capital fixo admitem renovação periódica ou parcelada. Mas, importa distinguir, então, entre reposição periódica ou parcial e expansão progressiva da indústria.

O capital fixo compõe-se, em parte, de elementos da mesma espécie, mas de duração diversa, sendo renovados pouco a pouco em intervalos diferentes. É o que se dá com os trilhos das estações, substituídos com mais frequência que os dos outros trechos da via férrea. O mesmo se pode dizer dos dormentes, que, segundo Lardner, nas ferrovias belgas, na década dos cinquenta, foram substituídos na base de 8% ao ano, correspondendo a uma reposição total em 12 anos. Nessas condições, podemos imaginar a seguinte situação: adianta-se uma soma, por um prazo de 10 anos, por exemplo, em determinada espécie de capital fixo. Esse desembolso é feito de uma vez. Mas parte determinada desse capital fixo, cujo valor entra no valor do produto e com ele se converte em dinheiro, é reposta anualmente em espécie, enquanto a outra parte continua a existir em sua primitiva forma física. O que torna esse capital capital fixo, distinguindo-o do capital circulante, é o desembolso feito de uma vez e sua reprodução física realizada apenas por partes.

Outras porções do capital fixo consistem em elementos dessemelhantes que, em períodos desiguais, se desgastam, tendo de ser repostos. É o que se dá notadamente com as máquinas. O que acabamos de dizer com referência à duração diversa da vida dos diferentes elementos de um capital fixo se aplica também à duração dos diferentes componentes da mesma máquina que figura como parte desse capital fixo.

Com referência à expansão gradual da empresa no curso das renovações parciais, assinalaremos o seguinte. Embora, como vimos, o capital fixo continue a operar fisicamente no processo de produção, parte de seu valor, de acordo com o desgaste médio, já terá circulado com o produto e se transformado em dinheiro, constituindo elemento da reserva monetária destinada a repor o capital no momento de sua reprodução em espécie. Essa parte do valor do capital fixo convertida em dinheiro pode servir para ampliar a indústria ou melhorar as máquinas, aumentando sua eficácia. Em intervalos variáveis, há, assim, reprodução e, do ponto de vista da sociedade, reprodução em escala ampliada; é extensiva, se o campo de produção é dilatado; intensiva, se o meio de produção se tornou mais eficaz. Essa reprodução em escala ampliada não decorre da acumulação, da transformação da mais-valia em capital, mas da circunstância de o valor destacado, desprendido do corpo do capital fixo, na forma de dinheiro, se reconverter em novo capital fixo da mesma espécie, adicional ou mais eficaz. É claro que depende em parte da natureza específica da indústria o modo como e a magnitude em que a empresa é capaz de realizar essa adição progressiva, o montante do fundo de reserva a acumular, a fim de ser reinvestido dessa maneira, e os intervalos em que isto pode ocorrer. Até onde melhoramentos podem ser realizados na maquinaria existente depende da natureza do aperfeiçoamento e da estrutura da própria máquina. Adams pôs em evidência a importância que se dá a esse aspecto no setor ferroviário:

> Toda a construção deve basear-se no princípio em que se fundamenta a colmeia: capacidade de expansão ilimitada. Todas as estruturas demasiadamente sólidas e de simetria rigidamente prefixada são prejudiciais e têm de ser destruídas em caso de expansão (p. 123).

A esse respeito, o espaço disponível é muito importante. Em alguns edifícios, é possível superpor novos andares, em outros impõe-se o aumento horizontal, a ocupação de um espaço maior, portanto. Ao expandir-se gradualmente a indústria na produção capitalista, desperdiçam-se muitos meios, fazem-se muitas construções adicionais inadequadas, às vezes em prejuízo da força de trabalho, pois falta um plano social, e a ação depende das circunstâncias, dos meios etc., infinitamente diversos, de que dispõe o capitalista isolado para desempenhar seu papel. Daí resulta grande desperdício das forças produtivas.

Na agricultura, é mais fácil essa reinversão parcelada do fundo de reserva em dinheiro, isto é, da parte do capital fixo que se reconverte em dinheiro. Uma produção numa área determinada é capaz da maior absorção progressiva de capital. O mesmo se pode dizer da reprodução natural, como na pecuária.

O capital fixo ocasiona gastos especiais de conservação. Parte da conservação resulta do próprio processo de trabalho; o capital fixo deteriora-se quando não funciona no processo de trabalho (ver Livro 1, Capítulo VI, pp. 242-243 e Capítulo XIII, pp. 461-462: desgaste da maquinaria produzido pela falta de uso). Por isso, expressamente, a lei inglesa considera dano o fato de as terras arrendadas não serem cultivadas de conformidade com os usos locais (W.A. Holdsworth, Barrister at Law, *The Law of Landlord and Tenant*, Londres, 1857, p. 96). Essa conservação decorrente do funcionamento no processo de trabalho é uma dádiva natural do trabalho vivo. E a força conservadora do trabalho tem dupla natureza. Conserva o valor dos materiais do trabalho transferindo-o ao produto, e conserva o valor dos meios de trabalho, quando não o transfere ao produto, pois sua ação no processo de produção concorre para manter o valor de uso desses meios.

Além disso, o capital fixo exige dispêndio positivo de trabalho para sua manutenção. A maquinaria necessita de limpeza periódica. Trata-se de trabalho adicional indispensável para que se mantenha em funcionamento; de proteção apenas contra a ação deteriorante de elementos inseparáveis do processo de produção, de manutenção da maquinaria, portanto, em condições de funcionar, no sentido literal da expressão. É evidente que se calcula o tempo normal de vida do capital fixo, admitindo-se que estejam preenchidas as condições em que pode funcionar normalmente durante esse tempo; do mesmo modo, ao afirmar-se que um ser humano vive em média 30 anos, se supõe que ele se lava. Não se trata aqui de repor o trabalho contido na máquina, mas de adicionar trabalho contínuo, necessário a manter a máquina em funcionamento. Não se trata de trabalho feito pela máquina, mas de trabalho feito na máquina, no qual ela não é fator de produção, mas matéria-prima. O capital desembolsado nesse trabalho faz parte do capital circulante, embora não entre no processo de trabalho propriamente dito que dá origem ao produto. Esse trabalho tem de ser continuamente despendido na produção, e seu valor, portanto, continuamente reposto pelo valor do produto. O capital nele desembolsado pertence à parte do capital circulante que tem de cobrir os custos gerais e de repartir-se segundo média anual por todo o produto-valor. Vimos que,[I] na indústria propriamente dita, os trabalhadores fazem a limpeza das máquinas gratuitamente, nas horas de descanso, motivo por que a realizam frequentes vezes durante o processo de produção, o que constitui a causa da maioria dos acidentes. Não se computa esse trabalho no preço do produto. O consumidor o obtém gratuitamente. Por outro lado, o capitalista não paga os custos de manutenção de sua máquina. O trabalhador paga-os pessoalmente, e isso constitui um dos mistérios da autoconservação do capital, os quais servem para configurar objetivamente um direito do trabalhador sobre a maquinaria e para torná-lo coproprietário dela, mesmo sob o prisma jurídico burguês. Mas, em diversos ramos de produção em que a maquinaria tem de ser retirada do processo de produção para a limpeza e esta não pode ser feita atrás dos bastidores, o trabalho de manutenção, por exemplo, o das locomotivas, figura entre os custos correntes, portanto como elemento do capital circulante. Depois de funcionar no máximo três dias, uma locomotiva tem de ser levada à oficina para limpeza, a caldeira tem de esfriar primeiro, para não se estragar com a lavagem (R.C., n. 17.823).

Os consertos propriamente ditos ou remendos exigem dispêndios de capital e de trabalho que não estão contidos no capital primitivamente adiantado, e por isso nem sempre podem ser indenizados e cobertos pela reposição gradual do valor do capital fixo. Se, por exemplo, é de 10.000 libras esterlinas o valor do capital fixo, que dura 10 anos, essas 10.000 libras esterlinas, transformadas em dinheiro depois de 10 anos, repõem apenas o valor do capital primitivamente aplicado, mas não o capital e o trabalho que, nesse intervalo, foram acrescentados em consertos. Esses acréscimos constituem elemento adicional de valor que não é adiantado de uma vez,

I Livro 1, pp. 464, nota 190a.

mas de acordo com as necessidades, em ocasiões fortuitas, conforme a natureza do objeto. Todo capital fixo exige esse dispêndio adicional, posterior, em doses, de capital em meios de trabalho e em força de trabalho.

As deteriorações a que estão sujeitas as partes da maquinaria são, pela natureza mesma da coisa, fortuitas, e o mesmo, portanto, se pode dizer dos consertos que elas exigem. Não obstante, destacam-se dessa massa de deteriorações duas espécies de caráter mais ou menos estável e que ocorrem em períodos diversos da vida do capital fixo: as doenças infantis e as muito mais numerosas doenças da velhice. Qualquer que seja a perfeição da estrutura de uma máquina que entra no processo de produção, ao ser usada efetivamente, aparecem falhas que têm de ser corrigidas com trabalho posterior. Além disso, quanto mais ultrapassa uma máquina seu período médio de vida, tanto mais terá acumulado o desgaste normal, tanto mais o material que a compõe se terá gasto e enfraquecido e tanto mais numerosos e importantes serão os trabalhos de reparação, necessários para manter a máquina em funcionamento até o fim de seu tempo médio de vida, do mesmo modo que um velho, para se manter vivendo, precisa gastar mais com médico e medicamentos do que um jovem robusto. Apesar de seu caráter fortuito, os trabalhos de conserto repartem-se em quantidades desiguais pelos diferentes períodos de vida do capital fixo.

Daí e também do caráter fortuito dos consertos nas máquinas resulta o seguinte:

O dispêndio efetivo de força de trabalho e de meios de trabalho em consertos é casual, como as próprias circunstâncias que exigem esses consertos; o volume dos consertos necessários se distribui desigualmente nos diferentes períodos de vida do capital fixo. Na avaliação do período médio de vida do capital fixo supõe-se que ele está sempre em condições de operar, nas quais se mantém em virtude de limpeza (inclusive a do local) e dos consertos feitos com a frequência necessária. Calcula-se a transferência de valor pelo desgaste do capital fixo, supondo-se que este possua um período médio de vida, e computa-se esse período médio de vida, admitindo-se que se adianta constantemente o capital adicional exigido para a manutenção do capital fixo.

Está igualmente claro que o valor acrescentado por esse dispêndio adicional de capital e de trabalho não pode entrar no preço da mercadoria exatamente na mesma ocasião em que ele se realiza. O dono de uma fiação, por exemplo, não pode vender seu fio mais caro nesta semana que na anterior, porque nesta semana quebrou uma roda ou rompeu-se uma correia de sua aparelhagem. Os custos gerais de fiação não mudaram por causa desse acidente numa fábrica isolada. Aqui, como na computação do valor em geral, o que determina é a média. A experiência mostra a frequência média desses acidentes e dos trabalhos necessários de manutenção e reparo durante o período médio de existência do capital fixo empregado em determinado ramo industrial. Esse dispêndio médio se reparte pelo período médio de vida e se junta, em porções alíquotas correspondentes, ao preço do produto; desse modo, é reposto com a venda do mesmo.

O capital adicional assim reposto faz parte do capital circulante, embora o tipo do dispêndio seja irregular. Uma vez que é da maior importância corrigir imediatamente todo defeito da maquinaria, em toda grande fábrica encontra-se, ao lado dos trabalhadores de fábrica propriamente ditos, um pessoal agregado, constituído de engenheiros, marceneiros, mecânicos, serralheiros etc. Seu salário constitui parte do capital variável, e o valor de seu trabalho se reparte por todo o produto. Por outro lado, os dispêndios exigidos em meios de produção computam-se de acordo com aquele cálculo de média e constituem, de conformidade com esse cálculo, parte permanente do valor do produto, embora efetivamente sejam adiantados em períodos irregulares e, portanto, entrem no produto ou no capital fixo em períodos irregulares. Esse capital empregado em consertos propriamente ditos constitui, sob vários aspectos, capital de espécie peculiar, nem circulante, nem fixo, mas situando-se melhor na primeira categoria, por fazer parte dos dispêndios correntes.

O sistema de contabilização, naturalmente, em nada altera o contexto real das coisas que procura registrar. Importa, porém, observar que, em muitos ramos de atividades, é costume juntar numa só conta os custos de consertos e o desgaste efetivo do capital fixo, da maneira apresentada a seguir. Admitamos um capital fixo adiantado de 10.000 libras esterlinas, com um período de vida de 15 anos; o desgaste anual será de $666^2/_3$ libras esterlinas. Calcula-se, então, o desgaste, tomando-se por base 10 anos, e assim acrescentam-se 1.000 libras esterlinas anualmente ao preço das mercadorias produzidas, para o desgaste do capital fixo, e não $666^2/_3$ libras esterlinas; em outras palavras, reservam-se $333^1/_3$ libras esterlinas para os consertos (os números 10 e 15 são apresentados apenas em caráter exemplificativo). É, portanto, o que se despende em consertos a fim de que o capital fixo dure 15 anos. Esse modo de calcular não impede, naturalmente, que o capital fixo e o capital adicional empregado em consertos constituam categorias diferentes. Na base desse modo de calcular, admitiu-se que a estimativa mínima dos custos de conservação e de reposição de navios a vapor é de 15% ao ano, taxa que corresponde a um tempo de reprodução de 6 e 2/3 anos. Na década de 1960, o governo inglês bonificou a empresa Peninsular and Oriental Co., para ressarcir esses custos, com 16% ao ano, o que equivale a um tempo de reprodução de 6¼ anos. No setor ferroviário, a vida média de uma locomotiva é de 10 anos, mas, incluídos os consertos, admite-se desgaste correspondente a 12½%, reduzindo-se desse modo a duração da máquina para 8 anos. Para vagões de passageiros e para vagões de carga, calcula-se 9%, aceitando-se assim uma vida de 11 1/9 anos.

Nos contratos de locação de casas e de outros bens que são capital fixo para o proprietário que os aluga, a legislação reconheceu por toda a parte a diferença entre o desgaste normal, ocasionado pelo tempo, pela influência dos elementos e pelo uso normal, e os consertos eventuais de vez em quando necessários, para conservar a coisa dentro dos limites do seu tempo normal de existência e de sua utilização normal. Em regra, no primeiro caso, o ônus recai sobre o proprietário e, no segundo, sobre o inquilino. Além disso, os consertos se dividem em ordinários e substanciais. Os últimos são renovação parcial do capital fixo em sua forma física e constituem obrigação do proprietário, se o contrato não dispõe expressamente o contrário. Vejamos o ponto de vista do direito inglês:

> Um locatário anual só é obrigado a proteger a construção contra o vento e a água, enquanto for possível fazê-lo sem consertos substanciais, só lhe incumbindo em geral os consertos que se possam considerar ordinários. E mesmo a esse respeito, têm de ser levados em conta a idade e o estado geral da coisa alugada na ocasião em que a recebeu o locatário, pois não está obrigado a repor material velho e desgastado por novo, nem a ressarcir a depreciação inevitável da coisa decorrente do decurso do tempo e do uso regular. (Holdsworth, *Law of Landlord and Tenant*, pp. 90, 91.)

Além da reposição em virtude do desgaste e dos trabalhos de manutenção e de consertos, há um item inteiramente diverso, o de seguros contra a destruição por acontecimentos naturais extraordinários, incêndio, inundações etc. Os seguros têm de ser cobertos pela mais-valia e constituem dedução dela. Do ponto de vista de toda a sociedade, é mister haver superprodução contínua, isto é, produção em escala maior que a necessária à reposição e reprodução simples da riqueza existente, para não falarmos do crescimento demográfico, a fim de o capitalista dispor de meios de produção que lhe permitam ressarcir-se das destruições extraordinárias, causadas por acidentes e forças naturais.

Na realidade, só parte diminuta do capital necessário à reposição consiste em fundo de reserva em dinheiro. A parte mais importante está na expansão da escala de produção, em virtude de ampliação real ou em virtude do ritmo normal dos ramos de produção que produzem capital fixo. Assim, por exemplo, uma fábrica de máquinas é organizada de modo a atender à ampliação anual das fábricas de seus clientes e à necessidade que têm elas de substituir total ou parcialmente suas máquinas.

Ao calcular-se a média social do desgaste e a dos consertos, verificam-se necessariamente grandes desigualdades, mesmo para investimentos da mesma magnitude, feitos nas mesmas condições e no mesmo ramo de produção. Na prática, a máquina que, para um capitalista, dura mais que o período médio, para outro, dura menos. Os custos dos consertos estão, para um, acima da média, e, para outro, abaixo etc. Mas o acréscimo ao preço da mercadoria, decorrente do desgaste e dos custos dos consertos, fica sendo o mesmo e é determinado pela média. Com esse acréscimo, uns recebem mais e outros menos do que efetivamente desembolsam. Esta e outras circunstâncias que fazem diferir o ganho dos diferentes capitalistas, embora sejam os mesmos a exploração da força de trabalho e o ramo de atividade, contribuem para dificultar a compreensão da verdadeira natureza da mais-valia.

É mais ou menos flutuante o limite entre consertos e reposições, entre custos de conservação e custos de renovação. Daí a questão infindável, existente nas ferrovias, por exemplo, de saber se certas despesas constituem consertos ou reposição, se têm de ser levadas a despesas de custeio ou à conta de capital da empresa. A transferência das despesas de consertos para a conta de capital, em vez de lançá-las a débito de lucros e perdas, é o notório processo empregado pelas direções das ferrovias para aumentarem artificialmente seus dividendos. Mas a experiência já criou a esse respeito os pontos de referência essenciais. Os trabalhos supletivos executados durante o primeiro período de existência da ferrovia, por exemplo,

> não constituem consertos, mas devem ser considerados parte efetiva da construção ferroviária, a ser levada à conta de capital, uma vez que eles não decorrem do desgaste ou do efeito normal do tráfego, mas dos defeitos originais e inevitáveis da construção. (Lardner, *op. cit.*, p. 40.)

O único método correto consiste, ao contrário, em deduzir da receita de cada ano o montante da depreciação que se dá necessariamente, para ser possível a obtenção dessa receita, tenha sido esse montante realmente desembolsado ou não. (Captain Fitzmaurice, *Committee of Inquiry on Caledonian Railway*, publicada em *Money Market Review*, 1868.)

Na agricultura, pelo menos enquanto não se utiliza a energia a vapor, é praticamente impossível e inútil a separação entre reposição e conservação do capital fixo.

Para um inventário completo, mas sem exageros, do instrumental agrícola (o que é necessário em instrumentos e ferramentas agrícolas de toda espécie) costuma-se calcular, *grosso modo*, a reposição e a manutenção anuais desse instrumental em média que varia, segundo as circunstâncias, de 15 a 25% do capital empregado na sua compra. (Kirchhof, *Handbuch der landwirtschaftlichen Betriebslehre*, Dessau, 1852, p. 137.)

É impossível distinguir entre consertos e reposição nas ferrovias.

Quanto ao nosso material rodante, mantemos sempre o mesmo número de unidades. Conservamos o mesmo número de locomotivas, qualquer que ele seja. Se uma com o tempo se torna imprestável, convindo construir uma nova, fazemo-lo à custa da receita, na qual incluímos o valor dos materiais ainda aproveitáveis da velha máquina. [...] Sempre restam muitas coisas a aproveitar. [...] As rodas, os eixos, a caldeira etc., enfim, uma boa parte da velha locomotiva. (T. Gooch, *Chairman of Great Western Railway Co.*, R.C. n°s 17.327, 17.329.) Consertar significa renovar; para mim não existe a palavra "reposição"; [...] se uma empresa ferroviária compra um vagão ou uma locomotiva, deve repará-los de modo que continuem existindo eternamente (17.784). Computamos os custos por locomotiva em 8½ *pence* por milha inglesa percorrida. Na base dessa importância conservamos para sempre as locomotivas. Renovamos nossas máquinas. Se fôssemos comprar uma máquina nova, gastaríamos mais dinheiro que o necessário. [...] Na velha máquina encontram-se sempre algumas rodas, um eixo ou outra peça qualquer aproveitável, e isto possibilita a construção de uma máquina mais barata tão boa quanto uma inteiramente nova (17.790). Toda semana produzo uma nova locomotiva, isto é, tão boa como se fosse nova, pois são novos a caldeira, o cilindro e o chassi. (17.823. Archibald Sturrock, *Locomotive Superintendent of Great Northern Railway*, em R.C., 1867.)

O mesmo se pode dizer dos vagões:

> O estoque de locomotivas e vagões renova-se continuamente, com o tempo; ora se mudam as rodas, ora se põe novo chassi. As partes em que recai o movimento e estão mais expostas ao desgaste são progressivamente renovadas; as máquinas e vagões podem passar por série tão grande de consertos que às vezes não lhes fica vestígio do material antigo. [...] Mesmo quando os vagões ou locomotivas velhos não podem ser mais objeto de consertos, suas peças são reaproveitadas na construção de novo material rodante e desse modo nunca desaparecem inteiramente da ferrovia. O capital móvel está assim em reprodução contínua; quando se trata de construir uma ferrovia nova, as obras têm de ser feitas de uma vez num período determinado, enquanto a produção do material rodante se realiza progressivamente, ano a ano. Sua existência é perene, e está em contínuo rejuvenescimento. (Lardner, *Railway Economy*, pp. 115, 116.)

Esse processo observado por Lardner com relação às ferrovias não se aplica a uma fábrica isolada, mas configura a reprodução constante, parcial do capital fixo, em conjunto com os consertos, dentro de todo um ramo de produção e sobretudo dentro da produção por inteiro, considerada em escala social.

Vejamos agora uma amostra dos limites amplos em que diretorias hábeis podem manipular os títulos de consertos e reposição, para acrescer dividendos. Segundo a citada conferência de R.P. Williams, várias empresas ferroviárias inglesas, numa série de anos, lançaram em média a débito de lucros e perdas, para consertos e custos de conservação das vias, das obras e construções em geral, a soma seguinte (por milha inglesa e por ano):

	Libras esterlinas
London & North Western	370
Midland	225
London & South Western	257
Great Northern	360
Lancashire & Yorkshire	377
South Eastern	263
Brighton	266
Manchester & Sheffield	200

Essas diferenças só em parte mínima derivam de diferenças reais nas despesas; elas decorrem quase exclusivamente da maneira de contabilizar, segundo os lançamentos sejam feitos à conta de capital ou a débito de lucros e perdas. A respeito, diz Williams:

> Escolhe-se a oneração menor, por ser necessário a um bom dividendo, e faz-se a oneração maior, por existir uma receita mais abundante, capaz de suportá-la.[I]

Em certos casos, na prática, torna-se o desgaste, e por consequência sua reposição, uma grandeza evanescente, só se levando em conta os custos dos consertos. O que Lardner diz a seguir sobre as obras de arte das ferrovias aplica-se em geral às obras duradouras, como canais, docas, pontes de ferro e de pedra etc.

> O desgaste produzido pela ação lenta do tempo nas obras mais sólidas é quase imperceptível em períodos curtos; mas dá lugar necessariamente à renovação, total ou parcial, mesmo das construções mais sólidas, após o decurso de um período longo, de séculos, por exemplo. A diferença entre esse desgaste imperceptível e o bastante sensível de outras partes das ferrovias pode ser comparada com a diferença entre as desigualdades seculares e as periódicas, observadas no movimento dos astros. A ação do tempo sobre as construções mais sólidas de uma estrada de ferro, pontes, túneis, viadutos etc. fornece exemplos do que podemos chamar de desgaste secular. Tem certa analogia com as desigualdades periódicas a depreciação mais rápida e mais visível, corrigida em períodos curtos por consertos ou por reposição. Nos custos anuais dos consertos inclui-se a reposição imposta por danos fortuitos ocorrentes na parte externa mesmo das construções mais duradouras; mas, apesar desses consertos, o tempo não as deixará indenes, e, por mais afastado que esteja, chegará necessariamente o dia em que seu estado exigirá nova construção. Do ponto de vista econômico e financeiro, pode esse tempo estar demasiadamente afastado, para ser levado em conta na prática. (Lardner, *op. cit.*, pp. 38, 39.)

Isto se aplica àquelas obras em relação às quais não se cogita de repor gradualmente o capital adiantado de acordo com o desgaste, mas apenas de transferir os custos médios anuais de conservação e consertos ao preço do produto.

I R.P. Williams, *On the Maintenance of Permanent Way*. Conferência no *Institute of Civil Engineers*. Outono 1867, publicada em *Money Market Review*, de 2/12/1867.

Embora, como vimos, grande parte do dinheiro destinado a repor o desgaste do capital fixo se reconverta anualmente ou em períodos mais curtos à forma física desse capital, necessita cada capitalista, apesar disso, de um fundo de amortização para a parte do capital fixo que, só após o decurso de anos e de uma vez, terá de reproduzir-se e ser inteiramente reposta. Parte importante do capital fixo exclui por sua natureza a reprodução fracionária. Além disso, quando a reprodução se dá por frações, de modo que são mais curtos os intervalos entre as reposições, é necessária, segundo o caráter específico do ramo de produção, uma acumulação prévia em dinheiro, de maior ou menor magnitude, para que haja essas reposições. Não basta uma soma qualquer de dinheiro, mas exige-se uma soma de grandeza determinada.

Se observarmos isto do ponto de vista apenas da circulação simples do dinheiro, pondo de lado o sistema de crédito de que trataremos mais tarde, verificaremos que o mecanismo do movimento é o seguinte: no Livro 1 (Capítulo III, 3, a) vimos que, quando uma parte do dinheiro existente numa sociedade se imobiliza sempre entesourada, enquanto a outra funciona como meio de circulação, ou seja, como fundo de reserva imediato do dinheiro que circula diretamente, varia de maneira contínua a proporção em que a quantidade global do dinheiro se reparte em tesouro e em meio de circulação. No caso atual, o dinheiro, que está amontoado, entesourado em grande quantidade nas mãos de um grande capitalista, é lançado de uma vez na circulação por ocasião da compra do capital fixo. Mas, na sociedade, distribui-se, outra vez, em meio de circulação e em tesouro. Para formar o fundo de amortização, o valor do capital fixo reflui a seu ponto de partida na proporção em que se efetua o desgaste, parte do dinheiro que circula entesoura-se novamente, por tempo mais ou menos longo, nas mãos do mesmo capitalista, cujo tesouro se convertera em meio de circulação e dele se afastara por ocasião da compra do capital fixo. É uma repartição, sempre variável, do tesouro que existe na sociedade que ora funciona como meio de circulação e ora volta a destacar-se, como tesouro, da massa do dinheiro circulante. Com o desenvolvimento do sistema de crédito que segue necessária e paralelamente o desenvolvimento da indústria moderna e da produção capitalista, esse dinheiro deixa de ser tesouro e passa a ser capital, não nas mãos de seu proprietário, mas nas de outros capitalistas, que o administram.

IX.
Rotação global do capital adiantado. Ciclo de rotações

Vimos que os elementos fixos e os circulantes do capital produtivo rodam de maneira diferente e em períodos diversos, e que os diferentes elementos do capital fixo na mesma empresa têm períodos de rotação diversos, de acordo com a duração de sua vida ou do tempo de reprodução. (Quanto às diferenças reais ou aparentes na rotação dos diversos elementos do capital circulante na mesma empresa, ver item 6 no final deste capítulo.)

1) A rotação global do capital adiantado é a rotação média de suas partes componentes; modo de calcular apresentado adiante. Enquanto se trata apenas de períodos diferentes, nada mais fácil que tirar a média deles; mas,

2) além da diferença quantitativa, existe a qualitativa.

O capital circulante que entra no processo de produção transfere todo o seu valor ao produto e, por isso, tem sempre de ser reposto em espécie, por meio da venda do produto, se o propósito é prosseguir com o processo de produção. O capital fixo que entra no processo de produção transfere ao produto apenas parte de seu valor (o desgaste) e continua, apesar do desgaste, a funcionar no processo de produção; assim, só precisa ser reposto em espécie em períodos mais ou menos longos, em todo o caso com menos frequência que o capital circulante. Essa necessidade de reposição, o prazo de reprodução, difere quantitativamente para os vários componentes do capital fixo, mas, além disso, vimos capital fixo de longa duração, de muitos anos de existência útil, com partes que podem ser repostas e acrescentadas em espécie, em intervalos anuais ou mais curtos, enquanto, em capital fixo de outra classe, a reposição só pode ocorrer de uma vez ao fim de sua vida.

É, portanto, necessário reduzir as rotações particulares das várias partes do capital fixo a forma homogênea de rotação, de modo que elas difiram apenas quantitativamente, pelo tempo que duram.

Não encontramos essa homogeneidade quando tomamos por ponto de partida P...P, a forma do processo de produção contínuo, pois determinados elementos de P têm de ser substituídos em espécie continuamente, e outros, não. Mas a forma D...D' proporciona essa homogeneidade de rotação. Tomemos, por exemplo, uma máquina no valor de 10.000 libras esterlinas, que dura 10 anos, e da qual portanto 1/10 — 1.000 libras esterlinas se reconverte anualmente em dinheiro. No decorrer de um ano, essas 1.000 libras deixam de ser capital-dinheiro e se tornam capital produtivo e capital-mercadoria, e a partir deste voltam a ser capital-dinheiro. Retomam a forma dinheiro, do mesmo modo que o capital circulante, se o consideramos sob essa forma, e não importa que, ao fim do ano, o capital-dinheiro 1.000 libras esterlinas tenha revertido ou não à forma física de uma máquina. Para calcular a rotação global do capital produtivo adiantado, reduzimos, portanto, todos os seus elementos à forma dinheiro, de modo que a volta a essa forma encerra a rotação. Consideramos o valor como se fosse sempre adiantado em dinheiro, mesmo no processo de produção contínuo em que a forma dinheiro do valor figura apenas em dinheiro de conta. Podemos então tirar a média.

3) Daí resulta que – mesmo quando parte bem maior do capital produtivo adiantado consista em capital fixo cujo tempo para reprodução ou de rotação abarca um ciclo de muitos anos – o valor-capital que roda durante o ano pode ser maior que o valor global do capital adiantado, em virtude das rotações repetidas, no mesmo período, do capital circulante.

Seja o capital fixo = 80.000 libras esterlinas, seu tempo para reproduzir-se = 10 anos, de modo que dele 8.000 libras esterlinas revertem anualmente à forma dinheiro, realizando assim $^{1}/_{10}$ de sua rotação. Seja o capital circulante = 20.000 libras esterlinas, realizando cinco rotações por ano, o que corresponde ao capital global = 100.000 libras esterlinas. Nessas condições, o capital fixo que roda = 8.000 libras esterlinas, e o capital circulante = 5 x 20.000 = 100.000 libras esterlinas; o capital que roda durante o ano = 108.000 libras esterlinas, ultrapassando o capital adiantado em 8.000 libras esterlinas e representando 1 + $^{2}/_{25}$ deste capital.

4) A *rotação do valor* do capital adiantado separa-se, portanto, do tempo real que os seus componentes levam para reproduzir-se, ou seja, do tempo real da rotação deles. Suponhamos que um capital de 4.000 libras esterlinas faça cinco rotações por ano. O capital rodado é então de 5 x 4.000 = 20.000 libras esterlinas. Mas o que volta ao fim de cada rotação, para ser novamente adiantado, é o capital originalmente adiantado de 4.000 libras esterlinas. Sua magnitude não é alterada pelo número dos períodos de rotação em que volta a funcionar como capital (estamos pondo de lado a mais-valia).

No exemplo do item 3, supomos que, ao fim do ano, retorna às mãos do capitalista: a) uma quantia de 20.000 libras esterlinas que desembolsa novamente nos elementos do capital circulante, e b) uma quantia de 8.000 libras esterlinas que, em virtude do desgaste, se destacou do valor do capital fixo adiantado, continuando este a existir no processo de produção, embora o valor de 80.000 libras esterlinas se tenha reduzido para 72.000. O capital fixo adiantado precisa continuar no processo de produção por mais

9 anos, até se esgotar e deixar de funcionar como criador de produto e de valor, tendo de ser substituído. O valor-capital adiantado tem, portanto, de realizar um ciclo de rotações, no caso, um ciclo de 10 rotações anuais, determinado pelo tempo de vida, pelo tempo que o capital fixo aplicado leva para reproduzir-se ou pelo seu tempo de rotação.

Na mesma medida em que se amplia, com o desenvolvimento do modo capitalista de produção, a magnitude e a duração da vida do capital fixo aplicado, prolonga-se por muitos anos, digamos 10 anos em média, para cada investimento particular, a vida da indústria e do capital industrial. Se o desenvolvimento do capital fixo, por um lado, prolonga essa vida, por outro, a encurta, por meio da revolução constante dos meios de produção, sempre intensificada com o desenvolvimento do modo capitalista de produção. Daí a mutação dos meios de produção e a necessidade de sua constante substituição em virtude do desgaste moral, antes de se esgotarem fisicamente. Podemos admitir que, para os ramos mais importantes da indústria moderna, esse ciclo de vida é atualmente de 10 anos em média. Todavia, não se trata agora de determinar o número exato de anos. Desde já está claro que, em virtude desse ciclo de rotações conexas, que abarca uma série de anos e no qual o capital está preso por sua parte fixa, forma-se uma base material das crises periódicas em que os negócios passam por fases sucessivas de depressão, animação média, auge, crise. São bem diversos e díspares os períodos em que se aplica capital. Entretanto, a crise constitui sempre o ponto de partida de grandes investimentos novos e forma assim, do ponto de vista de toda a sociedade, com maior ou menor amplitude, nova base material para o próximo ciclo de rotações.[22a]

5) Quanto ao modo de calcular a rotação, vejamos o que diz um economista americano.

> Em alguns ramos, todo o capital adiantado, durante um ano, realiza várias rotações ou roda várias vezes; noutros, uma parte roda, por ano, mais de uma vez, e outras com menor frequência. Um capitalista tem de calcular seu lucro pelo período médio que seu capital por inteiro precisa para passar por suas mãos, isto é, para realizar uma rotação. Suponhamos que, numa indústria determinada, alguém tenha empregado metade de seu capital em edifícios e

---

22a "A produção urbana depende da sequência dos dias, a rural, ao contrário, da sequência dos anos." (Adam H. Müller, *Die Element der Staatskunst*, Berlim, 1809, III, p. 178.) Esta é a concepção ingênua que os românticos têm da indústria e da agricultura.

maquinaria que são renovados uma vez em 10 anos; ¼ em instrumentos etc. que se renovam em 2 anos; o outro quarto, despendido em salários e matérias--primas, faça duas rotações por ano. Admitamos ainda que todo o capital seja de 50.000 dólares. O dispêndio anual será então de:

			por ano
$\frac{50.000}{2}$	= 25.000	dólares em 10 anos	= 2.500 dólares
$\frac{50.000}{4}$	= 12.500	dólares em 2 anos	= 6.250 dólares
$\frac{50.000}{4}$	= 12.500	dólares em ½ ano	= 25.000 dólares
		Total......................	= 33.750 dólares

O tempo médio em que todo o seu capital faz uma rotação é, portanto, de 16 meses.[I] [...] Tomemos outro caso: um quarto do capital global de 50.000 dólares circula em 10 anos; um quarto num ano; a metade restante duas vezes por ano. O dispêndio anual será assim de:

$\frac{12.500}{10}$ = 1.250 dólares
12.500 = 12.500 dólares
25.000 x 2 = 50.000 dólares
rotação por ano = 63.750 dólares.

(Scrope, *Political Economy*, editado por Alonzo Potter, Nova York, 1841, pp. 142, 143.)

6) Realidade e aparência na rotação das diferentes partes do capital. Diz ainda Scrope (p. 141):

O capital que um fabricante, agricultor ou comerciante despende em salários circula mais rapidamente, podendo realizar uma rotação por semana, se os trabalhadores são pagos semanalmente por receitas semanais das vendas ou de faturas recebidas. Gira menos rapidamente o capital despendido em maté-

I Scrope admite que o capital de 50.000 dólares dá lucro de 7,5% ao ano e inclui esse lucro na rotação. Mas a mais-valia (e, portanto, o lucro) está excluída da rotação do capital. Desse modo, a rotação é aproximadamente de 18 meses. Há, no manuscrito de Marx, observação a respeito do assunto.

> rias-primas ou em artigos acabados, podendo realizar duas ou quatro rotações por ano, segundo o tempo que se gasta entre a compra das primeiras e a venda dos segundos, desde que sejam iguais os prazos de crédito para as compras e para as vendas. O capital empregado em ferramentas e máquinas circula ainda mais lentamente, pois provavelmente só realiza em média uma rotação em 5 ou 10 anos, quando é consumido e renovado, embora haja ferramentas que já se desgastam numa única série de operações. O capital aplicado em construções, edifícios de fábricas, armazéns, depósitos, celeiros, em estradas, obras de irrigação etc. chega a parecer que não circula. Na realidade, entretanto, essas aplicações se gastam inteiramente do mesmo modo que as demais, na medida em que contribuem para a produção, tendo de ser reproduzidas a fim de que o produtor possa prosseguir em suas operações. A diferença está em que são consumidas e reproduzidas mais lentamente que as outras. [...] O capital nelas empregado leva talvez 20 ou 50 anos para fazer uma rotação.

Scrope confunde a diferença no giro de determinadas partes do capital circulante, ocasionada pelos prazos de pagamento e condições de crédito utilizados pelo capitalista individual, com as rotações decorrentes da natureza do capital. Diz que o salário tem de ser pago semanalmente com as receitas semanais oriundas das vendas ou faturas pagas. Cabe aí observar:

1º) Relativamente ao próprio salário, há diferenças, conforme a extensão do prazo de pagamento, ou seja, de acordo com o tempo pelo qual o trabalhador tem de dar crédito ao capitalista, segundo, portanto, o prazo de pagamento do salário seja semanal, mensal, trimestral, semestral etc. Vigora aqui a lei anteriormente apresentada: "a quantidade dos meios de pagamento necessária (e consequentemente do capital-dinheiro a adiantar de uma vez) [...] está em relação direta com a duração dos períodos" (Livro 1, Capítulo III, 3, b, p. 168).

2º) No produto semanal, além da totalidade do valor novo criado em sua produção pelo trabalho semanal, entra o valor das matérias-primas e matérias auxiliares consumidas na fabricação do produto semanal. Esse valor circula com o produto onde está contido. Com a venda do produto, adquire a forma dinheiro e tem de reconverter-se nos mesmos elementos de produção. Isto se aplica tanto à força de trabalho quanto às matérias-primas e matérias auxiliares. Mas já vimos que (Capítulo VI, II, 1) a continuidade da produção exige um estoque de meios de produção que difere para os vários ramos industriais e, no mesmo ramo industrial, para os diversos componentes dessa parte do capital circulante, por exemplo, para carvão e algodão. Por isso, embora essas matérias tenham de ser substituídas em espécie continuamente, não precisam estar sendo continuamente compradas. A frequência das compras depende da magnitude do estoque existente, do tempo que leva para esgotar-se. Com relação à força de trabalho, não ocorre a formação de estoques. A parte do capital empregada em trabalho se reconverte em dinheiro juntamente com a parte empregada em matérias-primas e matérias auxiliares. Mas a reversão do dinheiro a força de trabalho e a reversão a matérias-primas são duas operações separadas, por serem diferentes os prazos de compra e de pagamento desses dois gêneros de componentes, comprando-se um (as matérias-primas), como estoque produtivo, em prazo mais longo, e o outro, a força de trabalho, em prazo mais curto, por exemplo, semanalmente. E o capitalista tem de manter ainda, ao lado do estoque para a produção, um estoque de mercadorias prontas para a venda. Além das dificuldades de venda etc., há, por exemplo, uma quantidade de mercadorias a produzir por encomenda. Quando a última parte desta está sendo produzida, a parte que já está pronta espera no depósito até que a encomenda possa ser integralmente efetivada. Ocorrem outras diferenças na rotação do capital circulante, quando certos elementos têm de demorar mais do que outros num estágio preliminar do processo de produção (secagem de madeira etc.).

O sistema de crédito, referido por Scrope, como o capital comercial, modifica a rotação para o capitalista individualmente. Do ponto de vista social, só a modifica quando acelera não só a produção, mas também o consumo.

X.

Teorias sobre capital fixo e capital circulante. Os fisiocratas e Adam Smith

A diferença entre capital fixo e capital circulante aparece em Quesnay, ao distinguir ele entre adiantamentos primitivos (*avances primitives*) e adiantamentos anuais (*avances annuelles*). Apresenta-a acertadamente, situando-a dentro do capital produtivo incorporado ao processo direto de produção. Considerando ele o capital aplicado na agricultura, isto é, o capital do arrendatário, o único realmente produtivo, só vê aquela diferença no capital do arrendatário. E, desse capital, parte efetua rotação anual, e outra parte, rotação mais longa (decenal). Em suas exposições, os fisiocratas aplicam eventualmente essa diferenciação a outras espécies de capital, geralmente ao capital industrial. Para a sociedade, a distinção entre adiantamentos anuais e plurianuais continua a ser tão importante que muitos economistas, mesmo depois de A. Smith, voltam a essa conceituação.

A diferença entre ambas as espécies de adiantamentos só aparece quando dinheiro adiantado se transforma nos elementos do capital produtivo. É uma diferença que só existe no capital produtivo. Por isso, não ocorre a Quesnay considerar o dinheiro entre os adiantamentos primitivos nem entre os anuais. Como adiantamentos da produção, isto é, como capital produtivo, se opõem tanto ao dinheiro quanto às mercadorias que se encontram no mercado. Além disso, Quesnay, acertadamente, reduz a diferença entre esses dois elementos do capital produtivo ao modo diverso como entram no valor do produto acabado, portanto ao modo diverso como seu valor circula no valor do produto e como se processa sua reposição ou sua reprodução, sendo o valor de um reposto por inteiro anualmente, e o do outro, de maneira progressiva, em períodos mais longos.[23]

O único progresso que faz A. Smith é o de generalizar as categorias. A partir dele, não se trata mais de uma forma especial do capital, o capital do arrendatário, mas de qualquer forma do capital produtivo. Como

23 Sobre Quesnay, ver *Analyse du Tableau Économique* (*Physiocrates*, ed. Daire, Parte I, Paris, 1846). Lê-se aí, por exemplo: "Os adiantamentos anuais consistem nas despesas anualmente feitas com os trabalhos da cultura agrícola; é mister distinguir esses adiantamentos dos adiantamentos primitivos que representam o fundo de implantação da cultura" (p. 59). Com frequência, os fisiocratas posteriores chamam os adiantamentos diretamente de capital: "capital ou adiantamentos" (Dupont de Nemours. *Maximes du Docteur Quesnay, ou résumé de ses principes d'économie sociale*, Daire, I, p. 391). Le Trosne diz: "Em virtude da duração maior ou menor dos produtos do trabalho, uma nação possui um fundo considerável de riqueza, independente da reprodução anual, constituindo um capital acumulado ao longo do tempo e que, primitivamente pago com produtos, se conserva e aumenta sempre." (Daire, II, pp. 928, 929.) Turgot usa, com mais regularidade, a palavra capital para designar adiantamentos (*avances*), e identifica ainda mais os adiantamentos dos donos das manufaturas com os dos arrendatários. (Turgot, *Réflexions sur la formation et la distribution des richesses*, 1766.)

consequência natural, a distinção, tomada à agricultura, entre a rotação anual e a plurianual cede lugar à distinção geral entre rotações de períodos diferentes, de modo que uma rotação do capital fixo abarca sempre mais do que uma rotação do capital circulante, qualquer que seja a duração das rotações deste, anual, mais do que ou menos do que anual. Assim, Smith transforma os adiantamentos anuais (*avances annuelles*) em capital circulante e os adiantamentos primitivos (*avances primitives*) em capital fixo. A contribuição que traz limita-se a essa generalização das categorias. Quando passa a desenvolvê-la, fica bem atrás de Quesnay.

Smith já introduz a obscuridade com a maneira grosseiramente empírica como inicia a pesquisa:

> Há dois modos diferentes de empregar um capital para que proporcione renda ou lucro a seu investidor. (*Wealth of Nations*, Book II, chap. I, p. 185, ed. Aberdeen, 1848.)

Os modos de investir valor que, desempenhando as funções de capital, rende mais-valia (valor excedente) ao proprietário capitalista são tão diversos e variados quanto os campos de aplicação do capital. Temos aí uma indagação sobre os ramos de produção em que se pode empregar capital. E esta indagação traz outras consequências. Levanta a questão da possibilidade de o valor funcionar para seu possuidor como capital, mesmo quando não seja aplicado como capital produtivo e sim, por exemplo, como capital de empréstimo, capital mercantil etc. Somos lançados, assim, a uma distância astronômica do verdadeiro objeto da análise, o de saber como a divisão do capital produtivo em seus vários elementos, independentemente da diversidade dos campos de aplicação, tem relação com a rotação desses elementos.

Logo acrescenta A. Smith:

> O primeiro modo de aplicar o capital consiste em cultivar, manufaturar, ou comprar bens, e revendê-los com lucro.

A. Smith diz-nos apenas que o capital pode ser empregado na agricultura, na manufatura e no comércio. Fala simplesmente da diversidade dos campos de aplicação do capital, mesmo daqueles, como o comércio, em que o capital não se incorpora ao processo direto de produção, não funcionando, portanto, como capital produtivo. Abandona, assim, a base sobre a qual os fisiocratas firmam a diferenciação existente dentro do capital produtivo e a influência dela sobre a rotação. Chega a apresentar o capital mercantil como exemplo numa questão em que se trata apenas de diferenças relativas ao capital produtivo no processo de criação do produto e do valor, as quais, por sua vez, geram diferenças em sua rotação e reprodução.

Continua ele:

> O capital empregado desse modo não traz renda ou lucro para seu possuidor, enquanto permanece em seu poder ou continua sob a mesma forma.

O capital empregado desse modo! Mas Smith fala de capital empregado na agricultura, na manufatura, e diz-nos, depois, que o capital nelas empregado se divide em fixo e circulante. Então não é esse modo de aplicação que pode, por si mesmo, caracterizar o capital como fixo nem como circulante.

Ou quererá ele dizer que o capital aplicado para produzir mercadorias e vendê-las com lucro, após transformar-se em mercadorias tem de vender-se e, com essa venda, transferir-se do poder do vendedor para o do comprador, passando da forma física de mercadoria para a forma dinheiro; e que, por isso, o capital é inútil ao possuidor enquanto permanece em seu poder ou conserva, para ele, a mesma forma? Mas isso equivaleria a dizer que o mesmo valor-capital que funcionava antes na forma de capital produtivo, relativa ao processo de produção, funciona agora como capital-mercadoria e capital-dinheiro, em formas pertencentes ao processo de circulação, não sendo, portanto, capital fixo nem circulante. E essa transmutação existe tanto para as porções de valor acrescentadas pelas matérias-primas e matérias auxiliares, isto é, pelo capital circulante, quanto para as incorporadas pelo desgaste dos meios de trabalho, pelo capital fixo, portanto. Assim, não conseguimos dar um passo no sentido de separar capital fixo de capital circulante.

Continuando:

> Os bens do comerciante não lhe proporcionam renda nem lucro até que os venda por dinheiro, e o dinheiro tampouco, até ser, por sua vez, trocado por mercadorias. Seu capital deixa-o continuamente numa figura para lhe voltar noutra, e só por meio dessa circulação ou de trocas sucessivas pode lhe proporcionar lucro. Por isso, esses capitais podem ser adequadamente chamados de capitais circulantes.

O que A. Smith considera capital circulante é o que chamaria de *capital de circulação*, capital na figura apropriada ao processo de circulação, à mudança de forma por meio de troca (as coisas mudam de possuidores), ou seja, capital-mercadoria e capital-dinheiro, em oposição à forma que pertence ao processo de produção, a do capital produtivo. Não se trata de formas particulares em que o capitalista industrial divida seu capital, mas de formas diversas que o mesmo valor-capital adiantado, continuamente, no curso de sua vida, ora assume, ora abandona. Retrocedendo bastante em relação aos fisiocratas, A. Smith confunde essas formas com as diferenças de forma que surgem no ciclo do valor-capital quando se encontra sob a forma de capital *produtivo*. Na realidade, essas diferenças decorrem da maneira diversa como os vários elementos do capital produtivo participam do processo de formação do valor e transferem seu valor ao produto. Veremos adiante as consequências dessa confusão fundamental entre a diferença que separa capital produtivo de capital que se encontra na esfera da circulação (capital-mercadoria e capital-dinheiro), e a que distingue capital fixo de capital circulante. O valor-capital adiantado em capital fixo circula por meio do produto do mesmo modo que o valor adiantado em capital circulante, e ambos se transformam em capital-dinheiro através da circulação do capital-mercadoria. A diferença consiste apenas em que o valor do capital fixo circula fracionariamente, e, por isso, tem de ser reposto, reproduzido em forma física também fracionariamente, em períodos mais ou menos longos.

Nessa passagem, A. Smith entende por capital circulante apenas o capital de circulação, isto é, o valor-capital nas formas pertencentes ao processo de circulação (capital-mercadoria e capital-dinheiro). É o que demonstra o exemplo pouco feliz que escolheu. Cita como exemplo o capital mercantil, uma espécie de capital que não pertence ao processo de produção, mas vive apenas na esfera de circulação, é constituído apenas de capital de circulação. Em face do absurdo de começar com um exemplo em que o capital de modo nenhum figura como capital produtivo, acrescenta ele imediatamente:

> O capital de um comerciante é por inteiro capital circulante.

Mas a diferença entre capital fixo e capital circulante, segundo nos diz mais adiante, decorrerá de diferenças essenciais existentes no próprio capital produtivo. A. Smith tem em mente a diferença fisiocrática e, além dela, as diferenças de forma que o valor-capital percorre em seu ciclo. Mistura-as de qualquer jeito.

O que não se pode conceber é como um lucro surgiria por ter a mercadoria se transformado em dinheiro, em virtude da mera passagem do valor de uma dessas formas para a outra. A explicação torna-se totalmente impossível, pois começa com o capital mercantil que se move apenas na esfera da circulação. Voltaremos ao assunto. Por ora, vejamos o que diz sobre o capital fixo:

> O segundo modo de empregar o capital consiste em investi-lo para melhorar as terras, para comprar máquinas úteis e instrumentos de trabalho ou outras coisas que lhes sejam semelhantes por proporcionarem renda ou lucro sem mudar de dono ou sem circular mais. Esses capitais podem ser, por isso, propriamente chamados de capitais fixos. Ocupações diferentes exigem proporções bem diferentes entre capitais fixos e capitais circulantes nelas empregados. [...] Certa parte do capital de todo mestre-artesão ou manufator tem de fixar-se nos seus instrumentos de trabalho. Essa parte, entretanto, é muito pequena para uns e muito grande para outros. [...] Todavia, a parte bem maior do capital dos mestres-artesãos (alfaiates, sapateiros, tecelões) circula nos salários de seus trabalhadores ou no preço dos materiais, sendo reembolsada com lucro pelo preço da obra.

Pondo de lado a ideia pueril sobre a fonte do lucro, saltam logo à vista a debilidade e a confusão de seu raciocínio: para um fabricante de máquinas, por exemplo, a máquina é produto que circula como capital-mercadoria, e, nas palavras de Smith,

> ela sai das mãos do produtor, muda de dono, circulando.

Segundo sua própria definição, a máquina não seria capital fixo, e sim capital circulante. Essa confusão também decorre de Smith ter misturado a diferença entre capital fixo e capital circulante, oriunda da circulação diversa dos diferentes elementos do capital produtivo, com as diferenças de forma experimentadas pelo mesmo capital, quando funciona no processo de produção como capital produtivo e na esfera da circulação como capital de circulação, isto é, como capital-mercadoria ou como capital-dinheiro. Por isso, para A. Smith, as mesmas coisas, segundo a posição que ocupam no processo de vida do capital, podem funcionar como capital fixo (meios de trabalho, elementos do capital produtivo), e como capital "circulante", capital-mercadoria (produto que passa da esfera da produção para a esfera da circulação).

Mas A. Smith muda subitamente por inteiro o fundamento da distinção e contradiz o que dissera linhas atrás iniciando toda a investigação, a saber:

> Há dois modos diferentes de empregar um capital para que proporcione renda ou lucro a seu investidor;

a saber, pode ser empregado como capital circulante ou como capital fixo. Assim, trata-se de maneiras diferentes de empregar capitais diferentes, independentes entre si, como capitais, por exemplo, que podem ser empregados na indústria ou na agricultura. Mas eis que afirma:

> Ocupações diferentes exigem proporções bem diferentes entre capitais fixos e capitais circulantes nelas empregados.

Capital fixo e capital circulante não são mais agora aplicações diversas, independentes de capital, mas porções diferentes do mesmo capital produtivo que constituem, nas diferentes esferas de aplicação, proporções diversas do valor global desse capital. São, portanto, diferenças que decorrem da divisão técnica do capital *produtivo*, e, por isso, só valem com relação a este. Smith contradiz-se novamente quando qualifica o capital mercantil de capital apenas circulante em contraposição ao capital fixo, ao afirmar:

> O capital de um comerciante é por inteiro capital circulante.

É um capital que funciona apenas na esfera da circulação e como tal se opõe ao capital produtivo, isto é, ao capital incorporado ao processo de produção, e justamente por isso não pode opor-se como elemento circulante do capital produtivo ao elemento fixo do capital produtivo.

Pelos exemplos que apresenta, Smith considera capital fixo os instrumentos de trabalho, e capital circulante a parte do capital despendida em salários e matérias-primas, inclusive matérias auxiliares (reembolsado com lucro pelo preço da obra).

Toma assim por ponto de partida os diversos componentes do processo de trabalho, de um lado, a força de trabalho (trabalho) e matérias-primas e, do outro, os instrumentos de trabalho. Mas esses elementos são componentes do capital porque neles foi despendida uma quantidade de valor que deve funcionar como capital. Nesse sentido são os elementos materiais, os modos de existência do capital *produtivo*, do capital que funciona no processo de produção. Por que se chama de capital fixo a uma de suas partes? Porque

> certa parte do capital tem de fixar-se nos instrumentos de trabalho.

Mas a outra parte se fixa em salários e matérias-primas. As máquinas, entretanto,

> instrumentos de trabalho [...] coisas semelhantes [...] proporcionam renda ou lucro sem mudar de dono ou continuar a circular. Esses capitais podem ser, por isso, propriamente chamados de capitais fixos.

Tomemos, por exemplo, a mineração. Nela não se utiliza matéria-prima, pois o objeto de trabalho, digamos, o cobre, é um produto natural do qual o minerador só se apropria pelo trabalho. O cobre ainda a ser obtido, o produto do processo, que circula mais tarde como mercadoria, ou seja, capital-mercadoria, não constitui elemento do capital produtivo. Nenhuma parte do valor do capital produtivo se desembolsou nele. Por outro lado, os outros elementos do processo de produção, a força de trabalho e matérias auxiliares, tais como carvão, água etc., não entram materialmente no produto. O carvão é inteiramente consumido e somente seu valor entra no produto, conforme se dá com fração do valor da máquina etc. Por fim, o trabalhador se destaca do produto, do cobre, como a máquina. Só o valor que produz com seu trabalho é agora parte componente do valor do cobre. Neste exemplo, nenhuma parte componente do capital produtivo muda de mãos (de dono) ou continua a circular, porque nenhuma delas entra materialmente no produto. Onde é que se encontra aí o capital circulante? Segundo a própria definição de A. Smith, todo o capital empregado numa mina de cobre se constituiria apenas de capital fixo.

Vejamos agora outra indústria que emprega matérias-primas que constituem a substância do produto e, além disso, matérias auxiliares que não se limitam a lhe transferir valor (caso do carvão utilizado como combustível), mas nele entram materialmente. Com o produto, com o fio, por exemplo, muda de mãos a matéria-prima, o algodão que o constitui, e passa do processo de produção para o de consumo. Mas, enquanto o algodão funciona como elemento do capital produtivo, o possuidor não o vende, e sim o submete a uma elaboração, fazendo-o transformar-se em fio. Não se separa dele. Não obtém lucro desfazendo-se do algodão, fazendo-o mudar de dono ou circular, para usarmos a expressão trivial, grosseiramente falsa de Smith. Não deixa circular seus materiais nem suas máquinas. Estão eles fixados ao processo de produção, do mesmo modo que as máquinas de fiar e o edifício da fábrica. Uma parte do capital produtivo tem de estar continuamente fixada na forma de carvão, algodão etc., conforme sucede com os meios de trabalho. A única diferença está em que o algodão, o carvão etc., necessários, digamos, para a produção semanal de fio, são consumidos inteiramente e de maneira contínua na fabricação do produto semanal, tendo por isso de ser substituídos por novos exemplares de algodão, carvão etc., e que esses elementos do capital produtivo, embora permaneçam idênticos quanto à natureza, estão sendo sempre reconstituídos por novos exemplares da mesma espécie, enquanto a mesma máquina de fiar e o mesmo edifício da fábrica continuam, sem ser substituídos por exemplar da mesma espécie, a concorrer para uma série imensa de produções semanais. Como elementos do capital produtivo, todos os componentes dele estão fixados no processo de produção, que sem eles não pode efetivar-se. E todos os elementos do capital produtivo, fixos ou circulantes, destacam-se igualmente como capital produtivo do capital de circulação, isto é, do capital-mercadoria e do capital-dinheiro.

O mesmo se aplica à força de trabalho. Parte do capital produtivo tem de estar nela constantemente fixada e são forças de trabalho idênticas, como são as mesmas as máquinas, que o mesmo capitalista por toda a parte emprega por tempo bastante longo. Aqui a diferença entre a força de trabalho e a máquina não consiste em que a máquina é comprada de uma vez por todas (o que não é o caso, quando paga, por exemplo, em prestações) e o trabalhador não, e sim que o trabalho que ele despende entra por inteiro no valor do produto, enquanto o valor da máquina entra apenas de maneira fracionária.

Smith confunde conceitos diferentes, quando diz do capital circulante por oposição ao fixo:

> O capital empregado desse modo não traz renda ou lucro para seu investidor, enquanto permanece em seu poder ou continua sob a mesma forma.

Coloca a metamorfose puramente formal que o produto, o capital-mercadoria, experimenta na esfera da circulação e que possibilita às mercadorias mudarem de mãos, no mesmo nível da metamorfose material por que passam os diversos elementos do capital produtivo durante o processo de produção. Mistura ele, sem mais nem menos, a transformação de mercadoria em dinheiro e de dinheiro em mercadoria, a compra e a venda, com a transformação dos elementos de produção em produto. Seu exemplo de capital circulante é o capital do comerciante que se transforma de mercadoria em dinheiro e de dinheiro em mercadoria, a mudança de formas M-D-M que pertence à circulação de mercadorias. Para o capital industrial em funcionamento, essa mudança de formas que se opera na circulação significa que as mercadorias nas quais o dinheiro se reconverte são elementos de produção (meios de trabalho e força de trabalho); além disso, possibilita ela a continuidade da função do capital industrial, de modo a haver processo de produção contínuo, ou seja, processo de reprodução. Toda essa mudança de formas se passa na *circulação*; é ela que possibilita realmente às mercadorias mudarem de mãos. As metamorfoses que o capital produtivo experimenta em seu processo de produção pertencem ao *processo de trabalho* e são necessárias para transformar os elementos da produção no produto almejado. A. Smith apoia-se em que parte dos meios de produção (os meios de trabalho propriamente ditos) funciona no processo de trabalho (o que expressa erroneamente, dizendo: proporcionam lucro a seu possuidor), enquanto não muda sua forma física, gastando-se apenas pouco a pouco; enquanto outra parte, os materiais, se modifica, e justamente por isso preenche seu papel de meio de produção. O comportamento diferente dos elementos do capital produtivo no processo de trabalho constitui tão só o ponto de partida da diferença entre capital fixo e não fixo, e não essa própria diferença, pois esse comportamento diverso existe igualmente em todos os modos de produção, capitalista ou não. A esse comportamento material diverso corresponde a *transferência de valor* ao produto, à qual, por sua vez, corresponde a reposição do valor pela venda do produto; e isto apenas constitui aquela diferença. O capital não é, portanto, fixo por estar fixado nos meios de trabalho, mas sim porque parte do seu valor despendido nos meios de trabalho neles permanece fixada, enquanto outra parte circula como componente do produto.

> Se o capital é empregado para a obtenção de lucro futuro, tem de obter esse lucro permanecendo com o investidor ou deixando-o. Num caso, é capital fixo e, no outro, é capital circulante (p. 189).

Antes de mais nada, surpreende a ideia grosseiramente empírica sobre lucro, derivada da concepção usual do capitalista, ideia que contradiz as formulações esotéricas, superiores, do próprio Smith. No preço do produto se repõe, além do preço dos materiais e da força de trabalho, a parte do valor dos instrumentos de trabalho transferida pelo desgaste ao produto. Em nenhum caso advém lucro dessa reposição. A circunstância de um valor adiantado para fabricar o produto se repor total ou parcialmente, de uma vez ou de maneira progressiva, com a venda do produto, só pode alterar o gênero e o tempo da reposição; de nenhum modo, transformaria em criação de mais-valia o que é comum a ambos os casos, a reposição do valor. À concepção errônea está subjacente a ideia vulgar de que a mais-valia derive da venda, da circulação, uma vez que só se realiza com a venda do produto, com a circulação deste. A distinção de Smith quanto ao modo diverso de originar-se o lucro apenas falseia o fato de os diferentes elementos do capital produtivo funcionarem de maneira diversa, de operarem no processo de trabalho de maneira diferente como elementos produtivos. Finalmente, não se deriva a diferença do processo de trabalho ou do processo de formar valor, da função do próprio capital produtivo; ela é estabelecida subjetivamente, segundo o prisma do capitalista individual, que tem em mira a maneira diversa como lhe é útil cada uma das duas partes do capital.

Quesnay, ao contrário, derivara a diferença entre capital fixo e capital circulante do processo de reprodução e de suas necessidades. Para esse processo ser contínuo, é mister que o valor dos adiantamentos anuais seja reposto pelo valor do produto anual, e que o valor do capital primitivo, ao contrário, seja reposto pouco a pouco, de modo que só após uma série de anos, digamos dez, seja por inteiro substituído e, portanto, reproduzido (reposto por novos exemplares da mesma espécie). Smith fica, portanto, ofuscado por Quesnay.

O capital fixo, segundo a definição de A. Smith, constitui-se apenas de meios de trabalho que não mudam sua figura no processo de produção e, destacando-se dos produtos que concorrem para criar, continuam a servir na produção até completar seu desgaste. Fica omitido que todos os elementos do capital produtivo se confrontam constantemente, em sua forma natural (como meios de trabalho, materiais e força de trabalho), com o produto acabado e com o produto que circula como mercadoria, e que a diferença entre a parte constituída de materiais e de força de trabalho e a parte constituída de meios de trabalho se reduz ao seguinte: renova-se sempre a compra da força de trabalho, enquanto se adquirem os meios de trabalho por todo o tempo de sua duração; os materiais que funcionam no processo de trabalho não são identicamente os mesmos, mas sempre novos exemplares da mesma espécie. Ao mesmo tempo, cria-se a falsa impressão de que não circula o valor do capital fixo, embora A. Smith tenha, naturalmente, considerado o desgaste do capital fixo parte do preço do produto.

Ao opor-se o capital circulante ao capital fixo, não se ressalta que essa oposição só existe porque aquele componente do capital produtivo tem de ser *integralmente* reposto pelo valor do produto e, assim, tem por inteiro de partilhar das metamorfoses deste, não ocorrendo isto com o capital fixo.

Em vez disso, confunde-se o capital circulante com as figuras que o capital assume ao passar da esfera da produção para a esfera da circulação, a de capital-mercadoria e capital-dinheiro. Mas ambas as formas, capital-mercadoria e capital-dinheiro, são veículos do valor tanto da parte fixa quanto da parte circulante do capital produtivo. Ambas as formas são capital de circulação em oposição a capital produtivo, mas não capital circulante em oposição ao fixo.

Em suma: essa ideia inteiramente falsa sobre a produção de lucro pelo capital fixo, porque permanece no processo de produção, e pelo capital circulante, porque o deixa e circula, oculta, por trás da identidade de forma que o capital variável e a parte circulante do capital constante têm na *rotação*, a diferença essencial que existe entre eles no *processo de valorização*, na criação de mais-valia, obscurecendo, portanto, ainda mais o mistério da produção capitalista. Com a designação comum de capital circulante dilui-se essa diferença essencial, e, indo mais longe, economistas posteriores sustentaram que o essencial e exclusivamente característico não é a oposição entre capital variável e capital constante, mas a oposição entre capital fixo e capital circulante.

Depois de ter caracterizado o capital fixo e o capital circulante como dois modos particulares de empregar capital, proporcionando lucro cada um de *per se*, diz A. Smith:

> Qualquer capital fixo só proporciona renda por meio de um capital circulante. As máquinas e os instrumentos de trabalho mais úteis nada produzirão sem o capital circulante que fornece as matérias em que são empregados e a subsistência dos trabalhadores que os empregam (p. 188).

Aí evidencia-se que as expressões precedentes, proporcionar renda, trazer lucro etc., significam que ambas as partes do capital servem para formar o produto.

A. Smith exemplifica:

> É fixa a parte do capital do arrendatário empregada no instrumental agrícola, e é circulante a empregada em salários e manutenção dos trabalhadores braçais.

(Nessa passagem, a diferença entre capital fixo e capital circulante acertadamente apenas se refere à circulação diversa, à rotação dos vários componentes do capital produtivo.)

> Obtém lucro com um, por conservá-lo em seu poder, e com o outro por desfazer-se dele. O preço ou valor do gado empregado na lavoura é capital fixo (afirmação certa, pois a qualificação se refere ao valor e não ao elemento material), do mesmo modo que os instrumentos da lavoura; o alimento dos animais de trabalho é capital circulante, do mesmo modo que o dos trabalhadores braçais. O arrendatário obtém lucro por conservar os animais de trabalho, e por desfazer-se do alimento que os nutre.

(O arrendatário guarda a forragem dos animais, não a vende. Utiliza-a para alimentar os animais, enquanto faz deles instrumentos de trabalho. A diferença consiste apenas em que a forragem destinada a manter os animais é consumida por inteiro e tem constantemente de ser substituída por nova forragem, obtida do produto da lavoura ou por meio da venda desse produto, enquanto os animais só são substituídos na medida em que cada cabeça se torna incapaz de trabalhar.)

> Tanto o preço como o sustento dos animais comprados para engorda, não para trabalho e sim para venda, são capital circulante. O arrendatário obtém lucro desfazendo-se deles.

(Todo produtor de mercadoria, inclusive, portanto, o capitalista, vende seu produto, o resultado de seu processo de produção, mas, por isso, esse produto não constitui componente fixo nem circulante de seu capital *produtivo.* Ao contrário, existe agora numa forma em que foi expelido do processo de produção e tem de funcionar como capital-mercadoria. O gado de engorda funciona no processo de produção como matéria-prima, e não serve de instrumento de trabalho como o animal de tração. Por isso, entra materialmente no produto e seu valor por inteiro passa a fazer parte deles, como o das matérias auxiliares [sua forragem]. É por isso que é parte circulante do capital produtivo, e não porque o produto vendido, o gado cevado, tenha a mesma forma natural da matéria-prima, o gado ainda não cevado. Este aspecto é fortuito. Em face desse exemplo, Smith poderia ter compreendido que não é a figura material do elemento de produção que dá ao valor nele contido o caráter de fixo e circulante, mas a função que desempenha no processo de produção.)

> Todo o valor das sementes é capital fixo. Embora transitem entre a terra e o celeiro, nunca mudam de dono, e por isso não se pode dizer que circulam. O arrendatário obtém lucro não vendendo-as, mas multiplicando-as.

Evidencia-se aí toda a inconsistência da distinção de Smith. Segundo ele, as sementes seriam capital fixo quando não mudam de dono, isto é, quando são diretamente repostas pelo produto anual, dele retiradas. Ao contrário, seriam capital circulante quando se vende todo o produto e com parte de seu valor se compram sementes alheias. Tudo se reduz a haver ou não mudança de dono. Smith confunde aí novamente capital circulante e capital-mercadoria. O produto é o veículo material do capital-mercadoria. Mas, naturalmente, só a parte dele que entra de fato na circulação, e não a que se reincorpora diretamente no processo de produção do qual saiu como produto.

Seja a semente obtida diretamente como parte do produto, ou seja o produto vendido por inteiro, e parte de seu valor aplicada na aquisição de semente alheia, em ambos os casos há mera reposição e por meio dela não se consegue lucro algum. Num caso, a semente entra na circulação com o restante do produto, como mercadoria; no outro, figura na contabilidade como parte componente do capital adiantado. Mas, em ambos os casos, continua sendo elemento circulante do capital produtivo. Tem de ser consumida por inteiro, a fim de que haja o produto acabado, e tem de ser totalmente por ele reposta, para que seja possível a reprodução.

"Matéria-prima e materiais acessórios perdem a figura com que entraram no processo de trabalho como valores de uso. Mas isso não acontece com o instrumental, com os meios de trabalho. Uma ferramenta, uma máquina, um edifício de fábrica, um recipiente só são úteis ao processo de trabalho enquanto conservam seu feitio original, entrando cada dia no processo com a mesma forma. Durante sua vida, no processo de trabalho, e mesmo após sua morte, conservam, perante o produto, seu feitio próprio. As máquinas, os instrumentos, os edifícios industriais que se tornaram imprestáveis continuam a existir separados dos produtos que ajudaram a produzir." (Livro 1, Capítulo VI, pp. 238-239.)

Essas diferenças na maneira como se consomem os meios de produção para formar o produto, conservando uns o próprio feitio perante o produto, e outros modificando-o ou perdendo por inteiro, pertencem ao processo de trabalho como tal e, por isso, se verificam em processos de trabalho destinados à satisfação das próprias necessidades, como o da família patriarcal, sem qualquer intercâmbio, sem produção de mercadorias. Tais diferenças aparecem deturpadas em A. Smith, que 1) aí introduz a ideia inteiramente inadequada de lucro que uns trazem ao possuidor por conservarem seu feitio, e outros por perderem-no; 2) confunde a transformação de uma parte dos elementos de produção no processo de trabalho com a mudança de forma (compra e venda) que pertence ao intercâmbio dos produtos, à circulação das mercadorias, e que inclui a mudança de proprietário para as mercadorias em circulação.

A rotação supõe a reprodução que se faz por intermédio da circulação e que compreende vender o produto, transformando-o em dinheiro, e reconvertê-lo, do estado de dinheiro, em seus elementos de produção. Quando o produtor capitalista utiliza parte do próprio produto diretamente como meio de produção, afigura-se-lhe que a vendeu a si mesmo e assim registra a operação em sua contabilidade. Esta parte da reprodução, no caso, não se faz por intermédio da circulação, mas diretamente. Do produto, a fração que retorna ao processo de produção como meio de produção repõe capital circulante e não fixo, quando 1) o valor dela entra por inteiro no produto e 2) ela mesma é totalmente substituída em espécie por novo exemplar oriundo do novo produto.

A. Smith diz-nos em seguida em que consistem capital circulante e capital fixo. Enumera as coisas, os elementos materiais que constituem o capital fixo e os que constituem o capital circulante, como se essa condição fosse, por natureza, atributo material dessas coisas, ao invés de provir da função determinada que desempenham no processo capitalista de produção. Apesar disso, no mesmo capítulo (Livro II, Capítulo I), observa que, embora determinada coisa, uma casa, por exemplo, destinada a consumo direto,

> possa proporcionar renda a seu proprietário, servindo-lhe assim na qualidade de capital, não proporciona renda alguma ao público, nem lhe serve na qualidade de capital, e jamais acresce a renda da comunidade (p. 186).

A. Smith expressa aí claramente que a qualidade de capital não é atributo das coisas como tais e em todas as circunstâncias, mas uma função que desempenham ou não, conforme o caso. E o que vale para o capital em geral aplica-se também a suas diferentes espécies.

As mesmas coisas constituem elementos do capital circulante ou do capital fixo, de acordo com a função que desempenham no processo de trabalho. Um boi, por exemplo, se é um boi de carga ou tração (instrumento de trabalho), constitui modo material de existência do capital fixo; se é boi de engorda (matéria-prima), constitui elemento do capital circulante do arrendatário. Além disso a mesma coisa pode, ora funcionar como elemento do capital produtivo, ora pertencer diretamente ao fundo de consumo. Uma casa, por exemplo, que funciona como local de trabalho, é elemento fixo do capital produtivo, mas, se é moradia, não é, em virtude apenas dessa condição, forma de capital. Em muitos casos, os mesmos meios de trabalho podem, ora funcionar como meios de produção, ora como meios de consumo.

Um dos erros da concepção de Smith consistia em considerar inerentes às coisas o caráter de capital fixo e o de capital circulante. A análise do processo de trabalho (Livro I, Capítulo V, pp. 201-205) já nos mostrou que a mesma coisa, conforme o papel que desempenha no processo, assume o caráter de meio de trabalho, ou de material de trabalho, ou de produto. A distinção entre capital fixo e não fixo fundamenta-se, por sua vez, nas funções determinadas que esses elementos desempenham no processo de trabalho e, por consequência, também no processo de formação do valor.

Na enumeração que Smith faz das coisas de que se constituem o capital fixo e o capital circulante, evidencia-se que ele confunde a diferença entre os elementos fixos e circulantes desse capital, a qual só vale e só tem sentido com relação ao capital produtivo (o capital em sua forma produtiva), com a diferença entre capital produtivo e as formas pertencentes ao capital em seu processo de circulação: capital-mercadoria e capital-dinheiro. Diz ele (p. 188):

> O capital circulante consiste [...] nos gêneros, materiais e produtos acabados de toda espécie em poder dos respectivos comerciantes, e no dinheiro necessário para fazê-los circular e para distribuí-los etc.

Observando mais de perto, verificamos que Smith, aliás contrariando afirmação anterior, novamente identifica capital circulante com capital-mercadoria e capital-dinheiro, duas formas de capital que não pertencem ao processo de produção, que não constituem capital circulante em oposição ao fixo, mas capital de circulação em oposição ao capital produtivo. E apenas reaparecem junto a elas os elementos do capital produtivo adiantados em materiais (matérias-primas ou produtos semiacabados) e efetivamente incorporados no processo de produção. Diz ele:

> [...] A terceira e última das três porções em que se divide naturalmente o estoque global de uma sociedade é o capital circulante, que se caracteriza por só proporcionar renda circulando ou mudando de dono. Compõe-se, por sua vez, de quatro partes: a primeira é o dinheiro [...]

(Mas o dinheiro nunca é forma do capital produtivo, do capital que funciona no processo de produção. É tão somente uma das formas que o capital assume no seu processo de circulação.)

> a segunda é o estoque de gêneros que está em poder do carniceiro, do engordador de gado, do agricultor [...] os quais esperam obter lucro com a venda desses gêneros. [...] A quarta e última são os produtos prontos e acabados que se encontram ainda nas mãos do comerciante e do manufator. – E a terceira são os materiais, inteiramente crus ou mais ou menos manufaturados, que servem para a feitura de vestuário, mobiliário e para construção, mas que não chegaram a nenhuma dessas três destinações finais, permanecendo nas mãos dos agricultores, dos manufatores, dos comerciantes de panos e tecidos, dos negociantes de madeira, dos carpinteiros e marceneiros, dos oleiros etc.

As partes segunda e quarta só contêm produtos, que, como tais, são expelidos do processo de produção e têm de ser vendidos; em suma, que funcionam então como mercadoria ou capital-mercadoria, possuindo uma forma e ocupando no processo uma posição em que não constituem elemento do capital produtivo, qualquer que seja a destinação final deles, isto é, sejam adequados ao consumo individual ou ao consumo produtivo conforme o valor de uso. Os produtos da parte segunda são alimentos, os da parte quarta são todos os demais produtos acabados, que, por sua vez, se dividem em meios de trabalho ou em meios de consumo (outros que não os alimentos contidos na parte segunda).

Trazendo à baila o comerciante, põe Smith em evidência sua confusão. Quando o produtor vende seu produto ao comerciante, deixa o produto de constituir forma de seu capital. Do ponto de vista social, continua sendo ainda capital-mercadoria, embora em outras mãos que não as do produtor; mas, justamente porque é capital-mercadoria, não é capital fixo nem circulante.

Em toda produção que não se destina a satisfazer diretamente as próprias necessidades, o produto tem de circular como mercadoria, isto é, de ser vendido; não por estar em jogo a obtenção de um lucro, mas a fim de que o produtor simplesmente possa viver. Acresce que, na produção capitalista, com a venda da mercadoria, realiza-se ao mesmo tempo a mais-valia nela encerrada. O produto sai do processo de produção como mercadoria, não sendo, portanto, elemento fixo nem circulante desse processo.

Aliás, Smith naufraga aí. Os produtos acabados, qualquer que seja sua figura material ou seu valor de uso, seu efeito útil, são todos, nas condições dadas, capital-mercadoria, capital em forma pertencente ao processo de circulação. Enquanto se encontram nessa forma, não constituem componentes do capital produtivo eventual de seu proprietário; o que não impede que, logo que sejam vendidos, *se tornem*, nas mãos do comprador, componentes de capital produtivo, circulantes ou fixos. Desse modo evidencia-se que as mesmas coisas que, numa ocasião, aparecem no mercado como capital-mercadoria em oposição ao capital produtivo, logo que saem do mercado, podem funcionar ou não como elementos circulantes ou fixos do capital produtivo.

O produto da empresa de fiação, o fio, é a forma mercadoria de seu capital, para ela capital-mercadoria. Não lhe pode servir de elemento do capital produtivo, nem de material de trabalho nem de meio de trabalho. Nas mãos do tecelão que o compra, incorpora-se ao capital produtivo como um dos elementos circulantes. Para a empresa de fiação, porém, o fio é veículo do valor de uma parte tanto do capital fixo quanto do capital circulante (excluída a mais-valia). Assim, uma máquina, produto do fabricante de máquina, forma mercadoria de seu capital, é para ele capital-mercadoria; enquanto permanecer nessa condição, não é capital circulante nem fixo. Se vendê-la a um fabricante que a aplique, torna-se elemento fixo de um capital produtivo. Mesmo quando, em virtude de sua forma de uso, o produto pode reverter parcialmente como meio de produção ao processo donde se originou – caso, por exemplo, do carvão na extração carbonífera –, a parte do produto destinada à venda não representa capital circulante nem fixo, mas capital-mercadoria.

Por outro lado, pode o produto, por sua forma de uso, ser inadequado para constituir elemento do capital produtivo, seja como material de trabalho ou como meio de trabalho. É o que se dá, por exemplo, com os alimentos. Apesar disso, o produto é capital-mercadoria para seu produtor, veículo de valor do capital fixo e do capital circulante; de um ou do outro, conforme seja total ou parcial a reposição do capital empregado para fabricá-lo, a transferência de valor que lhe faz esse capital.

Em Smith, os materiais (matérias-primas, produtos semimanufaturados, matérias auxiliares) compõem a parte terceira do capital circulante, sendo considerados sob dois aspectos: ou não estão incorporados ao capital produtivo, e apenas constituem classe particular dos valores de uso que formam o produto social em geral, isto é, porção da massa global de mercadorias, ao lado dos outros elementos, gêneros etc., enumerados nas partes segunda e quarta; ou estão incorporados ao capital produtivo, constituindo elementos do mesmo nas mãos do produtor. Smith patenteia sua confusão, ao concebê-los ora funcionando nas mãos do produtor (dos agricultores, dos manufatores etc.), ora nas mãos dos comerciantes (comerciantes de panos de tecidos, negociantes de madeira), em que são apenas capital-mercadoria e nunca elementos componentes do capital produtivo.

Na realidade, A. Smith esquece inteiramente, nessa enumeração dos elementos do capital circulante, a diferença entre capital fixo e capital circulante, válida apenas com relação ao capital produtivo. Ao contrário, opõe o capital-mercadoria e o capital-dinheiro, as duas formas do capital pertencentes ao processo de circulação, ao capital produtivo, sem disso se dar conta.

Por fim, admira que A. Smith, ao enumerar os componentes do capital circulante, tenha esquecido a força de trabalho. Para isso houve, entretanto, duas razões.

Para ele, conforme acabamos de ver, excetuado o capital-dinheiro, o capital circulante é apenas outro nome do capital-mercadoria. Mas, quando a força de trabalho circula no mercado, não é capital, não é forma do capital-mercadoria. Não é capital de nenhuma espécie; o trabalhador não é capitalista, embora traga ao mercado uma mercadoria, a sua própria pele. Só depois de vendida, de incorporada ao processo de produção – depois que cessou de circular como mercadoria –, torna-se a força de trabalho parte componente do capital produtivo, isto é, capital variável como fonte da mais-valia, elemento circulante do capital produtivo considerando-se a rotação do valor-capital nela desembolsado. Confundindo capital circulante com capital-mercadoria, não poderia Smith colocar a força de trabalho na sua conceituação de capital circulante. Nele, o capital variável aparece na forma das mercadorias, dos meios de subsistência que o trabalhador compra com seu salário, e nessa forma, então, o valor-capital despendido em salário pertenceria ao capital circulante. Mas o que se incorpora no processo de produção é a força de trabalho, o próprio trabalhador, e não os meios de subsistência com que o trabalhador se mantém. Já vimos (Livro 1, Capítulo XXI) que, do ponto de vista social, a reprodução do próprio trabalhador por meio de seu consumo individual também pertence ao processo de reprodução do capital social. Mas isto não se aplica ao processo de produção isolado, considerado de *per se*, que estamos examinando. As habilidades úteis adquiridas (p. 201) que Smith coloca na classe de capital fixo constituem, ao contrário, partes componentes do capital circulante quando são habilidades vendidas pelo assalariado em conjunto com seu trabalho.

Grande erro de Smith é dividir toda a riqueza social em 1) fundo de consumo imediato, 2) capital fixo e 3) capital circulante. Assim, a riqueza dividir-se-ia em 1) fundo de consumo que não constitui elemento do capital social em funcionamento, embora partes dele *possam* funcionar constantemente como capital, e 2) capital. Desse modo, uma parte da riqueza funciona como capital e outra como não capital ou fundo de consumo. Nessas condições, constitui necessidade absoluta, para todo capital, ser ou fixo ou circulante, do mesmo modo que um mamífero tem de ser, por natureza, ou masculino ou feminino. Mas vimos que a oposição entre fixo e circulante só é aplicável aos elementos do capital *produtivo*, e que, além deles, há uma quantidade considerável de capitais, capital-mercadoria e capital-dinheiro, que se encontram em forma em que *não podem* ser capital fixo nem circulante.

Excetuada a parte dos produtos diretamente consumida como novos meios de produção por cada produtor capitalista, sem vendê-las nem comprá-las, toda a massa da produção social, no sistema capitalista, circula no mercado como capital-mercadoria. É evidente, portanto, que os elementos fixos e circulantes do capital produtivo e todos os elementos do fundo de consumo são retirados do capital-mercadoria. Isto significa que, na base da produção capitalista, os meios de produção e os meios de consumo aparecem, antes de tudo, como capital-mercadoria, embora se destinem a servir mais tarde de meios de consumo ou de meios de produção. A própria força de trabalho é encontrada no mercado como mercadoria, embora não seja capital-mercadoria.

Daí nova confusão de A. Smith. Diz ele:

> Dessas quatro partes (do capital circulante, isto é, do capital em suas formas de capital-mercadoria e de capital-dinheiro, pertencentes ao processo de circulação, duas partes que se transformam em quatro quando Smith distingue materialmente os componentes do capital-mercadoria) três, a saber, gêneros (víveres), materiais e produtos acabados, são regularmente retiradas do capital circulante, no prazo de um ano ou em período mais ou menos longo, e convertidas em capital fixo ou em estoque reservado para o consumo imediato. Todo capital fixo se origina de um capital circulante e tem de ser por este continuamente alimentado. Todas as máquinas e instrumentos úteis se originam de um capital circulante que fornece os materiais de que são feitos e o sustento dos trabalhadores que os fazem. É necessário um capital da mesma natureza para mantê-las em bom estado de conservação (p. 188).

Excetuada a parte do produto aplicada como meio de produção diretamente pelo produtor, é válida para a produção capitalista a proposição geral: todos os produtos aparecem no mercado como mercadoria e, por isso, circulam para o capitalista como a forma mercadoria de seu capital, como capital-mercadoria, não importando que esses produtos possam ou tenham de funcionar, segundo a forma física, o valor de uso, como elementos do capital produtivo (do processo de produção), como meios de produção, portanto, como elementos fixos ou circulantes do capital produtivo, ou que só possam servir de meio do consumo individual, e não do produtivo. Todos os produtos são lançados ao mercado como mercadorias; por isso, todos os meios de produção e meios de consumo, todos os elementos do consumo produtivo e do consumo individual, têm de ser retirados do mercado através da compra, como mercadorias. É uma proposição banal mas verdadeira. Ela se aplica, portanto, aos elementos fixos e aos elementos circulantes do capital produtivo, aos meios de trabalho e aos materiais de trabalho em todas as formas (omitem-se aí elementos do capital produtivo, fornecidos pela natureza, não sendo produtos). A máquina é comprada no mercado, como o algodão. Mas não se segue daí que o capital fixo tenha sua origem no capital circulante, conclusão a que chega Smith por confundir o capital de circulação com capital circulante, isto é, capital não fixo. E aí se perde Smith. Segundo ele, as máquinas constituem elemento da parte quarta do capital circulante. Dizer que elas vêm do capital circulante significa que funcionaram como capital-mercadoria antes de funcionarem como máquinas, e que materialmente elas vêm delas mesmas; da mesma maneira que vem do algodão encontrado no mercado o algodão que é elemento circulante do capital da empresa de fiação. Mais adiante, Smith deriva o capital fixo do circulante, por serem necessários trabalho e matéria-prima para fazer máquinas. Entretanto, é necessário capital fixo para construir máquinas e, além disso, capital fixo, maquinaria etc., para produzir matérias-primas, uma vez que o capital produtivo abrange sempre meios de trabalho, mas nem sempre material de trabalho. A esse respeito diz ele mesmo:

> Terras, minas e pesca exigem capital fixo e capital circulante para explorá-las (admite, portanto, que, para produzir matérias-primas, é necessário não só capital circulante, mas também fixo); e o produto delas (novo erro) repõe com lucro não só esses capitais, mas também *todos os outros capitais da sociedade* (p. 188).

Absolutamente falso. Esse produto fornece as matérias-primas, as matérias auxiliares etc. para todos os demais ramos industriais. Mas seu valor não repõe o valor de todos os outros capitais sociais; repõe apenas o próprio valor-capital (+ mais-valia). Há nessa passagem de A. Smith uma reminiscência dos fisiocratas.

Do ponto de vista social, é certo que parte do capital-mercadoria é constituída de produtos que só servem de meios de trabalho. Mais cedo ou mais tarde, funcionam eles como meios de trabalho, desde que não tenham sido produzidos inutilmente ou não sejam invendáveis. Na base da produção capitalista, quando deixam de ser mercadorias, têm de constituir, conforme já era presumível, elementos reais da parte fixa do capital produtivo da sociedade.

Há uma diferença a considerar que decorre da forma física do produto. Uma máquina de fiar, por exemplo, não tem valor de uso se não é empregada na fiação, se não serve, portanto, de elemento de produção, ou, sob o prisma capitalista, de elemento fixo de um capital produtivo. Mas a máquina de fiar é móvel. Pode ser exportada do país onde é produzida e vendida em país estrangeiro, direta ou indiretamente, em troca de matérias-primas e até de champanha. No país de origem, funcionou apenas como capital-mercadoria, e não, nem mesmo após sua venda, como capital fixo.

Mas produtos cuja localização está vinculada ao solo e, por isso, só podem ser utilizados no local onde estão fixados – por exemplo, edifícios de fábrica, vias férreas, pontes, túneis, docas, melhoramentos de terras etc. – não podem ser fisicamente exportados, tal como são. Sendo imóveis, estabelece-se o dilema: ou serão inúteis ou terão de funcionar, depois de vendidos, como capital fixo no país onde foram produzidos. Para o produtor capitalista que constrói fábricas ou melhora terras para especular com elas, essas coisas são forma de seu capital-mercadoria, portanto, segundo A. Smith, forma do capital circulante. Mas, do ponto de vista social, para não serem inúteis, têm elas finalmente de funcionar no próprio país, como capital fixo, num processo de produção vinculado à localização delas. Não se segue daí que coisas imóveis são por natureza capital fixo; imóveis como moradias etc. pertencem ao fundo de consumo e, portanto, de maneira nenhuma ao capital social, embora constituam elemento da riqueza social de que o capital é apenas uma parte. O produtor dessas coisas obtém um lucro vendendo-as, para expressarmo-nos à maneira de Smith. Seriam, então, capital circulante! Quem se serve delas, o comprador definitivo, pode explorá-las, empregando-as no processo de produção. Seriam, portanto, capital fixo!

Títulos de propriedade sobre uma ferrovia, por exemplo, podem mudar diariamente de mãos, e o possuidor obter lucro vendendo-os no exterior: os títulos de propriedade são exportáveis, embora não o seja a ferrovia. Entretanto, haveres dessa natureza têm ou de estar ociosos ou de funcionar como componente fixo de um capital produtivo no país onde estão localizados. Do mesmo modo, A pode obter lucro vendendo sua fábrica a B, o que não impede à fábrica de prosseguir funcionando como capital fixo.

Os meios de trabalho, localmente fixados, inseparáveis do solo, embora possam funcionar para seu produtor como capital-mercadoria e não constituam elementos do seu capital fixo (este consiste nos meios de trabalho que ele utiliza para construir edifícios, vias férreas etc.), têm de funcionar no próprio país como capital fixo, conforme é necessariamente presumível. Não se segue daí que o capital fixo se constitua necessariamente de coisas imóveis. Um navio e uma locomotiva têm por função mover-se; entretanto, funcionam, não para seu produtor, mas para quem os emprega, como capital fixo. Por outro lado, coisas que funcionam no processo de produção localmente fixadas, nele vivem e morrem, nunca mais o abandonam depois de nele entrarem, são elementos circulantes do capital produtivo. É o caso do carvão consumido para impulsionar a máquina no processo de produção, do gás empregado na iluminação da fábrica etc. São elementos circulantes, não porque, com o produto, tenham deixado materialmente o processo de produção e circulem como mercadoria, mas porque seu valor entrou por inteiro no valor da mercadoria, o qual ajudaram a produzir, tendo, portanto, de ser reposto por inteiro com a venda da mercadoria.

Na passagem de A. Smith citada anteriormente, destacamos a frase:

> [...] Um capital circulante que fornece [...] o sustento dos trabalhadores que os fazem (máquinas e instrumentos etc.).

Com razão, os fisiocratas colocavam a parte do capital adiantada em salários nos adiantamentos anuais em oposição aos adiantamentos primitivos. Por outro lado, viam eles como componente do capital produtivo empregado pelo arrendatário, não a força de trabalho, mas os meios de subsistência fornecidos aos trabalhadores agrícolas (o sustento dos trabalhadores, conforme diz Smith). Isto se harmoniza perfeitamente com sua doutrina específica. A parte de valor que o trabalho acrescenta ao produto (considerada ao lado da que lhe acrescentam as matérias-primas, os instrumentos de trabalho etc., em suma, os elementos materiais do capital constante) é, segundo eles, igual ao valor dos meios de subsistência com que se retribuem os trabalhadores e que eles têm de consumir necessariamente para que se mantenham em sua função de forças de trabalho. A própria doutrina impedia-lhes descobrir a diferença entre capital constante e capital variável. Se o trabalho produz a mais-valia, além de reproduzir seu próprio preço, produzi-la-á não só na agricultura, mas também na indústria. Mas, uma vez que, segundo o sistema, o trabalho só a produz num determinado setor de produção, na agricultura, não poderia ela decorrer do trabalho, mas da ação (concurso) da natureza nesse setor. E justamente por isso qualificam o trabalho agrícola de trabalho produtivo, por oposição às outras espécies de trabalho.

A. Smith considera os meios de subsistência dos trabalhadores capital circulante em oposição ao fixo:

1) Porque confunde o capital circulante, oposto ao fixo, com as formas do capital pertencentes à esfera da circulação, com o capital de circulação, confusão que os economistas posteriores herdaram sem criticá-la. Confunde, portanto, o capital-mercadoria com a parte constante do capital produtivo, e é evidente que, onde o produto social assume a forma de mercadoria, têm de sair do capital-mercadoria os meios de subsistência dos trabalhadores e os dos não trabalhadores, os materiais e os meios de trabalho.

2) Mas deparamos ainda em Smith a concepção fisiocrática, embora ela contradiga a parte esotérica – realmente científica – de sua análise.

O capital adiantado se transforma em capital produtivo, isto é, configura-se em elementos de produção (e entre eles está a força de trabalho) que são, por sua vez, produto de trabalho anterior. Só dessa forma pode funcionar no processo de produção. Se substituímos a força de trabalho, em que se converteu a parte variável do capital, pelos meios de subsistência do trabalhador, é claro que os meios de subsistência como tais não se distinguem, do ponto de vista da formação do valor, dos outros elementos do capital produtivo, as matérias-primas e os meios de subsistência dos animais de trabalho. Por isso, Smith, de acordo com os fisiocratas, coloca os meios de subsistência dos animais e os dos trabalhadores na mesma classe, conforme passagem anteriormente citada. Os meios de subsistência não podem acrescer o próprio valor, adicionar-lhe mais-valia. Seu valor, como o dos outros elementos do capital produtivo, pode apenas reaparecer no valor do produto. Não podem acrescentar ao produto mais valor que o que possuem. Como as matérias-primas, os produtos semiacabados etc. distinguem-se do capital fixo, constituído de meios de trabalho, apenas porque (pelo menos para o capitalista que os paga) são consumidos por inteiro no produto que contribuem para formar, tendo seu valor, portanto, de ser totalmente reposto, o que, no capital fixo, só ocorre pouco a pouco, progressivamente. A parte do capital produtivo adiantada em força de trabalho (em meios de subsistência do trabalhador) passa então a distinguir-se dos demais elementos materiais do capital produtivo, materialmente apenas, e não com referência ao processo de trabalho e ao de criação da mais-valia.

Distingue-se por integrar a parte dos fatores objetivos da produção (materiais, segundo a expressão genérica de Smith) que cai na categoria de capital circulante, em oposição à outra parte desses fatores que cai na categoria de capital fixo.

A circunstância de a fração do capital despendida em salário pertencer à parte circulante do capital produtivo, tendo, em oposição ao componente fixo do capital produtivo, a qualidade de circulante em comum com uma parte dos fatores objetivos da produção, as matérias-primas etc., nada tem a ver com o papel que essa fração variável do capital desempenha no processo de produzir mais-valia, em oposição ao capital constante. Relaciona-se apenas com o modo como a fração variável do valor-capital adiantado tem de ser reposta, renovada, portanto reproduzida pelo valor do produto, graças à circulação. As operações contínuas de compra da força de trabalho pertencem ao processo de circulação. Mas só dentro do processo de produção a magnitude determinada, definida, do valor despendido em força de trabalho se transforma, não para o trabalhador, mas para o capitalista, em magnitude variável, e assim o valor adiantado se converte em valor-capital, em capital, em valor que gera valor excedente. Mas, ao considerar-se, a exemplo de Smith, como elemento circulante do capital produtivo não o valor despendido em força de trabalho, mas o valor despendido nos meios de subsistência do trabalhador, torna-se impossível compreender a diferença entre capital variável e capital constante, e, portanto, o próprio processo capitalista de produção. A característica que a parte do capital despendida em força de trabalho possui como capital variável em oposição ao capital constante despendido em fatores objetivos da produção se eclipsa com outra característica dessa parte: a de pertencer, do ponto de vista da rotação, à parte circulante do capital produtivo. O eclipse se torna completo quando, em lugar da força de trabalho, se colocam os meios de subsistência do trabalhador como elemento do capital produtivo. Não importa que o valor da força de trabalho seja adiantado em dinheiro ou diretamente em meios de subsistência. O segundo caso, naturalmente, constitui exceção na produção capitalista.[24]

24 Até que ponto A. Smith impedia a si mesmo de compreender o papel da força de trabalho no processo de criar mais-valia, evidencia-se na seguinte frase, onde, à maneira dos fisiocratas, põe no mesmo nível o trabalho dos trabalhadores e o das bestas de carga: "São os trabalhadores produtivos" (na agricultura) "não só os trabalhadores braçais, mas também os animais de trabalho." (Livro II, Capítulo V, p. 135.)

Ao imprimir ao valor-capital desembolsado em força de trabalho o atributo de capital circulante como a característica distintiva, qualificação fisiocrática sem as premissas dos fisiocratas, conseguiu A. Smith tornar impossível a seus sucessores compreenderem que a parte do capital adiantada em força de trabalho é capital variável. Não venceram esse equívoco os raciocínios mais profundos e corretos que desenvolveu noutras partes de sua obra. Economistas posteriores foram mais além. Não se limitaram a considerar característica distintiva da parte do capital despendida em força de trabalho ser capital circulante, em oposição ao fixo; transformaram em característica essencial do capital circulante ser despendido em meios de subsistência para os trabalhadores. Consequência natural disso é a teoria do fundo do trabalho,[I] consistente nos meios de subsistência necessários, dotado de magnitude definida e que limita fisicamente a participação dos trabalhadores no produto social, ao mesmo tempo que o fundo por inteiro tem de ser gasto na compra de força de trabalho.

I Ver Livro 1, pp. 669-671.

XI.
Teorias sobre capital fixo e capital circulante. Ricardo

Ricardo alude a diferença entre capital fixo e capital circulante apenas para expor as exceções à regra do valor, ou seja, os casos em que o nível dos salários influi sobre os preços. Estudaremos este assunto no Livro 3.[I]

Logo se percebe a obscuridade na base da argumentação, quando ele, indiferentemente, mistura:

> Esta diferença no grau de durabilidade do capital fixo e esta variedade nas proporções em que se podem combinar as duas espécies de capital.[25]

Quanto a essas duas espécies de capital, diz Ricardo:

> Podem variar igualmente as proporções em que se podem combinar o capital destinado a sustentar o trabalho e o capital despendido em ferramentas, maquinaria e edifícios.[26]

Temos, portanto, capital = meios de trabalho, e capital circulante = capital despendido em trabalho. Capital destinado a sustentar o trabalho já é uma expressão absurda herdada de A. Smith. Confunde-se aí capital circulante com capital variável, isto é, com a parte do capital produtivo empregada em força de trabalho. Além disso, não se extraindo a distinção do processo de valorizar (capital constante e capital variável), e sim do processo de circulação (a velha confusão de Smith), resultam daí definições duplamente falsas.

Primeiro: justapõem-se como equivalentes as diferenças no grau de durabilidade do capital fixo e as diferenças na composição do capital em suas partes constante e variável. Estas últimas diferenças fazem variar a produção da mais-valia; as primeiras, ao contrário, do ponto de vista do processo de valorizar, estão relacionadas com o modo como dado valor do meio de produção se transfere ao produto, e, do ponto de vista do processo de circulação, relacionam-se apenas com o período de renovação do capital adiantado, ou seja, com o tempo pelo qual se desembolsa. Na realidade, essas diferenças se desfazem quando, em vez de perquirir o mecanismo in-

---

I Ver Livro 3, Capítulo xi.

25 "*This difference in the degree of durability of fixed capital, and this variety in the proportions in which the two sorts of capital may be combined.*" (*Principles*, p. 25.)

26 *The proportions, too, in which the capital that is to support labour, and the capital that is invested in tools, machinery, and buildings, may be variously combined.*" (*Op. cit.*)

terno do processo capitalista de produção, colocamo-nos no ponto de vista dos fenômenos consumados. Quando se trata de repartir a mais-valia social entre os capitais aplicados em diferentes ramos de atividade, as diferenças nos prazos por que se adianta o capital (por consequência, a diferença na duração do capital fixo) e as diferenças na composição orgânica do capital (portanto, a circulação diversa do capital constante e do capital variável) concorrem da mesma maneira para igualar a taxa geral de lucro e para transformar os valores em preços de produção.

Segundo: do ponto de vista do processo de circulação, estão, de um lado, os meios de trabalho, o capital fixo; do outro, os materiais de trabalho e os salários, o capital circulante. Do ponto de vista do processo de trabalho e do processo de valorizar, estão, de um lado, meios de produção (meios de trabalho e materiais de trabalho), capital constante; do outro, força de trabalho, capital variável. A composição orgânica do capital (Livro I, Capítulo XXIII, pp. 715 e segs.) não se altera se, para a mesma quantidade de valor do capital constante, aumenta a proporção dos meios de trabalho e diminui a dos materiais de trabalho ou vice-versa, pois tudo depende da relação entre o capital adiantado nos meios de produção e o adiantado em força de trabalho. Ao contrário, do ponto de vista do processo de circulação, ou seja, da diferença entre capital fixo e capital circulante, não interessa a proporção em que determinada magnitude do valor do capital circulante se reparte em materiais de trabalho e salários. No primeiro caso, os materiais de trabalho são colocados juntamente com os meios de trabalho na mesma categoria, em oposição ao valor-capital despendido em força de trabalho. No segundo, a parte do capital aplicada em força de trabalho se coloca juntamente com a parte despendida em materiais de trabalho na mesma categoria, em oposição à parte adiantada em meios de trabalho.

Em Ricardo, não figura em nenhum lado a parte do valor do capital empregada em materiais de trabalho (matérias-primas e matérias auxiliares). Desaparece inteiramente. Não se ajusta ao lado do capital fixo, porque, quanto ao modo de circulação, coincide inteiramente com a parte do capital adiantada em força de trabalho. Não convém colocá-la no lado do capital circulante, pois assim se destruiria o legado de A. Smith tacitamente aceito pelos sucessores: a oposição entre capital fixo e capital circulante identificada com a oposição entre capital constante e capital variável. Ricardo tinha instinto lógico demasiadamente poderoso para deixar de sentir o que se passava, e, por isso, nele não se encontra vestígio daquela parte do capital.

É oportuno observar que o capitalista, para usar a linguagem da economia política, adianta o capital empregado em salário em prazos diferentes, segundo esse salário, por exemplo, é pago por semana, por mês ou por trimestre. Na realidade, sucede o inverso. O trabalhador adianta seu trabalho ao capitalista por semana, por mês ou por três meses, segundo é pago semanal, mensal ou trimestralmente. Se o capitalista *comprasse* a força de trabalho, em vez de pagá-la, se, portanto, antecipadamente entregasse ao trabalhador o salário diário, semanal, mensal ou trimestral, poder-se-ia falar de um adiantamento pelo tempo que durasse o trabalho. Mas, pagando ele depois de o trabalho ter durado dias, semanas, meses, em vez de comprá-lo e pagá-lo pelo tempo que vai durar, tudo se reduz a um quiproquó capitalista: o adiantamento de trabalho que o trabalhador faz ao capitalista se transforma num adiantamento em dinheiro que o capitalista faz ao trabalhador. Em nada altera a situação a circunstância de serem mais ou menos longos os prazos em que o capitalista retira ou realiza, através da circulação, o que produziu, ou melhor, o valor do produto, inclusive a mais-valia nele incorporada, em virtude da duração diversa da produção ou do tempo diverso exigido pela circulação. O que o comprador fará com a mercadoria não é problema do vendedor. O capitalista não adquire uma máquina mais barata por ter de pagar todo o seu valor de uma vez, embora, através da circulação, só o recobre pouco a pouco, fragmentariamente. Nem paga mais caro o algodão, por entrar inteiramente o valor dessa matéria-prima no valor do produto fabricado e ser reposto assim por inteiro e de uma vez com a venda do produto.

Voltemos a Ricardo.

1. Caracteriza o capital variável a troca de determinada, dada parte (e como tal constante), do capital, de uma soma definida de valor (suposta igual ao valor da força de trabalho, embora aqui não importe que seja igual, superior ou inferior ao valor da força de trabalho) por uma força que se valoriza, que gera valor, a força de trabalho, que reproduz não só seu valor pago pelo capitalista, mas ainda produz um valor excedente, que não existia antes e que não foi comprado por equivalente algum. Essa propriedade característica do capital empregado em salários, a qual o distingue inteiramente como capital variável do capital constante, desaparece quando a parte do capital desembolsado em salários é considerada apenas do ponto de vista do processo de circulação e, assim, aparece como capital circulante em oposição ao capital fixo desembolsado em meios de trabalho. Isto já

decorre de que, ao ser colocada na classe de capital circulante, em conjunto com uma fração do capital constante, a desembolsada em materiais de trabalho, se opõe à outra fração do capital constante, a desembolsada em meios de trabalho. Põe-se totalmente de lado a mais-valia, justamente a circunstância, portanto, que transforma em capital a soma de valor desembolsada. Também não se leva em conta que o valor acrescentado ao produto pelo capital empregado em salário é produzido de novo (e, portanto, realmente reproduzido), enquanto o valor acrescentado ao produto pelas matérias-primas não é produzido de novo nem realmente reproduzido, mas mantido e conservado apenas no valor do produto, por conseguinte, apenas reaparecendo como componente do valor do produto. A diferença, tal como se apresenta do ponto de vista da oposição entre capital fixo e capital circulante, consiste exclusivamente no seguinte: o valor dos meios de trabalho empregados para produzir uma mercadoria só em parte entra no valor dela, e, por isso, só em parte é reposto pela venda da mercadoria, isto é, pouco a pouco, gradualmente, e o valor da força de trabalho e dos objetos de trabalho (matérias-primas etc.) empregados para produzir uma mercadoria entra por inteiro nela, e, por isso, é totalmente reposto com sua venda. Nesse sentido e com relação ao processo de circulação, uma parte do capital funciona como capital fixo, e a outra como capital circulante. Nos dois casos, transferem-se ao produto valores determinados, adiantados, que são repostos com a venda do produto. A única diferença consiste em que a transferência e, por conseguinte, a reposição do valor se realizam, num caso, por partes, gradualmente, e, no outro, de uma vez. Assim, apaga-se a diferença fundamental entre capital variável e capital constante, todo o segredo, portanto, da criação da mais-valia e da produção capitalista, as circunstâncias que transformam em capital certos valores e as coisas que os representam. E todos os componentes do capital só se distinguem então pelo modo de circulação (e a circulação da mercadoria só diz respeito, naturalmente, a valores dados, preexistentes); e um modo particular de circulação é comum ao capital empregado em salários e ao empregado em matérias-primas, produtos semiacabados e matérias auxiliares, colocando-os em oposição ao capital desembolsado em meios de trabalho.

Compreende-se por que a economia política burguesa, instintivamente, aferrou-se à confusão estabelecida por A. Smith entre as categorias "capital constante e capital variável" e as categorias "capital fixo e capital circulante", repetindo-a como um realejo, por um século inteiro, uma geração após outra. Ela não discerne mais o capital empregado em salários do empregado em matérias-primas, e só formalmente distingue entre aquele e o capital constante, conforme seja total ou parcial a maneira de circular através do produto. Com isso, sepulta-se de uma vez a base indispensável para se ver o movimento real da produção capitalista e, por consequência, da exploração capitalista. Tudo se resume ao reaparecimento de valores adiantados.

Essa aceitação sem crítica da confusão de Smith incomoda mais Ricardo que os guardiães da apologética, aparecida posteriormente; aliás, para esses paladinos, é, pelo contrário, tranquilizante a confusão de ideias. Para Ricardo, o transtorno é maior que para Smith, pois o primeiro realiza um estudo mais lógico e mais arguto sobre o valor e a mais-valia, opondo o Smith esotérico ao Smith exotérico.

Nos fisiocratas, nada se encontra dessa confusão. A diferença entre adiantamentos anuais e adiantamentos primitivos apenas se refere aos diversos períodos de reprodução dos vários componentes do capital, especialmente do capital agrícola. Suas ideias sobre a produção da mais-valia são independentes dessa distinção e constituem parte de sua teoria, e justamente a que eles mais destacam. Não atribuem a produção da mais-valia ao capital como tal, mas a uma determinada esfera de produção do capital, a agricultura.

2. O essencial para se conceituar o capital variável e, consequentemente, para qualquer soma de valor se transformar em capital é o fato de o capitalista trocar determinada, dada (e, nesse sentido, constante) magnitude de valor por força criadora de valor, uma magnitude de valor por produção de valor, por valor que se expande. Em nada muda esta característica essencial a circunstância de o capitalista pagar ao trabalhador em dinheiro ou em meios de subsistência. O que muda é o modo de existência do valor adiantado, que, num caso, existe na forma do dinheiro com que o trabalhador compra no mercado seus meios de subsistência, e, no outro, na forma dos meios de subsistência que ele consome diretamente. Na realidade, a produção capitalista desenvolvida tem por condição fundamental que o trabalhador seja pago em dinheiro, do mesmo modo que supõe o funcionamento do processo de produção por intermédio do processo de circulação, a economia monetária, portanto. Mas a criação da mais-valia – e, portanto, a capitalização da soma de valor adiantada – não decorre da forma monetária nem tampouco da forma natural do salário, nem do capital empregado na compra da força de trabalho. Provém da troca de

valor por força criadora de valor, da conversão de uma grandeza constante numa grandeza variável.

A maior ou menor fixidade dos meios de trabalho depende do grau de sua durabilidade, portanto de uma propriedade física. Segundo o grau dessa durabilidade, não se alterando as demais circunstâncias, se desgastarão mais ou menos rapidamente, funcionarão por mais ou menos tempo como capital fixo. Mas não é apenas em virtude dessa propriedade física, a durabilidade, que funcionam como capital fixo. Nas usinas metalúrgicas, a matéria-prima é tão durável quanto as máquinas empregadas na fabricação e mais durável do que certos componentes dessas máquinas, couro, madeira etc. Não obstante, o metal que serve de matéria-prima constitui parte do capital circulante, e o meio de trabalho empregado, provavelmente feito do mesmo metal, parte do capital fixo. Não é, portanto, pela natureza física, material, nem por sua maior ou menor resistência que o mesmo metal ora é classificado como capital fixo, ora como capital circulante. Essa diferença decorre antes do papel que desempenha no processo de produção, o de objeto de trabalho ou o de meio de trabalho.

A função do meio de trabalho no processo de produção geralmente exige que ele, em período mais ou menos longo, sirva, de maneira contínua, em repetidos processos de trabalho. Para a função que exerce, é indispensável a durabilidade maior ou menor de sua substância. Mas essa durabilidade não faz dele necessariamente capital fixo. A mesma matéria, se é matéria-prima, torna-se capital circulante, e, para os economistas que confundem a diferença entre capital-mercadoria e capital produtivo com a diferença entre capital circulante e capital fixo, a mesma matéria, a mesma máquina, como produto, é capital circulante, e, como meio de trabalho, capital fixo.

Embora a matéria durável que constitui o meio de trabalho não o torne capital fixo, a função do meio de trabalho exige que este seja feito de material relativamente durável. A durabilidade de sua matéria é, portanto, condição de seu papel de meio de trabalho, e, por consequência, base material do modo de circulação que o torna capital fixo. Não se alterando as demais circunstâncias, a maior ou menor durabilidade de sua matéria imprime-lhe em maior ou menor grau o cunho da fixidade; está, portanto, essencialmente ligada à sua qualidade de capital fixo.

Se o capital empregado em força de trabalho é considerado exclusivamente do ponto de vista de capital circulante, em oposição, portanto, ao capital fixo; se, por isso, se mistura a diferença entre capital constante e capital variável com a diferença entre capital fixo e capital circulante, é natural (se é natural que a realidade material do meio de trabalho constitua o fundamento essencial de seu caráter de capital fixo) derivar da realidade material do capital empregado em força de trabalho seu caráter de capital circulante em oposição ao fixo, e depois definir o capital circulante por meio da realidade material do capital variável.

A substância efetiva do capital empregado em salário é o próprio trabalho, a força de trabalho em ação, criando valor, o trabalho vivo que o capitalista troca por trabalho morto, materializado, incorporado a seu capital, e só por este motivo o valor que se encontra em suas mãos se transforma em outro valor que acresce a si mesmo. Mas essa força capaz de acrescer o próprio valor, não a vende o capitalista. Ela sempre constitui apenas componente de seu capital produtivo, como seus meios de trabalho, e jamais componente de seu capital-mercadoria, como, por exemplo, o produto acabado que ele vende. Dentro do processo de produção, não é como capital fixo que os meios de trabalho, enquanto componentes do capital produtivo, se contrapõem à força de trabalho, nem com esta se confundem os materiais de trabalho e as matérias auxiliares, na condição de capital circulante: do ponto de vista do processo de trabalho, a força de trabalho, como fator pessoal, se contrapõe a todos eles por serem fatores materiais; do ponto de vista do processo de criar mais-valia, todos eles se contrapõem, como capital constante, à força de trabalho, capital variável. Se o propósito, entretanto, é falar de uma diferença material que se reflete no processo de circulação, teremos apenas a seguinte: da natureza do valor, trabalho materializado e nada mais, e da natureza da força de trabalho em ação, trabalho que está se materializando, resulta que a força de trabalho, durante seu funcionamento, cria continuamente valor e mais-valia, e o que, de seu lado, se manifesta em movimento, em criação de valor, do lado do seu produto, se patenteia em forma estática, em valor criado. Depois de a força de trabalho ter agido, o capital não consiste mais em força de trabalho, de um lado, e em meios de produção, do outro. O valor-capital que foi empregado em força de trabalho é agora valor (+ mais-valia) agregado ao produto. Para repetir o processo, é necessário vender o produto e, com o dinheiro assim obtido, renovar a compra da força de trabalho e incorporá-la ao capital produtivo. É isto que dá ao capital desembolsado em força de trabalho e ao desembolsado em materiais de trabalho etc. o caráter de capital circulante, em oposição ao capital que permanece fixado nos meios de trabalho.

A isto se opõem os que consideram característica essencial da parte do capital empregada em força de trabalho, a característica secundária de capital circulante que ela tem em comum com elementos do capital constante (matérias-primas e matérias auxiliares): a de que o valor desembolsado nessa parte se transfere totalmente ao produto em cuja fabricação ela se consome tendo por isso o valor de ser reposto por inteiro com a venda do produto, e não pouco a pouco, gradualmente, como sucede com o capital fixo. Mas, nessas condições, o capital empregado em salários não consistirá materialmente em força de trabalho atuante, e sim nos elementos materiais que o trabalho compra com seu salário, ou seja, na parte do capital-mercadoria social que entra no consumo dos trabalhadores: os meios de subsistência. O capital fixo abrange, assim, os meios de trabalho, a serem repostos mais lentamente, em virtude de sua duração maior, e o capital empregado em força de trabalho compreende os meios de subsistência, a serem repostos mais rapidamente.

Esmorecem, entretanto, os limites traçados pela maior ou menor durabilidade.

> Os alimentos e a roupa que o trabalhador consome, os edifícios onde trabalha, o instrumental que utiliza em seu trabalho são todos perecíveis por natureza. Mas há uma grande diferença na duração desses diferentes capitais: uma máquina a vapor dura mais que um navio, um navio mais que a roupa do trabalhador, a roupa do trabalhador mais que os alimentos que ele consome.[27]

Ricardo esquece aí a casa onde mora o trabalhador, seus móveis, seu instrumental de consumo, facas, garfos, recipientes etc., que têm todos eles o mesmo caráter de durabilidade dos meios de trabalho. As mesmas coisas, as mesmas classes de coisas, ora aparecem como meios de consumo, ora como meios de trabalho.

A diferença, conforme a expressa Ricardo, é a seguinte:

---

27 "*The food and clothing consumed by the labourer, the buildings in which he works, the implements with which his labour is assisted, are all of a perishable nature. There is, however, a vast difference in the time for which these different capitals will endure: a steam-engine will last longer than a ship, a ship than the clothing of the labourer, and the clothing of the labourer longer than the food which he consumes.*" (Ricardo etc., p. 26.)

> O capital é qualificado de circulante se é rapidamente perecível e deve reproduzir-se amiúde, e de fixo, se é consumido lentamente.[28]

E acrescenta a observação:

> Uma divisão não essencial e que não permite traçar-se precisamente a linha de demarcação.[29]

Assim, retornamos aos fisiocratas, que viam na diferença entre adiantamentos anuais e adiantamentos primitivos uma diferença no tempo de consumo – e, portanto, no tempo diverso de reprodução – do capital aplicado. Mas o que, segundo eles, expressa um fenômeno importante para a produção social e está representado no quadro econômico (*Tableau Économique*) em conexão com o processo de circulação, torna-se depois uma distinção subjetiva e, conforme diz o próprio Ricardo, supérflua.

Se a parte do capital empregada em trabalho só se distingue pelo período de reprodução e, portanto, pelo prazo de circulação, da parte do capital empregada em meios de trabalho, se uma consiste em meios de subsistência e a outra em meios de trabalho, distinguindo-se estes daqueles apenas pela durabilidade, e possuindo os primeiros graus diversos de durabilidade, é natural que se apague toda diferença específica entre o capital empregado em força de trabalho e o empregado em meios de produção.

Isto contradiz por inteiro a doutrina de Ricardo sobre o valor e sua teoria a respeito do lucro, a qual efetivamente é teoria da mais-valia. Considera ele a diferença entre capital fixo e capital circulante apenas na medida em que proporções diversas de ambos, em diferentes ramos industriais e para magnitudes iguais de capital, influem na lei do valor, e, mais precisamente, na medida em que uma elevação ou queda do salário, em virtude daquela circunstância, modifica os preços. Todavia, mesmo dentro desse campo limitado de pesquisa, comete ele, em virtude de confundir capital fixo e capital circulante com capital constante e capital variável, os maiores erros e parte de uma base inteiramente falsa. Quanto à classificação da parte do valor do capital empregada em força de trabalho como capital circulante,

---

28 *"According as capital is rapidly perishable and requires to be frequently reproduced, or is of slow consumption, it is classed under the heads of circulating, or fixed capital."*

29 *"A division not essential, and in which the line of demarcation cannot be accurately drawn."*

expõe de maneira errônea as características do capital circulante, e especialmente as circunstâncias que colocam nessa classe a parte do capital empregada em trabalho. Além disso, confunde a propriedade pela qual a parte do capital empregada em trabalho é capital variável com a propriedade pela qual é circulante, em oposição ao capital fixo.

Está bem claro que a conceituação do capital empregado em força de trabalho como circulante é uma conceituação secundária, que oculta a diferença específica que o caracteriza no processo de produção, pois coloca na situação de equivalência o capital empregado em trabalho e o empregado em matérias-primas etc. Essa classificação que identifica parte do capital constante com o capital variável nada tem a ver com a diferença específica do capital variável em oposição ao capital constante. Opõe-se realmente a parte do capital empregada em trabalho à parte empregada em meios de trabalho, mas não com relação à circunstância de elas participarem de modo inteiramente diverso na produção do valor, mas com relação apenas à circunstância de que transferem ao produto, em prazos diferentes, o valor determinado que possuem.

Trata-se aí de saber *como* determinado valor empregado no processo de produção da mercadoria, seja salário, preço da matéria-prima ou preço dos meios de trabalho, se transfere ao produto, circula com o produto e, mediante a venda deste, volta ao ponto de partida ou é reposto. Toda a diferença está no *como*, no modo particular de transferência e, por conseguinte, de circulação desse valor.

Não interessa ao problema que o preço da força de trabalho, prévia e contratualmente determinado, seja pago em dinheiro ou meios de subsistência: continua sendo do mesmo modo um preço dado, determinado. Todavia, quando o salário é pago em dinheiro, é evidente que não é o próprio dinheiro que entra no processo de produção, em que se incorporam o valor e a matéria dos meios de produção. Mas a coisa muda de aspecto quando em oposição aos meios de trabalho se classificam os meios de subsistência que o trabalhador adquire com seu salário diretamente como figura material do capital circulante em conjunto com as matérias-primas etc. Se, de um lado, o valor dos meios de produção no processo de trabalho se transfere ao produto, do outro, o valor dos meios de subsistência reaparece na força de trabalho que os consome, e, com a atividade dessa força, se transfere também ao produto. Tanto num caso como no outro, trata-se apenas do reaparecimento, no produto, dos valores adiantados durante a produção (os fisiocratas tomavam isto a sério, e daí negarem que o trabalho industrial criasse mais-valia), Wayland, em passagem já citada,[I] diz:

> Não é importante a forma sob a qual o capital reaparece [...] transformam-se também as diversas espécies de alimentos, roupas e habitação que são indispensáveis à existência e ao conforto do ser humano. São consumidos ao longo do tempo, e seu valor reaparece etc. (*Elements of Political Economy*, pp. 31, 32.)

Os valores adiantados para a produção na figura dos meios de produção e dos meios de subsistência aí reaparecem igualmente no valor do produto. Assim, consegue-se transformar o processo capitalista de produção num mistério insondável e dissimula-se completamente a origem da mais-valia existente no produto.

Demais, aprimora-se o fetichismo peculiar da economia burguesa, que faz do caráter social, econômico, que se imprime às coisas no processo social de produção, propriedade natural, oriunda da natureza material dessas coisas. Meios de trabalho, por exemplo, são capital fixo, um conceito escolástico que leva a contradições e confusão. Ao tratar do processo de trabalho (Livro 1, Capítulo v), demonstramos que os elementos materiais configuram a função de meio de trabalho, material (objeto) de trabalho ou produto, segundo o papel ocasional que desempenham em determinado processo de trabalho. Do mesmo modo, os meios de trabalho só são capital fixo onde o processo de produção é capitalista e os meios de produção, portanto, constituem capital, possuem a condição econômica, o caráter social de capital, e se esses meios de trabalho transferem seu valor ao produto da maneira que caracteriza o capital fixo. Do contrário, continuam a ser meios de trabalho, sem serem capital fixo. Do mesmo modo, matérias auxiliares, como adubos, se tornam capital fixo, embora não sejam meios de trabalho, quando, como a maioria destes, transferem valor daquela maneira particular. Não se trata aqui de definições nas quais se encaixam as coisas. Trata-se de funções determinadas que se expressam em categorias determinadas.

Se se considera que os meios de subsistência possuem, em quaisquer circunstâncias, a propriedade de ser capital empregado em salários, torna-se característica desse capital "circulante" a de "sustentar o trabalho", *to support labour* (Ricardo, p. 25. — F.E.). Então, se os meios de subsistência não

I Livro 1, p. 232.

fossem "capital", não sustentariam a força de trabalho. Ora, é justamente o caráter de capital que lhes dá a propriedade de sustentar o capital com o trabalho alheio.

Se os meios de subsistência são, de *per se*, capital circulante depois de este se converter em salário, resulta ainda que a magnitude do salário depende da relação entre o número dos trabalhadores e o montante dado do capital circulante, proposição predileta dos economistas. Na realidade, entretanto, a massa dos meios de subsistência que o trabalhador retira do mercado e a de que dispõe o capitalista para seu consumo dependem da relação entre a mais-valia e o preço do trabalho.

Ricardo, como Barton,[29a] confunde sempre a relação entre capital variável e capital constante com a relação entre capital circulante e capital fixo. Mais tarde, veremos[I] como isso falseia sua pesquisa sobre a taxa de lucro.

Além disso, Ricardo identifica a diferença entre capital fixo e capital circulante com diferenças que dela não se originam, observadas na rotação:

> Importa também observar que o capital circulante pode circular ou voltar a seu investidor em prazos bem desiguais. O trigo comprado pelo agricultor para semear é capital fixo, comparado com o adquirido pelo padeiro para fazer pão. O primeiro deixa-o na terra e só depois de um ano pode obter reembolso; o outro pode mandá-la transformar em farinha e vendê-la como pão a seus fregueses, e assim, numa semana, ter seu capital livre para renovar a mesma operação ou iniciar outra.[30]

O característico dessa passagem é que o trigo – embora, como semente, sirva de matéria-prima, e não de meio de subsistência – ora é capital circulante por ser meio de subsistência, ora é capital fixo por só depois de um ano ocorrer sua recuperação. Mas o que faz de um meio de produção capital fixo é o modo especial como seu valor se transfere ao produto, e não a circunstância exclusiva de exigir maior ou menor tempo de recuperação.

29a *Observations on the Circumstances which Influence the Condition of the Labouring Classes of Society*. Londres, 1817. Vide citação no Livro 1, p. 693, nota 79.

I Ver Livro 3, Capítulos I a III.

30 "*It is also to be observed that the circulating capital may circulate, or be returned to its employer, in very unequal times. The wheat bought by a farmer to saw is comparatively a fixed capital to the wheat purchased by a baker to make into loaves. The one leaves it in the ground, and can obtain no return for a year; the other can get it ground into flour, sell it as bread to his customers, and have his capital free, to renew the same, or commerce any other employment in a week.*" (pp. 26, 27)

A confusão criada por A. Smith trouxe os seguintes resultados:

1) Confunde-se a diferença entre capital fixo e capital circulante com a diferença entre capital produtivo e capital-mercadoria. Assim, por exemplo, a mesma máquina é capital circulante quando se encontra no mercado como mercadoria, e capital fixo quando é incorporada ao processo de produção. Nessas condições é impossível saber por que determinado tipo de capital seria mais fixo ou mais circulante que outro.

2) Todo capital circulante se identifica com capital empregado ou a empregar em salário. É o que sustenta, entre outros, J. St. Mill.[I]

3) A diferença entre capital variável e capital constante, que Barton e Ricardo, dentre outros, já confundiam com a diferença entre capital circulante e capital fixo, acaba por reduzir-se inteiramente a esta última, como, por exemplo, em Ramsay,[II] para quem todos os meios de produção, matérias-primas etc., além dos meios de trabalho, são capital fixo, e apenas o capital empregado em salário é capital circulante. Em virtude da forma da redução, não se apreende a verdadeira diferença entre capital constante e capital variável.

4) Entre os economistas ingleses atuais, notadamente os escoceses, que tudo consideram do inefável ponto de vista de um caixa de banco, como Macleod,[III] Patterson[IV] e outros, a diferença entre capital circulante e capital fixo se transforma na diferença entre *money at call e money not at call* (depósito com retirada sem aviso prévio ou só mediante aviso prévio).

I *Essays on some Unsettled Questions of Political Economy*, Londres, 1844, p. 164.

II *An Essay on the Distribution of Wealth*, Edimburgo, 1836, pp. 21-24.

III *The Elements of Political Economy*, 1858, pp. 76-80.

IV *The Science of Finance. A Practical Treatise*, Londres, 1868, pp. 129-144.

XII.
O período de trabalho

Sejam fiação de algodão e fabricação de locomotivas dois ramos industriais com jornada de trabalho de igual duração, digamos, com processo de trabalho de 10 horas. Num ramo, fornece-se por dia, por semana, determinada quantidade de produto acabado, o fio de algodão; no outro, o processo de trabalho tem de repetir-se, suponhamos, durante três meses, a fim de obter-se um produto acabado, uma locomotiva. No primeiro caso, o produto é de natureza divisível e o trabalho recomeça diária ou semanalmente. No segundo, o processo de trabalho é contínuo, estende-se por longa série de processos de trabalho diários, que, juntos, na continuidade de sua operação, só após decurso de tempo bem maior fornecem um produto acabado. Embora, nos dois casos, seja a mesma a duração do processo diário de trabalho, há uma diferença importante na duração do ato de produção, isto é, na duração dos processos de trabalho repetidos que são necessários para obter o produto acabado, lançá-lo ao mercado como mercadoria, transformando-o, portanto, de capital produtivo em capital-mercadoria. Nada tem a ver com isso a diferença entre capital fixo e capital circulante. A diferença que estamos examinando continuaria existindo, mesmo quando nos dois ramos industriais se empregassem exatamente as mesmas proporções de capital fixo e capital circulante.

Essas diferenças na duração do ato de produção observam-se não só entre diversos setores de produção mas também no mesmo setor, segundo a dimensão do produto a obter. Uma habitação comum constrói-se em menos tempo que um edifício de fábrica, exigindo menor número de processos de trabalho contínuos. A construção de uma locomotiva custa três meses; a de um couraçado, um ano ou mais. A produção de trigo exige um ano; a de gado, vários anos, a silvicultura pode ir de doze a cem anos. Para construir uma estrada rural bastam talvez alguns meses, quando uma via férrea exige anos. Um tapete comum é feito talvez numa semana, um gobelino em anos etc. Variam infinitamente as diferenças na duração do ato de produção.

Para magnitude igual dos capitais, a diferença na duração do ato de produção tem de gerar diferença na velocidade da rotação, nos prazos, portanto, durante os quais se adianta determinado capital. Admitamos que a fiação e a fábrica de locomotivas apliquem capital da mesma magnitude, que sejam iguais, para ambas, a repartição entre capital constante e capital variável, a divisão entre capital fixo e capital circulante, a jornada de trabalho e sua repartição em trabalho necessário e trabalho excedente.

A fim de eliminar todas as circunstâncias oriundas do processo de circulação que sejam extrínsecas ao problema, vamos supor que o fio e as locomotivas são fabricados por encomenda e pagos na ocasião da entrega do produto acabado. No fim da semana, ao entregar o fio, seu fabricante (estamos abstraindo da mais-valia) recupera o capital circulante despendido e o desgaste de capital fixo que se insere no valor do fio. Pode agora, com o mesmo capital, recomeçar o mesmo ciclo. Esse capital fez uma rotação completa. Mas o fabricante de locomotivas, durante três meses, tem de despender, cada semana, novo capital em salários e matérias-primas, e só ao fim desses três meses, após entregar a locomotiva, é que esse capital circulante empregado pouco a pouco num mesmo ato de produção, para fabricar uma única e mesma mercadoria, recupera a forma que lhe possibilita recomeçar o ciclo. Ao mesmo tempo, se repõe o desgaste trimestral da maquinaria. Uma empresa tem o dispêndio de uma semana, a outra, o dispêndio de uma semana multiplicado por doze. Igualando-se todas as demais circunstâncias, a segunda empresa tem de ter um capital circulante doze vezes superior ao da primeira.

Pouco importa que sejam iguais os capitais semanalmente adiantados. Qualquer que seja a magnitude do capital adiantado, num caso adianta-se capital por uma semana, no outro por doze, antes de ser possível com ele operar, repetindo a mesma operação ou recomeçando nova.

A diferença na velocidade da rotação, ou no prazo pelo qual cada capital tem de ser adiantado antes de o correspondente valor poder servir como capital a novo processo de trabalho ou de valorização, decorre do seguinte:

Admitamos que a construção da locomotiva ou de qualquer máquina custe 100 jornadas de trabalho. Tanto para os trabalhadores ocupados na fiação quanto para os trabalhadores ocupados na construção de máquinas, as 100 jornadas de trabalho constituem grandeza descontínua (discreta), formada, no caso, de 100 processos de trabalho sucessivos, separados, cada um com a duração de 10 horas. Mas, quanto ao produto máquina, as 100 jornadas de trabalho constituem grandeza contínua, uma jornada de 1.000 horas de trabalho, um ato de produção único e completo. A essa jornada de trabalho constituída de jornadas consecutivas, conexas, mais ou menos numerosas, chamo de *período de trabalho.* Quando falamos de jornada de trabalho, referimo-nos ao tempo durante o qual o trabalhador tem diariamente de despender sua força de trabalho, de trabalhar. Quando falamos de período de trabalho, entendemos o número das jornadas de trabalho conexas, necessárias em determinado ramo industrial, para fornecer um produto acabado. Neste caso, o produto de cada jornada é apenas produto parcial que vai sendo elaborado dia a dia e que só no final de período mais ou menos longo adquire sua figura conclusa, a de um valor de uso pronto e acabado.

Interrupções, perturbações do processo social de produção, decorrentes, por exemplo, de crises, atuam de maneira bem diversa conforme se trate de produtos de trabalho divisíveis ou de produtos que se fabricam num longo período contínuo. No primeiro caso, a produção hoje de determinada quantidade de fio, carvão etc. não tem por consequência nova produção amanhã da mesma espécie. A coisa é outra quando se trata da construção de navios, edifícios, ferrovias etc. Não se interrompe apenas o trabalho, mas a totalidade conexa do ato de produção. Se a obra não prossegue, serão inúteis os meios de produção e o trabalho nela despendidos. E, quando é reatada, terá ocorrido estrago durante o tempo de interrupção.

Durante o período de trabalho, acumulam-se camadas sucessivas do valor que o capital fixo diariamente transfere ao produto até que fique pronto. E aí se evidencia ao mesmo tempo, em sua importância prática, a diferença entre capital fixo e capital circulante. O capital fixo é aplicado no processo de produção por prazo longo e não precisa ser renovado antes de transcorrer esse prazo, que pode ser de vários anos. Em nada altera o desembolso do capital necessário para comprar a máquina a vapor a circunstância de a transferência progressiva de seu valor ao fio, produto de um processo de trabalho descontínuo, ser diária ou de só realizar-se após três meses, no caso de uma locomotiva, produto de um ato de produção contínuo. No primeiro caso, seu valor reflui em doses pequenas, por exemplo semanalmente; no segundo, em montantes consideráveis, digamos trimestralmente. Mas, nos dois casos, a renovação da máquina a vapor talvez só se faça depois de vinte anos. Enquanto for menor que o período de sua existência cada um dos períodos nos quais seu valor progressivamente reflui através da venda do produto, continua a mesma máquina a vapor a funcionar no processo de produção durante vários períodos de trabalho.

Mas é bem diferente o que se passa com os elementos circulantes do capital adiantado. A força de trabalho comprada na semana é gasta durante a semana, materializando-se no produto. Tem de ser paga no fim da semana. E, no caso da produção da locomotiva, repete-se semanalmente durante os três meses esse emprego de capital em força de trabalho sem que o desembolso de uma semana capacite o capitalista a custear a compra do trabalho na semana seguinte. Novo capital adicional tem de ser desembolsado semanalmente a fim de pagar força de trabalho, e, pondo-se o crédito totalmente de lado, é mister que o capitalista seja capaz de custear os salários no período de três meses, embora os pague em doses semanais. O mesmo sucede com a outra parte do capital circulante, empregada em matérias-primas e matérias auxiliares. Camadas sucessivas de trabalho depositam-se sobre o produto. Durante o processo de trabalho, o valor da força de trabalho gasta, além da mais-valia, transfere-se continuamente ao produto mas a produto inacabado que ainda não assumiu a figura de mercadoria acabada, não estando, portanto, ainda em condições de circular. O mesmo se aplica ao valor-capital em matérias-primas e matérias auxiliares transferido por camadas sucessivas ao produto.

Segundo a duração maior ou menor do período de trabalho, exigida pela natureza específica do produto ou do efeito útil a atingir, é mister um desembolso contínuo, adicional, de capital circulante (salários, matérias-primas e matérias auxiliares), do qual nem um átomo, nesse ínterim, se encontra em forma capaz de circular e de servir para renovar a mesma operação. Ao contrário, cada elemento se prende ao processo de produção como componente do produto em vias de realização, sob a forma de capital produtivo. O tempo de rotação é, porém, igual à soma do tempo de produção e do tempo de circulação do capital. Quando se prolonga o tempo de produção, reduz-se, portanto, a velocidade da rotação e o mesmo ocorre quando se prolonga o tempo de circulação. No presente caso, há duas observações a fazer:

1) A permanência prolongada na esfera da produção. O capital adiantado na primeira semana, em trabalho, matérias-primas etc. e as parcelas de valor cedidas ao produto pelo capital fixo permanecem, por todo o prazo de três meses, prisioneiros da esfera da produção e, estando incorporados a um produto em vir-a-ser, ainda inacabado, não podem entrar na circulação como mercadoria.

2) Uma vez que o período de trabalho necessário ao ato de produção dura três meses e na realidade constitui um único processo de trabalho, é mister em cada semana acrescentar nova dose de capital circulante ao anterior. O montante do capital que se adianta progressivamente, por adições, aumenta com a duração do período de trabalho.

Supusemos que são iguais os capitais empregados na fiação e na construção de locomotivas, que esses capitais se dividem nas mesmas proporções em capital constante e capital variável e em capital fixo e circulante, que tem igual duração a jornada de trabalho, enfim, que são iguais todas as condições, exceto a duração do período de trabalho. Na primeira semana, o desembolso é igual para as duas indústrias, mas o produto da fiação pode vender-se e com a receita adquirir-se nova força de trabalho e novas matérias-primas, enfim, a produção pode prosseguir na mesma escala. O construtor de máquinas, ao contrário, só pode reconverter em dinheiro o capital circulante empregado na primeira semana depois de três meses, depois de concluir o produto, e então, com o dinheiro assim obtido, repetir a operação. A primeira diferença está, portanto, na reversão da mesma quantidade de capital adiantada. Mas, além disso, embora seja de igual magnitude o capital produtivo empregado durante os três meses na fiação e na construção de máquinas, diferem muito, para o fabricante de fios e para o construtor de máquinas, a grandeza do desembolso de capital, pois, no primeiro caso, o mesmo capital se renova rapidamente, podendo assim repetir-se a mesma operação; no outro caso, renova-se de maneira relativamente lenta, e, por isso, até que se conclua essa renovação novas quantidades de capital terão de ser continuamente adicionadas às anteriores. Temos, portanto, a diferença na duração do tempo em que se renovam porções determinadas do capital, ou seja, no prazo por que se faz o adiantamento, e a diferença no montante do capital (embora seja o mesmo o capital empregado diária ou semanalmente) que tem de ser adiantado de acordo com a duração do processo de trabalho. Importa observar essa circunstância, pois a duração do adiantamento pode aumentar, como nos casos apresentados no capítulo seguinte, sem que por isso o montante do capital a adiantar aumente proporcionalmente a essa duração. O capital tem de ser adiantado por prazo mais longo e quantidade maior de capital fica presa à forma de capital produtivo.

Nos estádios menos desenvolvidos da produção capitalista, não se realizam por métodos capitalistas os empreendimentos que exigem longo período de trabalho, portanto grande dispêndio de capital por longo prazo, notadamente os que só são exequíveis em grande escala. É o que se dava, por exemplo, com as estradas, canais etc. feitos à custa da comunidade ou do Estado (nos tempos antigos, empregava-se em regra a força de trabalho por meio de trabalhos forçados). Naqueles estádios, também era ínfima a contribuição dos haveres do capitalista para fazer produtos cuja elaboração exige longo período de trabalho. Por exemplo, na construção de casas, o particular para quem se constrói casa faz pagamentos parcelados ao construtor. Na realidade, vai pagando a casa pouco a pouco, na medida em que avança seu processo de produção. Mas, na era capitalista desenvolvida – quando capitais imensos se concentram nas mãos de alguns e surge o capitalista associado (sociedades anônimas) ao lado do capitalista singular, expandindo-se ao mesmo tempo o sistema de crédito –, só excepcionalmente constrói um empresário capitalista por encomenda individual de particulares. Seu negócio é construir para vender filas de casas, quarteirões inteiros, como o de outros capitalistas é construir vias férreas mediante contrato.

Os depoimentos prestados por um construtor perante a comissão dos bancos de 1857 informam-nos da revolução na indústria de construção operada em Londres pela produção capitalista. Quando jovem, disse, as casas eram construídas em regra por encomenda, e seu importe, pago parceladamente ao construtor durante a construção, na medida em que a obra atingia determinadas etapas. Pouco se construía para especular, o que os construtores geralmente só faziam para manter seus trabalhadores regularmente ocupados e tê-los juntos à mão. Tudo mudou nos últimos quarenta anos. Muito pouco se constrói hoje por encomenda. Quem precisa de uma casa nova escolhe-a entre as construídas para especular ou entre as que se encontram ainda em construção. O empresário não trabalha mais para o cliente, mas para o mercado, e, do mesmo modo que qualquer outro industrial, tem de possuir mercadoria pronta para vender. Antes, um empresário, para especular, construía talvez três ou quatro casas ao mesmo tempo; hoje, tem ele de comprar uma grande área (em linguagem continental, arrendá-la geralmente por noventa e nove anos), nela construir cem ou duzentas casas, lançando-se assim a um empreendimento que ultrapassa de vinte a cinquenta vezes os seus haveres. Levantam-se recursos por meio de hipotecas, e o empresário vai recebendo dinheiro à medida que anda a construção das diversas casas. Sobrevindo uma crise que paralise o pagamento das cotas devidas, soçobra em regra todo o empreendimento; na melhor hipótese, as casas ficam por terminar até surgirem melhores tempos, e, na pior, são penhoradas e vendidas pela metade do preço. Nenhum construtor pode hoje ir para a frente se não construir para especular e em grande escala. É extremamente reduzido o lucro que tira da própria construção; seu ganho principal advém da elevação da renda fundiária, da escolha e da exploração hábeis da área a construir. Com essa especulação que antecipa a procura de casas, foram construídos quase inteiramente os bairros de Belgravia e

Tyburnia e muitos milhares de vilas nos arredores de Londres. (Extraído do *Report from the Select Committee on Bank Acts*, Parte I, 1857, depoimentos, perguntas 5.413-5.418, 5.435-5.436.)

A execução de obras de grande escala e de período de trabalho bastante longo só passa a ser atribuição integral da produção capitalista quando já é bem considerável a concentração do capital, quando o desenvolvimento do sistema de crédito proporciona ao capitalista o cômodo expediente de adiantar e, portanto, de arriscar, em vez do seu, o capital alheio. É evidente que a circunstância de o capital adiantado na produção pertencer ou não a seu empregador não tem a menor influência na velocidade e no tempo da rotação.

Os fatores que aumentam o produto da jornada isolada de trabalho, tais como cooperação, divisão do trabalho, emprego da maquinaria, encurtam ao mesmo tempo o período de trabalho dos atos de produção contínuos. Assim, a maquinaria encurta o tempo de construção de casas, pontes etc.; a máquina de segar e a de debulhar etc. encurtam o período de trabalho necessário para transformar o trigo sazonado em mercadoria pronta e acabada. O progresso da construção naval, aumentando a velocidade dos navios, encurta o tempo de rotação do capital empregado na navegação. Esses progressos que reduzem o período de trabalho e por consequência o prazo pelo qual tem de ser adiantado capital circulante estão geralmente vinculados a maior dispêndio de capital fixo. Demais, em determinados ramos o período de trabalho pode ser diminuído, ampliando-se apenas a cooperação: apressa-se a construção de uma via férrea, mobilizando-se grandes exércitos de trabalhadores e atacando-se a obra de muitos lados em toda a sua extensão. Reduz-se o tempo de rotação com o aumento do capital adiantado. Mais meios de produção e mais força de trabalho têm de estar reunidos sob o comando do capitalista.

A redução do período de trabalho está, portanto, ligada ao aumento do capital adiantado no período que se reduz; na medida em que encurta o prazo de adiantamento, cresce o montante do capital a ser adiantado. Pondo-se de lado a totalidade do capital social, importa saber aqui até que ponto os meios de produção e os meios de subsistência ou a disposição deles estão dispersos ou reunidos nas mãos de capitalistas, até onde já foi, portanto, a concentração dos capitais. Na medida em que o crédito propicia, acelera e aumenta a concentração de capital sob um só comando, concorre para reduzir o período de trabalho e, por conseguinte, o tempo de rotação.

Nos ramos de produção em que o período de trabalho, contínuo ou interrompido, é prescrito por determinadas condições naturais, não pode ocorrer redução pelos meios acima indicados.

> A expressão rotação mais rápida não se pode aplicar à produção de trigo, em que só é possível uma rotação por ano. Quanto ao gado, perguntamos apenas: como apressar a rotação de ovelhas de dois e três anos e de bois de quatro e cinco anos? (W. Walter Good: *Political, Agricultural and Commercial Fallacies*, Londres, 1866, p. 325.)

A necessidade de dispor mais cedo de dinheiro (para pagar, por exemplo, dívidas fixas como impostos, arrendamentos etc.) depara-se com esse problema e resolve-o, por exemplo, vendendo e abatendo o gado, antes da idade econômica normal, com grande prejuízo para a agricultura, o que finalmente tem por consequência elevação dos preços da carne.

> As pessoas que antes criavam gado principalmente para prover as pastagens dos condados do interior no verão e os estábulos dos condados orientais no inverno [...] foram tão arruinadas com as oscilações e a queda dos preços do trigo que ficam muito satisfeitas quando podem tirar vantagem dos altos preços de manteiga e queijo. Semanalmente, levam a manteiga ao mercado, com o objetivo de cobrir despesas correntes; recebem pelo queijo adiantamentos de um agente que fica com o produto, se é transportável, e naturalmente faz seu próprio preço. Por isso e por ser a agricultura regida pelas leis da economia política, os bezerros que antes eram levados das zonas leiteiras para o sul, onde eram criados, são hoje, frequentemente oito a dez dias depois de nascidos, abatidos nos matadouros de Birmingham, Manchester, Liverpool e de outras cidades vizinhas. Mas, se houvesse isenção tributária para a cevada, os agricultores teriam obtido lucro maior e assim ficado em condições de reter seus bezerros esperando o crescimento e aumento de peso; demais, as pessoas que não têm vacas teriam utilizado cevada em vez de leite para criar bezerros. Ter-se-ia evitado, em grande parte, a impressionante escassez de novilhos atualmente observada. Quando aconselhada a criar bezerros, essa pobre gente responde: "Sabemos muito bem que é remuneradora a criação com leite, mas ela nos obriga a gastos de dinheiro que não podemos fazer e, além disso, teríamos de esperar muito tempo até que o dinheiro voltasse, quando a indústria do leite nos permite reembolsá-lo imediatamente." (*Op. cit.*, pp. 11, 12.)

Se, na agricultura inglesa, o prolongamento da rotação acarreta essas consequências para os pequenos arrendatários, é fácil compreender que traz necessariamente perturbações para o pequeno lavrador do continente.

Enquanto dura o período de trabalho, ou seja, até que se conclua a mercadoria em condições de circular, demora o reembolso da parte do valor que vai se acumulando por camadas no produto, cedida pelo capital fixo. Mas essa demora não causa novo dispêndio de capital fixo. A máquina continua a operar no processo de produção, não importando o tempo que demora a reposição em dinheiro de seu desgaste. Com o capital circulante, é diferente. O tempo em que fica imobilizado o capital aumenta na razão da duração do período de trabalho, e, além disso, tem de ser continuamente adiantado novo capital em salários, matérias-primas e matérias auxiliares. A demora do reembolso tem efeitos diversos nas duas formas de capital. O capital fixo continua a operar, seja qual for o tempo do reembolso. O capital circulante, ao contrário, torna-se incapaz de funcionar se se retarda o reembolso, se fica imobilizado sob a forma de produto encalhado ou inacabado, ainda invendável, e não há capital adicional para repô-lo em sua forma física.

> Enquanto o camponês morre de fome, seu gado prospera. Tinha chovido bastante, e as pastagens estavam exuberantes. O camponês indiano morrerá de fome junto a um boi gordo. Os preceitos da superstição se patenteiam cruéis para o indivíduo mas preservam a sociedade. A manutenção do gado assegura a continuidade da agricultura, sendo assim a garantia de que haverá, no futuro, alimentos e riqueza. Pode soar duro e triste mas é assim na Índia: um homem é mais fácil de substituir que um boi. (*Return, East India. Madras and Orissa Famine*, nº 4, p. 44.)

É oportuno lembrar o que diz o *Manava-Dharma Sastra*, Capítulo x, § 62:

> Sacrifício da própria vida sem recompensa, para sustentar um sacerdote ou uma vaca [...] pode assegurar a bem-aventurança dessas castas inferiores.

É, naturalmente, impossível fornecer um animal de cinco anos antes de decorrido esse prazo. Mas, dentro de certos limites, é possível, modificando o tratamento dos animais, obtê-los em menor tempo para o fim a que se destinam. É o que notadamente conseguiu Bakewell. Antes, as ovelhas inglesas, e as francesas ainda em 1855, não estavam boas para o talho antes de quatro ou cinco anos. Segundo o sistema de Bakewell, já se pode cevar uma ovelha de um ano e ela já está plenamente desenvolvida antes de decorridos dois anos. Por meio de cuidadosa seleção, Bakewell, arrendatário em Dishley Grange, reduziu o esqueleto das ovelhas ao mínimo necessário a sua existência. Suas ovelhas eram chamadas de New Leicesters.

> O criador pode hoje fornecer ao mercado três ovelhas no mesmo tempo que precisava antes para obter uma; além disso, as partes que dão mais carne são mais anchas, mais arredondadas e desenvolvidas. Quase todo o peso da ovelha é carne. (Lavergne, *The Rural Economy of England* etc., 1855, p. 20.)

Os métodos que abreviam o período de trabalho, aplicáveis em grau bem diverso segundo os vários ramos industriais, não eliminam as diferenças de duração dos diferentes períodos de trabalho. Voltemos ao nosso exemplo. Pode haver um decréscimo absoluto no período de trabalho necessário para construir uma locomotiva, com o emprego de novas máquinas-ferramenta. Mas, se processos aperfeiçoados na fiação aumentam de maneira incomparavelmente maior o produto acabado fornecido diária ou semanalmente, ocorrerá acréscimo relativo do período de trabalho na construção de locomotivas, confrontado com o da fiação.

XIII.
O tempo de produção

O tempo de trabalho é sempre tempo de produção, tempo durante o qual o capital está preso à esfera de produção. Mas a recíproca não é verdadeira. O tempo durante o qual o capital fica no processo de produção não é necessariamente tempo de trabalho.

Não se trata aqui de interrupções do processo de trabalho, determinadas pelos limites naturais da própria força de trabalho, embora se tenha mostrado até que ponto a simples circunstância de ficar ocioso o capital fixo – os edifícios das fábricas, a maquinaria etc., durante a pausa do processo de trabalho – constituiu um dos motivos para o prolongamento desnaturado do processo de trabalho e para o trabalho dia e noite.[I] Aqui versa-se a interrupção que não depende da duração do processo de trabalho, imposta pela natureza do produto e de sua fabricação, e durante a qual o objeto de trabalho é submetido por mais ou menos tempo a processos naturais, tendo de passar por transformações físicas, químicas, fisiológicas que suspendem total ou parcialmente o processo de trabalho.

Assim, o vinho que sai do lagar tem, durante certo tempo, de fermentar e, em seguida, repousar, a fim de obter determinado grau de perfeição. Em muitos ramos industriais, o produto tem de submeter-se à secagem, como na cerâmica, ou expor-se a certas influências para mudar sua qualidade química, como é o caso nas branquearias. O trigo de inverno precisa de cerca de nove meses para amadurecer. O processo de trabalho se interrompe quase inteiramente entre a semeadura e a colheita. Na silvicultura, depois da semeadura e de concluídos todos os trabalhos preliminares, precisa a semente de talvez cem anos para se transformar em produto acabado, e durante todo esse tempo são praticamente insignificantes as necessidades de trabalho adicional.

Em todos esses casos, durante grande parte do tempo de produção, só de maneira esporádica se acrescenta mais trabalho. A situação descrita no capítulo anterior, em que se acrescenta mais capital e mais trabalho ao capital já comprometido no processo de produção, só ocorre aqui com interrupções mais ou menos longas.

Em todos esses casos, o tempo de produção do capital adiantado consiste em dois períodos: um período em que o capital está no processo de trabalho e um segundo período em que sua forma de existência, a de produto inacabado, está exposta à ação de processos naturais, fora do processo

I Ver Livro 1, pp. 283-292.

de trabalho. Não importa que essas duas fases se entrecruzem e que haja interferências recíprocas. Não coincidem aí as dimensões do período de trabalho e do período de produção. O período de produção é maior que o período de trabalho. Mas o produto só está pronto, feito, capaz de passar da forma de capital produtivo para a de capital-mercadoria, depois de percorrer o período de produção. O período de rotação do capital aumenta com a duração do tempo de produção em que não entra tempo de trabalho. Quando o tempo de produção que excede o tempo de trabalho não está sujeito a leis naturais irremovíveis – sujeição observada na maturação do trigo, no crescimento do carvalho etc. –, o período de rotação pode frequentemente ser mais ou menos abreviado por meio de redução artificial do tempo de produção. É o que se dá com o emprego do branqueamento químico em lugar do branqueamento ao sol, e com o emprego, na secagem, de aparelhos mais eficazes. Nos curtumes, eram necessários seis a dezoito meses para as peles ficarem impregnadas de tanino, mas hoje, com o novo método que emprega a máquina automática, bastam mês e meio a dois meses (J.G. Courcelle-Seneuil, *Traité théorique et pratique des entreprises industrielles* etc., Paris, 1857, 2ª ed. [p. 49]). O exemplo mais impressionante da redução artificial do tempo de produção preenchido meramente por processos naturais fornece-nos a história da indústria siderúrgica, notadamente a transformação do ferro gusa em aço nos últimos cem anos, a partir da descoberta da pudelagem por volta de 1780 até o moderno processo Bessemer e aos outros métodos mais recentes. Reduziu-se enormemente o tempo de produção, mas aumentou na mesma medida o emprego de capital fixo.

A fabricação americana de formas de sapatos evidencia bem a divergência entre tempo de produção e tempo de trabalho. Parte importante dos custos dessa indústria decorre de a madeira ter de ficar até dezoito meses secando, a fim de que a forma, depois de pronta, não se empene, nem se deforme. Durante esse período, não se submete a madeira a qualquer outro processo de trabalho. Assim, o capital tem o período de rotação determinado não só pelo tempo necessário para fabricar a forma, mas também pelo tempo em que fica imobilizado esperando que a madeira seque. Esta permanece dezoito meses no processo de produção antes de poder entrar no processo de trabalho propriamente dito. O exemplo serve também para mostrar que os tempos de rotação das várias partes do capital circulante global podem diferir em virtude de circunstâncias que têm sua origem não na esfera da circulação, mas no processo de produção.

A diferença entre tempo de produção e tempo de trabalho patenteia-se bem nítida na agricultura. Em nossos climas temperados, é anual a colheita de trigo. A redução ou o prolongamento do período de produção (para a semeadura de inverno, nove meses em média) depende, por sua vez, dos vaivéns dos bons e dos maus anos, não sendo por isso previsível nem controlável como na indústria propriamente dita. Só produtos acessórios, leite, queijo etc., podem ser produzidos e vendidos seguidamente em períodos mais curtos. O tempo de trabalho, entretanto, comporta-se da seguinte maneira:

> Nas várias regiões da Alemanha, do ponto de vista dos fatores climáticos e outros, pode fazer-se, para os três principais períodos de trabalho, a seguinte avaliação do número de dias de trabalho: na primavera, de meados de março ou começo de abril até meados de maio, 50-60; no verão, do começo de junho a fins de agosto, 65-80; e no outono, do começo de setembro a fins de outubro ou meados ou fins de novembro, 55-75 dias de trabalho. No inverno, as tarefas próprias da estação, como transporte de adubos, de madeira, de mercadorias, de materiais etc. (F. Kirchhof, *Handbuch der landwirtschaftlichen Betriebslehre*, Dessau, 1852, p. 160.)

Quanto mais desfavorável o clima, mais se reduz na agricultura o período de trabalho e, em consequência, mais se concentra no tempo o emprego de trabalho e de capital. Exemplo: Rússia. Lá, em algumas regiões setentrionais, o trabalho do campo só é possível durante 130-150 dias do ano. É de imaginar que prejuízo teria a Rússia se 50 dos 65 milhões de sua população europeia ficassem sem ocupação durante os seis ou oito meses de inverno em que a lavoura tem de parar. Além dos 200.000 camponeses que trabalham nas 10.500 fábricas na Rússia, desenvolveram-se indústrias em domicílio por toda a parte nas aldeias. Todos os camponeses, em certas aldeias, são, há várias gerações, tecelões, curtidores, sapateiros, serralheiros, cutileiros etc.; é o que se dá sobretudo nas províncias de Moscou, Vladimir, Kaluga, Kostroma e Petersburgo. Diga-se de passagem que essa indústria em domicílio está sendo constrangida cada vez mais a se pôr a serviço da produção capitalista; comerciantes fornecem trama e urdume aos tecelões, diretamente ou por intermédio de agentes (extraído de *Reports by H. M. Secretaries of Embassy and Legation, on the Manufactures, Commerce* etc., nº 8, 1865, pp. 86, 87). Evidencia-se aí que a discrepância entre período de produção e período de trabalho, sendo o segundo apenas parte do primeiro, constitui o fundamento natural da combinação entre a agricultura e a indústria rural acessória, e que esta, por sua vez, serve de ponto de apoio para a intromissão do capitalista no papel de comerciante. À medida que realiza, mais tarde, a dissociação entre manufatura e agricultura, a produção capitalista torna o trabalhador agrícola cada vez mais dependente de meras ocupações ocasionais, piorando assim sua situação. Para o capitalista, como se verá mais tarde, compensam-se todas as diferenças de rotação. Mas não para o trabalhador.

Na maioria das indústrias propriamente ditas, nas minas, nos transportes etc., é uniforme a marcha da atividade empresarial, o tempo de trabalho é o mesmo todos os anos e, pondo-se de lado oscilações de preço e perturbações de negócios, consideradas interrupções anormais, é regular a distribuição dos desembolsos de capital que entram no processo diário de circulação; não se alterando as demais condições do mercado, o retorno do capital circulante ou sua renovação no decurso do ano se reparte em períodos regulares. Mas, nos investimentos em que o tempo de trabalho constitui apenas parte do tempo de produção, verifica-se no curso dos vários períodos do ano a maior irregularidade no emprego de capital circulante, enquanto o retorno só se realiza de uma vez, na ocasião imposta pelas condições naturais. Para igual escala, isto é, para igual magnitude do capital circulante que se adianta, tem esse capital de ser adiantado em quantidades maiores de uma vez e por tempo mais longo do que nos negócios de períodos de trabalho contínuos. A duração da vida do capital fixo se destaca mais do tempo em que de fato funciona produtivamente. Com a diferença entre tempo de trabalho e tempo de produção, é natural que se interrompa constantemente, por tempo mais ou menos longo, o tempo de utilização do capital fixo aplicado, conforme sucede na agricultura com os animais de lavoura, os instrumentos e as máquinas. Quando esse capital fixo se constitui de animais de trabalho, continua a exigir as mesmas ou quase as mesmas despesas de alimentação etc. feitas durante o tempo em que trabalha. A ausência de utilização acarreta também certa depreciação para os meios de trabalho inanimados. Há, portanto, encarecimento do produto, e calcula-se então a transferência de valor ao produto não pelo tempo em que funciona o capital fixo, mas pelo tempo em que perde valor. Nesses ramos de produção, a inatividade do capital fixo, relacionada ou não com custos correntes, constitui condição de seu emprego normal, à semelhança do que ocorre, por exemplo, com o desperdício de certa quantidade de algodão quando se fabricam fios; do mesmo modo, em todo processo de trabalho realizado em condições técnicas normais, o emprego improdutivo, mas inevitável, de força de trabalho conta por produtivo. Toda melhoria que reduz o dispêndio improdutivo de meios de trabalho, matérias-primas e força de trabalho reduz também o valor do produto.

Na agricultura, juntam-se as duas coisas: a duração maior do período de trabalho e a grande diferença entre tempo de trabalho e tempo de produção. A esse respeito, observa acertadamente Hodgskin:

> A diferença entre o tempo (embora não distinga ele aqui entre tempo de trabalho e tempo de produção) necessário para obter os produtos da agricultura e o necessário nos outros ramos de atividade é a principal causa da grande dependência dos agricultores. Estes precisam de um ano para levar suas mercadorias ao mercado. Durante todo esse tempo, têm de comprar fiado ao sapateiro, ao alfaiate, ferreiro, construtor de carroças e a outros produtores cujos produtos lhes são indispensáveis e são feitos em poucos dias ou semanas. Em virtude dessa circunstância natural e em virtude do aumento mais rápido da riqueza nos outros ramos, os proprietários das terras que monopolizam o solo de todo o Reino, embora monopolizem a legislação, são, apesar disso, incapazes de evitar que eles e seus servidores, os arrendatários, sejam as pessoas mais dependentes do país. (Thomas Hodgskin, *Popular Political Economy*, Londres, 1827, p. 147, nota.)

Todos os métodos empregados na agricultura, seja para repartir de maneira mais uniforme pelo ano inteiro as despesas em salários e em meios de trabalho, seja para reduzir a rotação, cultivando maior diversidade de produtos e tornando possível diferentes colheitas durante o ano, exigem aumento do capital circulante aplicado na produção, adiantado em salários, adubos, sementes etc. É o que se dá com a transição do afolhamento trienal com pousio para a rotação de culturas sem pousio. E é o que se observa nas culturas sucessivas de Flandres.

> Plantam-se tubérculos em sistema de culturas sucessivas; o mesmo campo produz primeiro cereais, linho, colza para as necessidades do homem, e depois da colheita semeiam-se tubérculos para a alimentação dos animais. Esse sistema, que permite manter o gado continuamente no estábulo, proporciona considerável acumulação de adubo e se torna assim o eixo da rotação das culturas. Adotam-se as culturas sucessivas em mais de um terço da superfície cultivada, nas regiões arenosas; é como se a área cultivada aumentasse de um terço.

Além de tubérculos, cultivam-se aí trevo e outras forragens.

> A agricultura levada a um ponto em que passa a ser horticultura exige, naturalmente, um capital de instalação relativamente considerável. Na Inglaterra, calculam-se 250 francos por hectare para esse capital inicial. Em Flandres, nossos camponeses acharão pequeno demais um capital de instalação de 500 francos por hectare. (*Essais sur l'économie rurale de la Belgique*, por Emile de Laveleye, Bruxelas, 1863, pp. 59, 60, 63.)

Vejamos, por fim, a silvicultura.

> A produção florestal distingue-se essencialmente da maioria das demais produções por nela operar de maneira independente a força da natureza e por não precisar, em sua renovação natural, das forças do homem e do capital. Mesmo quando as florestas são regeneradas artificialmente, é diminuto o emprego de força humana e de capital, comparado com a ação das forças naturais. Além disso, a floresta se desenvolve ainda em terrenos e em situações em que o trigo não dá bem ou não apresenta mais produção rentável. Para haver exploração regular, a silvicultura exige superfície maior que a da triticultura, não sendo possível instituir, em pequenas áreas, sistema racional de cortes, perdendo-se a maior parte dos produtos ou utilidades acessórios e ficando mais difícil proteger a floresta etc. O processo de produção depende de períodos tão longos que ultrapassa os planos de uma economia privada, às vezes mesmo o tempo de uma vida humana. O capital empregado na aquisição do solo (na produção em comum, desaparece esse capital e o problema se reduz a saber que extensão de terra a comunidade pode desviar da lavoura e das pastagens para a produção florestal) só depois de muito tempo proporciona frutos compensadores, retornando em parte e só efetuando uma rotação completa em prazos que em certas espécies de madeira vão até 150 anos. Demais, a produção duradoura de madeira exige que a floresta tenha uma reserva que represente 10 a 40 vezes seu rendimento anual. Quem possua bosques extensos, mas não possua outros recursos, não pode organizar exploração florestal regular. (Kirchhof, p. 58.)

O longo período de produção (que abrange tempo de trabalho relativamente diminuto) e a consequente demora do período de rotação tornam a silvicultura negócio pouco propício à exploração particular e, portanto, à exploração capitalista que é essencialmente privada, mesmo quando realizada por sociedade capitalista e não por capitalista individual. O desenvolvimento da cultura agrícola e da indústria se tem revelado tão eficaz na destruição das florestas que o que tem feito no sentido de conservá-las e regenerá-las não passa de uma grandeza que se desvanece inteiramente.

No trecho citado de Kirchhof merece atenção especial a seguinte passagem:

> Demais, a produção duradoura de madeira exige que a floresta tenha uma reserva que represente 10 a 40 vezes o rendimento anual.

Uma só rotação, portanto, requer 10 a 40 anos e mais.

Do mesmo modo na pecuária. Parte do gado (a reserva) permanece no processo de produção, enquanto se vende outra parte como produto anual. Só há rotação anual de parte do capital, conforme acontece com o capital fixo, a maquinaria, os animais de trabalho etc. Embora esse capital seja fixado ao processo de produção por muito tempo, prolongando a rotação do capital global, não se inclui ele na categoria de capital fixo.

O que se chama aqui de reserva – determinada quantidade de madeira na floresta ou de gado – está na dependência do processo de produção (como meio de trabalho e como material de trabalho); em economia ordenada e segundo as condições naturais de reprodução desse processo, parte importante desses elementos tem de estar sempre sob aquela forma.

Influi de maneira análoga na rotação outra espécie de reserva, que constitui capital produtivo potencial, e, em virtude da natureza da exploração, tem de acumular-se em maior ou menor quantidade, de antecipar-se, consequentemente, por bastante tempo à produção, embora só entre pouco a pouco no processo ativo da produção. É o caso, por exemplo, do adubo antes de ser misturado à terra das reservas de grãos, forragens e de outros alimentos que entram na criação do gado.

> Parte considerável do capital da empresa consiste em suas próprias reservas. Estas podem perder mais ou menos valor, se não forem adotadas oportunamente as medidas de precaução necessárias à boa conservação; por falta de vigilância, parte das reservas de produtos pode mesmo se perder inteiramente. Por isso, impõe-se, antes de mais nada, cuidadosa vigilância das granjas, dos celeiros de forragens e de cereais, da adega, devendo manter-se adequadamente fechados os locais de armazenamento, além de trazê-los sempre limpos, de arejá-los etc.; os cereais e outros frutos armazenados devem ser, de vez em quando, convenientemente revirados, e as batatas e os nabos têm de ser protegidos contra o frio, a umidade e o apodrecimento. (Kirchhof, p. 292.) Ao avaliarem-se as

> necessidades de consumo, sobretudo para o sustento do gado, devendo a distribuição ser feita de acordo com a produção e com o objetivo a atingir, é mister cuidar não só da cobertura das necessidades, mas também de que haja uma reserva relativa para casos imprevistos. Ao verificar-se que as necessidades não podem ser cobertas inteiramente pela produção própria, é necessário examinar a possibilidade de satisfazê-las produzindo sucedâneos ou adquirindo-os mais barato no mercado para substituir o que falta. A escassez de feno, por exemplo, pode suprir-se com raizame misturado com palha. De modo geral, é mister não perder de vista o valor real e o preço de mercado dos diversos produtos e, de acordo com isso, tomar as decisões sobre o consumo; por exemplo, se a aveia custa mais caro e as ervilhas e o centeio relativamente mais barato, será mais vantajoso, na alimentação dos cavalos, substituir parte da aveia por ervilhas ou centeio e vender a aveia que sobra com essa providência. (*Op. cit.*, p. 300.)

Ao estudar a formação de estoques,[I] observamos que é necessária quantidade determinada, maior ou menor, de capital produtivo potencial, ou seja, de meios de produção destinados à produção, e que têm de estar armazenados em quantidade maior ou menor, para entrar gradualmente no processo de produção. Verificamos então que, para dada empresa ou empreendimento capitalista de determinada magnitude, a grandeza do estoque produtivo depende da dificuldade maior ou menor de sua renovação, da proximidade relativa dos mercados fornecedores, do desenvolvimento dos meios de transporte e de comunicação etc. Todas essas circunstâncias influem sobre o mínimo de capital que tem de existir sob a forma de estoque produtivo, sobre o prazo dos adiantamentos de capital e sobre o montante de capital a adiantar de uma vez. Esse montante, que influi também na rotação, é determinado pelo tempo durante o qual o capital circulante permanece sob a forma de estoque produtivo, como capital produtivo meramente potencial. Demais, dependendo esses estoques da maior ou menor possibilidade de substituição rápida, das condições de mercado etc., originam-se eles, por sua vez, do tempo de circulação, de circunstâncias situadas na esfera da circulação.

> Além disso, todo esse equipamento ou pertences, os instrumentos de trabalho, peneiras, cestos, cordas, unto para carretas, pregos etc. têm de existir tanto mais em estoque, para atender a substituições imediatas, quanto menos se

I Ver pp. 152-158.

> tiver a possibilidade de obtê-los rapidamente nas proximidades. Todo ano, no inverno, deve revistar-se cuidadosamente todo o equipamento, adotando-se imediatamente todas as medidas necessárias para completá-lo e para pô-lo em condições de ser empregado. A importância dos estoques para atender de maneira geral às necessidades de equipamento dependerá sobretudo das condições locais. Onde não se encontram artesãos e vendas nas proximidades, os estoques têm de ser maiores do que onde se acham esses elementos no próprio local ou na vizinhança. Quando, em igualdade de condições, se adquirem de uma vez quantidades maiores das reservas necessárias, ganha-se em regra a vantagem de comprá-las barato, desde que se tenha escolhido o momento azado; com isto extrai-se de uma vez do capital de giro uma soma maior, que não pode ser facilmente dispensada pela exploração agrícola. (Kirchhof, p. 301.)

A diferença entre tempo de produção e tempo de trabalho comporta, conforme vimos, casos bem diversos. O capital circulante pode estar no tempo de produção, antes de entrar no processo de trabalho propriamente dito (formas de sapatos); ou estar em tempo de produção, depois de ter passado pelo processo de trabalho propriamente dito (vinho, trigo semental); ou o tempo de produção interrompe-se, a espaços, pelo tempo de trabalho (lavoura, silvicultura). Grande parte do produto apto para circular permanece incorporado ao processo ativo de produção, enquanto parte bem menor entra na circulação anual (silvicultura e pecuária). O maior ou menor prazo pelo qual o capital circulante tem de ser desembolsado sob a forma de capital produtivo potencial, portanto a maior ou menor quantidade desse capital a ser adiantada de uma vez, decorre, de um lado, da natureza do processo de produção (agricultura) e, do outro, depende da proximidade de mercados etc., em suma, de circunstâncias situadas na esfera da circulação.

Veremos, mais tarde (Livro 3), a que absurdas teorias chegaram MacCulloch, James Mill e outros, com a tentativa de identificar tempo de produção com tempo de trabalho, tentativa oriunda de aplicação errada da teoria do valor.

O ciclo de rotações estudado anteriormente[I] é determinado pela duração do capital fixo adiantado ao processo de produção. Compreendendo série maior ou menor de anos, abrange necessariamente séries de rotações anuais ou mais frequentes do capital fixo.

Na agricultura, esse ciclo de rotações decorre do sistema de alternância.

I Ver pp. 203-207.

> O prazo do arrendamento não deve ser menor que o tempo exigido pelo ciclo do sistema de alternância adotado; assim, no afolhamento trienal tem de ser de 3, 6, 9 anos ou de um múltiplo de 3. No afolhamento trienal com pousio, a terra é cultivada em quatro anos de cada período de seis, havendo, nos anos de cultivo, a semeadura de inverno e a de verão, e, se a qualidade do solo exige ou permite, semeiam-se alternativamente trigo e centeio, cevada e aveia. São diferentes o rendimento de cada espécie de cereal plantada no mesmo solo, o valor e o preço por que se vende cada uma. Por isso, para cada ano de cultivo, é diferente o rendimento da terra, e o mesmo se dá com a primeira metade do ciclo (nos primeiros três anos), comparada com a segunda. Nem mesmo o rendimento médio do ciclo é igual para os dois períodos, pois a fertilidade não depende apenas da qualidade do solo, mas também das variações do tempo, e vários fatores influem sobre os preços. Calculando-se o rendimento da terra segundo as colheitas médias anuais de todo o ciclo durante seis anos e segundo os preços médios, ter-se-á o rendimento anual médio válido para os dois períodos. Se o cálculo fosse feito na base da metade do ciclo, de três anos portanto, não se chegaria ao rendimento anual médio. Daí resulta que, para o afolhamento trienal, o prazo do arrendamento deve ser fixado em seis anos no mínimo. Bem mais conveniente ainda, tanto para o arrendatário quanto para o arrendador, é que o prazo de arrendamento seja um múltiplo do prazo de arrendamento [*sic!*][I] e que o afolhamento trienal, em vez de seis e doze, seja de dezoito anos ou mais, e o setenal, em vez de sete e quatorze, seja de vinte e oito. (Kirchhof, pp. 117, 118.)

[Nessa altura, lê-se no manuscrito: "A alternância inglesa. Fazer nota a respeito."]

I Kirchhof deveria ter dito: múltiplo do tempo que dura o ciclo.

XIV.
O tempo de circulação

Todas as circunstâncias até agora estudadas que diferenciam os períodos de circulação dos diferentes capitais aplicados nas diferentes indústrias – por conseguinte, os prazos durante os quais o capital tem de ser adiantado – surgem dentro do próprio processo de produção, tais como a diferença entre capital fixo e capital circulante, a diferença nos períodos de trabalho etc. O tempo de rotação do capital é igual à soma do tempo de produção e do tempo de circulação. Está, pois, evidente que, se varia o tempo de circulação, varia também o tempo de rotação, a duração do período de rotação. Isto se torna mais visível, comparando-se dois investimentos diferentes em que são as mesmas todas as circunstâncias que modificam a rotação, exceto os tempos de circulação, ou então tomando-se um capital dado em que são determinados a composição em capital fixo e capital circulante, o período de trabalho etc. e, hipoteticamente, fazem-se variar apenas os tempos de circulação.

Um segmento do tempo de circulação, e o relativamente mais decisivo, consiste no tempo que demora a venda, a época em que o capital está na condição de capital-mercadoria. Em função da magnitude relativa dessa demora, aumenta ou diminui o tempo de circulação e, por conseguinte, o período de rotação. Dispêndios adicionais de capital podem ser necessários em virtude de custos de armazenagem etc. Está claro que pode ser bem diferente o tempo necessário à venda das mercadorias acabadas, para os diversos capitalistas de um mesmo ramo; portanto, não só para as massas de capital empregadas nos diferentes ramos de produção, mas também para os diferentes capitais autônomos, que, na realidade, não passam de frações independentes do capital global empregado na mesma esfera de produção. Não se alterando as demais circunstâncias, o período de venda para o mesmo capital individual mudará com as flutuações do mercado, gerais ou relacionadas com a indústria particular considerada. Não insistiremos mais sobre este ponto. Limitamo-nos a registrar simplesmente o seguinte: todas as circunstâncias que produzem diferença nos períodos de rotação dos capitais aplicados nos diferentes ramos ocasionam também, quando atuam individualmente (por exemplo, quando um capitalista tem oportunidade de vender mais rápido que seu concorrente, quando emprega mais do que seu competidor métodos que encurtam os períodos de trabalho etc.), diferença na rotação dos vários capitais individuais que operam no mesmo ramo.

A distância entre o local de produção e o mercado onde a mercadoria é vendida causa sempre diferença no tempo de venda e, por conseguinte, no de rotação. Durante toda a viagem ao mercado, o capital está prisioneiro da condição de capital-mercadoria; se é produzido por encomenda, até o momento da entrega; se não é produzido por encomenda, acrescenta-se ao tempo de viagem ao mercado o tempo em que a mercadoria fica à venda no mercado. Melhoria dos meios de comunicação e de transporte reduz em termos absolutos o período de viagem das mercadorias; mas não suprime a diferença relativa, oriunda do percurso, e que aparece no período de circulação de diferentes capitais-mercadorias ou de diferentes partes do mesmo capital-mercadoria, remetidos a diferentes mercados. Os melhores navios a vela e a vapor, por exemplo, que reduzem a viagem, reduzem-na tanto para os portos próximos quanto para os distantes. Continua a diferença relativa, embora frequentemente diminuída. Entretanto, em virtude do desenvolvimento dos meios de transporte e de comunicação, as diferenças relativas podem ser modificadas de maneira a não corresponder mais às distâncias naturais. Uma via férrea, por exemplo, que liga o local de produção com um empório no interior, pode aumentar, absoluta ou relativamente, a distância de uma localidade geograficamente mais próxima, mas que não dispõe de estrada de ferro, tomando-se por comparação esse empório mais afastado; do mesmo modo, em virtude das mesmas circunstâncias, pode modificar-se a distância relativa dos locais de produção aos grandes mercados de consumo, o que explica a decadência dos velhos centros de produção e o aparecimento de novos, ao mudarem os meios de transporte e de comunicação. (Além disso, o transporte fica mais barato para as grandes distâncias do que para as pequenas.) Ao desenvolverem-se os meios de transporte, aumenta a velocidade do movimento no espaço e assim reduz-se no tempo a distância geográfica. E mais. Cresce a massa desses meios: por exemplo, muitos navios saem ao mesmo tempo para o mesmo porto, vários trens trafegam simultaneamente em diferentes vias entre duas estações determinadas; em dias sucessivos, navios cargueiros vão de Liverpool para Nova York e em diversas horas do dia trens de carga partem de Manchester para Londres. Essa circunstância, dado o rendimento dos meios de transporte, não altera a velocidade absoluta, nem portanto a parte correspondente do tempo de circulação. Mas quantidades sucessivas de mercadorias podem ser transportadas em intervalos mais curtos e assim aparecerem sucessivamente no mercado, não tendo de ser acumuladas em grandes massas como capital-mercadoria potencial até a expedição efetiva. Assim, reparte-se por períodos sucessivos mais curtos o retorno do dinheiro, de modo que parte da mercadoria se transforma continuamente em capital-dinheiro, enquanto outra parte circula como capital-mercadoria. Essa repartição do retorno por maior número de períodos sucessivos encurta o tempo global de circulação e, por conseguinte, a rotação. De um lado, temos a frequência com que funcionam os meios de transporte: o número de trens, por exemplo, aumenta na medida em que um local de produção mais fornece – se torna centro importante – e na direção dos mercados já existentes, por conseguinte na direção dos grandes centros de produção e de população, dos portos de exportação etc. Do outro, porém, essa facilidade particular de tráfego e a resultante rotação acelerada do capital (enquanto é determinada pelo tempo de circulação) apressam a concentração dos centros de produção e dos respectivos mercados. Com a concentração acelerada, em determinados pontos, de massas de seres humanos e de capitais, progride a concentração em poucas mãos dessas massas de capitais. Ao mesmo tempo, sucedem modificações e transferências decorrentes de mudanças operadas na situação relativa dos locais de produção e dos mercados, em virtude das transformações verificadas nos meios de transporte. Um local de produção que estava antes vantajosamente situado junto a uma estrada real ou a um canal dispõe agora apenas de um ramal ferroviário que só funciona em intervalos relativamente grandes, enquanto outro local que estava inteiramente afastado das vias principais de tráfego passa a ser o ponto de cruzamento de várias ferrovias. O segundo lugar prospera, o primeiro decai. As transformações dos meios de transporte produzem diferenças locais no tempo de circulação das mercadorias, nas oportunidades de comprar, vender etc., ou repartem de outra maneira as diferenças locais já existentes. O peso dessas circunstâncias para a rotação do capital patenteia-se nos litígios dos representantes comerciais e industriais dos vários centros com as direções das vias férreas (ver o livro azul do *Railway Committee*, anteriormente citado).[I]

Todas as indústrias que, pela natureza do produto, dependem fundamentalmente de vendas locais, como a cervejaria, atingem seu desenvolvimento máximo nos grandes centros de população. Nesses casos, a rotação mais rápida do capital serve para compensar o encarecimento de várias condições de produção, dos terrenos etc.

Com o progresso da produção capitalista, o desenvolvimento dos meios de transporte e de comunicação reduz o período de circulação de determi-

---

I Ver p. 165.

nada quantidade de mercadorias, mas, por outro lado, esse progresso e a possibilidade gerada pelo desenvolvimento desses meios acarretam a necessidade de trabalhar para mercados cada vez mais longínquos, em suma, para o mercado mundial. A massa das mercadorias em viagem, destinadas a países distantes, acresce enormemente, e daí o aumento absoluto e relativo da parte do capital social que fica de maneira contínua e por longos intervalos no estádio de capital-mercadoria, dentro do período de circulação. Assim cresce igualmente a parte da riqueza social que, em vez de servir de meio direto de produção, se aplica em meios de transporte e de comunicação e no capital fixo e circulante requeridos para explorá-los.

A mera duração relativa da viagem do local de produção para o de venda determina uma diferença não só na primeira parte do tempo de circulação, o de venda, mas também na segunda parte, em que o dinheiro se reconverte nos elementos do capital produtivo, o tempo de compra. Manda-se, por exemplo, mercadoria para a Índia; a viagem dura quatro meses. Façamos o tempo de venda = 0, isto é, a mercadoria expedida por encomenda é paga ao agente do produtor contra entrega. A remessa do dinheiro (não importa a forma dela) dura outros quatro meses. Assim, passam-se ao todo oito meses antes de o mesmo capital poder funcionar novamente como capital produtivo, repetindo a mesma operação. As diferenças assim surgidas na rotação constituem uma das bases materiais dos prazos de crédito diferentes, e o comércio marítimo – Veneza e Gênova são exemplos – é com efeito uma das fontes do sistema de crédito propriamente dito.

> A crise de 1847 permitiu aos banqueiros e aos comerciantes daquele tempo reduzirem o uso indiano e chinês (relativo às letras de câmbio no comércio com a Europa) de dez meses, de data, para seis meses de vista. E, após decorrerem vinte anos diminuiu o tempo de viagem e introduziu-se o telégrafo, tornando-se necessária nova redução, de seis meses de vista para quatro meses de data como primeiro passo para quatro meses de vista. A viagem de Calcutá a Londres, a vela por Cabo, dura em média menos de 90 dias. Um uso de quatro meses de vista corresponderia a um prazo, digamos, de 150 dias. O uso atual de seis meses de vista equivale a um prazo de uns 210 dias. (*London Economist*, 16 de junho de 1866.)

Mas, em sentido contrário:

> O uso brasileiro continua sendo de dois e três meses de vista. Sacam-se letras de Antuérpia (sobre Londres) de três meses de data, e mesmo de Manchester

> e Bradford sobre Londres de três meses e mais. Por uma convenção tácita, fica o comerciante em condições de realizar a mercadoria, se não muito antes, pelo menos até a ocasião em que se vencem os correspondentes títulos emitidos. Por isso, não há exagero no uso indiano relativo ao prazo das letras. Os produtos indianos, que, na maioria dos casos se vendem em Londres em três meses de prazo, quando têm sua venda acrescida de mais algum tempo, não se podem realizar em tempo que esteja muito aquém de cinco meses, enquanto outros cinco meses em média fluem entre a compra na Índia e a entrega nos armazéns ingleses. Temos assim um período de dez meses, quando o prazo das letras giradas contra as mercadorias não ultrapassa de sete. (*Ibidem*, 30 de junho de 1866.) Em 2 de julho de 1866, cinco grandes bancos de Londres que transacionam principalmente com a Índia e a China e o Comptoir d'Escompte de Paris notificaram que, a partir de 1º de janeiro de 1867, suas filiais e agentes no Oriente só comprariam e venderiam letras cujo prazo não excedesse de quatro meses de vista. (*Ibidem*, 7 de julho de 1866.)

Essa redução não vingou e teve de ser abandonada (depois, o canal de Suez revolucionou tudo isto).

É evidente que, ao aumentar o tempo de circulação das mercadorias, cresce o risco de uma variação de preço no mercado de venda, uma vez que se amplia o período no qual pode ocorrer mudança de preços.

Os diferentes prazos de pagamento para compra e para venda causam divergência no tempo de circulação, seja individual entre diversos capitais do mesmo ramo, seja entre ramos segundo os diversos usos nos setores onde não se paga à vista. Não nos deteremos mais tempo sobre este ponto tão importante para o crédito.

O volume dos contratos de fornecimento, que cresce com o volume e a escala da produção capitalista, dá origem também a diferenças no período de rotação. Como transação entre comprador e vendedor, o contrato de fornecimento é operação que pertence ao mercado, à esfera da circulação. As diferenças no período de rotação daí surgidas provêm, portanto, da esfera da circulação, mas repercutem de maneira direta sobre a esfera da produção, independentemente de todos os prazos de pagamento e das condições de crédito e mesmo nos casos de pagamento à vista. Carvão, algodão, fio etc. são, por exemplo, produtos descontínuos. Cada dia fornece quantidade determinada de produto acabado. Mas, se a empresa de fiação ou de mineração se compromete a fornecer quantidades de produtos que exigem um período de dias seguidos de trabalho de quatro ou de seis semanas, isto equivale, do ponto de vista do prazo em que se tem de adiantar capital, a introduzir nesse processo de trabalho um período de trabalho contínuo de quatro ou seis semanas. Estamos, naturalmente, supondo que a encomenda deve ser entregue por inteiro de uma vez ou que só é paga depois de fornecida em sua totalidade. Cada dia, isoladamente, fornece determinada quantidade de produto acabado; mas essa quantidade é apenas parte do total a fornecer de acordo com o contrato. Se não está mais no processo de produção a parte já pronta da encomenda, estará ela estocada como capital potencial.

Vejamos agora o segundo segmento do tempo de circulação: o tempo de compra ou a época em que o capital deixa a forma dinheiro para se reconverter nos elementos do capital produtivo. Durante essa época, tem de manter-se por mais ou menos tempo no estado de capital-dinheiro, permanecendo, portanto, certa parte do capital adiantado no estado de capital-dinheiro, embora os componentes dela mudem continuamente. Num negócio determinado, é mister, por exemplo, que do capital global adiantado existam n x 100 libras esterlinas sob a forma de capital-dinheiro, de modo que, enquanto todos os componentes dessas n x 100 libras esterlinas se transformam continuamente em capital produtivo, essa soma se recompõe continuamente com o que vem da circulação, do capital-mercadoria realizado. Parte do capital adiantado está, portanto, constantemente na condição de capital-dinheiro, numa forma que não pertence à esfera da produção, e sim à esfera da circulação.

Já vimos que o afastamento do mercado prolonga o tempo em que o capital fica prisioneiro da forma de capital-mercadoria, retarda diretamente o retorno do dinheiro, por conseguinte a transformação do capital-dinheiro em capital produtivo.

Vimos ainda (Capítulo VI) que, no tocante à aquisição das mercadorias, é mister, em virtude do tempo de compra e da maior ou menor distância das principais fontes de matérias-primas, comprá-las para períodos longos e tê-las à mão sob a forma de estoque produtivo, de capital produtivo latente ou potencial; assim, para igual escala de produção, a distância aumenta a quantidade de capital que tem de adiantar-se de uma vez e o prazo pelo qual tem de ser adiantado.

Efeitos semelhantes sobre diferentes ramos são exercidos pelos intervalos mais ou menos longos em que grandes quantidades de matéria-prima afluem ao mercado. Assim, em Londres vendem-se trimestralmente em leilão grandes quantidades de lã, e essas vendas dominam o mercado; o mercado em conjunto é renovado continuamente de colheita em colheita, embora de maneira nem sempre regular. Esses intervalos periódicos determinam os prazos das compras principais dessa matéria-prima e influem notadamente nas compras especulativas que levam a desembolsos mais ou menos longos nesses elementos de produção. É uma influência análoga à que exerce a natureza da mercadoria produzida, induzindo a retenção deliberada para especular, por prazo mais ou menos longo, do produto na forma de capital-mercadoria potencial.

> Até certo ponto, o agricultor tem de especular e, segundo as circunstâncias do momento, retardar a venda de seus produtos. [...]

Seguem algumas normas.

> Mas o que mais importa na venda dos produtos é a pessoa do vendedor, o próprio produto e o lugar. Quem com jeito e sorte [!] dispõe de capital suficiente para seus negócios, não merece ser criticado, se em virtude de preços anormalmente baixos deixa para vender sua colheita no ano seguinte; aquele a quem falta capital ou sobretudo [!] espírito de especulação procurará obter os preços médios correntes e terá, portanto, de vender logo que e sempre que lhe apareça uma oportunidade. Conservar lã por mais de um ano quase sempre traz prejuízos; já cereais e sementes oleaginosas podem guardar-se por alguns anos sem perda de suas propriedades e de sua qualidade. Tratando-se de produtos que estão costumeiramente sujeitos a grandes altas e baixas em períodos curtos, como sementes oleaginosas, lúpulo, cardos etc., é lícito retê-los nos anos em que o preço está bem abaixo do preço de produção. O que menos se deve hesitar em vender são as coisas que ocasionam custos diários de manutenção, como gado cevado, ou que estão sujeitas à deterioração, como frutas, batatas etc. Em várias regiões, os preços mais altos e os preços mais baixos dos produtos alternam-se em média de acordo com as épocas do ano; em certos lugares, por exemplo, o trigo tem o preço mais baixo no verão de São Martinho do que entre o Natal e a Páscoa. Há zonas em que vários produtos só se vendem bem em certas ocasiões, como é o caso da lã nos mercados de lã de certas regiões onde esse comércio costuma paralisar-se etc. (Kirchhof, p. 302.)

Ao estudarmos o segundo segmento do tempo de circulação, quando o dinheiro se reconverte nos elementos do capital produtivo, importa, além dessa reversão considerada em si mesma, o tempo em que o dinheiro retorna, segundo a distância do mercado em que se vende o produto; mas o que importa antes de tudo é o montante da parte do capital adiantado que tem de existir continuamente sob a forma dinheiro, na condição de capital-dinheiro.

Pondo-se de lado qualquer especulação, o volume das compras – daquelas mercadorias que têm de estar permanentemente à mão como estoque produtivo – depende das épocas de renovação desse estoque, portanto de circunstâncias decorrentes das condições do mercado e portanto diversas para as diferentes matérias-primas. Surge aí de vez em quando a necessidade de adiantar de uma vez grandes quantidades de dinheiro. Este reflui, de maneira sempre gradual, mais rápido ou mais lento, segundo a rotação do capital. É despendida também continuamente a parte que se reconverte em salários, mas em intervalos mais curtos. A parte que tem de reconverter-se em matéria-prima etc. tem de acumular-se por períodos mais longos como fundo de reserva, seja para compra, seja para pagamento. Existe, por isso, sob a forma de capital-dinheiro, embora varie o montante em que existe como tal.

Veremos no próximo capítulo como outras circunstâncias, decorram elas do processo de produção ou do processo de circulação, impõem essa existência, sob a forma dinheiro, de determinada porção do capital adiantado. De modo geral, cabe aqui observar que os economistas tendem a esquecer que é parcela – do capital necessário ao negócio – que percorre de maneira contínua e sucessiva as três formas de capital-dinheiro, capital produtivo e capital-mercadoria, e que, além disso, constantemente diferentes porções desse capital assumem ao mesmo tempo essas formas, embora varie continuamente a magnitude relativa dessas porções. Omitem sobretudo a parte que existe constantemente como capital-dinheiro, embora essa circunstância seja indispensável para compreender-se a economia burguesa, e se imponha necessariamente na prática.

XV.
Efeito do tempo de rotação sobre a magnitude do capital adiantado

Neste capítulo e no seguinte, trataremos da influência do período de rotação sobre a valorização do capital.

Seja o capital-mercadoria produto de um período de trabalho de nove semanas. Abstraiamos, por ora, da parte do valor acrescentada ao produto pelo desgaste médio do capital fixo, e da mais-valia que lhe é adicionada durante o processo de produção; assim, o valor do produto será igual ao valor do capital circulante empregado em sua produção, isto é, ao valor dos salários e das matérias-primas e auxiliares nela consumidas. Seja esse valor = 900 libras esterlinas, e o dispêndio semanal = 100 libras. Na hipótese, o período de produção coincide com o período de trabalho, sendo, portanto, de nove semanas. No caso, sempre se leva de uma vez ao mercado a quantidade de produto que custa nove semanas de trabalho, e, por isso, não interessa saber se se trata de um período de trabalho para um produto contínuo, de um período contínuo de trabalho para um produto descontínuo. O tempo de circulação dura três semanas. É de doze semanas todo o período de rotação. Após decorrerem nove semanas, o capital produtivo adiantado está transformado em capital-mercadoria, cujo período de circulação é de três semanas. O novo processo de produção só pode, portanto, começar no início da 13ª semana, e a produção fica parada por três semanas ou durante a quarta parte de todo o período de rotação. Tanto faz supor que essa parada decorra do prazo em média necessário para a venda da mercadoria, ou da distância do mercado, ou dos prazos de pagamento para a mercadoria vendida. Durante cada trimestre, a produção fica paralisada 3 semanas, durante o ano, portanto, 4 x 3 = 12 semanas = 3 meses = ¼ da rotação anual. Se o objetivo é tornar a produção contínua e mantê-la todas as semanas na mesma escala, duas soluções são possíveis.

Uma é reduzir a escala de produção, de modo que as 900 libras esterlinas cheguem para manter o trabalho em marcha, tanto no período de trabalho quanto no tempo de circulação da primeira rotação. Com a 10ª semana inicia-se então um segundo período de trabalho, por conseguinte um segundo período de rotação antes de terminar o primeiro período de rotação, pois o período de rotação dura 12 semanas, e o período de trabalho, 9 semanas. Repartindo-se 900 libras esterlinas por 12 semanas, teremos semanalmente 75 libras esterlinas. Fica desde logo claro que essa redução da escala do negócio supõe modificações na dimensão do capital fixo, por conseguinte diminuição geral no investimento da empresa. Além disso, importa saber se é exequível essa redução, pois, de acordo com o desenvolvimento da produção nos diversos ramos, há, para o investimento, um mínimo normal, abaixo do qual o negócio individual fica sem condições de competir. Esse mínimo normal não é fixo; cresce incessantemente com o desenvolvimento capitalista da produção. Entre o mínimo normal ocasionalmente estabelecido e o máximo normal que está sempre se dilatando encontram-se numerosos escalões intermediários, uma faixa que permite diversas dimensões de investimento. Dentro dos limites dessa faixa pode haver, portanto, uma redução que respeite o mínimo normal da ocasião. – Quando a produção se entorpece, se abarrotam os mercados e encarecem as matérias-primas etc., diminui o dispêndio normal de capital circulante, para a mesma base de capital fixo, com a redução do tempo de trabalho, limitando-se a jornada à metade, por exemplo; nas fases de prosperidade, para a mesma base de capital fixo, expande-se anormalmente o capital circulante, seja com o prolongamento, seja com a intensificação da jornada de trabalho. Nos negócios em que se esperam essas flutuações, emprega-se, além disso, maior número de trabalhadores juntamente com a aplicação de um capital fixo de reserva, por exemplo, locomotivas de reserva nas ferrovias etc. Aqui não se levam em conta essas flutuações anormais, pois pressupomos condições normais.

No caso, para tornar a produção contínua, temos de repartir, portanto, o dispêndio do mesmo capital circulante por período maior, por 12 semanas em vez de 9. Assim, em cada fração do período funciona um capital produtivo menor; a parte circulante do capital produtivo reduz-se de 100 para 75, diminuindo de um quarto. A redução global do capital produtivo que funciona durante o período de trabalho de 9 semanas é = 9 x 25 = 225 libras esterlinas ou ¼ de 900 libras esterlinas. Mas a relação entre o tempo de circulação e o período de rotação continua sendo $^3/_{12}$ = ¼. Por consequência, se o objetivo é não interromper a produção durante o período de circulação do capital produtivo transformado em capital-mercadoria, e prossegui-la simultânea e continuamente todas as semanas, não havendo capital circulante particular para esse fim, então só resta um caminho: reduzir a produção, diminuir a parte circulante do capital produtivo em funcionamento. A parte do capital circulante assim liberada para a produção no tempo de circulação está para o capital circulante global adiantado como o tempo de circulação está para o período de rotação. Isso só se aplica nos ramos de produção em que o processo de trabalho se efetua todas as semanas na mesma escala, e em que não há necessidade, portanto, de empregar somas variáveis de capital de acordo com os diferentes períodos de trabalho, como na agricultura.

Mas se o tipo de indústria exclui redução de escala da produção e, portanto, decréscimo do capital circulante a adiantar toda semana, só se pode assegurar a continuidade da produção, no caso considerado, por meio de um capital circulante adicional de 300 libras esterlinas. Durante o período de rotação de 12 semanas adiantam-se, em intervalos sucessivos, 1.200 libras esterlinas, constituindo 300 a quarta parte, do mesmo modo que 3 semanas são a quarta parte de 12. No fim do período de trabalho de 9 semanas, o valor-capital de 900 libras esterlinas deixa a forma de capital produtivo e assume a forma de capital-mercadoria. Encerra seu período de trabalho, que não pode, entretanto, renovar-se com o mesmo capital. Nas 3 semanas em que funciona como capital-mercadoria na esfera da circulação, é como se absolutamente não existisse para o processo de produção. Abstraímos aqui de quaisquer recursos de crédito, supondo que o capitalista opera apenas com o próprio capital. Mas o capital adiantado para o primeiro período de trabalho, depois de concluído o processo de produção, fica durante 3 semanas no processo de circulação, enquanto funciona um capital adicionalmente despendido de 300 libras esterlinas, de modo que não se interrompe a continuidade da produção.

Neste ponto convém observar o seguinte:

1) O período de trabalho do primeiro capital adiantado de 900 libras esterlinas termina depois de 9 semanas, e só reflui após decorrerem 3 semanas, portanto só no início da 13ª. Mas começa imediatamente novo período de trabalho com o capital adicional de 300 libras. E é isto justamente o que assegura a continuidade da produção.

2) As funções do capital primitivo de 900 libras esterlinas e as do capital de 300 libras esterlinas adicionado no fim do primeiro período de trabalho de 9 semanas e que sem interrupção inicia o segundo período de trabalho, após o término do primeiro, claramente se distinguem ou pelo menos podem distinguir-se no primeiro período de rotação, mas confundem-se no decorrer do segundo período de rotação.

Vejamos a coisa concretamente:

Primeiro período de rotação de 12 semanas. Primeiro período de trabalho de 9 semanas; a rotação do capital adiantado conclui-se no início da 13ª semana. Nas últimas três semanas funciona o capital adicional de 300 libras esterlinas e inicia o segundo período de trabalho de 9 semanas.

Segundo período de rotação. Ao começar a 13ª semana, refluíram 900 libras esterlinas que podem iniciar nova rotação. Mas o segundo período de trabalho já fora iniciado, na 10ª semana, pelas 300 libras esterlinas adicionais; no começo da 13ª semana está concluído $^1/_3$ do período de trabalho, e as 300 libras esterlinas estão transformadas de capital produtivo em produto. Faltando apenas 6 semanas para acabar o segundo período de trabalho só $^2/_3$ do capital recuperado de 900 libras esterlinas, ou seja, 600 libras, podem entrar no processo de produção do segundo período de trabalho. Liberam-se do capital primitivo de 900 libras 300 libras esterlinas que vão desempenhar a mesma função do capital adicional de 300 libras aplicado logo após o primeiro período de trabalho. No fim da 6ª semana do segundo período de rotação, acaba o segundo período de trabalho. O capital de 900 libras nele aplicado reflui depois de 3 semanas, portanto no fim da 9ª semana do segundo período de rotação de 12 semanas. Durante as 3 semanas do período de circulação, aplica-se o capital liberado de 300 libras esterlinas. Assim, o terceiro período de trabalho de um capital de 900 libras esterlinas começa na 7ª semana do segundo período de rotação ou na 19ª semana do ano.

Terceiro período de rotação. No fim da 9ª semana do segundo período de rotação, retomam novamente 900 libras esterlinas. Mas o terceiro período de trabalho já começa na 7ª semana do período de rotação precedente, e 6 semanas foram percorridas. Dura ainda 3 semanas, portanto. Das 900 libras que refluíram, só 300 libras, portanto, entram no processo de produção. O quarto período de trabalho enche as 9 semanas restantes desse período de rotação, e assim começam, com a 37ª semana do ano, o quarto período de rotação e o quinto período de trabalho.

A fim de simplificar os cálculos, admitamos: período de trabalho, 5 semanas; tempo de circulação, 5 semanas e período de rotação, portanto, de 10 semanas; ano de 50 semanas e dispêndio de capital por semana de 100 libras esterlinas. O período de trabalho exige um capital circulante de 500 libras, e o tempo de circulação um capital adicional de 500 libras também. Os períodos de trabalho e os de rotação apresentam-se então da seguinte maneira:

Período de trabalho	Semanas	Mercadorias em libras esterlinas	Retorno do capital, ao fim da semana
1	1-5	500	10ª
2	6-10	500	15ª
3	11-15	500	20ª
4	16-20	500	25ª
5	21-25	500	30ª

Se o tempo de circulação fosse = 0, o período de rotação seria igual ao período de trabalho, e as rotações teriam anualmente o mesmo número dos períodos de trabalho. Com período de trabalho de cinco semanas, teríamos semanas $^{50}/_{5}$ = 10 rotações, e o valor do capital que as efetua seria = 500 x 10 = 5.000. No quadro, onde se admite tempo de circulação de 5 semanas, produzem-se anualmente mercadorias também no valor de 5.000 libras esterlinas, mas $^{1}/_{10}$ = 500 libras está sempre sob a forma de capital-mercadoria, só se dando o reembolso depois de 5 semanas. Ao terminar o ano, o produto do décimo período de trabalho (46ª-50ª semana de trabalho) só percorreu metade do tempo de rotação, caindo o tempo de circulação nas primeiras 5 semanas do ano novo.

Tomemos um terceiro exemplo: período de trabalho, 6 semanas; tempo de circulação, 3 semanas; e capital semanalmente adiantado para o processo de trabalho, 100 libras esterlinas.

1º período de trabalho: 1ª-6ª semana. No fim da 6ª semana, um capital-mercadoria de 600 libras esterlinas; é reembolsado no fim da 9ª semana.

2º período de trabalho: 7ª-12ª semana. Da 7ª à 9ª semana, adianta-se capital adicional de 300 libras esterlinas. Fim da 9ª semana, reembolso de 600 libras esterlinas. Delas, adiantam-se 300 libras da 10ª à 12ª semana; ao término da 12ª semana, 300 libras esterlinas líquidas em dinheiro, 600 em capital-mercadoria reembolsadas no fim da 15ª semana.

3º período de trabalho: 13ª-18ª semana. Da 13ª à 15ª semana, adiantamento das 300 libras esterlinas que ficaram anteriormente disponíveis, reembolso de 600 libras esterlinas, das quais 300 adiantadas da 16ª à 18ª semana. Ao fim da 18ª semana, 300 libras esterlinas líquidas em dinheiro; 600 libras em capital-mercadoria, reembolsadas ao término da 21ª semana. (Ver exposição mais pormenorizada do assunto na seção 2.)

Produzem-se, portanto, em nove períodos de trabalho (= 54 semanas) 600 x 9 = 5.400 libras esterlinas de mercadorias. No final do nono período de trabalho, possui o capitalista 300 libras esterlinas em dinheiro e 600 em mercadoria que não percorreu ainda o tempo de circulação.

Ao comparar esses três exemplos, verificamos, primeiro, que só no segundo exemplo ocorre reembolso sucessivo do capital I de 500 libras esterlinas e do capital II de 500 libras também, movendo-se separadas uma da outra essas duas partes do capital, isto porque fizemos a estranha suposição de que o período de rotação se compõe do período de trabalho e do tempo de circulação, em partes iguais. Em todos os outros casos, qualquer que seja a desigualdade entre as duas partes do período de rotação, os movimentos dos dois capitais se confundem, como no exemplo I e III, já a partir do segundo período de rotação. O capital adicional II, juntamente com parte do capital I, constitui o capital que funciona no segundo período de rotação, enquanto o resto do capital I se libera para exercer a função primitiva do capital II. No caso, o capital operante durante o tempo de circulação do capital-mercadoria deixa de ser idêntico ao capital II, primitivamente adiantado para esse fim, mas é-lhe igual em valor e constitui a mesma parte alíquota do capital global adiantado.

Segundo. O capital que funcionou durante o período de trabalho fica inativo durante o tempo de circulação. No segundo exemplo, o capital funciona durante cinco semanas do período de trabalho e fica parado durante cinco semanas do tempo de circulação. É de um semestre, portanto, o tempo global em que o capital I fica inativo no decurso do ano. Essa lacuna é preenchida pelo capital adicional II, que por sua vez fica inativo por metade do ano. Mas o capital adicional necessário para manter a continuidade da produção durante o tempo de circulação não é determinado pela soma dos tempos de circulação durante o ano, mas apenas pela relação entre o tempo de circulação e o período de rotação. (Estamos supondo, naturalmente, que todas as rotações se realizam nas mesmas condições.) Por isso, no exemplo II são necessárias 500 libras de capital adicional, e não 2.500. Isso decorre de o capital adicional entrar em rotação exatamente como o capital primitivamente adiantado e, como este, suprir o montante (de 2.500) pelo número de suas rotações.

Terceiro. As circunstâncias aqui observadas em nada se alteram por ser o tempo de produção mais longo do que o período de trabalho. Essa duração maior do tempo de produção prolonga os períodos globais de rotação, mas esse prolongamento de rotação não requer capital adicional para o processo de trabalho. O capital adicional tem apenas o objetivo de preencher os vácuos surgidos no processo de trabalho em virtude do tempo de circulação; sua finalidade, portanto, é proteger a produção contra perturbações oriundas do tempo de circulação; as decorrentes das próprias condições da produção devem ser removidas por outros meios que não cabe examinar aqui. Mas, há indústrias em que só se trabalha de maneira intermitente, por encomendas, em que, portanto, podem ocorrer interrupções entre os períodos de trabalho. Aí desaparece, na medida correspondente, a necessidade do capital adicional. Por outro lado, na maioria das indústrias sazonais existe um limite determinado para o tempo do reembolso. Não se pode renovar o mesmo trabalho com o mesmo capital no ano seguinte, se no intervalo não se concluiu o tempo de circulação desse capital. Mas o tempo de circulação pode ser menor que a distância entre um período de produção e o seguinte. Nesse caso, o capital fica inativo, a não ser que durante o intervalo encontre aplicação noutra parte.

Quarto. O capital adiantado para um período de trabalho, por exemplo, as 600 libras esterlinas do exemplo III, é adiantado em matérias-primas e matérias auxiliares, em estoque produtivo para o período de trabalho, em capital circulante constante, e ainda em capital circulante variável, em pagamento de trabalho. A parte que se aplica em capital circulante constante pode não existir no mesmo espaço de tempo sob a forma de estoque produtivo, por exemplo, podem não estar desde logo armazenadas as matérias-primas para todo o período de trabalho, o carvão pode ser adquirido de duas em duas semanas. Entretanto, uma vez que ainda estamos excluindo o crédito, essa parte do capital, enquanto não estiver disponível sob a forma de estoque produtivo, tem de estar disponível sob a forma de dinheiro, a fim de ser convertida em estoque produtivo de acordo com as necessidades. Isto em nada altera a magnitude do capital circulante constante adiantado durante seis semanas. Por outro lado – pondo-se de lado as provisões de dinheiro para despesas imprevistas, o fundo de reserva propriamente dito para compensar perturbações –, pagam-se os salários em períodos mais curtos, em regra semanalmente. A não ser que o capitalista obrigue o trabalhador a adiantar-lhe trabalho por mais tempo, o capital necessário para os salários tem de estar presente sob a forma dinheiro. Ao retornar o capital, é mister, portanto, reservar uma parte sob a forma de dinheiro para pagar o trabalho, enquanto a outra parte pode converter-se em estoque produtivo.

O capital adicional se reparte exatamente como o primitivo. A fim de se dispor dele no próprio período de trabalho, já tem de ser adiantado (se abstraímos do crédito) durante todo o percurso do primeiro período de trabalho do capital I, onde não entra, e assim deste se distingue. Durante esse tempo, pode, pelo menos parcialmente, converter-se logo em capital circulante constante adiantado para todo o período de rotação. A proporção em que assume essa forma ou em que se aferra à forma de capital-dinheiro adicional (até o momento em que aquela conversão se torna necessária) depende de vários fatores: das condições particulares de produção de determinados ramos, das circunstâncias locais, das flutuações de preços das matérias-primas etc. Se considerarmos globalmente o capital social, veremos que parte mais ou menos importante desse capital suplementar sempre se mantém por muito tempo na condição de capital-dinheiro. Mas a parte do capital II a adiantar em salários vai sempre se convertendo em força de trabalho, na medida em que terminam e são pagas as etapas do período de trabalho. Essa parte do capital II fica assim sob a forma de dinheiro durante o período de trabalho, até que, ao converter-se em força de trabalho, passa a exercer a função de capital produtivo.

A introdução do capital adicional requerido para transformar o tempo de circulação do capital I em tempo de produção aumenta não só a magnitude do capital adiantado e o tempo pelo qual é necessário adiantar o capital global, mas também acresce especificamente a parte do capital adiantado que, existindo como provisão de dinheiro, fica na condição de capital-dinheiro e possui a forma de capital-dinheiro potencial.

O mesmo acontece – seja o adiantamento feito sob a forma de estoque produtivo ou sob a forma de provisão de dinheiro quando a divisão do capital, imposta pelo tempo de circulação, em duas partes, em capital para o primeiro período de trabalho e em capital suplementar para o período de circulação, se efetua não aumentando o capital despendido, mas reduzindo a escala de produção. Mas, neste caso, relativamente à escala da produção, aumenta o capital retido sob a forma dinheiro.

O resultado geral dessa repartição do capital em capital produtivo primitivo e capital adicional é a sequência ininterrupta dos períodos de trabalho, o funcionamento contínuo de uma parte inalterável do capital adiantado como capital produtivo.

Consideremos o exemplo II. É de 500 libras esterlinas o capital que está constantemente no processo de produção. Uma vez que o período de trabalho = 5 semanas, opera ele dez vezes durante 50 semanas que supomos perfazerem um ano. Excluída a mais-valia, o produto importa em 10 x 500 = 5.000 libras esterlinas. Do ponto de vista do capital que opera imediata e ininterruptamente no processo de produção – um valor-capital de 500 libras esterlinas –, parece ter sido inteiramente extinto o tempo de circulação. O período de rotação coincide com o período de trabalho; fez-se o tempo de circulação = 0.

Mas se, durante o tempo de circulação de 5 semanas, parar regularmente a atividade produtiva do capital de 500 libras, de modo que só esteja ele novamente em condições de entrar na produção após terminar todo o período de rotação de 10 semanas, teremos nas 50 semanas do ano 5 rotações de dez semanas cada uma; nelas se compreendem 5 períodos de produção de cinco semanas, ao todo 25 semanas de produção com um produto global de 5 x 500 – 2.500 libras esterlinas; 5 períodos de circulação de cinco semanas, totalizando o tempo de circulação também 25 semanas. Ao dizermos então que o capital de 500 libras fez cinco rotações por ano, está meridianamente claro que, durante a metade de cada período de rotação, esse capital não funcionou como capital produtivo e que, no final de contas, funcionou apenas em metade do ano, ficando absolutamente inativo na outra metade.

Em nosso exemplo, o capital adicional de 500 libras intervém enquanto duram esses cinco períodos de circulação, e com isso a rotação de 2.500 libras esterlinas aumenta para 5.000. Mas o capital agora adiantado é 1.000 libras em vez de 500; 5.000 dividido por 1.000 dá 5. Em vez de dez, temos cinco rotações. E é realmente assim que se calcula. Mas, ao considerar que o capital de 1.000 libras esterlinas realizou cinco rotações por ano, a cachimônia capitalista esquece o período de circulação e forma uma ideia confusa, como se esse capital tivesse funcionado continuamente no processo de produção durante as cinco rotações sucessivas.

Ao dizermos, porém, que esse capital de 1.000 libras esterlinas realizou cinco rotações, incluímos aí tanto o período de circulação quanto o período de produção. Com efeito, se as 1.000 libras esterlinas tivessem realmente funcionado de maneira contínua no processo de produção, o produto, segundo os pressupostos estabelecidos, teria sido de 10.000 libras esterlinas, e não de 5.000. Mas, para manter 1.000 libras esterlinas continuamente no processo de produção, seria necessário adiantar 2.000 libras esterlinas. Os economistas, que nada oferecem de claro sobre o mecanismo da rotação, deixam sempre de lado esse ponto fundamental, a saber, que só pode comprometer-se contínua e efetivamente no processo de produção parte do capital industrial, para que a produção prossiga ininterrupta. Enquanto uma parte se encontra no período de produção, a outra tem necessariamente de estar no período de circulação. Em outras palavras: uma parte só pode funcionar como capital produtivo se outra parte ficar fora da produção propriamente dita sob a forma de capital-mercadoria ou de capital-dinheiro. Esquecer isto é omitir a importância e o papel do capital-dinheiro.

Examinaremos agora as diferenças que aparecem na rotação, causadas por serem iguais ou desiguais os dois segmentos do período de rotação, o período de trabalho e o período de circulação, e a influência que isto tem sobre a retenção do capital na forma de capital-dinheiro.

Vamos supor que, em todos os casos, o capital a adiantar semanalmente é de 100 libras esterlinas, o período de rotação, de 9 semanas, e portanto, em cada período de rotação, o capital a adiantar = 900 libras esterlinas.

1. PERÍODO DE TRABALHO IGUAL AO PERÍODO DE CIRCULAÇÃO

Este caso, embora uma exceção dificílima de ocorrer, serve-nos de ponto de partida para nosso estudo apenas porque mostra a situação com mais simplicidade e clareza.

Os dois capitais (capital I, adiantado para o primeiro período de trabalho, e capital adicional II, que funciona durante o período de circulação do capital I) alternam-se em seus movimentos sem se entrecruzarem. Por isso, excetuado o primeiro período, cada um dos dois capitais é adiantado apenas de acordo com o próprio período de rotação. De acordo com a hipótese dos exemplos seguintes de um período de rotação de 9 semanas, teremos um período de trabalho e um período de circulação com 4½ semanas cada um. Daí o seguinte esquema anual:

QUADRO I
CAPITAL I

	Períodos de rotação Semanas	Períodos de trabalho Semanas	Adiantamento	Períodos de circulação Semanas
I	1-9	1-4$^{1}/_{2}$	450	4$^{1}/_{2}$-9
II	10-18	10-13$^{1}/_{2}$	450	13$^{1}/_{2}$-18
III	19-27	19-22$^{1}/_{2}$	450	22$^{1}/_{2}$-27
IV	28-36	28-31$^{1}/_{2}$	450	31$^{1}/_{2}$-36
V	37-45	37-40$^{1}/_{2}$	450	40$^{1}/_{2}$-45
VI	46-(54)	46-49$^{1}/_{2}$	450	19$^{1}/_{2}$-54[31]

31 As semanas colocadas entre parênteses pertencem ao segundo ano de rotação.

CAPITAL II

	Períodos de rotação Semanas	Períodos de trabalho Semanas	Adiantamento	Períodos de circulação Semanas
I	$4^1/_2$-$13^1/_2$	$4^1/_2$-9	450	10-$13^1/_2$
II	$13^1/_2$-$22^1/_2$	$13^1/_2$-18	450	19-$22^1/_2$
III	$22^1/_2$-$31^1/_2$	$22^1/_2$-27	450	28-$31^1/_2$
IV	$31^1/_2$-$40^1/_2$	$31^1/_2$-36	450	37-$40^1/_2$
V	$40^1/_2$-$49^1/_2$	$40^1/_2$-45	450	46-$49^1/_2$
VI	$49^1/_2$-($58^1/_2$)	$49^1/_2$-(54)	450	(55-$58^1/_2$)

Vamos supor que o ano tem 51 semanas. Em seu decurso, o capital I conclui seis períodos completos de trabalho e o II, cinco, produzindo o primeiro 6 x 450 = 2.700 libras esterlinas de mercadorias e o segundo, 5 x 450 = 2.250. Além disso, o capital II, na última 1½ semana do ano (do meio da 50ª semana até o fim da 51ª), produz mais 150 libras esterlinas. Produção global das 51 semanas: 5.100 libras esterlinas. Encarando a ocorrência do ponto de vista da produção imediata de mais-valia, efetuada apenas durante o período de trabalho, o capital global de 900 libras esterlinas teria rodado $5^2/_3$ vezes ($5^2/_3$ x 900 = 5.100 libras esterlinas). Mas, considerando-se as rotações efetivas, o capital I consumou $5^2/_3$ rotações, uma vez que, ao fim da 51ª semana, ainda tinha de percorrer três semanas de seu sexto período de rotação; $5^2/_3$ x 450 = 2.550 libras esterlinas; e capital II, $5^1/_6$ rotações, pois só percorreu 1½ semana de seu sexto período de rotação, caindo 7½ semanas desse período no ano seguinte; $5^1/_6$ x 450 = 2.325 libras esterlinas; rotação global efetiva = 4.875 libras esterlinas.

Consideremos o capital I e o II inteiramente independentes um do outro. São absolutamente autônomos em seus movimentos; esses movimentos se completam apenas porque seus períodos de trabalho e seus períodos de circulação se revezam imediatamente. É como se fossem capitais completamente distintos, pertencentes a diferentes capitalistas.

O capital I percorreu cinco períodos completos de rotação e dois terços do sexto período. Encontra-se, ao fim do ano, na forma de capital-mercadoria que precisa ainda de 3 semanas para sua realização normal. Durante esse tempo, não pode entrar no processo de produção. Está funcionando como capital-mercadoria: circula. Só percorreu $^2/_3$ do último período de rotação. Expressa-se a ocorrência da seguinte maneira: só efetuou $^2/_3$ de rotação, só

$^{2}/_{3}$ de seu valor global percorreram uma rotação completa. Dizemos que 450 libras esterlinas efetuam sua rotação em 9 semanas e que, portanto, 300 realizam-na em 6 semanas. Nesse modo de dizer, ficam de lado as relações orgânicas entre os dois componentes especificamente diversos do período de rotação. Dizer que o capital adiantado de 450 libras esterlinas efetuou $5^{2}/_{3}$ rotações significa exata e exclusivamente que consumou cinco rotações completas e apenas perfez $^{2}/_{3}$ da sexta rotação. Mas, quando se diz que o capital que girou, que rotou = $5^{2}/_{3}$ vezes o capital adiantado, sendo, portanto, no caso considerado = $5^{2}/_{3}$ x 450 libras esterlinas = 2.550 libras esterlinas, o sentido exato da expressão é que, se esse capital adiantado de 450 libras não for completado por outro de 450 libras, na realidade parte dele teria de estar no processo de produção e outra no processo de circulação. Se queremos exprimir o tempo de rotação na massa do capital que rotou, só poderemos fazê-lo em massa de valor existente (de fato, na quantidade de produto acabado). Para significar a circunstância de o capital adiantado não estar em condição de recomeçar o processo de produção, diz-se que apenas parte dele está apta para produzir, ou que, para poder produzir continuamente, terá de dividir-se numa parte que figure continuamente no período de produção e noutra que esteja constantemente no período de circulação, de acordo com a relação existente entre esses períodos. Atua aí a lei que determina a massa do capital produtivo que funciona continuamente, de acordo com a relação entre o tempo de circulação e o tempo de rotação.

No fim da 51ª semana, considerada a última do ano, estão adiantadas à produção de artigos inacabados 150 libras esterlinas do capital II. Outra parte desse capital está sob a forma de capital constante circulante, de matérias-primas etc., podendo assim servir de capital produtivo no processo de produção. Mas a terceira parte acha-se sob a forma dinheiro, em montante pelo menos igual à importância dos salários para o resto do período de trabalho (3 semanas), os quais só são pagos no fim de cada semana. Embora, no início do novo ano, de um novo ciclo de rotações, essa parte do capital não esteja sob a forma de capital produtivo e sim sob a de capital-dinheiro na qual não pode entrar no processo de produção, apesar disso, atua no processo de produção, ao iniciar-se a nova rotação, capital variável circulante, isto é, força de trabalho viva. Esse fenômeno decorre de a força de trabalho ser comprada e utilizada no início do período de trabalho, digamos, por semana, mas só ser paga no fim da semana. No caso, o dinheiro serve de meio de pagamento. Por isso, ainda está no bolso do capitalista, enquanto a força de trabalho, a mercadoria em que o dinheiro se converte, já está atuando no processo de produção; o mesmo valor-capital aparece aí sob dupla forma.

Do ponto de vista dos períodos de trabalho,

Capital I produz	$6 \times 450 = 2.700$ libras esterlinas
Capital II produz	$5^1/_3 \times 450 = 2.400$ libras esterlinas
Total	$5^1/_3 \times 900 = 5.100$ libras esterlinas

O capital global adiantado de 900 libras durante o ano serviu de capital produtivo $5^2/_3$ vezes. Para a produção da mais-valia, tanto faz que 450 libras funcionem no processo de produção e 450 no processo de circulação, alternando-se constantemente, ou que 900 libras operem durante 4½ semanas no processo de produção e 4½ semanas no processo de circulação.

Do ponto de vista dos períodos de rotação, temos:

Capital I	$5^2/_3 \times 450 = 2.550$ libras esterlinas
Capital II	$5^1/_6 \times 450 = 2.325$ libras esterlinas
Rotação do capital total	$5^5/_{12} \times 900 = 4.875$ libras esterlinas

O número de rotações do capital global é igual à soma das importâncias rodadas por I e II, dividida pela soma dos dois capitais.

Se os capitais I e II fossem independentes entre si, constituiriam partes autônomas do capital social adiantado na mesma esfera de produção. O cálculo feito para a rotação da soma dos componentes I e II do mesmo capital privado se aplicaria à rotação do capital social em determinada esfera de produção, se nesta o capital social se constituísse exclusivamente dos componentes I e II. Esse modo de calcular pode ser aplicado a qualquer parte do capital social global aplicada num ramo particular de produção. Finalmente, o número de rotações do capital social global é igual à soma das importâncias rodadas nas diferentes esferas de produção, dividida pela soma dos capitais nelas adiantados.

Os capitais I e II do mesmo negócio privado têm, a rigor, anos de rotação diferentes (começando o ciclo de rotações do capital II 4½ semanas depois do ciclo do capital I, e portanto, terminando o ano de I 4½ semanas antes do ano de II), e, do mesmo modo, os diferentes capitais privados começam seus negócios na mesma esfera de produção em épocas bem diversas e, portanto, terminam sua rotação anual em épocas do ano bem diferentes. O mesmo cálculo de média que utilizamos em I e II serve para reduzir os anos de rotação das diferentes partes do capital social a um ano uniforme de rotação.

2. PERÍODO DE TRABALHO MAIOR QUE PERÍODO DE CIRCULAÇÃO

Agora entrecruzam-se os períodos de trabalho e os de rotação dos capitais I e II, em vez de se revezarem. Ao mesmo tempo, há liberação de capital, o que não se dava no caso anteriormente observado.

Entretanto, agora como dantes (1) o número dos períodos de trabalho do capital global adiantado é igual à soma do valor do produto anual das duas partes do capital adiantadas, dividida pelo capital global adiantado, e (2) o número de rotações do capital global é igual à soma das duas importâncias rodadas, dividida pela soma dos dois capitais adiantados. Também aqui é mister supor que as duas partes do capital efetuam movimentos de rotação completamente independentes um do outro.

Partiremos novamente do pressuposto de que se adiantam semanalmente 100 libras esterlinas para o processo de trabalho. Vamos supor que o período de trabalho dura 6 semanas, exigindo, portanto, o adiantamento de 600 libras esterlinas (capital I); que o período de circulação é de 3 semanas e o de rotação é, por conseguinte, de 9 semanas, como no caso anterior; que um capital II de 300 libras esterlinas entra em cena durante o período de circulação de três semanas do capital I. Presumindo ambos independentes entre si, teremos, para a rotação anual, o seguinte esquema:

QUADRO II

CAPITAL 1.600 LIBRAS ESTERLINAS

	Períodos de rotação Semanas	Períodos de trabalho Semanas	Adiantamento Libras esterlinas	Períodos de circulação Semanas
I	1-9	1-6	600	7-9
II	10-18	10-15	600	16-18
III	19-27	19-24	600	25-27
IV	28-36	28-33	600	34-36
V	37-45	37-42	600	43-45
VI	46-(54)	46-51	600	(52-54)

CAPITAL ADICIONAL II, 300 LIBRAS ESTERLINAS

	Períodos de rotação Semanas	Períodos de trabalho Semanas	Adiantamento Libras esterlinas	Períodos de circulação Semanas
I	7-15	7-9	300	10-15
II	16-24	16-18	300	19-24
III	25-33	25-27	300	28-33
IV	34-42	34-36	300	37-42
V	43-51	43-45	300	46-51

O processo de produção prossegue o ano inteiro ininterruptamente na mesma escala. Ficam completamente separados ambos os capitais I e II. Mas, para representá-los separados, tivemos de omitir seus cruzamentos e entrelaçamentos reais e assim modificar o número das rotações. Segundo o quadro acima, rotariam:

Capital I	$5\ ^{2}/_{3}$ x 600 = 3.400 libras esterlinas
Capital II	5 x 300 = 1.500 libras esterlinas
Capital total	$5\ ^{4}/_{9}$ x 900 = 4.900 libras esterlinas

Isto, porém, não é exato, porque, conforme veremos, os verdadeiros períodos de produção e de circulação não coincidem absolutamente com os do esquema apresentado, cujo objetivo essencial era fazer os capitais I e II aparecerem como independentes entre si.

Com efeito, o capital II não tem períodos de trabalho e de circulação separados dos do capital I. O período de trabalho é de 6 semanas, e o de circulação, de 3. Sendo o capital II = 300 libras esterlinas, só pode preencher parte de um período de trabalho. E é o que efetivamente se dá. Produto no valor de 600 libras esterlinas entra em circulação no fim da 6ª semana e reflui em dinheiro no fim da 9ª. Assim, no começo da 7ª semana, o capital II entra em atividade e cobre as necessidades do próximo período de trabalho, da 7ª-9ª semanas. Mas, segundo o pressuposto estabelecido, no fim da 9ª semana concluiu-se apenas metade do período de trabalho. No começo da 10ª semana, o capital I de 600 libras esterlinas que acabou de refluir volta a entrar em atividade e cobre com 300 libras esterlinas as necessidades de adiantamentos da 10ª-12ª semanas. Assim conclui-se o segundo período de trabalho. Fica em circulação um valor, em produtos, de 600 libras esterlinas, o qual reflui no fim da 15ª semana; ao mesmo tempo, ficam liberadas 300 libras esterlinas, importância igual à do capital primitivo II, podendo funcionar na primeira metade do período de trabalho seguinte, portanto da 13ª-15ª semanas. No fim dessa etapa, refluem novamente as 600 libras esterlinas: delas bastam 300 para concluir o período de trabalho e outras 300 ficam disponíveis para o período seguinte.

As coisas se passam da seguinte maneira:

I. Período de rotação: semanas 1-9.

1. Período de trabalho: semanas 1-6. Funciona o capital I de 600 libras esterlinas.

1. Período de circulação: semanas 7-9. Refluem 600 libras esterlinas no fim da 9ª semana.

II. Período de rotação: semanas 7-15.

2. Período de trabalho: semanas 7-12.
Primeira metade: semanas 7-9. Funciona o capital II de 300 libras esterlinas. Fim da 9ª semana, refluem 600 libras esterlinas em dinheiro (capital I).
Segunda metade: semanas 10-12. Funcionam 300 libras esterlinas do capital I. As outras 300 libras do capital I continuam disponíveis.

2. Período de circulação: semanas 13-15.
Fim da 15ª semana, refluem em dinheiro 600 libras esterlinas (metade do capital I e metade do capital II).

III. Período de rotação: semanas 13-21.

3. Período de trabalho: semanas 13-18.
Primeira metade: semanas 13-15. Funcionam as 300 libras disponíveis. Fim da 15ª semana, refluem em dinheiro 600 libras esterlinas.
Segunda metade: semanas 16-18. Das 600 libras que voltaram, funcionam 300 e as outras 300 ficam disponíveis.

3. Período de circulação: semanas 19-21. No final, refluem em dinheiro 600 libras esterlinas e nelas os capitais I e II se fundiram de tal modo que não é mais possível distinguir um do outro.

Dessa maneira, um capital de 600 libras esterlinas efetua oito períodos completos de rotação (I: semanas 1-9; II: 7-15; III: 13-21; IV: 19-27; V:

25-33; VI: 31-39; VII: 37-45; VIII: 43-51) até chegar ao fim da 51ª semana. Estando as semanas 49-51 no oitavo período de circulação, no decurso delas devem entrar em ação as 300 libras esterlinas de capital disponível, a fim de manter a produção em marcha. Assim, a rotação no fim do ano apresenta-se da seguinte maneira: 600 libras esterlinas efetuaram seu ciclo oito vezes, o que perfaz 4.800 libras esterlinas. Acresce a isto o produto das últimas 3 semanas (49-51), o qual só percorreu um terço de seu ciclo de 9 semanas, só adicionando, portanto, à importância global das rotações um terço de sua importância, 100 libras esterlinas. O produto anual de 51 semanas = 5.100 libras esterlinas, mas o capital rodado é apenas de 4.800 + 100 = 4.900 libras esterlinas; o capital global adiantado de 900 libras esterlinas realizou, portanto, $5^4/_9$ rotações, pouco mais que no caso I.

No exemplo considerado, supomos o tempo de trabalho = $^2/_3$, e o de circulação = $^1/_3$ do período de rotação, sendo o primeiro tempo um múltiplo do segundo. Trata-se agora de saber se haverá a disponibilidade observada de capital, se não for de múltiplos a relação entre os dois tempos.

Vamos supor: período de trabalho = 5 semanas, tempo de circulação = 4 semanas, adiantamento de capital por semana = 100 libras esterlinas.

I. Período de rotação: semanas 1-9.
   1. Período de trabalho: semanas 1-5. Funciona capital I = 500 libras esterlinas.
   1. Período de circulação: semanas 6-9. Fim da 9ª semana, refluem em dinheiro 500 libras esterlinas.

II. Período de rotação: semanas 6-14.
   2. Período de trabalho: semanas 6-10.
      Primeiro segmento: semanas 6-9. Funciona capital II = 400 libras esterlinas. No fim da 9ª semana, reflui capital I = 500 libras esterlinas em dinheiro.
      Segundo segmento: 10ª semana. Funcionam 100 libras esterlinas das 500 que refluíram. As restantes 400 ficam liberadas para o período de trabalho seguinte.
   2. Período de circulação: semanas 11-14. No fim da 14ª semana, refluem em dinheiro 500 libras esterlinas.

Até o fim da semana 14 (11-14), funcionam as 400 libras esterlinas anteriormente liberadas; 100 libras esterlinas, das 500 que refluem depois, atendem às necessidades do 3º período de trabalho (semanas 11-15), de modo que outras 400 libras esterlinas ficam liberadas para o quarto período de trabalho. O mesmo fenômeno repete-se em cada período de trabalho; no começo, há 400 libras esterlinas que bastam para as primeiras 4 semanas. No fim da 4ª semana, refluem em dinheiro 500 libras esterlinas, das quais 100 são necessárias à última semana e as restantes 400 ficam disponíveis para o período de trabalho seguinte.

Admitamos agora um período de trabalho de 7 semanas, com capital I de 700 libras esterlinas, e um tempo de circulação de 2 semanas, com capital II de 200 libras esterlinas.

Nesse caso, o primeiro período de rotação dura 1-9 semanas, abrangendo o primeiro período de trabalho 1-7 semanas, com adiantamento de 700 libras esterlinas, e o primeiro período de circulação, 8-9 semanas. No fim da 9ª semana, refluem em dinheiro as 700 libras esterlinas.

O segundo período de rotação, semanas 8-16, compreende o segundo período de trabalho, semanas 8-14. As necessidades das semanas 8 e 9 são atendidas pelo capital II. No fim da 9ª semana, refluem as 700 libras esterlinas anteriormente mencionadas; delas, se utilizam até o fim do período de trabalho (semanas 10-14) 500 libras esterlinas. Ficam disponíveis 200 para o período de trabalho seguinte. O segundo período de circulação dura 2 semanas, a 15ª e a 16ª; no fim da 16ª semana, refluem 700 libras esterlinas. Daí por diante, o mesmo fenômeno passa a repetir-se em cada período de trabalho. As necessidades de capital das duas primeiras semanas são atendidas pelas 200 libras esterlinas que ficam disponíveis no fim do período de trabalho anterior; no término da 2ª semana, refluem 700 libras esterlinas; mas só restam do período de trabalho cinco semanas, de modo que só se utilizam 500 libras esterlinas; ficam sempre disponíveis 200 para o período de trabalho seguinte.

Verificamos, portanto, que, na hipótese de o período de trabalho ser maior que o período de circulação, fica sempre disponível no fim de cada período de trabalho um capital-dinheiro de magnitude igual ao capital II adiantado para o período de circulação. Nos exemplos primeiro, segundo e terceiro apresentados, o capital II era respectivamente de 300 libras esterlinas, 400 e 200; em consequência, no fim do período de trabalho estava disponível capital respectivamente de 300, 400 e 200 libras esterlinas.

3. PERÍODO DE TRABALHO MENOR QUE PERÍODO DE CIRCULAÇÃO

Vamos supor um período de rotação de 9 semanas, compreendendo período de trabalho de 3 semanas que dispõe do capital I = 300 libras esterlinas, e o período de circulação de 6 semanas. Para essas 6 semanas é necessário um capital adicional de 600 libras esterlinas que podemos repartir em dois capitais, de 300 libras cada um, vinculando-se cada um a um período de trabalho. Temos assim três capitais de 300 libras cada um, funcionando 300 libras na produção e 600 circulando.

QUADRO III

CAPITAL I

Períodos (semanas)

	De rotação	De trabalho	De circulação
I	1-9	1-3	4-9
II	10-18	10-12	13-18
III	19-27	19-21	22-27
IV	28-36	28-30	31-36
V	37-45	37-39	40-45
VI	46-(54)	46-48	49-(54)

CAPITAL II

Períodos (semanas)

	De rotação	De trabalho	De circulação
I	4-12	4-6	7-12
II	13-21	13-15	16-21
III	22-30	22-24	25-30
IV	31-39	31-33	34-39
V	40-48	40-42	43-48
VI	46-(57)	49-51	(52-57)

CAPITAL III

Períodos (semanas)

	De rotação	De trabalho	De circulação
I	7-15	7-9	10-15
II	16-24	16-18	19-24
III	25-33	25-27	28-33
IV	34-42	34-36	37-42
V	43-51	43-45	46-51

Temos aí o reverso do caso I, com a diferença de se revezarem não dois, mas três capitais. Não há entrecruzamento nem entrelaçamento dos capitais; é possível acompanhar cada um separadamente até o fim do ano. Como no caso I, não há disponibilidade de capital do fim de um período de trabalho. Em sua totalidade, o capital I está despendido no fim da 3ª semana, reflui no fim da 9ª e volta a entrar em função no início da 10ª. Ocorrência análoga com os capitais II e III. A alternação regular e completa exclui toda disponibilidade.

Calcula-se a rotação global da seguinte maneira:

Capital I	300 x $5^2/_3$	= 1.700 libras esterlinas
Capital II	300 x $5^1/_3$	= 1.600 libras esterlinas
Capital III	300 x 5	= 1.500 libras esterlinas
Capital total	900 x $5^1/_3$	= 4.800 libras esterlinas

Vejamos um caso em que o período de circulação não seja múltiplo exato do período de trabalho. Por exemplo, período de trabalho de 4 semanas e período de circulação de 5 semanas. Nessa base, temos capital I = 400 libras esterlinas, capital II = 400, capital III = 100. Apresentamos apenas as três primeiras rotações.

QUADRO IV

CAPITAL I

Períodos (semanas)

	De rotação	De trabalho	De circulação
I	1-9	1-4	5-9
II	9-17	9, 10-12	13-17
III	17-25	17, 18-20	21-25

CAPITAL II

Períodos (semanas)

	De rotação	De trabalho	De circulação
I	5-13	5-8	9-13
II	13-21	13, 14-16	17-21
III	21-29	21, 22-24	25-29

CAPITAL III
Períodos (semanas)

	De rotação	De trabalho	De circulação
I	9-17	9	10-17
II	17-25	17	18-25
III	25-33	25	26-33

Não sendo autônomo o período de trabalho do capital III, em virtude de só bastar para uma semana, ocorre agora entrosamento dos capitais porque esse período de trabalho coincide com a 1ª semana de trabalho do capital I. Em virtude dessa coincidência, no fim do período de trabalho, tanto do capital I quanto do II, estão disponíveis 100 libras esterlinas, quantia igual ao capital III. Se o capital III preenche as necessidades da primeira semana do segundo período de trabalho e dos seguintes do capital I, refluindo ao fim dessa primeira semana o capital I por inteiro, 400 libras esterlinas, ficam faltando apenas 3 semanas para completar o período de trabalho do capital I, correspondendo a elas um dispêndio de capital de 300 libras esterlinas. As 100 libras esterlinas assim liberadas são suficientes para a primeira semana do período de trabalho do capital II, que segue imediatamente; ao fim dessa semana, reflui todo o capital II, 400 libras esterlinas; mas, como o período de trabalho já iniciado só pode absorver 300 libras esterlinas, no final 100 ficam novamente disponíveis, e assim por diante. Há, portanto, disponibilidade de capital no fim do período de trabalho, quando o tempo de circulação não constitui simples múltiplo do período de trabalho; e esse capital disponível é igual à fração do capital destinada a preencher a lacuna criada pelo excesso do período de circulação sobre um período de trabalho ou sobre um múltiplo do período de trabalho.

Em todos os casos examinados, supusemos que o período de trabalho e o tempo de circulação, na empresa industrial, permanecem os mesmos durante o ano inteiro. Essa hipótese era necessária para se verificar a influência do período de circulação sobre a rotação e adiantamento do capital. A circunstância de essa hipótese não ter validade geral e frequentes vezes nenhuma validade em nada altera a situação observada.

Em toda esta parte, só estudamos as rotações do capital circulante e não as do fixo, simplesmente porque a questão tratada nada tem a ver com o capital fixo. Os meios de trabalho etc. empregados no processo de produção só constituem capital fixo quando o tempo em que são utilizados dura mais que o período de rotação do capital circulante, quando o tempo em que prosseguem servindo em processos de trabalho continuamente repetidos é maior que o período de rotação do capital circulante, e, portanto, igual a n períodos de rotação do capital circulante. O tempo total constituído por esses n períodos de rotação do capital circulante pode ser mais ou menos longo, mas a parte do capital produtivo que se adianta em capital fixo durante esse tempo não volta a ser adiantada em seu decurso. Continua a funcionar em sua antiga forma útil. A diferença exclusiva a notar é que, conforme a extensão diversa do período de trabalho de cada período de rotação do capital circulante, o capital fixo cede maior ou menor parte de seu valor original ao produto desse período de trabalho, e que, segundo a duração do tempo de circulação de cada período de rotação, essa parte do valor do capital fixo transferida ao produto reflui mais ou menos rapidamente sob a forma dinheiro. A natureza da matéria de que tratamos, a rotação da parte circulante do capital produtivo, provém da natureza mesma dessa parte do capital. O capital circulante empregado num período de trabalho não pode ser empregado em novo período de trabalho antes de concluída sua rotação, de transformar-se em capital-mercadoria, daí em capital-dinheiro e deste novamente em capital produtivo. Por isso, a fim de continuar imediatamente, com um segundo, o primeiro período de trabalho, é mister adiantar novo capital, convertê-lo nos elementos circulantes do capital produtivo e em quantidade suficiente para preencher a lacuna surgida com o período de circulação do capital circulante adiantado para o primeiro período de trabalho. Daí a influência da extensão do período de trabalho do capital circulante sobre a escala do processo de trabalho na empresa e sobre a repartição do capital adiantado, ou seja, sobre o suprimento de novas porções de capital. Mas é isto justamente o que procuramos estudar aqui.

4. RESULTADOS

Da investigação precedente resulta o seguinte:

A. As diferentes porções em que se tem de repartir o capital – a fim de que uma parte esteja constantemente no período de trabalho enquanto outra fique no período de circulação – alternam-se, como diferentes capitais privados autônomos, em dois casos: 1) quando o período de trabalho é igual ao período de circulação sendo o período de rotação, portanto, repartido em dois segmentos iguais; 2) quando o período de circulação é maior que o período de trabalho, mas ao mesmo tempo constitui simples múltiplo do período de trabalho, de modo que um período de circulação = n períodos de trabalho em que n tem de ser um inteiro. Nesses casos, não fica disponível parte alguma do capital sucessivamente adiantado.

B. Mas, em todos os casos em que 1) o período de circulação é maior que o período de trabalho sem constituir dele simples múltiplo, e em que 2) o período de trabalho é maior que o período de circulação, parte do capital global circulante fica disponível a partir da segunda rotação, de maneira contínua e periódica, ao fim de cada período de trabalho. Esse capital em disponibilidade é igual à parte do capital global adiantada para o período de circulação, se o período de trabalho é maior do que o período de circulação, e igual à parte do capital que tem de preencher a lacuna criada pelo excedente do período de circulação sobre um período de trabalho ou sobre um múltiplo de períodos de trabalho, se o período de circulação é maior do que o período de trabalho.

C. Segue-se daí que, para a parte circulante do capital global da sociedade, a disponibilidade de capital tem de constituir a regra, e o mero revezamento das partes do capital que funcionam sucessivamente no processo de produção, a exceção. Com efeito, a igualdade entre período de trabalho e período de circulação, ou a igualdade entre período de circulação e um simples múltiplo do período de trabalho, essa proporcionalidade regular dos dois componentes do período de rotação, nada tem a ver com a natureza do processo e por isso só excepcionalmente pode se dar no conjunto dos acontecimentos.

Parte importante do capital social circulante que rota várias vezes por ano ficará periodicamente, durante o ciclo anual de rotações, sob a forma de capital disponível.

Além disso, está claro que, não se alterando as demais circunstâncias, a grandeza desse capital liberado cresce com a magnitude do processo de trabalho ou com a escala da produção, de modo geral, portanto, com o desenvolvimento da produção capitalista. No caso B.2, porque aumenta o capital global adiantado, e no caso B.1, porque, com o desenvolvimento da produção capitalista, dilata-se o período de circulação, portanto o período de rotação, sem que o período de trabalho guarde proporcionalidade regular com o período de circulação.

No primeiro caso, tínhamos, por exemplo, de despender semanalmente 100 libras esterlinas. Para período de trabalho de seis semanas, 600 libras, para período de circulação de três, 300 libras, ao todo 900. Ficam constantemente em disponibilidade 300 libras esterlinas. Mas, se o dispêndio semanal é de 300 libras esterlinas, serão necessárias 1.800 para o período de trabalho e 900 para o período de circulação; ficarão, portanto, periodicamente liberadas 900 libras esterlinas, e não 300.

D. O capital global de 900 libras esterlinas, por exemplo, tem de dividir-se em duas partes, como acima, 600 libras para o período de trabalho e 300 para o período de circulação. A parte realmente despendida no processo de trabalho fica assim diminuída de $^1/_3$, sendo constituída de 600 libras esterlinas, e não de 900, reduzindo-se de $^1/_3$ a escala de produção. Por outro lado, as 300 libras esterlinas só funcionam para tornar o período de trabalho contínuo, de modo que em toda semana do ano se possam empregar 100 libras esterlinas no processo de trabalho.

Do ponto de vista abstrato, tanto faz que operem 600 libras esterlinas durante 6 x 8 = 48 semanas (produto = 4.800 libras esterlinas) ou que todo o capital de 900 libras esterlinas se despenda durante 6 semanas no processo de trabalho e fique parado durante o período de circulação de 3 semanas; neste caso, operaria no decorrer das 48 semanas, $5^1/_3$ x 6 = 32 semanas (produto $5^1/_3$ x 900 = 4.800 libras esterlinas) e ficaria parado durante 16 semanas. Mas, pondo-se de lado a deterioração do capital fixo durante a parada de 16 semanas e o encarecimento do trabalho que tem de ser pago o ano inteiro, embora só atue durante parte dele, é absolutamente incompatível com a indústria moderna essa interrupção regular do processo de produção. A continuidade é, em si mesma, força produtiva do trabalho.

Examinando mais de perto o capital disponível, ou seja, suspenso de suas funções, evidencia-se que parte considerável dele tem de possuir sempre a forma de capital-dinheiro. Fiquemos no exemplo: período de trabalho de 6 semanas, período de circulação de 3 semanas, dispêndio por semana de 100 libras esterlinas. Na metade do segundo período de trabalho, fim da 9ª semana, refluem 600 libras esterlinas, das quais apenas 300 são para aplicar no resto do período de trabalho. No fim do segundo período de trabalho, ficam, portanto, disponíveis 300 libras esterlinas. Que condição assumem elas? Vamos supor que 1/3 se destine a salários e 2/3 a matérias-primas e matérias auxiliares. Das 600 libras que refluíram, 200 libras, portanto, ficarão na forma dinheiro para aplicar em salários e 400 na forma de estoque produtivo, de elementos do capital produtivo circulante constante. Mas, uma vez que a segunda metade do período de trabalho II só requer a metade desse estoque produtivo, a outra metade fica durante 3 semanas sob a forma de estoque produtivo excedente, isto é, que ultrapassa as necessidades de um período de trabalho. O capitalista, porém, sabe que, dessa parte (= 400 libras esterlinas) do capital que refluiu, só precisa da metade (200 libras esterlinas) para o período de trabalho corrente. Dependendo das condições do mercado, transformará logo todas as 200 libras esterlinas ou parte delas em estoque produtivo excedente ou retê-las-á total ou parcialmente sob a forma de capital-dinheiro, na espera de melhores condições de mercado. É evidente que manterá sob a forma dinheiro a parte destinada a salários = 200 libras esterlinas. O capitalista não pode armazenar força de trabalho, depois de tê-la comprado, como faz com matérias-primas. Tem de incorporá-la ao processo de produção, pagando-a no fim da semana. Do capital liberado de 300 libras esterlinas, 100 possuirão, portanto, de qualquer modo, a forma de capital-dinheiro disponível, isto é, desnecessário durante o período de trabalho. O capital disponível sob a forma de capital-dinheiro, portanto, tem no mínimo de ser igual ao variável, à parte do capital despendida em salários; no máximo pode abranger todo o capital que foi liberado. Na realidade, oscila constantemente entre o mínimo e o máximo.

Com o desenvolvimento do sistema de crédito, desempenha necessariamente importante papel o capital-dinheiro liberado pelo simples mecanismo do movimento de rotação (juntamente com o capital-dinheiro que provém dos refluxos sucessivos do capital fixo e com o capital-dinheiro necessário como capital variável em todo processo de trabalho), constituindo uma das bases desse sistema.

Admitamos que, em nosso exemplo, o tempo de circulação se reduza de 3 para 2 semanas e que isto não seja normal, mas consequência de conjuntura favorável, de menores prazos de pagamento etc. O capital de 600 libras, despendido durante o período de trabalho, reflui uma semana antes do necessário, ficando disponível nessa semana. Como dantes, ficarão liberadas no meio do período de trabalho 300 libras esterlinas (parte daquelas 600 libras), mas por 4, e não por 3 semanas. No mercado de dinheiro ficam, portanto, durante 1 semana, 600 libras esterlinas e, durante 4, em vez de 3 semanas, 300. Não se restringindo isto a um só capitalista, mas ocorrendo a muitos, em diferentes períodos e em diversos ramos, mais capital-dinheiro aparece no mercado. Se essa situação se prolonga, ampliar-se-á a produção onde for possível; capitalistas que operam com capital de empréstimo reduzirão sua procura no mercado de dinheiro, o que desafogará o mercado como se aumentasse a oferta; em suma, as quantias que se tiverem tornado supérfluas para o mecanismo serão definitivamente lançadas no mercado financeiro.

Contraindo-se o tempo de circulação de 3 para 2 semanas e por conseguinte o período de rotação de 9 para 8, torna-se supérfluo $^{1}/_{9}$ do capital global adiantado; em vez de 900 libras esterlinas, bastam agora 800 para manter o período de trabalho de 6 semanas continuamente em funcionamento. Parte do valor do capital-mercadoria = 100 libras esterlinas, uma vez reconvertida em dinheiro, aferra-se a essa condição como capital-dinheiro, sem funcionar mais como parte do capital adiantado para o processo de produção. Se a produção prossegue na mesma escala e não se alteram as demais condições, tais como preços etc., diminui o valor do capital adiantado, de 900 para 800 libras esterlinas; o resto do valor originalmente adiantado, 100 libras esterlinas, expele-se na forma de capital-dinheiro e nessa qualidade entra no mercado financeiro, juntando-se aos capitais que aí funcionam.

Por aí se vê como pode surgir pletora de capital-dinheiro: no sentido de a oferta de capital-dinheiro ser maior do que a procura, uma pletora apenas relativa que ocorre, por exemplo, no "período melancólico" que abre o novo ciclo no fim da crise; e no sentido de que determinada parte do valor-capital adiantado ficou supérflua para operar todo o processo social de reprodução (que abrange o processo de circulação) e por isso é expelida sob a forma de capital-dinheiro. Esta pletora, não se alterando a escala de produção nem os preços, resulta da simples contração do período de rotação. Não tem aí a menor influência a massa de dinheiro que está em circulação.

Admitamos, ao contrário, que o período de circulação se prolongue, digamos, de 3 para 5 semanas. Já na rotação imediata o refluxo do capital adiantado atrasar-se-á de 2 semanas. Não se pode efetivar a fase final do processo de produção desse período de trabalho por meio do mecanismo da rotação do capital adiantado. Prolongando-se essa situação, poderia ocorrer o contrário do caso anterior, contração do processo de produção, da magnitude em que funciona. Mas, para fazer o processo continuar na mesma escala, o capital adiantado teria de ser aumentado de $^2/_9$ = 200 libras esterlinas por todo o tempo do prolongamento do período de circulação. Esse capital adicional só pode sair do mercado financeiro. O prolongamento do período de circulação, se atinge uma ou várias indústrias importantes, pode exercer pressão sobre o mercado de dinheiro, a não ser que esse efeito seja anulado por ação em sentido contrário. Ainda neste caso é evidente que essa pressão, como a pletora anteriormente considerada, nada tem a ver com qualquer modificação nos preços das mercadorias ou na quantidade dos meios de circulação existentes.

(Foi-me difícil preparar este capítulo para a impressão. O que no campo algébrico sobrava a Marx em solidez, faltava-lhe em perícia para manipular números, notadamente no cálculo mercantil, embora existisse um volumoso amarrado de cadernos em que ele, através de numerosos exemplos, esmiuçou todos os gêneros de cálculo comercial. Mas conhecimento dos diversos gêneros de cálculo e prática diária de contas do comerciante não são matérias idênticas, e assim Marx ficou embaralhado em seus cálculos de rotação, neles havendo coisas inconclusas, outras inexatas e contraditórias. Nos quadros reproduzidos acima só apresentei o mais simples e aritmeticamente exato, considerando principalmente os motivos que passo a expor.

Os resultados precários desses cálculos laboriosos levaram Marx, a meu ver, a dar importância imerecida a uma circunstância de pouco peso. Refiro-me ao que ele chama de "liberação" de capital-dinheiro, disponibilidade de capital-dinheiro. De acordo com os pressupostos acima estabelecidos, os fatos se desenrolam da seguinte maneira:

Qualquer que seja a relação entre a magnitude do período de trabalho e a do tempo de circulação, por conseguinte, entre capital I e capital II, reflui sob a forma dinheiro para o capitalista – depois da primeira rotação, em intervalos regulares de duração igual à do período de trabalho – o capital necessário para cada período de trabalho, uma soma, portanto, igual ao capital I.

Se o período de trabalho = 5 semanas, o tempo de circulação = 4 semanas, o capital I = 500 libras esterlinas, refluirá sempre uma soma de dinheiro de 500 libras esterlinas no fim da 9ª semana, da 14ª, da 19ª, da 24ª, da 29ª e assim por diante.

Se o período de trabalho = 6 semanas, o período de circulação = 3 semanas, o capital I = 600 libras esterlinas, refluirão sempre 600 libras esterlinas no fim da 9ª semana, da 15ª, da 21ª, da 27ª, da 33ª e assim por diante.

Finalmente, se o período de trabalho = 4 semanas, o período de circulação = 5 semanas, o capital I = 400 libras esterlinas, refluirá sempre uma quantia de 400 libras esterlinas no fim da 9ª semana, da 13ª, da 17ª, da 21ª, da 25ª e assim por diante.

Em nada altera o problema a extensão em que fica supérfluo para o período de trabalho corrente, em que fica liberado, portanto, o dinheiro que retorna. Pressupõe-se que a produção prossegue ininterrupta na mesma escala, e para isso é necessário que o dinheiro esteja presente, que reflua, portanto, fique ou não "disponível". Se a produção é interrompida, cessa também a liberação.

Dito de outro modo: há sem dúvida liberação de dinheiro, constituição, portanto, em forma de dinheiro, de capital latente, apenas potencial; mas em todas as circunstâncias, e não unicamente nas condições especiais pormenorizadas no texto, a liberação ocorre em escala maior. No tocante ao capital circulante I, encontra-se o capitalista industrial, no fim de cada rotação, na mesma situação do início do negócio: tem-no por inteiro em suas mãos, mas só pouco a pouco pode novamente convertê-lo em capital produtivo.

O essencial do texto é a demonstração de que importante parte do capital industrial tem de existir sempre sob a forma dinheiro, e parte mais importante ainda tem de assumir temporariamente essa forma. Minhas observações adicionais confirmam totalmente essa demonstração. — F.E.)

5. EFEITOS DA VARIAÇÃO DE PREÇOS

Até aqui, supomos invariáveis os preços e a escala da produção, e variável, contraindo-se ou expandindo-se, o tempo de circulação. Agora, vamos supor invariáveis a magnitude do período de rotação e a escala da produção, e variáveis os preços, isto é, queda ou ascensão dos preços das matérias-primas, das matérias auxiliares e do trabalho ou dos dois primeiros desses elementos. Sejam reduzidos à metade os preços das matérias-primas e das matérias auxiliares e os salários. Nessas condições, o adiantamento necessário de capital seria, em nosso exemplo, por semana de 50 libras esterlinas em vez de 100, e, pelo período de rotação de 9 semanas, de 450 libras esterlinas em vez de 900. No início, do valor-capital adiantado são eliminadas, sob a forma de capital-dinheiro, 450 libras esterlinas, mas prossegue o processo de produção na mesma escala e com o mesmo período de rotação e com a antiga divisão desse período. Continua sendo a mesma a quantidade anualmente produzida, embora seu valor se reduza à metade. Essa mudança acompanhada por variação na oferta e procura de capital-dinheiro não foi produzida por aceleração da circulação, nem por variação na quantidade do dinheiro circulante. Ao contrário. Se o valor, ou seja, o preço dos elementos do capital produtivo diminui de metade, resulta que a empresa x adianta um valor-capital reduzido à metade para negócio que prossegue na mesma escala, e portanto, lança metade do dinheiro no mercado, uma vez que a empresa adianta esse valor-capital sob a forma de dinheiro, isto é, como capital-dinheiro. A quantidade de dinheiro lançada em circulação teria diminuído por terem caído os preços dos elementos de produção. Esta seria a primeira consequência.

Vejamos a segunda. Do valor-capital originalmente adiantado, das 900 libras esterlinas, a metade = 450 libras esterlinas, que a) alternativamente passava pela forma de capital-dinheiro, capital produtivo e capital-mercadoria, e b) estava ao mesmo tempo continuamente fragmentada nas formas de capital-dinheiro, de capital produtivo e de capital-mercadoria, destacar-se-ia do ciclo do negócio da empresa x e entraria no mercado financeiro como capital-dinheiro complementar, nele atuando como novo componente. Essas 450 libras esterlinas liberadas operam como capital-dinheiro não por se terem tornado supérfluas para movimentar o negócio da empresa x, mas por serem parte componente do valor-capital original, e assim o objetivo é fazê-las prosseguir como capital e não gastá-las como simples meio de circulação. A forma imediata de fazê-las operar como capital é lançá-las no mercado financeiro como capital-dinheiro. Por outro lado, a empresa, se abstraímos do capital fixo, poderia duplicar a escala da produção. Movimentaria processo de produção duplamente maior com o mesmo capital que antes adiantava de 900 libras esterlinas.

Mas, se os preços dos elementos circulantes do capital produtivo aumentarem de metade, serão necessárias semanalmente, em vez de 100, 150 libras esterlinas, e portanto, em vez de 900, 1.350. Capital suplementar de 450 libras esterlinas será necessário para movimentar a produção na mesma escala, e exerceria certa pressão sobre o mercado financeiro, a qual seria maior ou menor de acordo com a situação desse mercado. Se a procura existente já exigir todo o capital nele disponível, surgirá intensa concorrência em torno desse capital. Se, entretanto, parte dele ainda estiver ociosa, será posta em atividade em montante adequado.

Pode ocorrer outra hipótese: invariáveis a escala da produção, a velocidade da rotação e os preços dos elementos do capital produtivo circulante, e variável, subindo ou caindo, o preço dos produtos da empresa x. Se baixa o preço das mercadorias fornecidas pela empresa x, o preço de seu capital-mercadoria desce, digamos, de 600 libras que lançava constantemente em circulação, para 500. Um sexto do valor do capital adiantado não reflui, portanto, do processo de circulação (estamos abstraindo da mais-valia encerrada no capital-mercadoria), nele se perdendo. Mas, como o valor ou o preço dos elementos de produção permanece o mesmo, esse refluxo de 500 libras esterlinas é apenas suficiente para repor $^5/_6$ do capital de 600 libras esterlinas continuamente empregado no processo de produção. Seria mister, portanto, despender 100 libras esterlinas de capital-dinheiro adicional para manter a produção na mesma escala.

Ao contrário, se subir o preço dos produtos da empresa x, elevar-se-á o capital-mercadoria de 600 libras esterlinas para 700, digamos. Desse preço, $^1/_7$ = 100 libras esterlinas não provém do processo de produção, não foi nele empregado, mas decorre do processo de circulação. São necessárias 600 libras para repor os elementos produtivos; há, portanto, liberação de 100 libras.

Não cabe investigar aqui as causas por que no primeiro caso diminui ou aumenta o período de rotação, e por que sobem ou descem, no segundo caso, os preços das matérias-primas e do trabalho, e, no terceiro caso, os preços dos produtos fornecidos.

Mas enquadra-se em nossa pesquisa o seguinte:

Primeiro caso. Invariáveis, escala da produção, preços dos elementos de produção e dos produtos; variáveis, período de circulação e consequentemente o de rotação.

De acordo com a hipótese formulada em nosso exemplo, a redução do período de circulação diminui de $^1/_9$ o capital global a adiantar, que passa de 900 para 800 libras esterlinas, sendo expelidas 100 libras esterlinas de capital-dinheiro.

A empresa x continua a fornecer a cada seis semanas produto com o mesmo valor de 600 libras esterlinas, e, uma vez que opera o ano inteiro ininterruptamente, fornece em 51 semanas a mesma massa de produto no valor de 5.100 libras esterlinas. Não há, portanto, mudança alguma quanto às quantidades e ao preço do produto lançado em circulação, nem quanto aos prazos em que o produto é posto no mercado. Mas liberam-se 100 libras esterlinas, porque, com o encurtamento do período de circulação, o processo despende apenas 800 libras esterlinas de capital adiantado, em vez das 900 anteriores. As 100 libras esterlinas de capital expelido existem agora sob a forma de capital-dinheiro. Mas não como a parte do capital adiantado que teria de funcionar continuamente sob a forma de capital-dinheiro. Vamos supor que do capital circulante adiantado I = 600 libras esterlinas se despendam $^4/_5$ em materiais de produção = 480, e $^1/_5$ = 120 em salários, o que, por semana, corresponde a 80 para materiais e a 20 para salários. Capital II = 300 libras esterlinas terá do mesmo modo de repartir-se em $^4/_5$ = 240 libras esterlinas para materiais de produção e $^1/_5$ = 60 para salários. É mister que se adiante sempre em forma de dinheiro o capital que se despende em salários. Logo que o produto-mercadoria no valor de 600 libras esterlinas retorna à forma dinheiro, é vendido, podem sair daí 480 libras que se convertem em materiais de produção (estoque produtivo), enquanto 120 conservam a forma dinheiro, destinando-se ao pagamento dos salários por 6 semanas. Do capital reavido de 600 libras esterlinas, essas 120 constituem o mínimo que é necessário renovar e repor sob a forma de capital-dinheiro, tendo de existir sempre como parte do capital adiantado que funciona sob a forma de dinheiro.

Mas, se do montante de 300 libras esterlinas liberado periodicamente por três semanas (também divisível em 240 libras esterlinas para estoque produtivo e 60 para salários) se destacam, com o encurtamento do período de circulação, 100 libras esterlinas sob a forma de capital-dinheiro, ficando completamente fora do mecanismo da rotação – donde provém o dinheiro correspondente a essas 100 libras esterlinas de capital-dinheiro? Somente a quinta parte dessas 100 libras consiste em capital-dinheiro que vai ficando periodicamente liberado dentro das rotações. Os restantes $^4/_5$ = 80 libras esterlinas são substituídos por estoque produtivo adicional do mesmo valor. De que maneira esse estoque adicional para a produção se transforma em dinheiro e donde vem o dinheiro para essa transformação?

Ao reduzir-se o período de circulação, das 600 libras anteriores reconvertem-se em estoque produtivo apenas 400, e não mais 480. As 80 libras esterlinas restantes conservam sua forma dinheiro e constituem, com as 20 libras anteriores destinadas a salários, as 100 libras de capital expelido. Embora essas 100 libras esterlinas, em virtude da venda do capital-mercadoria de 600 libras, procedam da circulação e dela fiquem retiradas enquanto não se despendem novamente em salários e em elementos de produção, convém não esquecer que, estando sob a forma dinheiro, apenas retornaram à mesma forma em que foram primitivamente lançadas na circulação. No princípio, despenderam-se 900 libras de dinheiro em estoque produtivo e em salários. Para levar a cabo o mesmo processo de produção, bastam agora 800 libras. As 100 libras esterlinas que ficam assim disponíveis em forma de dinheiro constituem agora novo capital-dinheiro que procura aplicação, novo componente do mercado financeiro. Antes já apareciam periodicamente sob a forma de capital-dinheiro liberado e de capital produtivo complementar, mas esses estados latentes eram condição para que prosseguisse e em consequência se efetivasse o processo de produção. Agora não se precisa mais delas, e constituem, por isso, novo capital-dinheiro e componente do mercado financeiro, embora não constituam elemento complementar da reserva monetária da sociedade (pois existiam no começo do negócio que as lançou na circulação) nem novo capital acumulado.

Essas 100 libras esterlinas estão retiradas da circulação por não serem mais aplicadas no mesmo negócio onde constituíam parte do capital-dinheiro adiantado. Mas essa retirada só foi possível porque a transformação do capital-mercadoria em dinheiro e do dinheiro em capital produtivo, M'-D-M, abreviou-se de uma semana, acelerando-se, portanto, a circulação do dinheiro que gira nesse processo. Saem da circulação porque não são mais necessárias à rotação do capital X.

Supomos que o capital adiantado pertence a quem o emprega. Mas nada mudaria se o capital fosse emprestado. O encurtamento do período de circulação teria apenas reduzido o necessário capital de empréstimo de 900 para 800 libras esterlinas; 100 libras esterlinas devolvidas ao prestamista constituem agora, como dantes, 100 libras de capital-dinheiro novo, só que agora nas mãos de Y, e não nas de X. Se o capitalista X obtém a crédito seus materiais de produção no valor de 480 libras esterlinas, só tendo de adiantar em dinheiro 120 libras para salários, precisaria agora de adquirir a crédito 80 libras esterlinas menos de materiais de produção, e essa diferença constituiria capital-mercadoria sobrante para o fornecedor a crédito, enquanto o capitalista X ficaria com 20 libras esterlinas em dinheiro, disponíveis.

O estoque produtivo adicional fica reduzido agora de $^1/_3$. Era de 240 libras esterlinas como $^4/_5$ de 300 libras esterlinas, o capital adicional II, e agora é de 160 apenas, isto é, estoque complementar para 2 e não para 3 semanas. Renova-se agora cada 2 semanas em vez de cada 3, mas por 2 e não por 3 semanas. As compras de algodão, por exemplo, no mercado repetem-se com frequência maior para porções menores. Retira-se do mercado a mesma quantidade de algodão, pois não varia a soma das porções adquiridas. Mas essa retirada se reparte de maneira cronologicamente diversa e por tempo mais longo. Vamos supor que se trate de 3 meses e de 2 e que o consumo anual de algodão seja de 1.200 fardos. No primeiro caso, a situação é a seguinte (fardos vendidos e em depósito):

Data	Vendas	Em depósito
1/1	300	900
1/4	300	600
1/7	300	300
1/10	300	0

No segundo caso, teremos:

Data	Vendas	Em depósito
1/1	200	1.000
1/3	200	800
1/5	200	600
1/7	200	400
1/9	200	200
1/11	200	0

O dinheiro empregado em algodão só reflui completamente, portanto, um mês mais tarde, em novembro, em vez de outubro. Sabemos que, ao encurtar-se o tempo de circulação e por conseguinte a rotação, é expelido, sob a forma de capital-dinheiro, $^1/_9$ do capital adiantado = 100 libras esterlinas, é que essas 100 libras eram constituídas de 20 de capital-dinheiro que sobravam periodicamente para pagamento semanal dos salários, e de 80 libras que existiam durante uma semana como estoque produtivo que remanesce periodicamente. Considerando o que ocorreu com essas 80 libras, vemos que à redução do estoque produtivo remanescente do fabricante corresponde aumento do estoque de mercadorias do comerciante de algodão. O mesmo algodão fica tanto mais tempo no armazém do comerciante como mercadoria, quanto menos tempo ficar no armazém do fabricante como estoque produtivo.

Até agora supusemos que o encurtamento do tempo de circulação do negócio X provém de a mercadoria ser vendida ou paga mais rapidamente ou, no caso de venda a crédito, de reduzir-se o prazo de pagamento. Esse encurtamento deriva, portanto, de uma redução do tempo requerido pela venda da mercadoria, pela transformação do capital-mercadoria em capital-dinheiro, M'-D, a primeira fase do processo de circulação. Poderia igualmente derivar da segunda fase D-M e, portanto, de modificação simultânea, seja no período de trabalho, seja no tempo de circulação dos capitais Y, Z etc., que fornecem os elementos de produção do capital circulante do capitalista X.

Se, por exemplo, algodão, carvão etc. precisam de 3 semanas para ir do local de produção ou de armazenagem para a fábrica do capitalista X, tem este de dispor no mínimo de estoque produtivo que até a chegada de novos estoques dure pelo menos 3 semanas. Enquanto estão em viagem, carvão e algodão não podem servir de meio de produção. Constituem objeto de trabalho da indústria de transporte e do capital nela ocupado e, para o produtor de carvão ou para o comerciante de algodão, representam capital-mercadoria em circulação. Se a melhoria dos transportes diminuir a viagem para 2 semanas, poderá reduzir-se o estoque produtivo de 3 para 2 semanas. Com isso, libera-se o capital adicional adiantado para esse fim, de 80 libras esterlinas, e ainda as 20 destinadas a salários, pois o capital que rota de 600 libras reflui uma semana antes.

Por outro lado, se, por exemplo, se reduz o período de trabalho do capital que fornece a matéria-prima (a respeito, aduziram-se exemplos nos capítulos anteriores) e por conseguinte o tempo em que é possível repô-la, pode diminuir o estoque produtivo, ficando menores os intervalos de renovação da matéria-prima.

Se, ao contrário, se prolonga o tempo de circulação e portanto o período de rotação, torna-se necessário adiantamento de capital complementar. Sai do bolso do próprio capitalista, se este o possui. Mas esse capital estará aplicado de alguma forma, constituindo parte do mercado financeiro; para ficar disponível, é mister que se desprenda da velha forma, por exemplo, ações terão de ser vendidas, retiradas de depósitos bancários terão de ser feitas, ocorrendo então efeito indireto sobre o mercado de dinheiro. Ou o capitalista terá de tomá-lo de empréstimo. Quanto à parte do capital complementar necessária para pagar salários, nas condições normais é mister sempre adiantá-la como capital-dinheiro, e para esse fim o capitalista X exerce sua parte de pressão direta sobre o mercado financeiro. Essa necessidade só existe para a parte a investir em meios de produção, quando estes têm de ser pagos à vista. Se podem ser obtidos a crédito, não haverá influência direta sobre o mercado financeiro, uma vez que, no início, se adianta o capital complementar diretamente como estoque produtivo, e não como capital-dinheiro. Se o fornecedor lança diretamente no mercado a letra emitida por X, descontando-a etc., haveria efeito indireto sobre o mercado financeiro, através de segunda pessoa. Se utiliza essa letra para pagar, por exemplo, uma dívida que vencerá mais tarde, não terá esse capital complementar adiantado efeito direto nem indireto sobre o mercado financeiro.

Segundo caso. Variáveis os preços das matérias (primas e auxiliares) da produção, invariáveis todas as demais condições.

Tínhamos suposto que, do capital global de 900 libras esterlinas, despendem-se $^4/_5$ = 720 em materiais de produção e $^1/_5$ = 180 em salários.

Os materiais de produção, se tiverem seus preços reduzidos à metade, exigirão, para o período de trabalho de 6 semanas, 240 libras esterlinas, e não 480, e, para o capital adicional II, 120, e não 240. O capital I será, portanto, reduzido de 600 libras esterlinas para 240 + 120 = 360, e o capital II de 300 libras esterlinas, para 120 + 60 = 180; o capital global de 900 libras esterlinas diminuirá para 360 + 180 = 540. Serão expelidas, portanto, 360 libras esterlinas.

Esse capital-dinheiro expelido, agora sem emprego, procurando por isso aplicação no mercado de dinheiro, não passa de porção do capital de 900 libras esterlinas adiantado originalmente como capital-dinheiro, a qual, em virtude da queda de preço dos elementos de produção em que periodicamente se reconvertia, se torna supérflua, se o objetivo não é ampliar o negócio, e sim mantê-lo na escala antiga. Se essa queda de preços não decorrer de circunstâncias fortuitas (especialmente colheita abundante, abastecimento excessivo etc.), mas de aumento da produtividade do ramo que fornece a matéria-prima, esse capital representaria incremento absoluto do mercado financeiro, principalmente do capital disponível na forma de capital-dinheiro, pois não constituiria mais parte integrante do capital já aplicado.

Terceiro caso. Variável o preço do próprio produto.

Com a queda de preço, perde-se parte do capital, a qual tem de ser reposta com novo adiantamento de capital-dinheiro. Essa perda do vendedor pode corresponder a ganho do comprador. Diretamente, quando a baixa decorre de conjuntura fortuita e logo depois o preço volta ao nível normal. Indiretamente, quando a variação de preço é causada por variação de valor que repercute sobre o produto já pronto, e esse produto, por sua vez, entra como elemento de produção noutro ramo e aí libera capital em quantidade correspondente. Nos dois casos, x, que perdeu o capital e procura repô-lo pressionando o mercado financeiro, poderá obtê-lo como capital suplementar através de suas relações de negócio. Haverá então mera transferência.

Se, ao contrário, sobe o preço do produto, retira-se da circulação porção de capital que não foi adiantada. Não constitui parte orgânica do capital empregado no processo de produção, representando capital-dinheiro expelido, se a produção não se amplia. Segundo a suposição estabelecida, os preços dos elementos do produto estão fixados antes de ele aparecer no mercado como capital-mercadoria; mas variação real de valor, se tiver efeito retroativo, poderá elevar preços, inclusive, por exemplo, os das matérias-primas já adquiridas. Neste caso, o capitalista x ganharia em seu produto que circula como capital-mercadoria e em seu estoque produtivo disponível. Esse ganho proporcionar-lhe-ia um capital adicional que se torna necessário para prosseguir o negócio, em virtude dos preços novos, elevados, dos elementos de produção.

Mas, se os preços se elevam apenas passageiramente, a soma necessária para o capitalista x como capital complementar aparecerá de outro lado como capital liberado, desde que o produto constitua elemento de produção de outras indústrias. Um perde o que o outro ganha.

XVI.
A rotação do capital variável

1. A TAXA ANUAL DA MAIS-VALIA

Vamos supor um capital circulante de 2.500 libras esterlinas; dele $^4/_5$ = 2.000 de capital constante (matérias de produção) e $^1/_5$ = 500 de capital variável, empregado em salários.

Seja o período de rotação = 5 semanas, o de trabalho = 4 semanas, e o de circulação = 1 semana. Então, o capital I = 2.000 libras esterlinas se compõe de 1.600 de capital constante e 400 de capital variável; capital II = 500 libras esterlinas, de 400 de capital constante e 100 de capital variável. Em cada semana de trabalho, emprega-se um capital de 500 libras esterlinas. Num ano de 50 semanas, o produto é de 50 x 500 = 25.000 libras esterlinas. O capital I continuamente aplicado num período de trabalho realiza, portanto, 12½ rotações por ano. 12½ x 2.000 = 25.000 libras esterlinas. Dessas 25.000 libras esterlinas, $^4/_5$ = 20.000 de capital constante despendem-se em meios de produção e $^1/_5$ = 5.000 de capital variável emprega-se em salários. Mas o capital global de 2.500 libras esterlinas efetua $\frac{25.500}{2.500}$ = 10 rotações.

O capital circulante variável despendido durante a produção só pode funcionar novamente no processo de circulação quando o produto que reproduz seu valor se vende e se transforma de capital-mercadoria em capital-dinheiro, a fim de ser utilizado outra vez para pagar força de trabalho. O mesmo se dá com o capital circulante constante (as matérias de produção) empregado na produção: seu valor reaparece como fração do valor do produto. O que essas duas partes do capital circulante, a variável e a constante, têm de comum e as distingue do capital fixo não é a circunstância de seu valor transferido ao produto circular por meio do capital-mercadoria, isto é, por meio do produto como mercadoria. Fração do valor do produto e por conseguinte do produto que circula como mercadoria, do capital-mercadoria, é constituída sempre pelo desgaste do capital fixo ou pela parte do valor do capital fixo transferida por este capital ao produto durante a produção. A diferença consiste em que o capital fixo continua a funcionar no processo de produção com a feição antiga durante um ciclo mais ou menos longo de períodos de rotação do capital circulante (= capital circulante constante + capital circulante variável), enquanto cada uma das rotações supõe a reposição de todo o capital circulante que, sob a figura de capital-mercadoria, passa da esfera da produção para a da circulação. A primeira fase da circulação M'-D' é comum ao capital circulante constante e ao variável. Separam-se na segunda fase. O dinheiro em que se reconverte a mercadoria é transformado parcialmente em estoque produtivo (capital circulante constante). Segundo os diferentes prazos de compra dos componentes desse estoque, essa transformação do dinheiro em elementos de produção pode se dar por partes e com datas diversas, mas acabará sendo total. Outra parte do dinheiro obtido com a venda da mercadoria ficará como provisão monetária, a fim de ser gasta pouco a pouco no pagamento da força de trabalho incorporada ao processo de produção. Constitui o capital circulante variável. Isto não obsta que toda a reposição, tanto da parte circulante constante quanto da variável, proceda da rotação do capital, de sua transformação em produto, de produto em mercadoria, de mercadoria em dinheiro. Esta é a razão por que no capítulo anterior fizemos o estudo particular da rotação do capital circulante, considerando em conjunto as partes constante e variável e abstraindo do capital fixo.

A questão que temos de tratar agora leva-nos a dar um passo adiante e considerar a parte variável do capital circulante como se constituísse todo o capital circulante. Abstrairemos do capital circulante constante que com ele gira, rota.

Adiantam-se 2.500 libras esterlinas, e o valor do produto anual = 25.000 libras. Mas a parte variável do capital circulante = 500 libras; por isso, o capital variável encerrado em 25.000 libras = $\frac{25.000}{5}$ = 5.000 libras. Dividindo as 5.000 libras por 500, teremos 10, o número de rotações, conforme vimos, do capital global de 2.500 libras esterlinas.

Quando se trata apenas da produção da mais-valia, é exato esse cálculo de médias em que o valor do produto anual se divide pelo valor do capital adiantado e não pelo valor da parte desse capital continuamente empregada num período de trabalho (se divide não por 400, mas por 500, não pelo capital I, mas pelo capital I + capital II). Mais adiante, veremos que essa maneira de calcular não é inteiramente exata sob outros aspectos e mesmo em geral. Serve aos objetivos práticos do capitalista, mas não expressa todas as circunstâncias reais da rotação de maneira exata ou adequada.

Até aqui, pusemos inteiramente de lado uma parte do valor do capital-mercadoria, a mais-valia que nele se encerra, produzida durante o processo de produção e incorporada ao produto. Dela ocupar-nos-emos agora.

Se o capital variável de 100 libras esterlinas despendido semanalmente produz mais-valia de 100% = 100 libras esterlinas, o capital variável de 500 libras esterlinas empregado no período de rotação de 5 semanas produzirá mais-valia no montante de 500 libras: metade da jornada de trabalho consistirá em trabalho excedente.

Se 500 libras esterlinas de capital variável produzem 500 libras de mais--valia, 5.000 produzirão 10 x 500 = 5.000. Mas o capital variável adiantado = 500 libras esterlinas. A relação entre a massa global de mais-valia produzida durante o ano e o valor global do capital variável adiantado chamamos de taxa anual da mais-valia. No presente caso, ela é = $\frac{5.000}{500}$ = 1.000%. Analisando mais de perto essa taxa, vemos que é igual à taxa da mais-valia que o capital variável adiantado atinge durante um período de rotação multiplicada pelo número das rotações do capital variável (número que coincide com o das rotações de todo o capital circulante).

O capital variável adiantado num período de rotação é no presente caso = 500 libras esterlinas e a mais-valia então produzida também é = 500 libras esterlinas. A taxa da mais-valia num período de rotação é portanto = $\frac{500_m}{500_v}$ = 100%. Multiplicando-se esses 100% por 10, o número de rotações por ano, teremos $\frac{5.000_m}{500_v}$ = 1.000%.

Isto quanto à taxa anual da mais-valia. Quanto à massa da mais-valia que se obtém durante determinado período de rotação, é ela igual ao valor do capital variável adiantado nesse período, digamos 500 libras esterlinas, multiplicado pela taxa da mais-valia, o que dá em nosso caso 500 x $\frac{100}{100}$ = 500 x 1 = 500 libras esterlinas. Se o capital adiantado fosse de 1.500 libras esterlinas e a mesma a taxa da mais-valia, teríamos a massa da mais-valia = 1.500 x $\frac{100}{100}$ = 1.500 libras esterlinas.

Vamos chamar de capital A esse capital variável de 500 libras esterlinas que realiza 10 rotações por ano, produzindo nesse período 5.000 libras esterlinas de mais-valia, sendo, portanto, a taxa anual da mais-valia = 1.000%.

Imaginemos que outro capital variável B de 5.000 libras esterlinas seja adiantado por todo o ano (digamos por 50 semanas), e por isso só realize uma rotação por ano. Vamos supor também que o produto é pago no fim do ano, no mesmo dia em que fica pronto, refluindo então o capital-dinheiro em que se transforma. Aqui, portanto, o período de circulação = 0, o de rotação = período de trabalho = 1 ano. Como no caso anterior, despende-se cada semana no processo de trabalho um capital variável de 100 libras esterlinas, e, em 50 semanas, 5.000 libras esterlinas. Seja a mesma a taxa da mais-valia = 100%, consistindo em trabalho excedente metade de igual jornada de trabalho. Em 5 semanas, o capital variável aplicado = 500 libras esterlinas, a taxa da mais-valia = 100%, a massa de mais-valia produzida nas 5 semanas = 500 libras esterlinas, portanto. De acordo com a hipótese, a massa da força de trabalho explorada e o grau de exploração são iguais aos do capital A.

Em cada semana, o capital variável de 100 libras esterlinas aplicado produz 100 libras de mais-valia, e, em 50 semanas, o capital aplicado de 50 x 100 = 5.000 libras esterlinas, mais-valia de 5.000 libras. A massa da mais-valia anualmente produzida, 5.000 libras esterlinas, é a mesma do caso anterior, mas a taxa anual da mais-valia é totalmente diversa. É igual à mais-valia produzida durante o ano, dividida pelo capital variável adiantado: $\frac{5.000_m}{5.000_v}$ = 100%, quando para o capital A era de 1.000%.

Tanto no caso do capital A quanto no caso do capital B, despenderam-se por semana 100 libras esterlinas de capital variável, é o mesmo o grau de exploração ou a taxa da mais-valia = 100%, e é também a mesma a magnitude do capital variável = 100 libras esterlinas. São iguais a massa da força de trabalho, a magnitude e o grau de exploração, as jornadas de trabalho, estas divididas por igual em trabalho necessário e trabalho excedente. A soma de capital variável empregada durante o ano, igual nos dois casos, 5.000 libras esterlinas, põe em movimento a mesma massa de trabalho e extrai da mão de obra posta em movimento pelos dois capitais iguais a mesma massa de mais-valia, 5.000 libras esterlinas. Entretanto, há entre a taxa anual da mais-valia de A e a de B uma diferença de 900%.

Esse fenômeno gera a impressão de que a taxa da mais-valia depende não só da massa e do grau de exploração da força de trabalho posta em movimento pelo capital variável, mas ainda de influências inexplicáveis oriundas do processo de circulação. E o fenômeno assim foi interpretado e, embora não nessa forma pura, mas na mais complicada e mais obscura da taxa anual de lucro, trouxe confusão completa para as hostes ricardianas, desde o início da década dos 20.

O que o fenômeno tem de estranho logo desaparece quando na realidade, e não na aparência, colocamos o capital A e o capital B em condições exatamente iguais. Só existe igualdade de condições quando, para pagar a força de trabalho, o capital variável B se despende em sua totalidade no mesmo espaço de tempo que o capital A.

Nessas condições, despender-se-ão as 5.000 libras esterlinas do capital B em 5 semanas; a 1.000 libras por semana teremos um dispêndio anual de

50.000 libras esterlinas. Teremos então a mais-valia = 50.000 libras esterlinas. O capital que rotou = 50.000 libras esterlinas, dividido pelo capital adiantado = 5.000, dá o número de rotações = 10. A taxa da mais-valia = $\frac{5.000_m}{5.000_v}$ = 100%, multiplicada pelo número de rotações = 10, dá a taxa anual da mais-valia = $\frac{50.000_m}{5.000_v} = \frac{10}{1}$ 1.000%. Agora, a taxa da mais-valia de B é igual à de A, 1.000%, mas a massa de mais-valia de B é de 50.000 libras esterlinas e a de A, de 5.000; uma está para outra como o valor-capital adiantado B está para A, como 5.000 : 500 = 10 : 1. Em compensação, o capital B pôs em movimento, no mesmo tempo, dez vezes mais força de trabalho que o capital A.

Só o capital efetivamente empregado no processo de trabalho é que produz mais-valia, e para ele vigoram todas as leis referentes à mais-valia, por conseguinte a lei segundo a qual, dada a taxa, a massa da mais-valia é determinada pela magnitude relativa do capital variável.[I]

O processo de trabalho mede-se pelo tempo. Dada a duração da jornada de trabalho (como fizemos aqui, ao equiparar todas as condições relativas ao capital A e ao capital B, a fim de esclarecer as diferenças na taxa anual da mais-valia), a semana de trabalho consiste em certo número de dias de trabalho. Podemos considerar também qualquer período de trabalho, um de cinco semanas, por exemplo, como uma única jornada de trabalho, digamos, de 300 horas, se a jornada de trabalho = 10 horas, e a semana = 6 dias de trabalho. Mas, além disso, devemos tomar como multiplicador o número dos trabalhadores que são empregados cada dia, simultânea e coletivamente, no mesmo processo de trabalho. Se esse número for 10, teremos por semana 60 x 10 = 600 horas e um período de trabalho de cinco semanas = 600 x 5 = 3.000 horas. Capitais variáveis de igual magnitude são, portanto, empregados com igual taxa de mais-valia e igual duração da jornada de trabalho, se massas de trabalho de igual magnitude (força de trabalho do mesmo preço multiplicada pelo mesmo número) são postas em movimento no mesmo prazo.

Voltemos aos exemplos primitivos. Em ambos os casos A e B, aplicam-se capitais variáveis de igual magnitude, 100 libras esterlinas por semana, durante cada semana do ano. Os capitais variáveis empregados que funcionam realmente no processo de trabalho são, portanto, iguais, mas os capitais variáveis adiantados são absolutamente desiguais. Em A, são adiantadas,

---

I Ver Livro 1, pp. 316-325.

para cada 5 semanas, 500 libras esterlinas, das quais 100 são aplicadas em cada semana. Em B, é mister adiantar para o primeiro período de 5 semanas, 5.000 libras esterlinas, das quais se aplicam apenas 100 por semana, e, portanto, nas 5 semanas 500 libras esterlinas = $^1/_{10}$ do capital adiantado. No segundo período de 5 semanas, o adiantamento a fazer é de 4.500 libras esterlinas, mas só se aplicam 500 e assim por diante. O capital variável adiantado por determinado período só se transforma em capital variável aplicado, que atua e opera de fato, na medida em que entra nas porções daquele período preenchidas pelo processo de trabalho e efetivamente funciona nesse processo. Enquanto a parte adiantada desse capital espera para ser empregada, não tem ela existência para o processo de trabalho e por isso não exerce qualquer influência na produção do valor e da mais-valia. O capital A, por exemplo, de 500 libras esterlinas é adiantado por 5 semanas, mas cada semana entram 100 libras esterlinas no processo de trabalho. Na primeira semana, emprega-se $^1/_5$ do capital A, e $^4/_5$ são adiantados sem ser empregados, embora devam existir em reserva para os processos de trabalho das quatro semanas seguintes, tendo de ser adiantados.

As circunstâncias que modificam a relação entre o capital variável adiantado e o aplicado só podem influir na produção da mais-valia, dada a taxa da mais-valia, modificando a quantidade de capital variável que pode ser realmente empregada em determinado período, por exemplo em 1 semana, 5 semanas etc. O capital variável adiantado só funciona como capital variável na medida em que e durante o tempo em que é realmente aplicado, mas não durante o tempo em que, embora adiantado, fica em reserva sem ser aplicado. Todas as circunstâncias, porém, que modificam a relação entre capital variável adiantado e aplicado se reduzem a diferenças nos períodos de rotação (determinadas por diferenças no período de trabalho, ou no período de circulação, ou em ambos ao mesmo tempo). Segundo a lei da produção de mais-valia, para igual taxa de mais-valia, massas iguais de capital variável postas em funcionamento produzem massas iguais de mais-valia. Logo, se se aplicam dos capitais A e B massas iguais de capital variável com a mesma taxa de mais-valia e em tempos iguais, produzirão eles necessariamente, no mesmo tempo, massas iguais de mais-valia, qualquer que seja, durante esse tempo, a relação entre o capital variável aplicado e o adiantado, qualquer que seja, portanto, a relação entre as massas de mais-valia produzidas e o capital variável, não aplicado, mas apenas adiantado. O contraste oferecido por essa relação, longe de contrariar as leis sobre a produção da mais-valia, confirma-as e delas é consequência inevitável.

Examinemos, quanto ao capital B, o primeiro período de produção de 5 semanas. No fim da 5ª semana, estarão aplicadas e consumidas 500 libras esterlinas. O produto-valor = 1.000 libras esterlinas, portanto $\frac{500_m}{500_v} = 100\%$. Tudo igual ao capital A. A circunstância de, no caso de A, a mais-valia realizar-se juntamente com o capital adiantado, o que não se dá em B, é matéria que não nos interessa aqui, pois por ora estamos tratando apenas da produção da mais-valia e da relação entre a mais-valia e o capital variável adiantado para sua produção. Se, ao contrário, em vez de calcular a relação da mais-valia, no caso de B, não para com a parte aplicada, consumida do capital adiantado de 5.000 libras esterlinas durante a produção dessa mais-valia, mas para com esse capital globalmente adiantado, teremos $\frac{500_m}{5.000_v} = \frac{1}{10} = 10\%$. Para o capital B 10%, e 100% para o capital A, ou seja, dez vezes mais. Poder-se-á dizer que essa diferença na taxa da mais-valia para capitais iguais que puseram em movimento quantidade igual de trabalho, dividido por igual em trabalho pago e trabalho não pago, contraria as leis da produção da mais-valia. Essa alegação, entretanto, não resiste à resposta simples, baseada no impacto direto das condições reais: em A, expressamos a taxa real da mais-valia, isto é, a relação entre a mais-valia produzida durante 5 semanas por um capital variável de 500 libras esterlinas e esse capital variável de 500 libras esterlinas. Em B, ao contrário, a maneira de calcular nada tem a ver com a produção da mais-valia nem com a correspondente determinação da taxa da mais-valia. As 500 libras esterlinas de mais-valia que foram produzidas com um capital variável de 500 libras não são relacionadas, no cálculo, com as 500 libras de capital variável adiantadas para a produção dela, mas com um capital de 5.000 libras esterlinas, das quais 9/10, 4.500 libras, nada têm a ver com a produção dessa mais-valia, só devendo, ao contrário, funcionar pouco a pouco no decurso das 45 semanas seguintes, não existindo, portanto, absolutamente para a produção das primeiras 5 semanas, a única coisa que está no momento em questão. Nessas condições, a diferença entre a taxa de mais-valia de A e a de B não constitui problema algum.

Comparemos agora a taxa anual da mais-valia do capital B com a do capital A. Para o capital B, temos $\frac{5.000_m}{5.000_v} = 100\%$; para o capital A, $\frac{5.000_m}{500_v} = 1.000\%$. A relação entre as taxas de mais-valia é a mesma anterior. Antes tínhamos:

$$\frac{\text{taxa de mais-valia do capital B}}{\text{taxa de mais-valia do capital A}} = \frac{10\%}{100\%},$$

agora temos:

$$\frac{\text{taxa anual de mais-valia do capital B}}{\text{taxa anual de mais-valia do capital A}} = \frac{100\%}{1.000\%},$$

não se alterando a relação, pois $\frac{10\%}{100\%} = \frac{100\%}{1.000\%}$.

Mas o problema agora inverteu-se. A taxa anual do capital B, $\frac{5.000_m}{5.000_v}$ = 100%, não apresenta desvio algum, nem mesmo a aparência de desvio, das conhecidas leis relativas à produção e à correspondente taxa da mais-valia. Adiantaram-se e consumiram-se produtivamente durante o ano 5.000_v que produziram 5.000_m. A taxa da mais-valia é, portanto, a fração acima $\frac{5.000_m}{5.000_v}$ = 100%. A taxa anual coincide com a taxa real da mais-valia. Desta vez, não é o capital B que apresenta anomalia a explicar, mas o A.

Neste, a taxa da mais-valia $\frac{5.000_m}{500_v}$ = 1.000%. Mas, se antes se relacionaram 500_m o produto de 5 semanas com um capital adiantado de 5.000 libras esterlinas, 9/10 das quais não foram empregadas na produção da mais-valia, relacionam-se agora 5.000_m com 500_v, isto é, com 1/10 do capital variável realmente empregado na produção de 5.000_m, o produto de um capital variável de 5.000 consumido produtivamente durante 50 semanas, e não de um capital variável de 500 libras esterlinas consumido durante um período de 5 semanas. No primeiro caso, a mais-valia produzida durante 5 semanas foi relacionada com um capital adiantado para 50 semanas, dez vezes superior, portanto, ao despendido durante as 5 semanas. Agora, a mais-valia produzida durante 50 semanas é relacionada com o capital adiantado para 5 semanas, dez vezes menor, portanto, que o despendido durante as 50 semanas.

O capital A de 500 libras esterlinas nunca é adiantado por mais de 5 semanas. Reflui ao fim desse prazo e pode renovar dez vezes o mesmo processo no curso do ano por meio de 10 rotações. Derivam daí duas consequências.

Primeiro: O capital adiantado em A é apenas cinco vezes maior que a parte do capital aplicada no processo de produção de uma semana. O capital B, ao contrário, que só rota uma vez em 50 semanas, tendo de ser adiantado por 50 semanas, é cinquenta vezes maior que a fração que pode ser constantemente empregada numa semana. A rotação modifica assim a relação entre o capital adiantado para o processo anual de produção e o que pode ser aplicado constantemente num determinado período de produção, digamos uma semana. Isto nos leva ao primeiro caso em que a mais-valia de 5 semanas não é relacionada com o capital empregado nessas semanas, mas com o empregado nas 50 semanas, dez vezes maior.

Segundo: O período de rotação do capital A de 5 semanas constitui apenas $^{1}/_{10}$ do ano, abrangendo o ano, portanto, 10 desses períodos de rotação e o capital A de 500 libras esterlinas se reaplica sucessivamente em cada um deles. O capital aplicado é aqui igual ao capital adiantado por 5 semanas, multiplicado pelo número de períodos de rotação do ano. O capital aplicado durante o ano = 500 x 10 = 5.000 libras esterlinas, e o capital adiantado durante o ano = $\frac{5.000}{10}$ = 500 libras esterlinas. Embora as 500 libras esterlinas sejam sempre reempregadas, nunca se empregam mais do que as mesmas 500 libras cada 5 semanas. Quanto ao capital B, só se empregam em 5 semanas 500 libras esterlinas, a quantia que se adianta para essas semanas. Mas, uma vez que nesse caso o período de rotação = 50 semanas, o capital aplicado durante o ano é igual ao capital adiantado, não para cada 5 semanas, mas para as 50 semanas. A massa da mais-valia anualmente produzida rege-se, para dada taxa de mais-valia, pelo capital empregado, e não pelo adiantado durante o ano. Para o capital de 5.000 libras esterlinas que faz uma rotação, não é ela maior que para o capital de 500 libras que faz 10 rotações, e isto porque o capital que rota uma vez no ano é 10 vezes maior que o capital que rota dez vezes no ano.

O capital variável rodado durante o ano (ou seja, a parte correspondente do produto anual ou do dispêndio anual) é o capital variável realmente aplicado, produtivamente consumido no decurso do ano. Segue-se daí que, quando o capital variável A anualmente rodado e o capital variável B anualmente rodado são iguais e aplicados em iguais condições de valorização, é a mesma a taxa da mais-valia de ambos e necessariamente a mesma a massa de mais-valia por ambos anualmente produzida; além disso, uma vez que são iguais as massas de capital aplicadas, é a mesma a taxa da mais-valia calculada por ano, expressa pela fórmula:

$$\frac{\text{massa de mais-valia anualmente produzida}}{\text{capital variável anualmente rodado}}$$

Em termos gerais: qualquer que seja a magnitude relativa dos capitais variáveis rodados, a taxa da mais-valia que produziram no curso do ano é determinada pela taxa da mais-valia em que os respectivos capitais operaram em períodos médios (digamos, de uma semana, de um dia).

Esta é a única consequência que decorre das leis relativas à produção da mais-valia e à determinação da taxa da mais-valia.

Vejamos agora o que expressa a relação:

$\frac{\text{capital anualmente rodado}}{\text{capital adiantado}}$ (voltamos a dizer que só estamos considerando o capital variável). Essa divisão dá o número de rotações por ano do capital adiantado.

Para o capital A, temos: $\frac{\text{5.000 libras de capital anualmente rodado}}{\text{500 libras de capital adiantado}}$

Para o capital B: $\frac{\text{5.000 libras de capital anualmente rodado}}{\text{5.000 libras de capital adiantado}}$

Nas duas frações, o numerador expressa o capital adiantado multiplicado pelo número de rotações; para A, 500 x 10; para B, 5.000 x 1. Ou seja, o capital adiantado multiplicado pelo inverso do tempo de rotação por ano. O tempo de rotação por ano de A é $^1/_{10}$; o inverso desse tempo de rotação por ano é $^{10}/_1$, o que nos dá 500 x $^{10}/_1$ = 5.000; para B teremos 5.000 x $^1/_1$ = 5.000. O denominador expressa o capital rodado multiplicado pelo inverso do número de rotações; para A, 5.000 x $^1/_{10}$; para B, 5.000 x $^1/_1$.

As respectivas massas de trabalho (soma do trabalho pago e do não pago), postas em movimento por ambos os capitais variáveis anualmente rodados, são agora iguais porque são iguais os capitais rodados e sua taxa de valorização.

A relação entre o capital variável anualmente rodado e o capital variável adiantado permite-nos verificar o seguinte:

1) A proporção que existe entre o capital a adiantar e o capital variável aplicado em determinado período de trabalho. Se o número de rotações = 10, como em A, e supõe-se o ano de 50 semanas, o tempo de rotação = 5 semanas. É mister adiantar para essas 5 semanas capital variável que tem de ser cinco vezes maior que o capital variável empregado numa semana. Dito de outro modo, só $^1/_5$ do capital adiantado (no caso, 500 libras esterlinas) pode empregar-se durante uma semana. No caso de B, entretanto, em que o número de rotações = $^1/_1$, o tempo de rotação = 1 ano = 50 semanas. A relação entre capital adiantado e capital semanalmente empregado é, portanto, de 50 : 1. Se ocorresse com B o mesmo que se dá com A, B teria de aplicar semanalmente, em vez de 100, 1.000 libras esterlinas.

2) B, por conseguinte, empregou um capital dez vezes maior (5.000 libras esterlinas) do que A, para pôr em movimento a mesma massa de

capital variável e, com dada taxa de mais-valia, a mesma massa de trabalho (pago e não pago), e para produzir a mesma massa de mais-valia durante o ano. A taxa real da mais-valia expressa apenas a relação entre o capital variável empregado em determinado período e a mais-valia produzida no mesmo período, ou a massa de trabalho não pago posta em movimento pelo capital variável empregado durante esse período. Essa taxa nada tem a ver com a parte do capital variável adiantada durante o tempo em que não é aplicada, nem tampouco, portanto, com a relação entre a parte dos capitais adiantada durante determinado tempo e a aplicada durante esse mesmo tempo, relação sujeita a modificações e diferenças decorrentes do período de rotação.

Do exposto, conclui-se que a taxa anual da mais-valia só coincide com a taxa real da mais-valia, que expressa o grau de exploração do trabalho, num único caso, a saber, quando, durante o ano, o capital adiantado só gira uma vez, sendo o capital adiantado, portanto, igual ao capital rodado, e assim a relação entre a massa da mais-valia produzida e o capital aplicado para essa produção coincide e se iguala com a relação entre a massa da mais-valia produzida e o capital adiantado.

A) A taxa anual da mais valia é igual a

$$\frac{\text{massa da mais-valia produzida durante o ano}}{\text{capital variável adiantado}}$$

A massa da mais-valia produzida durante o ano é igual à taxa real da mais-valia, multiplicada pelo capital variável empregado em sua produção. O capital empregado na produção da massa anual de mais-valia é igual ao capital adiantado, multiplicado por n, o número de suas rotações. A fórmula A transforma-se assim em:

B) A taxa anual da mais-valia é igual a

$$\frac{\text{massa da mais-valia produzida durante o ano}}{\text{capital variável adiantado}}$$

Aplicada a fórmula ao capital B, temos $\frac{100\% \times 5.000 \times 1}{5.000} = 100\%$, a taxa anual da mais-valia. Somente quando n = 1, quando o capital variável adiantado gira apenas uma vez no ano, sendo, portanto, igual ao capital adiantado ou rodado no ano, é que a taxa anual da mais-valia é igual à taxa real.

Chamemos a taxa anual da mais-valia de T, a taxa real da mais-valia, de t, o capital variável adiantado de v, o número de rotações de n. Assim, teremos: $T = \frac{t\,v\,n}{v}$ = tn; portanto, 2 = tn, e só é igual a t quando n = 1. Desse modo, T = t x 1 = t. Segue-se daí que a taxa anual da mais-valia é sempre igual a tn, isto é, igual à taxa real da mais-valia produzida num período de rotação pelo capital variável consumido durante o período multiplicada pelo número das rotações desse capital variável durante o ano, ou multiplicada (o que é a mesma coisa) pelo inverso do tempo de rotação, calculado este de modo que o ano figure como unidade (se o capital variável gira dez vezes por ano, seu tempo de rotação = $^1/_{10}$ do ano; o inverso do tempo de rotação, portanto, = $^{10}/_1$ = 10).

Prosseguindo, T = t, quando n = 1. T é maior do que t, quando n é maior do que 1; isto é, quando o capital adiantado gira mais de uma vez por ano, ou o capital rodado é maior do que o adiantado.

Finalmente, T é menor do que t, quando n é menor do que 1; isto é, quando o capital rodado durante o ano é apenas parte do capital adiantado, ultrapassando o período de circulação o prazo de um ano.

Examinemos ligeiramente este último caso.

Mantemos todos os dados do exemplo anterior, com exceção do período de rotação, que passa a ser de 55 semanas. O processo de trabalho exige semanalmente 100 libras esterlinas de capital variável, portanto 5.500 libras para o período de rotação e produz 100_m por semana; desse modo, t = 100%, como anteriormente. Agora, o número de rotações n = $^{50}/_{55}$ = $^{10}/_{11}$ pois o período de rotação = 1 + $^1/_{10}$ = $^{11}/_{10}$ do ano (ano de 50 semanas).

$$T = \frac{100\% \times 5.000 \times {}^{10}/_{11}}{5.500} = 100 \times \frac{10}{11} = \frac{1.000}{11} = 90\,\frac{10\%}{11},$$

menos de 100%, portanto. Para a taxa anual da mais-valia ser de 100%, as 5.500_v teriam de produzir num ano 5.500_m, quando para isso precisam realmente de $^{11}/_{10}$ de ano. Mas as 5.500_v só produzem 5.000_m durante o ano, sendo a taxa anual da mais-valia = $\frac{5.000_m}{5.000_v}$ = $^{10}/_{11}$ = $90^{10}/_{11}\%$.

A taxa anual da mais-valia ou a comparação entre a mais-valia produzida durante o ano e o capital variável *adiantado* (diverso do capital variável *rodado* durante o ano) nada tem de subjetivo, assentando-se na dinâmica real do capital que gera essa confrontação. Para o possuidor do capital A terá refluído, no fim do ano, seu capital variável = 500 libras esterlinas e, além dessas, 5.000 de mais-valia. A magnitude do capital que adiantou se expressa não pela massa empregada durante o ano, mas pela que lhe retorna periodicamente. Para a questão em exame, não importa que, no fim do ano, o capital se reparta em estoque produtivo, em capital-mercadoria ou capital-dinheiro, nem a proporção em que se reparte nesses elementos. Para o possuidor do capital B refluíram 5.000 libras esterlinas, o capital que adiantou, além de 5.000 libras de mais-valia. Para o possuidor do capital C (o último considerado, de 5.500 libras esterlinas) estão produzidas 5.000 libras esterlinas de mais-valia no fim do ano (5.000 empregadas e 100% a taxa da mais-valia), mas não refluiu ainda o capital que adiantou nem ele chegou a embolsar a mais-valia produzida.

T = tn expressa que a taxa da mais-valia válida para o capital variável aplicado durante um período de rotação,

$$\frac{\text{massa de mais-valia produzida durante um período de rotação}}{\text{capital variável aplicado durante um período de rotação}}$$

deve ser multiplicada pelo número dos períodos de rotação ou de reprodução do capital variável adiantado, pelo número dos períodos em que renova seu ciclo.

Já vimos no Livro 1, Capítulo IV (como o dinheiro se transforma em capital) e Capítulo XXI (reprodução simples), que o valor-capital é apenas adiantado e não despendido, pois esse valor, depois de percorrer as diversas fases de seu ciclo, volta ao ponto de partida e ainda enriquecido de mais-valia. Isto qualifica-o como adiantado. O tempo que medeia entre seu ponto de partida e seu ponto de retorno é o tempo por que foi adiantado. Todo o ciclo percorrido pelo valor-capital, medido pelo tempo que transcorre entre seu adiantamento e seu retorno, constitui sua rotação e a duração dessa rotação, um período de rotação. Decorrido esse período, terminado o ciclo, o mesmo valor-capital pode reiniciar o mesmo ciclo, novamente valorizar-se, produzir mais-valia. Se o capital variável gira, como no caso de A, dez vezes no ano, no decurso do ano produz-se, com o mesmo adiantamento de capital, o décuplo da massa de mais-valia relativa a um período de rotação.

É mister ver claramente a natureza do adiantamento do ponto de vista da sociedade capitalista.

O capital A roda 10 vezes durante o ano, é adiantado dez vezes durante o ano. É adiantado sucessivamente, em cada novo período de rotação. Mas, ao mesmo tempo, o capitalista A, durante o ano, nunca adianta mais do que o valor-capital de 500 libras e nunca dispõe de quantia superior a 500 libras para o processo de produção considerado. O capitalista A, depois de essas 500 libras terem concluído um ciclo, as faz recomeçá-lo de novo; o capital, por natureza, só conserva seu caráter de capital funcionando sempre como capital em processos repetidos de produção. O capital A nunca é adiantado por mais de 5 semanas. Não será suficiente, se a rotação durar mais. Sobrará, se a rotação se encurtar. Não são adiantados 10 capitais de 500 libras esterlinas, mas um capital apenas de 500 libras é que é adiantado 10 vezes, por períodos sucessivos. Por isso, a taxa anual da mais-valia não é calculada na base de um capital de 500 libras adiantado 10 vezes, ou seja, na base de 5.000 libras, mas na base de um capital de 500 adiantado uma vez; do mesmo modo, 1 táler que circula 10 vezes, embora exerça a função de 10 táleres, representa apenas um único táler em circulação. Tem o mesmo valor de 1 táler em cada uma das mãos por onde passa em sua circulação.

Igualmente, o capital A, em cada retorno, inclusive no retorno do fim do ano, mostra que seu possuidor está sempre operando com o mesmo valor-capital de 500 libras esterlinas. Para o possuidor, apenas 500 libras refluem de cada vez. O capital adiantado, portanto, nunca ultrapassa esse montante. O capital adiantado de 500 libras é, portanto, o denominador da fração que expressa a taxa anual da mais-valia. Fórmula dessa taxa apresentada acima: $T = \frac{tvn}{v} = tn$. Sendo a taxa real da mais-valia $t = \frac{m}{v}$, a massa da mais-valia dividida pelo capital variável que a produziu, podemos substituir em tn o valor de t por $\frac{m}{v}$ e teremos então a outra fórmula: $T = \frac{mn}{v}$.

Mas, ao rodar 10 vezes e ao renovar 10 vezes seu adiantamento, o capital de 500 libras desempenha a função de um capital 10 vezes maior, de um capital de 5.000 libras esterlinas, da mesma maneira que 500 peças de 1 táler que circulam 10 vezes por ano desempenham a mesma função de 5.000 que circulam apenas uma vez.

2. A ROTAÇÃO DO CAPITAL VARIÁVEL SINGULAR

"Qualquer que seja a forma social do processo de produção, tem este de ser contínuo ou de percorrer, periódica e ininterruptamente, as mesmas fases. [...] Por isso, todo processo social de produção, encarado em suas conexões constantes e no fluxo contínuo de sua renovação, é ao mesmo tempo processo de reprodução. [...] Como acréscimo periódico ao valor do capital, ou fruto periódico do capital em movimento, a mais-valia toma a forma de um rendimento que tem sua origem no capital." (Livro 1, Capítulo XXI, pp. 661, 662.)

O capital A percorre 10 períodos de rotação de 5 semanas cada um; no primeiro período, adiantam-se 500 libras esterlinas de capital variável; isto é, cada semana transformam-se 100 libras esterlinas em força de trabalho, de modo que, no fim do primeiro período de rotação, estão despendidas em força de trabalho 500 libras esterlinas. Essas 500 libras esterlinas, originalmente parte do capital global adiantado, cessam então de ser capital. Foram absorvidas em salários. Os trabalhadores gastam-nas comprando os meios de subsistência e os consomem no valor de 500 libras esterlinas. Destrói-se, portanto, massa de mercadorias nesse valor (o que o trabalhador eventualmente poupa em dinheiro etc. também não é capital). Para o trabalhador, essa massa de mercadorias é consumida improdutivamente, excetuada a circunstância de ela manter a eficácia de sua força de trabalho, instrumento indispensável do capitalista. Mas, além disso, essas 500 libras são transformadas para o capitalista em força de trabalho do mesmo valor (do mesmo preço). O capitalista consome a força de trabalho produtivamente no processo de trabalho. No fim das 5 semanas, há um produto-valor de 1.000 libras esterlinas. A metade, 500 libras, é o valor reproduzido do capital variável despendido para pagar a força de trabalho. A outra metade, 500 libras esterlinas, é mais-valia que volta a ser criada. Mas a força de trabalho de 5 semanas, que parte do capital compra transformando-se em capital variável, é também despendida, consumida, embora produtivamente. O trabalho que operou ontem não é o mesmo que opera hoje. Seu valor, acrescido da mais-valia por ele criada, existe agora como valor do produto, de coisa diversa da própria força de trabalho. Mas, transformando-se o produto em dinheiro, parte do seu valor, igual ao valor do capital variável adiantado, pode trocar-se novamente por força de trabalho e assim voltar a funcionar como capital variável. Não importa que sejam os mesmos os trabalhadores, os portadores da força de trabalho, empregados pelo valor-capital que foi reproduzido e reverteu à forma dinheiro. É possível que o capitalista, no segundo período de rotação, substitua os antigos trabalhadores por novos.

Na realidade, nos 10 períodos de rotação sucessivos de 5 semanas, um capital de 5.000 libras esterlinas, e não de 500, é despendido em salários que os trabalhadores, por sua vez, gastam em meios de subsistência. Consome-se assim o capital adiantado de 5.000 libras esterlinas. Deixa de existir. Por outro lado, força de trabalho no valor, não de 500 libras esterlinas, mas de 5.000, incorpora-se por etapas sucessivas ao processo de produção, e não só reproduz seu próprio valor – 5.000 libras esterlinas, mas também produz um valor excedente, mais-valia de 5.000 libras esterlinas. O capital variável de 500 libras esterlinas, adiantado no segundo período de rotação, não é o mesmo de 500 libras esterlinas, adiantado no primeiro período de rotação. Este último foi consumido, aplicado em salários. Mas é *reposto* por novo capital variável de 500 libras esterlinas, o qual, no primeiro período de rotação, foi produzido sob a forma de mercadoria e reverteu à forma dinheiro.

Esse novo capital-dinheiro de 500 libras esterlinas é, portanto, a forma dinheiro da massa de mercadorias produzida no primeiro período de rotação. A circunstância de voltar para as mãos do capitalista a mesma quantia em dinheiro de 500 libras esterlinas, o mesmo montante de capital-dinheiro que adiantou inicialmente, se abstraímos da mais-valia, dissimula o fato de operar ele com capital que foi produzido de novo (quanto aos outros componentes do valor do capital-mercadoria, os quais repõem as partes do capital constante, não se produz de novo seu valor, mas se modifica a forma em que esse valor existe). Vejamos o terceiro período de rotação. Evidentemente, o capital de 500 libras esterlinas adiantado pela terceira vez não é capital antigo, mas capital produzido outra vez, pois é a forma dinheiro da massa de mercadorias produzida no segundo período de rotação, e não no primeiro, ou melhor, da parte dessa cujo valor é igual ao valor do capital variável adiantado. Vendeu-se a massa de mercadorias produzidas no primeiro período de rotação. A parcela de seu valor igual ao valor da parte variável do capital adiantado transformou-se na nova força de trabalho do segundo período de rotação e produziu nova massa de mercadorias, que por sua vez é vendida, passando parte do valor dela a constituir o capital de 500 libras esterlinas adiantado no terceiro período de rotação.

E assim por diante, no decurso dos dez períodos de rotação. Em cada 5 semanas, massas de mercadorias novamente produzidas (cujo valor, até o ponto em que repõe capital variável, é também novamente produzido, o que não acontece com a parte constante do capital circulante, cujo valor apenas reaparece) são lançadas ao mercado, a fim de incorporar sempre nova força de trabalho ao processo de produção.

O que se consegue quando se realizam 10 rotações do capital variável de 500 libras esterlinas adiantado não é consumir produtivamente 10 vezes esse capital de 500 libras ou aplicar durante 50 semanas um capital variável que só dá para 5 semanas. Ao contrário, aplicam-se nas 50 semanas 10 x 500 libras esterlinas de capital variável, e o capital de 500 libras esterlinas só é suficiente para 5 semanas e tem de ser substituído, ao fim das 5 semanas, por um capital de 500 libras esterlinas novamente produzido. Isto acontece tanto com o capital A como com o capital B. Mas aí começa a diferença.

No fim do primeiro período de 5 semanas, A e B adiantaram e despenderam, cada um, um capital variável de 500 libras esterlinas. Nos dois casos, o valor do capital variável converte-se em força de trabalho e é reposto pela parte (do valor do produto gerado por essa força de trabalho) igual ao valor do capital variável adiantado de 500 libras esterlinas. Em ambos os casos, a força de trabalho repôs o valor de 500 libras esterlinas correspondente ao capital variável despendido por novo valor do mesmo montante, acrescido de mais-valia, da mesma magnitude conforme a hipótese estabelecida.

Mas, em B, o produto-valor que repõe o capital variável adiantado e lhe acrescenta mais-valia não se encontra em forma em que possa funcionar como capital produtivo, ou, mais precisamente, como capital variável. Já em A, o produto-valor está nessa forma. E, até o fim do ano, o capital variável de B despendido nas primeiras 5 semanas e em cada uma das 5 semanas seguintes, embora reposto por novo valor produzido, acrescido de mais-valia, não está em forma em que possa funcionar de novo como capital produtivo, ou seja, capital variável. Seu *valor* foi realmente reposto por novo, renovado, portanto, mas a *forma* de seu valor (no caso a forma absoluta do valor, a forma dinheiro) não foi renovada.

No transcurso do ano, no primeiro período de 5 semanas, no segundo e em cada um dos demais períodos de 5 semanas, têm de estar disponíveis 500 libras esterlinas. Pondo-se de lado o crédito, têm, portanto, de estar disponíveis no início do ano, como capital-dinheiro adiantado latente, 5.000 libras esterlinas, embora só pouco a pouco sejam despendidas durante o ano, transformadas em força de trabalho.

Em A, ao contrário, já após o decurso das primeiras 5 semanas concluiu-se o ciclo, a rotação do capital adiantado, encontrando-se o valor reposto já na forma em que pode pôr em movimento nova força de trabalho por 5 semanas: sua primitiva forma dinheiro.

Tanto em A quanto em B, consome-se no segundo período de 5 semanas nova força de trabalho, e novo capital de 500 libras esterlinas se despende para pagar essa força de trabalho. Foram consumidos os meios de subsistência dos trabalhadores pagos por essas primeiras 500 libras esterlinas; de qualquer modo, o correspondente valor desapareceu das mãos do capitalista. As 500 libras seguintes compram nova força de trabalho, e retiram do mercado novos meios de subsistência. Em suma, o que se despende é um novo capital de 500 libras esterlinas, e não o velho. Mas, em A, esse novo capital de 500 libras esterlinas é a forma dinheiro do novo valor produzido que substitui as 500 libras anteriormente despendidas. Em B, essa reposição de valor está numa forma em que não pode funcionar como capital variável. Ela existe, mas não na forma de capital variável. Por isso, para continuar o processo de produção nas 5 semanas seguintes, é mister que exista um capital complementar de 500 libras esterlinas na indispensável forma dinheiro e que seja adiantado. Assim, durante 50 semanas, A e B despendem o mesmo tanto de capital variável, pagam e consomem o mesmo tanto de força de trabalho. Mas B tem de pagá-la com um capital adiantado igual ao valor global dela, de 5.000 libras esterlinas, e A paga-a com adiantamentos sucessivos, com a forma dinheiro sempre renovada do valor produzido durante cada 5 semanas, o qual substitui o capital de 500 libras que vai sendo adiantado cada 5 semanas. Neste caso, portanto, nunca se adianta capital-dinheiro superior ao necessário para 5 semanas, ou seja, superior ao de 500 libras esterlinas adiantado para as primeiras 5 semanas. Essas 500 libras esterlinas bastam para o ano inteiro. Está, portanto, claro que, sendo os mesmos o grau de exploração da força de trabalho e a taxa real da mais-valia, as taxas anuais de A e B variam necessariamente na razão inversa das magnitudes dos capitais-dinheiro variáveis que têm de ser adiantados para pôr em movimento, durante o ano, a mesma massa de força de trabalho. Em A, $\frac{5.000_m}{5.000_v} = 1.000\%$, e, em B, $\frac{5.000_m}{5.000_v} = 100\%$. Mas $5.000_v : 5.000_m = 1 : 10 = 100\% : 1.000\%$.

A diferença provém da diversidade dos períodos de rotação, isto é, dos períodos ao fim dos quais o valor que substitui o capital variável empregado em determinado tempo pode funcionar novamente como capital, como capital novo, portanto. Tanto em B quanto em A, ocorre a mesma reposição de valor do capital variável despendido no mesmo período. Há também o mesmo acréscimo de mais-valia durante os mesmos períodos. Realmente, há em B, cada 5 semanas, reposição de valor de 500 libras esterlinas, acrescidas de 500 de mais-valia, mas esse valor reposto ainda não constitui capital novo, por não estar na forma dinheiro. Em A, o antigo valor-capital, além de ser substituído por novo, foi reconstituído em sua forma dinheiro, reposto, portanto, por capital novo, capaz de funcionar.

O tempo que leva a conversão do valor reposto a dinheiro à forma em que se adianta o capital variável é, evidentemente, circunstância que não altera a produção da mais-valia. Esta depende da magnitude do capital variável aplicado e do grau de exploração do trabalho. A referida circunstância, entretanto, modifica a magnitude do capital-dinheiro que tem de ser adiantado para pôr em movimento, durante o ano, dada quantidade de força de trabalho e determina assim a taxa anual da mais-valia.

3. A ROTAÇÃO DO CAPITAL VARIÁVEL CONSIDERADA SOCIALMENTE

Consideremos a questão do ponto de vista social. Vamos supor que um trabalhador custa 1 libra esterlina por semana e que a jornada de trabalho seja de 10 horas. Tanto em A quanto em B, empregam-se 100 trabalhadores durante o ano (100 libras esterlinas por semana para 100 trabalhadores corresponde a 500 libras por 5 semanas e 5.000 por 50 semanas), e, sendo a semana de 6 dias, cada um trabalhará, por semana, 60 horas de trabalho. Por conseguinte, 100 trabalhadores por semana fornecerão 6.000 horas de trabalho, e, em 50 semanas, 300.000. A e B apropriam-se do mesmo volume de força de trabalho, e a sociedade não pode empregar noutros fins os trabalhadores utilizados por eles. Até esse ponto, não há diferença, do ponto de vista social, entre A e B. Além disso, tanto em A quanto em B, 100 trabalhadores recebem um salário por ano de 5.000 libras esterlinas (os 200 juntos, 10.000 libras) e retiram da sociedade meios de subsistência nesse montante. Continua a não haver diferença entre A e B do ponto de vista social. Sendo os trabalhadores, nos dois casos, pagos por semana, também por semana retiram da sociedade meios de subsistência, em troca dos quais, nos dois casos, lançam em circulação por semana o equivalente em dinheiro. Mas aí começa a diferença.

Primeiro: o dinheiro que o trabalhador em A lança em circulação não é apenas, como no caso do trabalhador em B, a forma dinheiro do valor de sua força de trabalho (de fato, meio de pagamento de trabalho já realizado);

a partir do segundo período de rotação, contado do início do negócio, já é a forma dinheiro *do valor que ele mesmo produziu* (igual a preço da força de trabalho acrescido de mais-valia) no primeiro período de rotação, servindo para pagar seu trabalho durante o segundo período de rotação. Isto não ocorre em B. Neste caso, o dinheiro é, quanto ao trabalhador, meio de pagamento de trabalho já realizado, mas esse trabalho realizado não é pago com o próprio produto-valor monetarizado (a forma dinheiro do valor que o trabalho produziu). Isto só pode ocorrer a partir do segundo ano, quando o trabalhador em B é pago com o produto-valor monetarizado do ano passado.

Quanto mais curto o período de rotação do capital, quanto mais reduzidos os prazos de sua reprodução dentro do ano, tanto mais rapidamente se transforma a parte variável do capital adiantada originalmente sob a forma dinheiro na forma dinheiro do produto-valor (que inclui mais--valia) criado pelo trabalhador para substituir esse capital variável; tanto menor, por conseguinte, o tempo pelo qual o capitalista tem de adiantar dinheiro de seu cabedal, tanto menor, relativamente a dado volume de produção, o capital que adianta, e tanto maior, relativamente, a massa de mais-valia que obtém durante o ano com dada taxa de mais-valia, pois pode, com mais frequência e continuamente, readquirir os trabalhadores e pôr seu trabalho em movimento, com a forma dinheiro do valor que eles mesmos produziram.

Dada a escala da produção, a magnitude absoluta do capital-dinheiro variável adiantado (e a do capital circulante em geral) diminui, e a taxa anual da mais-valia cresce, na proporção em que se reduz o período de rotação. Dada a magnitude do capital adiantado, amplia-se a escala da produção, e, por isso, dada a taxa da mais-valia, acresce a massa absoluta da mais-valia produzida num período de rotação, juntamente com o aumento da taxa anual da mais-valia, oriundo do encurtamento dos períodos de reprodução. De modo geral, do estudo até agora feito infere-se que varia muito com a dimensão do período de rotação o montante do capital-dinheiro a adiantar para pôr em movimento a mesma massa de capital produtivo circulante e a mesma massa de trabalho, com o mesmo grau de exploração do trabalho.

Segundo: a diferença que vamos examinar se relaciona com a primeira. Tanto em A quanto em B, o trabalhador paga os meios de subsistência que compra com o capital variável que em suas mãos se transformou em meio de circulação. Substitui, por exemplo, o trigo que retira do mercado por um equivalente em dinheiro. No caso de B, o dinheiro com que esses meios de subsistência são pagos e retirados do mercado não é, como no caso de A, a forma dinheiro de produto-valor que o trabalhador fornece ao mercado durante o ano; em B, o trabalhador entrega dinheiro ao vendedor dos meios de subsistência, mas nenhuma mercadoria, sejam meios de produção ou meios de subsistência, a qual esse vendedor possa comprar com o dinheiro obtido, conforme sucede no caso de A. No caso de B, portanto, retiram-se do mercado força de trabalho, meios de subsistência para essa força de trabalho, capital fixo sob a forma de meios de trabalho empregados em matérias de produção, lançando-se ao mercado, para substituí-los, um equivalente em dinheiro; mas, durante o ano, não se lança produto algum no mercado, para repor os elementos materiais do capital produtivo dele retirados. Imaginemos que a sociedade, em vez de capitalista, fosse comunista: antes de mais nada, desaparece o capital-dinheiro e, por conseguinte, os véus com que ele disfarça as operações. E tudo fica reduzido ao seguinte: a sociedade tem de calcular previamente a quantidade de trabalho, meios de produção e meios de subsistência que, sem prejuízo, pode aplicar em empreendimentos que, como construção de ferrovias etc., por longo tempo, um ano ou mais, não fornecem meios de produção, meios de subsistência nem qualquer efeito útil, mas retiram da produção global do ano trabalho, meios de produção e de subsistência. Mas, na sociedade capitalista, onde o senso social só se impõe depois do fato consumado, podem ocorrer e ocorrem necessária e constantemente grandes perturbações. Há a pressão sobre o mercado financeiro e, em sentido contrário, as facilidades desse mercado que fazem aparecer em massa os empreendimentos mencionados, as circunstâncias, portanto, que mais tarde pressionam o mercado financeiro. Gera-se a pressão porque é necessário, continuamente e durante longo prazo, adiantamento de capital-dinheiro em grande escala. E acresce que há industriais e comerciantes que lançam em especulações ferroviárias etc. capital-dinheiro necessário para movimentar seus negócios, substituindo-o por empréstimos tomados ao mercado financeiro. Além disso, há pressão sobre o capital produtivo disponível da sociedade. Retirando-se constantemente do mercado elementos do capital produtivo e lançando-se em troca no mercado apenas um equivalente em dinheiro, aumenta a procura solvente, que, por sua vez, não acresce a oferta de qualquer elemento. Daí elevarem-se os preços tanto dos meios de subsistência quanto das matérias de produção. E nessas ocasiões especula-se bastante, ocorrendo grandes transferências de capital. É quando se enriquece um bando de especuladores, contratantes, engenheiros, advogados etc. Aumenta a procura de bens de consumo, ao mesmo tempo que sobem os salários. As repercussões sobre os produtos de alimentação servem realmente para incentivar a agricultura. Não sendo possível aumentar a quantidade desses produtos subitamente, no correr do ano, cresce a sua importação, notadamente a de alimentos exóticos (café, açúcar, vinho etc.) e a de objetos de luxo. Daí compras excessivas e especulação nesse ramo da importação. Nos ramos industriais em que a produção pode aumentar rapidamente (a manufatura propriamente dita, a mineração etc.), a elevação dos preços causa expansão imediata, pouco depois seguida de descalabro. O mesmo efeito se observa no mercado de trabalho, quando está em jogo atrair para os novos ramos industriais grandes massas da superpopulação relativa latente e mesmo dos trabalhadores ocupados. De modo geral, esses empreendimentos em grande escala, como ferrovias, retiram do mercado de trabalho determinada quantidade de forças que só podem provir de certos ramos, como agricultura etc., onde se empregam braços robustos. Isto ainda ocorre, mesmo depois de os novos empreendimentos se tornarem estáveis e de já se ter constituído, portanto, a classe trabalhadora flutuante de que necessitam. É o que se dá, por exemplo, quando se constroem momentaneamente ferrovias em escala superior à média. O aumento dessas atividades absorve o exército industrial de reserva, cuja pressão avilta os salários. Estes geralmente sobem, mesmo naquelas partes do mercado do trabalho que estavam bem colocadas. Isto dura até que o inevitável craque libera o exército industrial de reserva e os salários caem de novo ao mínimo e mesmo abaixo.[32]

32 Neste ponto do manuscrito, aparece intercalada, para desenvolvimento posterior, a seguinte nota: "Contradição do modo de produção capitalista: os trabalhadores são importantes para o mercado, enquanto compradores de mercadorias. Mas, como vendedores de sua mercadoria, a força de trabalho, tem a sociedade capitalista a tendência para rebaixá-los ao menor preço possível. – Outra contradição: as épocas em que a produção capitalista emprega todas as suas forças revelam-se, em regra, épocas de superprodução, pois as forças da produção nunca podem ser empregadas além do ponto em que, além de se produzir mais valor, é possível realizá-lo; a venda das mercadorias, a realização do capital-mercadoria e, portanto, da mais-valia, está porém limitada, não pelas próprias necessidades de consumo da sociedade, mas pelas necessidades de consumo de uma sociedade em que a maioria é pobre e está sempre condenada à pobreza. Trataremos desta matéria na parte seguinte."

Na medida em que a dimensão do período de rotação depende do período de trabalho propriamente dito, isto é, do período necessário à elaboração do produto pronto e acabado para o mercado, funda-se ela sobre as condições materiais da produção existentes em cada caso de emprego de capital. Essas condições na agricultura possuem mais o caráter de condições naturais da produção e se modificam na manufatura e na maior parte da indústria extrativa com o desenvolvimento social do processo de produção.

Quando a duração do período de trabalho se funda sobre a magnitude das entregas, sobre o volume em que, de ordinário, o produto-mercadoria se lança ao mercado, temos ocorrência de caráter convencional. Mas a convenção tem por base material a escala da produção, só parecendo por isso ser fortuita quando se observam singularmente os casos.

Por fim, na medida em que a duração do período de rotação depende da duração do período de circulação, temos de considerar que este, em parte, se determina pela variação constante da conjuntura do mercado, pela maior ou menor facilidade de vender e pela necessidade daí decorrente de lançar parte do produto em mercado mais ou menos afastado. Pondo-se de lado o volume da procura, o movimento dos preços desempenha aí papel fundamental, quando, ao caírem os preços, intencionalmente se reduzem as vendas, enquanto a produção continua, ou, inversamente, ao subirem os preços, mantêm o mesmo ritmo a produção e a venda ou os produtos podem ser vendidos antecipadamente. Deve-se, entretanto, considerar base material propriamente dita a distância efetiva entre o local de produção e o de venda.

Vamos supor que, na venda de tecidos e fios ingleses à Índia, o exportador, na Inglaterra, pague diretamente ao fabricante (o que o exportador só faz de bom grado quando o mercado financeiro é favorável. Quando o próprio fabricante repõe seu capital-dinheiro com operações de crédito, a situação está ruim). Em seguida, o exportador vende seu artigo no mercado indiano donde lhe vem o capital que adiantou. Até que se dê esse retorno, tudo se passa como no caso em que a duração do período de trabalho exige o adiantamento de novo capital-dinheiro, para manter em marcha, em dada escala, o processo de produção. O capital-dinheiro com que o fabricante paga seus trabalhadores e renova os demais elementos de seu capital circulante não é a forma dinheiro dos fios que produziu (o que só pode ocorrer quando o valor desse fio chega de volta à Inglaterra em dinheiro ou em produtos). Trata-se, como dantes, de capital-dinheiro adicional, e a diferença está apenas em que o adianta não o fabricante, mas o comerciante que talvez o tenha obtido por meio de operações de crédito. Antes que, ou na ocasião em que, esse dinheiro seja lançado no mercado, não terá sido levado ao mercado inglês um produto adicional que possa ser comprado com esse dinheiro e entrar no consumo produtivo ou individual. Se essa situação se prolonga por muito tempo e aumenta de escala, as consequências são as mesmas que decorrem do prolongamento do período de trabalho, anteriormente observadas.

É possível que, na Índia, os fios ainda se vendam a crédito. Em virtude desse crédito, compra-se na Índia produto que se remete para a Inglaterra ou emite-se letra de valor correspondente. Se essa situação se prolonga, sobrevém uma pressão no mercado financeiro indiano, a qual repercute na Inglaterra, onde pode provocar uma crise. Essa crise, mesmo quando acompanhada da exportação de metais preciosos para a Índia, ocasiona neste país nova crise em virtude da bancarrota das casas de comércio inglesas e de suas filiais indianas, que se apoiaram no crédito dos bancos locais. Surge assim crise, tanto no mercado para o qual a balança comercial é *desfavorável*, quanto no mercado para o qual é *favorável*. Esse fenômeno pode complicar-se mais. Pode acontecer que, depois de a Inglaterra ter enviado barras de prata para a Índia, os credores ingleses da Índia exijam o pagamento de seus títulos e a Índia tenha em seguida de remeter de volta para a Inglaterra barras de prata.

É possível que o comércio de exportação e o de importação com a Índia se compensem aproximadamente, embora este último (excetuadas circunstâncias especiais, como alta do algodão etc.) tenha seu volume determinado pelo primeiro, que é o fator estimulante. A balança comercial entre a Inglaterra e a Índia pode mostrar-se equilibrada ou apresentar apenas fracas oscilações para um lado ou para o outro. Quando a crise irrompe na Inglaterra, verifica-se que se armazenam na Índia produtos têxteis invendáveis (não se transformaram de capital-mercadoria em capital-dinheiro, havendo, sob esse aspecto, superprodução) e que na Inglaterra jazem invendáveis estoques de produtos indianos e ainda não está paga grande parte dos estoques vendidos e consumidos. O que se manifesta como crise no mercado financeiro expressa na realidade anomalias do processo de produção e de reprodução.

Terceiro: quanto ao próprio capital circulante aplicado (variável e constante), a duração do período de rotação, quando resulta da duração do período de trabalho, faz surgir a seguinte diferenciação: se forem várias as rotações durante o ano, pode um elemento do capital circulante variável ou constante ser fornecido pelo respectivo produto, como se dá na produção de carvão, na confecção de roupas etc.; em caso contrário, isto não se observa, pelo menos no decurso do ano.

XVII.
A circulação da mais-valia

Acabamos de ver que a diferença no período de rotação gera diferença na taxa anual da mais-valia, mesmo para igual massa de mais-valia produzida.

Mas, além disso, verifica-se necessariamente diferença na capitalização da mais-valia, na *acumulação* e, com esta, na massa de mais-valia produzida durante o ano, para igual taxa de mais-valia.

O capital A (exemplo do capítulo anterior) tem um rendimento periódico corrente e, por isso, excetuado o período de rotação inicial do negócio, atende o respectivo consumo durante o ano com sua produção de mais-valia, nada tendo de adiantar dos próprios fundos. Com B ocorre o contrário. Efetivamente, produz tanta mais-valia quanto A no mesmo espaço de tempo, mas ela não se apresenta realizada, não podendo, portanto, ser objeto de consumo individual nem produtivo. Antecipa-se a mais-valia para o consumo individual. Fundos têm de ser adiantados para esse fim.

Parte do capital produtivo, difícil de classificar, o capital complementar necessário para reparos e manutenção do capital fixo, também se apresenta agora sob novo aspecto.

No caso de A, ao iniciar-se a produção não se adianta totalmente nem em grande parte essa fração do capital. Não é mister que esteja disponível, nem mesmo que exista. Provém do próprio negócio, de a mais-valia transformar-se imediatamente em capital, de ser empregada diretamente como capital. Parte da mais-valia, não só produzida mas também realizada periodicamente durante o ano, pode cobrir as despesas necessárias de consertos etc. Parte do capital necessário para manter o negócio em sua escala primitiva é produzida pela própria empresa durante a marcha do negócio, capitalizando parte da mais-valia. Isto não é possível para o capitalista B. Essa fração do capital tem de constituir para ele parte do capital originalmente adiantado. Nos dois casos, a fração considerada figura nos livros do capitalista como capital adiantado, o que ela realmente é, uma vez que constitui, segundo nosso pressuposto, parte do capital produtivo necessário para conduzir o negócio em dada escala. Mas faz enorme diferença a fonte donde ela provém. Em B, é parte do capital a adiantar ou a ter disponível desde a origem. Em A, ao contrário, é parte da mais-valia aplicada como capital. Este último caso mostra-nos que não só o capital acumulado, mas também parte do capital originalmente adiantado, podem ser apenas mais-valia posteriormente capitalizada.

Quando sobrevém o desenvolvimento do crédito, complica-se ainda mais a relação entre capital originalmente adiantado e mais-valia capitalizada. A, por exemplo, toma emprestado ao banqueiro C parte do capital produtivo com que começa seu negócio ou o prossegue durante o ano. Não tem, de antemão, capital suficiente próprio para conduzir o negócio. O banqueiro C empresta-lhe uma soma que consiste apenas em mais-valia depositada em seu banco pelos industriais D, E, F etc. Do ponto de vista de A não se trata ainda de capital acumulado. Mas, para D, E, F etc., A não passa de um agente que capitaliza a mais-valia de que se apropriaram.

Vimos no Livro 1, Capítulo XXII, que a acumulação, a transformação de mais-valia em capital, substancialmente é processo de reprodução em escala ampliada, amplie-se a escala com o acréscimo de novas fábricas às antigas, extensivamente, ou com o aumento intensivo da exploração industrial existente.

A ampliação da escala pode dar-se em doses pequenas, empregando-se parte da mais-valia em melhorias que simplesmente aumentam a produtividade do trabalho aplicado ou ainda permitem explorá-lo mais intensivamente. Quando a jornada de trabalho não está subordinada a limites legais, basta um dispêndio complementar de capital circulante (em matérias-primas e em salários) para ampliar a escala da produção sem aumentar o capital fixo cujo uso diário é apenas prolongado, reduzindo-se proporcionalmente o período de rotação. Em conjunturas favoráveis, a mais-valia capitalizada pode permitir especulações em matérias-primas, operações, em suma, para as quais não bastaria o capital primitivamente adiantado.

Nas indústrias onde um número maior dos períodos de rotação acarreta realização mais frequente da mais-valia durante o ano, haverá evidentemente períodos em que não cabe prolongar a jornada de trabalho nem introduzir melhorias miúdas: por outro lado, só dentro de certos limites, mais ou menos estreitos, é possível a expansão de todo o negócio em escala proporcional, envolvendo os próprios estabelecimentos e suas instalações, com a construção de edifícios, por exemplo, ou aumentando o fundo do trabalho, como na agricultura. Para isso, é necessário capital adicional que só pode ser obtido através da acumulação da mais-valia durante vários anos.

Ao lado da acumulação real ou transformação da mais-valia em capital produtivo (e ao lado da correspondente reprodução em escala ampliada), ocorre, portanto, acumulação de dinheiro, amontoamento de parte da mais-valia como capital-dinheiro latente que só mais tarde, depois de atingir certo montante, deverá funcionar como capital ativo complementar.

Assim se comportam as coisas do ponto de vista do capitalista isolado. Mas o desenvolvimento da produção capitalista traz consigo o do sistema de crédito. O capital-dinheiro que o capitalista ainda não pode aplicar no próprio negócio, aplicam-no outros que por isso lhe pagam juros. Para ele, tem a função de capital-dinheiro no sentido específico do termo, de uma espécie de capital desligado do capital produtivo. Mas opera como capital em outras mãos. É claro que, com a realização mais frequente da mais-valia e com a escala crescente em que é produzida, aumenta a proporção em que se lança no mercado financeiro novo capital-dinheiro ou dinheiro como capital, sendo aí, pelo menos em grande parte, reabsorvido em produção ampliada.

A forma de tesouro é a mais simples em que se pode apresentar esse capital-dinheiro latente adicional. É possível que esse tesouro seja ouro ou prata adicionais, diretamente obtidos ou ainda indiretamente, através do intercâmbio com os países que produzem metais preciosos. E só desse modo aumenta de maneira absoluta o tesouro em dinheiro de um país. Entretanto, é possível, o que se dá na maioria dos casos, que esse tesouro não passe de dinheiro retirado da circulação interna e que assume a forma de tesouro nas mãos de certos capitalistas. Além disso, pode ser que esse capital-dinheiro latente exista apenas em símbolos do valor (aqui ainda estamos abstraindo do dinheiro de crédito) ou em meras dívidas ativas (títulos jurídicos) dos capitalistas contra terceiros, legalmente comprovadas por documentos. Em todos esses casos, qualquer que seja a forma de existência desse capital-dinheiro suplementar, como capital em potência representa ele direitos, mantidos em reserva pelo capitalista, sobre a futura produção anual suplementar da sociedade.

> Quanto à magnitude, a massa da riqueza realmente acumulada [...] é sobremodo insignificante em relação às forças produtivas da sociedade a que pertence, qualquer que seja o nível de civilização, e também em relação ao consumo efetivo dessa sociedade durante uns poucos anos; tão insignificante que importa que a atenção principal dos legisladores e dos especialistas em economia política se dirija não para a mera riqueza acumulada que fere os olhos, como até agora, mas para as forças produtivas e seu livre desenvolvimento futuro. A maior parte da chamada riqueza acumulada é puramente nominal, não consistindo em coisas materiais, navios, casas, manufaturas de algodão, melhoramentos do solo, e sim em títulos jurídicos, em direitos às futuras forças produtivas anuais da sociedade, títulos produzidos e eternizados

pelos expedientes ou instituições da insegurança. [...] A utilização daquelas coisas (acumulações de objetos físicos ou riqueza real) como simples meio que serve a seus possuidores para se apropriarem da riqueza a ser criada pelas forças produtivas futuras da sociedade, essa utilização escaparia de suas mãos pouco a pouco, sem violência, em virtude das leis naturais; com o apoio do trabalho cooperativo, isto ocorreria dentro de poucos anos. (William Thompson, *Inquiry into the Principles of the Distribution of Wealth*, Londres, 1850, p. 453. – A primeira edição desta obra apareceu em 1824.)

Poucos consideram e a maioria nem conjetura quão ínfima é a relação, seja do ponto de vista da massa ou da eficácia, entre as acumulações reais da sociedade e as forças produtivas humanas, e mesmo entre essas acumulações e o consumo usual de uma única geração durante somente poucos anos. O motivo é evidente, mas a consequência é altamente prejudicial. A riqueza anualmente consumida desaparece ao ser utilizada; vemo-la por um instante e só nos impressiona enquanto a desfrutamos ou consumimos; mas móveis, máquinas, edifícios – a parte da riqueza que só se consome lentamente – ficam diante de nossos olhos, desde a infância à velhice, monumentos duradouros que são do esforço humano. Em virtude da posse dessa parte fixa, durável, lentamente consumida, da riqueza pública – o solo e as matérias-primas a trabalhar, o instrumental com que se trabalha, as casas que abrigam durante o trabalho –, em virtude dessa posse, os proprietários dessas coisas comandam em seu próprio interesse as forças produtivas anuais de todos os trabalhadores realmente produtivos da sociedade, por menos importantes que sejam essas coisas em relação aos produtos desse trabalho, que sempre se renovam. É de 20 milhões a população da Grã-Bretanha e da Irlanda, e o consumo médio por indivíduo, considerando-se homens, mulheres e crianças, é provavelmente de cerca de 20 libras esterlinas, o que nos dá uma riqueza global em torno de 400 milhões de libras esterlinas, o produto anualmente consumido do trabalho. O montante de todo o capital acumulado nesses países não ultrapassa, segundo estimativa, 1.200 milhões, ou seja, o triplo do produto anual do trabalho, o que, dividido igualmente por todos, dá 60 libras esterlinas de capital *per capita*. Aqui a relação é mais importante que a exatidão maior ou menor na avaliação dos dados absolutos. Os juros desse capital global bastariam para sustentar toda a população em seu atual nível de vida por dois meses do ano mais ou menos, e todo o capital acumulado (se houvesse alguém para comprá-lo) sustentá-la-ia sem trabalhar por três anos inteiros! Ao fim deles, sem teto, roupas e alimentos, teria de morrer de fome ou tornar-se escrava de quem a sustentou durante três anos. Três anos estão para o tempo de vida de uma geração saudável, digamos quarenta anos, assim como a magnitude, a importância da riqueza real, o capital acumulado do país, mesmo o mais rico, está para a força produtiva dessa geração, ou seja, para as forças produtivas de uma única geração humana; não estamos falando do que ela poderia produzir com normas racionais de igual segurança, especialmente com trabalho cooperativo, mas do que ela produz real e absolutamente com os meios dúbios, desencorajantes e precários da insegurança! [...] E, para manter e eternizar no estado atual de repartição forçada essa massa, gigantesca na aparência, do capital existente, ou antes o comando e monopólio que proporciona sobre os produtos do trabalho anual, procura-se perpetuar todo o monstruoso mecanismo, os vícios, os crimes e sofrimentos da insegurança. Nada é possível acumular, sem satisfazer antes as necessidades inevitáveis, e o grande fluxo das inclinações humanas corre em busca do gozo; daí a soma relativamente insignificante da riqueza real da sociedade num momento dado. Há um ciclo eterno de produção e consumo. Quase desaparece nessa massa imensa da produção e consumo anuais o que realmente se acumula; entretanto, a atenção principal se dirige não para aquela massa de força produtiva, mas para o monte da acumulação. Mas esse monte é confiscado por alguns poucos e transformado no instrumento que lhes serve para se apropriarem dos produtos do trabalho da grande massa, renovados sem cessar todos os anos. Daí a importância decisiva que tal instrumento tem para esses poucos. [...] Cerca de $^1/_3$ do produto nacional anual se retira agora dos produtores a título de encargos públicos e é consumido improdutivamente por pessoas que, em troca, não dão equivalente algum, isto é, nada que o produtor considere como tal. [...] Pasmada, olha a multidão as massas de riqueza acumuladas, sobretudo quando se concentram em poucas mãos. Mas as massas anualmente produzidas, como as ondas eternas e incontáveis de uma poderosa corrente, rolam e se perdem no oceano esquecido do consumo. E esse consumo eterno condiciona todos os gozos e ainda a existência de toda a espécie humana. Antes de tudo, é mister dirigir nossa atenção para a quantidade e a repartição desse produto anual. A acumulação real é de importância absolutamente secundária, importância devida quase toda à influência que exerce na repartição do produto anual. [...] Aqui consideramos [fala Thompson] a acumulação real e a repartição do ponto de vista da força produtiva e a ela subordinada. Quase todos os demais sistemas consideram a força produtiva referindo-a ou subordinando-a à acumulação e à perpetuação do modo vigente de repartição. Ao mesmo tempo que se conserva esse modo de repartição, não se dá a menor importância à miséria que sempre se renova ou ao bem-estar de toda a espécie humana. Chama-se de segurança eternizar as consequências da força, da fraude e do azar, e é para manter essa refalsada segurança que se sacrificam implacavelmente todas as forças produtivas da espécie humana. (*Ibidem*, pp. 440-443.)

Abstraindo das perturbações que entravam a reprodução em dada escala, só encontramos dois casos normais de reprodução:

1) reprodução em escala simples e
2) capitalização de mais-valia, a acumulação.

1. REPRODUÇÃO SIMPLES

Na reprodução simples, a mais-valia produzida e realizada periodicamente numa ou em várias rotações por ano é consumida de maneira individual, isto é, improdutiva, pelos proprietários dela, os capitalistas.

A circunstância de o valor do produto compor-se de mais-valia, do valor nele reproduzido do capital variável e do capital constante nele consumido em nada altera a quantidade nem o valor do produto global que constantemente entra na circulação como capital-mercadoria e dela é constantemente retirada para ser objeto de consumo produtivo ou individual, isto é, para servir de meio de produção ou de meio de consumo. Pondo-se de lado o capital constante, essa composição só importa à repartição do produto anual entre trabalhadores e capitalistas.

Mesmo supondo-se a reprodução simples, parte da mais-valia tem de existir constantemente em dinheiro, e não em produto, pois do contrário não se pode converter de dinheiro em produto para os fins de consumo. Prosseguiremos agora em nossa análise dessa conversão: a passagem da mais-valia da primitiva forma mercadoria para a forma dinheiro. Para simplificar a matéria, consideraremos o problema em sua forma mais simples, supondo a circulação exclusiva de dinheiro-metal, de dinheiro que é equivalente real.

Segundo as leis relativas à circulação simples das mercadorias (Livro 1, Capítulo III),[I] a massa do dinheiro-metal existente no país deve ser suficiente não só para fazer circular as mercadorias, mas também para atender às flutuações no curso do dinheiro, decorrentes das variações na velocidade da circulação, das mudanças nos preços das mercadorias e das diferentes e variáveis proporções em que o dinheiro serve de meio de pagamento ou de meio de circulação propriamente dito. Muda constantemente a proporção em que a massa existente de dinheiro se reparte em tesouro e em dinheiro corrente, mas a massa do dinheiro é sempre igual à soma do dinheiro que

---

I Pp. 152-158.

existe como tesouro e do que existe como dinheiro corrente. Essa massa de dinheiro (massa de metais preciosos) é um tesouro social, acumulado progressivamente. É mister repor anualmente, como qualquer outro produto, a parte desse tesouro consumida pelo desgaste. Isto acontece através da troca direta ou indireta de parte do produto anual do país pelo produto dos países fornecedores de ouro e prata. Esse aspecto internacional da transação dissimula sua simplicidade. Por isso, a fim de reduzir o problema à expressão mais simples e mais clara, temos de supor que a produção de ouro e de prata sucede dentro do próprio país, constituindo parte da produção social global de cada país.

Pondo-se de lado o ouro e a prata necessários à fabricação dos artigos de luxo, o mínimo de sua produção anual deve ser igual ao desgaste dos metais preciosos, resultante da circulação anual do dinheiro. Além disso, se aumenta a soma dos valores das mercadorias que se produzem e circulam anualmente, é necessário aumentar também a produção anual de ouro e de prata, desde que a soma acrescida dos valores das mercadorias que circulam e a massa de dinheiro necessária para sua circulação (e o correspondente entesouramento) não se compensem com maior velocidade do curso do dinheiro e com função mais ampla do dinheiro como meio de pagamento, isto é, com maior liquidação recíproca das compras e vendas sem interferência de dinheiro efetivo.

É mister, portanto, despender anualmente na produção de ouro e prata parte da força de trabalho social e parte dos meios de produção sociais.

Os capitalistas que exploram a produção de ouro e prata e que os produzem, de acordo com a hipótese da reprodução simples, dentro dos limites estritos do desgaste médio anual de ouro e prata e do consumo médio anual daí resultante, lançam sua mais-valia – que, segundo nossa suposição, consomem anualmente sem capitalizar qualquer parte dela – diretamente na circulação sob a forma dinheiro, para eles a forma natural, e não, como nos outros ramos, a forma convertida do produto.

E o mesmo se dá com os salários, a forma dinheiro em que se adianta o capital variável. Não são repostos pela venda do produto, por sua transformação em dinheiro, mas por um produto cuja forma natural já é a forma dinheiro.

Finalmente, o mesmo se dá com a parte do produto, com a fração de metal precioso igual ao valor do capital constante periodicamente consumido, seja o circulante ou o fixo, absorvidos durante o ano.

Observemos o ciclo ou bem a rotação do capital empregado na produção de metais preciosos primeiramente sob a forma D-M...P...D'. Desde que, em D-M, M consista não só em força de trabalho e em meios de produção, mas também em capital fixo, do qual apenas parte do valor se consome em P, é claro que D', o produto, é uma soma de dinheiro igual ao capital variável despendido em salários mais o capital constante circulante aplicado em meios de produção mais a parte do valor do capital fixo absorvida pelo desgaste mais o valor excedente, a mais-valia. Se a soma for menor, não se alterando o valor geral do ouro, será improdutiva a empresa de mineração, ou, generalizando-se o caso, acabaria subindo o valor do ouro em comparação com as mercadorias cujo valor não mudasse; isto é, cairiam os preços das mercadorias e daí em diante seria menor a soma de dinheiro empregada em D-M.

Observemos inicialmente a parte circulante do capital adiantado em D, ponto de partida de D-M...P...D'. Adianta-se determinada soma de dinheiro, para pagar força de trabalho e comprar matérias de produção. Mas ela não é retirada de novo da circulação pelo ciclo *desse* capital para ser nela outra vez lançada. O produto em sua forma natural já é dinheiro, não precisando converter-se em dinheiro através da troca, através de um processo de circulação. Passa do processo de produção para a esfera da circulação não sob a forma de capital-mercadoria, a transformar-se em capital-dinheiro, mas sob a de capital-dinheiro a transformar-se em capital produtivo, isto é, destinado a comprar novamente força de trabalho e matérias de produção. A forma dinheiro do capital circulante despendido em força de trabalho e em meios de produção é reposta não pela venda do produto, mas pela forma natural do próprio produto, não por nova retirada da circulação de seu valor sob a forma dinheiro, mas por dinheiro adicional, novamente produzido.

Seja esse capital circulante = 500 libras esterlinas, o período de rotação = 5 semanas, o período de trabalho = 4 semanas, o período de circulação = 1 semana apenas. Antes de mais nada, é mister adiantar dinheiro por 5 semanas, em estoque de produção e ainda para ficar de reserva a ser gasta gradualmente em salários. No começo da 6ª semana, refluíram 400 libras esterlinas e 100 foram liberadas. Isto se repete sempre. Como dantes, 100 libras esterlinas estarão sempre disponíveis durante certo tempo da rotação. Mas consistem em dinheiro adicional que é novamente produzido, como as outras 400 libras esterlinas. Temos 10 rotações por ano, e o produto anual produzido = 5.000 libras esterlinas. (O período de circulação, aqui, não se constitui do tempo necessário para a mercadoria converter-se em dinheiro, mas do necessário para o dinheiro converter-se nos elementos de produção.)

Para qualquer capital de outro ramo, no montante de 500 libras que gire nas mesmas condições, a forma dinheiro constantemente renovada é a forma a que se converte o capital-mercadoria produzido, que se lança na circulação cada 4 semanas e com sua venda readquire sempre essa forma, retirando, portanto, da circulação a quantidade de dinheiro com que entrou originalmente no processo. Aqui, ao contrário, em cada período de rotação lança-se nova massa adicional de dinheiro de 500 libras esterlinas, do próprio processo de produção na circulação, para dela constantemente retirar matérias de produção e força de trabalho. O ciclo desse capital não retira da circulação esse dinheiro nela lançado, mas, ao contrário, ainda o aumenta com novas massas de ouro constantemente produzidas.

Observemos a parte variável desse capital circulante. Como anteriormente, façamo-lo igual a 100 libras esterlinas. Na produção comum de mercadorias, essas 100 libras esterlinas bastariam para pagar constantemente a força de trabalho nas 10 rotações. Na produção de ouro basta a mesma soma, mas as 100 libras esterlinas que reaparecem e com as quais é paga a força de trabalho cada 5 semanas não são a forma a que se converte o produto dessa força, mas parte de seu próprio produto sempre renovado. O produtor de ouro paga seus trabalhadores diretamente com parte do ouro que eles mesmos produziram. As 1.000 libras esterlinas despendidas anualmente em força de trabalho e lançadas pelos trabalhadores na circulação não voltam através dela a seu ponto de partida.

Quanto ao capital fixo, exige ele, ao instalar-se a empresa, que se desembolse grande montante de capital-dinheiro que é, portanto, lançado na circulação. Como todo capital fixo, reflui apenas gradualmente, no decorrer dos anos. Mas reflui como parte integrante do produto, do ouro, e não através da venda do produto e de sua transformação em ouro. Adquire, portanto, gradualmente sua forma dinheiro não por retirar-se dinheiro da circulação, mas por acumular-se parte correspondente do produto. O capital-dinheiro assim reconstituído não é uma soma de dinheiro progressivamente retirada da circulação para compensar a soma de dinheiro primitivamente nela lançada em troca do capital fixo. É massa adicional de dinheiro.

Finalmente, a mais-valia é igual à parte do novo ouro produzido, lançada na circulação em cada novo período de rotação para ser, segundo nossa hipótese, despendida improdutivamente no pagamento de meios de subsistência e de objetos de luxo.

Segundo o pressuposto estabelecido, toda essa produção anual de ouro (a qual retira do mercado força de trabalho e matérias de produção, mas nenhum dinheiro, abastecendo-o sempre com dinheiro adicional) apenas repõe o desgaste de dinheiro durante o ano, mantendo sem falta a massa social de dinheiro, a qual, embora em proporções variáveis, sempre existe nas formas de tesouro e de dinheiro em circulação.

Segundo a lei da circulação de mercadorias, a massa de dinheiro tem de ser igual à massa de dinheiro necessária à circulação mais a quantidade de dinheiro que está sob a forma de tesouro e que aumenta ou diminui conforme se contrai ou se expande a circulação, mas servindo sobretudo para formar a reserva necessária de meios de pagamento. O que tem de ser pago em dinheiro, desde que não haja compensação entre os pagamentos, é o valor das mercadorias. Isto não se altera com a circunstância de parte desse valor consistir em mais-valia, isto é, de nada ter custado ao vendedor das mercadorias. Admitamos que os produtores sejam todos proprietários independentes dos meios de produção e que a circulação se dê entre os produtores diretos. Tirada a parte constante de seu capital, poderíamos dividir seu produto restante, por analogia com o regime capitalista, em duas porções: a porção *a*, que apenas repõe os meios de subsistência necessários, e a *b*, que em parte consomem em produtos de luxo e em parte empregam para ampliar a produção. Nessas condições, *a* representa o capital variável, e *b*, a mais-valia. Mas essa divisão não teria qualquer influência sobre a magnitude da massa de dinheiro necessária à circulação do produto global. Não se alterando as demais circunstâncias, seria o mesmo o valor da massa de mercadorias em circulação e, por conseguinte, a mesma a massa de dinheiro necessária. Não se alterando a divisão dos períodos de rotação seriam requeridas as mesmas reservas em dinheiro, isto é, a mesma parte do capital teria de estar constantemente sob a forma dinheiro, uma vez que continuamos admitindo que a produção seria produção de mercadorias. A circunstância de parte do valor das mercadorias consistir em mais-valia em nada altera, portanto, a massa de dinheiro necessária à exploração da empresa.

Um adversário de Tooke, aferrado à forma D-M-D', pergunta-lhe como consegue o capitalista retirar constantemente da circulação mais dinheiro do que nela lança. Compreenda-se. Não se trata aí da *formação* da mais--valia. Essa formação, que constitui o único mistério, é, do ponto de vista capitalista, coisa perfeitamente compreensível: a soma de valores aplicada não seria capital se não se acrescesse de mais-valia; uma vez que é capital por postulado, a mais-valia fica por si mesma evidente.

Não se indaga, portanto, donde vem a mais-valia, mas donde vem o dinheiro em que ela se converte.

Mas, na economia burguesa, a existência da mais-valia é evidente por si mesma. A mais-valia constitui, portanto, postulado, e, além disso, se supõe que parte da massa de mercadorias que se joga na circulação consiste em produto excedente, representando valor que o capitalista não tinha lançado na circulação com seu capital, e que o capitalista, por conseguinte, lança na circulação, com o produto, um excedente sobre o capital, para dela retirar também esse excedente.

O capital-mercadoria que o capitalista lança na circulação tem valor maior (donde vem esse excedente, não se procura explicar nem entender, sendo fato indiscutível para a economia burguesa) do que o capital produtivo, retirado da circulação sob a forma de força de trabalho e de meios de produção. Esse postulado explica por que A e todos os demais capitalistas B, C, D etc. podem constantemente retirar da circulação, por meio da troca de suas mercadorias, valor maior do que o do capital primitivamente adiantado e sempre desembolsado em períodos sucessivos. A multiplicidade dessa operação decorre da multiplicidade dos capitais que funcionam de maneira autônoma, lançando constantemente A, B, C, D etc. na circulação mais valor sob a forma de capital-mercadoria do que retira dessa circulação sob a forma de capital produtivo. Assim, têm eles constantemente de repartir entre si um montante de valor (isto é, cada um, por seu lado, tem de retirar da circulação um capital produtivo) igual ao valor da totalidade dos respectivos capitais produtivos adiantados, e, além disso, outro montante de valor que geralmente lançam na circulação, sob a forma de mercadoria, como o excedente do valor das mercadorias sobre o valor dos elementos de produção.

Mas o capital-mercadoria, antes de reverter a capital produtivo e antes do dispêndio da mais-valia que nele se encerra, tem de transformar-se em dinheiro. Mas donde vem o dinheiro para essa transformação? À primeira vista, a pergunta parece difícil, e não a respondeu Tooke nem outro economista.

Vamos supor que o capital circulante de 500 libras, adiantado sob a forma de capital-dinheiro, não importando seu período de rotação, seja o capital circulante global da sociedade, isto é, da classe capitalista. Seja a mais-valia de 100 libras esterlinas. Como poderia então toda a classe capitalista retirar continuamente da circulação 600 libras esterlinas, se nela só lança continuamente 500? Depois de o capital-dinheiro de 500 libras esterlinas se ter transformado em capital produtivo, converte-se este, dentro do processo de produção, em valor-mercadoria de 600 libras esterlinas, entrando em circulação, além do valor de 500 libras igual ao capital-dinheiro primitivamente adiantado, um valor excedente de 100 libras esterlinas novamente produzido.

Essa mais-valia adicional de 100 libras esterlinas é lançada na circulação sob a forma de mercadoria. Não há dúvidas a esse respeito. Mas a mesma operação não fornece o dinheiro adicional para a circulação desse valor-mercadoria adicional.

Não devemos fugir à dificuldade recorrendo a escapatórias plausíveis.

Por exemplo: quanto ao capital circulante constante, é claro que todos os capitalistas não o adiantam ao mesmo tempo. Enquanto para o capitalista A, que vende sua mercadoria, o capital que adiantou assume a forma dinheiro, para o capitalista B, que compra, o capital que existia sob a forma dinheiro passa a ter a forma de meios de produção justamente produzidos por A. No mesmo ato em que A restitui ao capital-mercadoria produzido a forma dinheiro, B restitui a seu capital a forma produtiva, fazendo a forma dinheiro dele converter-se em meios de produção e força de trabalho; a mesma soma de dinheiro funciona nesse processo bilateral como em qualquer compra simples M-D. Demais, A reconverte o dinheiro em meios de produção, comprando-os de C, e este utiliza o dinheiro para pagar a B etc. Assim ficaria explicada a marcha das coisas. Mas:

Nenhuma das leis relativas à quantidade do dinheiro em curso na circulação das mercadorias (Livro 1, Capítulo III) é modificada pelo caráter capitalista do processo de produção.

Ao dizer-se, portanto, que o capital circulante da sociedade a adiantar sob a forma dinheiro importa em 500 libras esterlinas, já se levou em conta que esta soma se adianta simultaneamente, mas que ela movimenta capital produtivo superior a 500 libras esterlinas, pois serve alternativamente de fundo monetário a capitais produtivos diferentes. Essa explicação supõe a existência do dinheiro, em vez de elucidá-la.

Poder-se-ia também dizer: o capitalista A produz artigos que o capitalista B consome individual, improdutivamente. O capital-mercadoria de A se transforma no dinheiro de B, e assim a mesma soma serve para transformar em dinheiro a mais-valia de B e o capital constante circulante de A. Mas, de maneira mais direta, se supõe aí resolvida a pergunta a ser respondida, a saber: onde obtém B esse dinheiro correspondente à sua renda? Como transforma ele em dinheiro essa fração de seu produto, a mais-valia?

Poder-se-ia ainda dizer: a parte variável do capital circulante que A adianta constantemente a seus trabalhadores lhe reflui constantemente da circulação, ficando em suas próprias mãos fração mutável dessa parte para pagar os salários. Entre o desembolso e o reembolso decorre certo tempo, durante o qual o dinheiro empregado em salários pode, entre outras coisas, servir para a realização monetária da mais-valia. Mas sabemos que, quanto maior esse espaço de tempo, tanto maior a massa de dinheiro em reserva que o capitalista A tem de manter constantemente disponível. Por outro lado, o trabalhador gasta o dinheiro, com ele compra mercadorias, realizando monetariamente, na medida correspondente, a mais-valia encerrada nessas mercadorias. Assim, o mesmo dinheiro adiantado sob a forma de capital variável serve também, na proporção correspondente, para realizar monetariamente mais-valia. Sem penetrar mais a fundo nesta questão, observamos que o consumo de toda a classe capitalista e das pessoas improdutivas que dela dependem corre paralelamente com o da classe trabalhadora; por conseguinte, simultaneamente com o dinheiro lançado em circulação pelos trabalhadores, têm os capitalistas de lançar dinheiro em circulação, a fim de despender sua mais-valia como renda a consumir; é mister assim retirar dinheiro da circulação para essa mais-valia. A explicação apresentada apenas reduz a quantidade necessária, sem eliminá-la.

Poder-se-ia finalmente dizer que, por ocasião do primeiro investimento de capital fixo, se lança sempre em circulação grande quantidade de dinheiro, a qual só gradualmente, pouco a pouco, é retirada da circulação por quem nela a lançou. Não bastaria esse montante para a mais-valia se transformar em dinheiro? Cabe aí responder que na soma de 500 libras esterlinas (a qual também inclui entesouramento para os necessários fundos de reserva) já está implícita a possibilidade de sua aplicação como capital fixo, seja por quem a pôs em circulação, seja por outrem. Além disso, na soma despendida para se obterem os produtos que servem de capital fixo já se supõe que também é paga a mais-valia encerrada nessas mercadorias, e a questão em debate é justamente a de saber donde provém o correspondente dinheiro.

Já demos a resposta geral: quando uma massa de mercadorias de x x 1.000 libras esterlinas tem de circular, em nada altera a quantidade da soma de dinheiro necessária a essa circulação a circunstância de o valor dessa massa conter ou não mais-valia, provir ou não de produção capitalista. *O problema em si mesmo não existe, portanto.* Não se alterando as demais condições, velocidade do curso do dinheiro etc., é necessária determinada soma de dinheiro para fazer circular o valor em mercadorias de x x 1.000 libras esterlinas, independentemente da quantidade maior ou menor desse valor que cabe ao produtor direto dessas mercadorias. Se existe aí um problema, coincide ele com o problema geral, o de saber donde provém a soma de dinheiro necessária para a circulação das mercadorias num país.

Entretanto, do ponto de vista da produção capitalista, existe a *aparência* de um problema particular. É o capitalista quem aparece como o ponto de partida do dinheiro posto em circulação. O dinheiro que o trabalhador despende em meios de subsistência existe antes na forma dinheiro do capital variável, e, por isso, é lançado originalmente à circulação pelo capitalista, a fim de comprar ou de pagar força de trabalho. O capitalista ainda lança em circulação o dinheiro que para ele originalmente constitui a forma dinheiro de seu capital constante, fixo e circulante; despende-o para comprar ou para pagar os meios de trabalho e as matérias de produção. Até aí, aparece o capitalista como ponto de partida da massa de dinheiro que está em circulação. Passam então a existir dois pontos de partida: o capitalista e o trabalhador. As demais categorias de pessoas recebem necessariamente dessas duas classes o dinheiro por serviços que prestam, ou, se o recebem sem contrapartida, são coproprietárias da mais-valia sob a forma de renda, juros etc. Não traz qualquer alteração ao problema proposto a circunstância de a mais-valia não ficar inteiramente com o capitalista industrial, de ser ele obrigado a dividi-la com outras pessoas. O que se pergunta é como transforma em dinheiro sua mais-valia e não como reparte depois o dinheiro assim obtido. Por isso, ainda estamos considerando o capitalista o proprietário único da mais-valia. Quanto ao trabalhador, conforme já dissemos, não passa de ponto de partida secundário, e o capitalista é o ponto de partida primário do dinheiro posto em circulação pelo trabalhador. O dinheiro adiantado como capital variável efetua o segundo movimento, ao despendê-lo o trabalhador em meios de subsistência.

Assim, a classe capitalista fica sendo o único ponto de partida da circulação do dinheiro. Se precisa de 400 libras esterlinas para pagar os meios de produção e de 100 para pagar força de trabalho, lança em circulação 500 libras esterlinas. Mas, se a taxa da mais-valia é de 100%, a mais-valia é de 100 libras esterlinas. Como pode retirar constantemente da circulação 600 libras esterlinas, se nela só põe constantemente 500? Nada vem do nada. Toda a classe dos capitalistas não pode retirar da circulação o que antes não tenha lançado nela.

Estamos abstraindo da possibilidade de a soma de 400 libras esterlinas em dinheiro bastar, com 10 rotações, para fazer circular meios de produção no valor de 4.000 libras esterlinas e trabalho no valor de 1.000, e de serem suficientes as restantes 100 libras esterlinas para a circulação da mais-valia de 1.000 libras esterlinas. Não tem influência sobre o problema essa relação entre a soma em dinheiro e o valor das mercadorias que circulam. O problema continua o mesmo. Se as mesmas peças de dinheiro não se movimentassem várias vezes, seria mister lançar em circulação como capital 5.000 libras esterlinas, e 1.000 seriam necessárias para converter em dinheiro a mais-valia. O que se quer saber é donde vem essa última quantia, seja ela de 1.000 ou de 100 libras esterlinas. De qualquer modo, constitui um excedente sobre o capital-dinheiro posto em circulação.

Na realidade, por mais paradoxal que pareça à primeira vista, a própria classe capitalista lança em circulação o dinheiro que serve para realizar a mais-valia encerrada nas mercadorias. Mas, atenção, no caso ela não o lança como dinheiro adiantado, ou seja, como capital. Despende-o para seu próprio consumo individual, como meio de compra. Ela, portanto, não o adianta, embora seja o ponto de partida de sua circulação.

Tomemos isoladamente um capitalista agricultor que inicia seu negócio. No primeiro ano, adianta um capital-dinheiro, digamos, de 5.000 libras esterlinas, para pagar meios de produção (4.000 libras esterlinas) e força de trabalho (1.000 libras esterlinas). Seja de 100% a taxa da mais-valia, e a mais-valia de que se apropria igual a 1.000 libras esterlinas. As mencionadas 5.000 libras esterlinas compreendem todo o dinheiro que adianta como capital-dinheiro. O homem tem também de viver, mas não recebe dinheiro antes do fim do ano. Admitamos que seu consumo atinja 1.000 libras esterlinas. Terá de possuí-las. Dirá que, no primeiro ano, tem de adiantar essas 1.000 libras esterlinas. Mas esse adiantamento tem sentido puramente subjetivo e significa apenas que no primeiro ano é obrigado a custear do próprio bolso seu consumo individual, e não com a produção grátis de seus trabalhadores. Não desembolsa esse dinheiro como capital. Despende-o, vai trocando-o por equivalente em meios de subsistência que consome. Gasta esse valor em dinheiro, lança-o na circulação e dela o retira em mercadorias. Cessa de ter qualquer relação com esse valor, depois de consumir as mercadorias que o representam. O dinheiro com que o pagou existe como elemento do dinheiro circulante. Mas retirou da circulação, em produtos, o valor desse dinheiro, e, ao destruir os produtos em que ele existia, destruiu também o valor, e deste nada mais resta. No fim do ano lança em circulação um valor em mercadorias de 6.000 libras esterlinas, vendendo-o. Assim, retornam-lhe: 1) o capital-dinheiro adiantado de 5.000 libras esterlinas; 2) a mais-valia de 1.000 libras esterlinas, convertida em dinheiro. Adiantou 5.000 libras esterlinas como capital, lançou-as na circulação e dela retira 6.000 libras esterlinas, correspondendo 5.000 ao capital e 1.000 à mais-valia. A realização monetária destas 1.000 libras esterlinas se fez com o dinheiro que ele mesmo lançou na circulação, não como capitalista, mas como consumidor; elas não foram adiantadas, mas despendidas. Voltam agora como a forma dinheiro da mais-valia que produziu. E daí em diante repete-se anualmente essa operação. Mas, a partir do segundo ano, as 1.000 libras esterlinas que despende são sempre a forma a que se converte a mais-valia que produziu sua forma dinheiro. Todo ano gasta-as e as recebe de volta.

Se seu capital girasse mais vezes por ano, não se modificaria o problema, mas alterar-se-ia o prazo pelo qual teria de pôr em circulação a soma que excede o capital-dinheiro adiantado e se destina a seu consumo individual. Com isso, alterar-se-ia também a magnitude dessa soma.

O capitalista não lança esse dinheiro em circulação como capital. Mas a condição de capitalista implica a capacidade de dispor de meios para viver até que reflua a mais-valia.

Estamos admitindo ser a soma em dinheiro posta em circulação pelo capitalista para custear seu consumo individual, até que seu capital retorne pela primeira vez, exatamente igual à mais-valia que produz e, portanto, tem de converter em dinheiro. Esta suposição é evidentemente arbitrária com referência ao capitalista isoladamente considerado. Mas, pressuposta a reprodução simples, ela é necessariamente exata para a classe capitalista em seu conjunto. A reprodução simples expressa a mesma coisa que esta suposição, isto é, que é consumida improdutivamente a mais-valia por inteiro e apenas a mais-valia, excluída, portanto, qualquer fração do capital primitivo.

Supusemos acima que toda a produção de metais preciosos (= 500 libras esterlinas) só dá para repor o desgaste monetário.

Os capitalistas que produzem ouro possuem em ouro o produto por inteiro, a parte que repõe o capital constante, a que supre o capital variável e a que consiste em mais-valia. Parte da mais-valia da sociedade consiste, portanto, em ouro, e não em produto que só se converte em ouro, em dinheiro, dentro da circulação. Desde o início, já consiste em ouro e é posta em circulação para daí retirar produtos. O mesmo podemos dizer dos salários, do capital variável e da reposição do capital constante adiantado. Assim, se uma parte da classe capitalista põe em circulação valor-mercadoria superior (no montante da mais-valia) ao capital-dinheiro que adianta, outra parte da classe lança em circulação valor-dinheiro superior (no montante da mais-valia) ao valor-mercadoria que retira da circulação para produzir ouro. Se constantemente uns capitalistas extraem da circulação mais dinheiro do que nela põem, outros, os que produzem ouro, põem nela mais dinheiro do que o valor que dela retiram em meios de produção.

Embora parte desse produto de 500 libras em ouro constitua a mais-valia de seus produtores, a soma por inteiro se destina apenas a repor o dinheiro necessário para a circulação das mercadorias; não importa como se biparte para, de um lado, converter em dinheiro a mais-valia das mercadorias e, do outro, os demais elementos do valor delas.

O problema em nada se altera, quando se transfere a produção de ouro do país para o estrangeiro. Parte da força de trabalho e dos meios de produção da sociedade no país A se transforma num produto, digamos, linho no valor de 500 libras esterlinas, o qual é exportado para o país B, a fim de aí comprar ouro. O capital produtivo assim empregado no país A não lança ao mercado interno mercadoria, para confrontar-se com dinheiro; é como se tivesse sido empregado diretamente na produção de ouro. Esse produto de A fica representado em 500 libras esterlinas de ouro e só entra na circulação do país como dinheiro. A parte da mais-valia social encerrada nesse produto existe diretamente em dinheiro, e, para o país A, só pode existir nessa forma. Para os capitalistas que produzem ouro, só parte do produto representa mais-valia, outra parte, reposição de capital; mas a questão de saber quanto desse ouro repõe, além do capital constante circulante, o capital variável e quanto dele representa a mais-valia depende apenas da proporção que os salários e a mais-valia representam respectivamente no valor das mercadorias circulantes. A parte que constitui mais-valia reparte-se entre os diversos membros da classe capitalista. Gastam-na continuamente no consumo individual e a readquirem com a venda de novo produto, e é justamente esse sistema de compra e venda que faz circular entre eles o dinheiro necessário para realizar monetariamente a mais-valia; não obstante, parte da mais-valia social, embora em porções variáveis, está na bolsa dos capitalistas sob a forma de dinheiro, do mesmo modo que fração dos salários está na bolsa dos trabalhadores sob a forma de dinheiro, pelo menos durante alguns dias da semana. E essa parte não está limitada pela porção do produto-ouro que originalmente constitui a mais-valia dos capitalistas que produzem ouro, mas, conforme dissemos, pela proporção em que o produto de 500 libras se reparte entre capitalistas e trabalhadores, e em que o valor das mercadorias a fazer circular se divide em mais-valia e demais elementos do valor.

Mas a porção de mais-valia que não existe em outras mercadorias, e sim ao lado delas em dinheiro, só consiste em fração do ouro produzido anualmente quando parte da produção anual de ouro circula para realizar a mais-valia. A outra parte do dinheiro que está continuamente nas mãos da classe capitalista, em proporções variáveis, como forma dinheiro da mais-valia, não é elemento do ouro anualmente produzido, mas das massas de dinheiro anteriormente acumuladas no país.

Segundo supomos, a produção anual de ouro no montante de 500 libras esterlinas é o suficiente para repor exatamente o desgaste anual do dinheiro. Se atentamos apenas para essas 500 libras esterlinas, abstraindo da parte da massa de mercadorias anualmente produzidas para cuja circulação serve o dinheiro anteriormente acumulado, verificamos que a mais-valia produzida sob a forma de mercadorias já encontra na circulação dinheiro para realizar-se, pois anualmente se produz, por outro lado, mais-valia na forma de ouro. O mesmo se pode dizer das outras partes do produto-ouro de 500 libras esterlinas, as quais repõem o capital-dinheiro adiantado.

Cabe fazer aqui duas observações:

1) A mais-valia que os capitalistas despendem em dinheiro e o capital variável e qualquer outro capital produtivo que adiantam em dinheiro são, na realidade, produto dos trabalhadores, no caso dos trabalhadores ocupados na produção de ouro. Os trabalhadores produzem de novo a parte do produto-ouro que lhes é "adiantada" em salários e a parte do produto-ouro

em que se configura diretamente a mais-valia dos produtores capitalistas de ouro. Finalmente, quanto à parte do produto-ouro que apenas repõe o valor do capital constante adiantado para sua produção, só reaparece ela sob a forma de ouro (num produto) em virtude do trabalho anual dos operários. No início da empresa, desembolsou-a originalmente o capitalista em dinheiro que não provinha de nova produção, mas constituía parte da massa de dinheiro social circulante. Mas ela é produto anual do trabalhador na medida em que é substituída por novo produto, por ouro adicional. O adiantamento feito pelo capitalista patenteia-se também neste caso simples forma decorrente da circunstância de o trabalhador não possuir seus próprios meios de produção nem dispor, durante a produção, dos meios de subsistência produzidos por outros trabalhadores.

2) A massa de dinheiro que, independentemente dessa reposição anual de 500 libras esterlinas, está sob a forma de tesouro ou de dinheiro em movimento, se comportou necessariamente na origem como se comportam todo ano as 500 libras esterlinas de produto-ouro. Voltaremos ao assunto no fim desta seção. Antes faremos outras observações.

Quando estudamos a rotação, vimos que, não se alterando as demais circunstâncias, a variação na magnitude dos períodos de rotação acarreta mudança nas massas de capital-dinheiro necessárias para manter a produção na mesma escala. É necessário que a circulação do dinheiro possua elasticidade bastante para adaptar-se a essas alternações de expansão e contração.

Se supomos – ficando invariáveis as demais circunstâncias, inclusive a magnitude, a intensidade e a produtividade da jornada de trabalho – que a repartição do produto-valor entre salário e mais-valia se modifica, subindo o primeiro e descendo a segunda ou vice-versa, não se altera com isso a massa de dinheiro circulante. Essa modificação pode ocorrer sem qualquer expansão ou contração da massa de dinheiro que está em curso. Examinemos o caso em que haja alta geral de salários e, por isso, de acordo com os pressupostos estabelecidos, ocorra baixa geral da taxa de mais-valia, e em que, por hipótese, não varie o valor da massa de mercadorias em circulação. Neste caso, aumenta o capital-dinheiro que é necessário adiantar como capital variável, portanto a massa de dinheiro que serve a esse mister. Mas, ao acrescer a massa de dinheiro necessária à função de capital variável, diminui na mesma quantidade desse acréscimo a mais-valia e, por conseguinte, a massa de dinheiro necessária para realizá-la. Como o valor das mercadorias, também não se altera a massa de dinheiro necessária para realizar esse valor.

O preço de custo da mercadoria sobe para o capitalista isolado, mas o preço de produção social permanece invariável. O que muda é a proporção em que, posta de lado a fração constante do valor, o preço de produção das mercadorias se reparte em salários e lucros.

Mas alega-se que maior dispêndio de capital-dinheiro variável (supõe-se, naturalmente, que não varia o valor do dinheiro) significa maior massa de recursos monetários nas mãos do trabalhador, decorrendo daí maior procura de mercadorias pelos trabalhadores, e por conseguinte elevação nos preços das mercadorias. Ou alega-se: se sobem os salários, os capitalistas elevam os preços das mercadorias. Nos dois casos, a alta geral dos salários causa subida nos preços das mercadorias. Por isso, para fazer circular as mercadorias é necessária maior massa de dinheiro, explique-se a elevação dos preços de um modo ou de outro.

Resposta à primeira asserção: com a elevação dos salários, os trabalhadores aumentam sobretudo a procura de meios de subsistência necessários. Em menor grau aumentará sua procura de artigos de luxo ou de artigos que antes não estavam na sua área de consumo. A súbita procura mais ampla dos meios de subsistência necessários fará subir absoluta e momentaneamente os preços. Consequência: aumenta a parte do capital social aplicada na produção de meios de subsistência necessários e diminui a empregada na produção de artigos de luxo, uma vez que os preços destes caem em virtude de reduzir-se a mais-valia e, portanto, a procura deles pelos capitalistas. Na medida em que os trabalhadores fazem compras de artigos de luxo, a elevação de seu salário, até o montante dessas compras, não tem qualquer efeito no sentido de elevar os preços dos meios de subsistência necessários, mudando apenas os compradores dos artigos de luxo. No tocante a esses artigos, quantidade maior passa a entrar no consumo dos trabalhadores e quantidade relativamente menor no consumo dos capitalistas. Eis tudo. Depois de algumas oscilações, circula massa de mercadorias que tem o mesmo valor de antes. Quanto às oscilações momentâneas, não terão elas outro efeito que o de lançar na circulação interna capital-dinheiro desocupado que até então procurava aplicação nas especulações de bolsa ou no estrangeiro.

Resposta à segunda asserção: se estivesse nas mãos dos produtores capitalistas elevar a seu bel-prazer os preços das mercadorias, teriam eles poder para fazê-lo e fá-lo-iam mesmo sem subirem os salários. Os salários nunca subiriam ao caírem os preços das mercadorias. A classe capitalista nunca se oporia aos sindicatos, pois poderia sempre e em qualquer circunstância fazer o que na realidade faz atualmente em caráter excepcional, em circunstâncias determinadas, especiais, por assim dizer locais, a saber, utilizar-se de qualquer elevação de salários a fim de aumentar em proporção bem maior os preços das mercadorias e assim embolsar maiores lucros.

Afirmar que os capitalistas podem elevar os preços dos artigos de luxo, por diminuir a correspondente procura (em virtude de reduzir-se a procura dos capitalistas, decrescem os meios de compra de que dispõem para esses artigos) seria aplicação extremamente original da lei da oferta e da procura. Enquanto os compradores que saem do mercado não são compensados por compradores que entram, enquanto os trabalhadores não substituem os capitalistas, caem os preços dos artigos de luxo em virtude da redução da procura: e, na medida em que ocorre essa substituição, a procura dos trabalhadores não concorre para elevar os preços dos meios de subsistência necessários, pois os trabalhadores não podem despender em meios de subsistência necessários a parte do acréscimo de salário que gastam em artigos de luxo. Em consequência, retira-se capital da produção desses artigos até que a oferta se reduza a um nível correspondente ao diferente papel que eles passam a ter no processo social de produção. Com a produção diminuída, esses artigos voltam a seus preços normais, desde que não haja outras alterações no valor. Enquanto se dá essa contração ou esse processo de compensação, aflui para a produção dos meios de subsistência, com a elevação de seus preços, tanto capital quanto o que perde o outro setor de produção, até que a procura fique saturada. Restabelece-se então equilíbrio, e o resultado final de todo o processo é o capital social, inclusive naturalmente o capital-dinheiro, repartir-se em proporção diferente entre a produção dos meios de subsistência necessários e a dos artigos de luxo.

Todas as objeções dos capitalistas e de seus sicofantas econômicos não passam de intimidação.

Servem de pretexto a essa intimidação três espécies de fatos:

1) Segundo lei geral da circulação do dinheiro, aumenta a massa do dinheiro circulante quando, não se alterando as demais circunstâncias, sobe a soma dos preços das mercadorias circulantes, seja essa alta para a mesma massa de mercadorias ou para massa maior. Naquelas objeções, confunde-se efeito com causa. Os salários sobem (embora raras vezes e por exceção proporcionalmente) quando se elevam os preços dos meios de subsistência necessários. A alta dos salários é efeito, e não causa da elevação dos preços das mercadorias.

2) Uma alta parcial ou local dos salários, isto é, apenas em determinados ramos de produção, pode redundar em elevação local dos preços dos produtos desses ramos. Mas isto mesmo depende de muitas circunstâncias: é mister, por exemplo, que os salários não tenham sido anormalmente comprimidos e que a taxa de lucros, portanto, não tenha sido anormalmente elevada, que o mercado dessas mercadorias não diminua com a elevação dos preços (que esta, portanto, não pressuponha contração da oferta) etc.

3) Elevação geral dos salários faz subir os preços das mercadorias produzidas nos ramos industriais em que predomina o capital variável, mas, em compensação, baixa naqueles em que predomina o capital constante ou o capital fixo.

Vimos na circulação simples de mercadorias (Livro 1, Capítulo III, 2) que, embora na circulação de cada quantidade determinada de mercadoria a forma dinheiro seja apenas transitória, o dinheiro que na metamorfose de uma mercadoria desaparece das mãos de uma pessoa vai necessariamente pousar nas de outra, e por isso há de imediato e de maneira simultânea trocas ou substituições de mercadorias, agenciadas e acompanhadas por depósitos de dinheiro que se efetuam também simultaneamente. "A substituição de mercadoria por mercadoria faz a mercadoria-dinheiro depositar-se numa terceira mão. A circulação poreja continuamente dinheiro." (Livro 1, p. 140.) Fato exatamente igual se patenteia no domínio da produção capitalista de mercadoria: parte do capital existe sempre na forma de capital-dinheiro e parte da mais-valia está sempre sob a forma dinheiro nas mãos de seu possuidor.

Fora disso, o *circuito do dinheiro,* isto é, o *refluxo* do dinheiro a seu ponto de partida, aspecto da rotação do capital, é fenômeno que diverge totalmente do *curso do dinheiro*[33] e a ele se opõe, pois, em seu curso, o

---

33 Embora os fisiocratas confundissem os dois fenômenos, foram os primeiros que destacaram o retorno do dinheiro a seu ponto de partida como forma fundamental da circulação do capital, como forma de circulação que veicula a reprodução. "Olhem o *Tableau Économique* e verão que a classe produtiva fornece o dinheiro com o qual as outras classes lhe compram produtos, e que estas lhe devolvem esse dinheiro, voltando a fazer-lhe no ano seguinte as mesmas compras. [...] Não verão, portanto, outro circuito que o dos dispêndios seguidos da reprodução, e da reprodução seguida dos dispêndios; circuito percorrido pela circulação do dinheiro que mede os dispêndios e a reprodução." (Quesnay, *Dialogues sur le commerce et sur les travaux des artisans*, in Daire, *Physiocrates*, I, pp. 208, 209.) "Esse adiantamento e retorno contínuos dos capitais constituem o que devemos chamar de circulação do dinheiro, essa circulação útil e fecunda que anima todos os trabalhos da sociedade, que mantém o movimento e a vida do corpo político e que com razão comparamos com a circulação do sangue no corpo animal." (Turgot, *Réflexions* etc., *Oeuvres*, ed. Daire, I, p. 45.)

dinheiro se *afasta* do ponto de partida através de uma série de mãos (Livro 1, pp. 140-143). Entretanto, a rotação acelerada por si mesma já implica curso acelerado do dinheiro.

Consideremos inicialmente o capital variável. Se, por exemplo, um capital-dinheiro de 500 libras esterlinas realiza, sob a forma de capital variável, 10 rotações por ano, é claro que essa parte alíquota da massa de dinheiro em curso faz circular o décuplo do valor, uma soma de 5.000 libras esterlinas. Esse capital circula 10 vezes no ano entre capitalista e trabalhador. O trabalhador é pago e paga 10 vezes por ano com a mesma parte alíquota da massa de dinheiro em curso. Se esse capital variável, não se alterando a escala da produção, fizesse apenas uma rotação por ano, as 5.000 libras esterlinas realizariam uma circulação única.

Vamos supor que a parte constante do capital circulante seja 1.000 libras esterlinas, que o capital rode 10 vezes, vendendo o capitalista sua mercadoria, e, por conseguinte, a parte circulante constante do valor dela, 10 vezes por ano. A mesma parte alíquota da massa de dinheiro em curso (= 1.000 libras esterlinas) transfere-se das mãos de seu possuidor para as do capitalista, 10 vezes por ano. O dinheiro troca de mãos 10 vezes. Além disso, o capitalista compra meios de produção 10 vezes por ano; são outros 10 movimentos do dinheiro de uma mão para outra. Com 1.000 libras esterlinas em dinheiro, o capitalista industrial vende 10.000 libras esterlinas de mercadorias e por sua vez compra mercadorias no mesmo montante. As 1.000 libras esterlinas em dinheiro realizam 20 movimentos, fazendo circular um estoque de mercadorias de 20.000 libras esterlinas.

Finalmente, com a rotação acelerada circula mais rapidamente a parte do dinheiro utilizada para realizar a mais-valia. Entretanto, reciprocamente, circulação mais rápida do dinheiro não implica necessariamente rotação mais rápida do capital e por conseguinte do dinheiro, ou seja, encurtamento e renovação mais rápida do processo de reprodução.

A circulação do dinheiro é mais rápida quando se efetua maior massa de transações com a mesma massa de dinheiro. Isto pode ocorrer sem que se alterem os períodos de reprodução do capital, desde que mudem as técnicas relativas ao curso do dinheiro. Demais, pode-se aumentar a massa de transações em que corre dinheiro, sem haver movimento real de mercadorias (negócios liquidados por diferença na bolsa etc.). E ainda pode desaparecer totalmente a movimentação de dinheiro. Por exemplo, quando o agricultor é dono das terras que cultiva, não há movimento de dinheiro entre arrendatário e proprietário; quando o capitalista industrial é dono do capital, não existe movimento de dinheiro entre ele e o prestamista.

Não se faz mister aqui examinar mais a fundo como se forma originalmente num país um tesouro em dinheiro e a circunstância de poucos se apropriarem dele.

O modo de produção capitalista, tendo por base o trabalho assalariado, a remuneração do trabalhador em dinheiro e em geral a transformação dos pagamentos com produtos ou serviços em pagamentos em dinheiro, só pode desenvolver-se com maior amplitude e profundidade no país em que exista massa de dinheiro suficiente para a circulação e para o entesouramento que esta determina (fundos de reserva etc.). É uma condição estabelecida pela história, mas daí não se deve concluir que a produção capitalista só começa depois de se constituir massa suficiente de dinheiro entesourado. Ela se desenvolve simultaneamente com o desenvolvimento de suas condições, e uma delas é suprimento suficiente de metais preciosos. Por isso, o maior suprimento de metais preciosos a partir do século XVI constitui fator essencial da história do desenvolvimento da produção capitalista. Quanto ao necessário suprimento posterior do material monetário no regime capitalista de produção, verificamos que, de um lado, lança-se mais-valia em circulação sob a forma de produtos sem o dinheiro necessário para realizá-la, e, do outro, mais-valia em ouro sem transformar previamente o produto em ouro.

As mercadorias adicionais que têm de transformar-se em dinheiro topam com a soma necessária de dinheiro, porque, não a troca, mas a própria produção lança na circulação ouro adicional (e prata), que tem de transformar-se em mercadorias.

2. ACUMULAÇÃO E REPRODUÇÃO AMPLIADA

Quando a acumulação se processa na forma de reprodução em escala ampliada, é claro que não oferece problema novo com referência à circulação do dinheiro.

O capital-dinheiro adicional exigido para o funcionamento do capital produtivo crescente é fornecido pela parte da mais-valia realizada que os capitalistas lançam na circulação como capital-dinheiro, e não como a forma dinheiro da renda que serve a seu consumo. O dinheiro já está nas mãos dos capitalistas. Difere apenas sua aplicação.

Mas, em virtude do capital produtivo adicional, lança-se na circulação, como produto dele, massa adicional de mercadorias. Com essa massa adicional de mercadorias, lança-se ao mesmo tempo na circulação parte do dinheiro adicional necessário para realizá-las, o que sucede até o ponto em que o valor dessa massa de mercadorias não ultrapassa o valor do capital produtivo consumido em sua produção. Essa massa de dinheiro adicional foi adiantada como capital-dinheiro adicional, e, por isso, reflui para o capitalista com a rotação do capital. Aflora aqui a mesma questão anterior. Donde vem o dinheiro adicional, a fim de realizar a mais-valia adicional existente agora na forma de mercadoria?

É novamente a mesma a resposta de caráter geral. A soma dos preços da massa de mercadorias em circulação aumenta não porque se tenham elevado os preços, mas porque a massa que circula agora é maior que a que circulava anteriormente, sem ter havido a compensação da queda dos preços. O dinheiro adicional exigido para fazer circular essa massa de mercadorias maior, de valor mais elevado, tem de ser obtido ou poupando-se mais a massa de dinheiro em curso, seja através da compensação dos pagamentos etc., seja com meios que acelerem o curso das mesmas peças de dinheiro, ou transformando-se dinheiro entesourado em circulante. Esta transformação implica que capital-dinheiro ocioso passe a desempenhar a função de meio de compra ou de pagamento, que capital-dinheiro que está funcionando como fundo de reserva, enquanto desempenha para seu possuidor o papel de fundo de reserva, circule ativamente para a sociedade (caso dos depósitos bancários que são continuamente emprestados), exercendo, portanto, dupla função, e ainda que se utilizem os fundos de reserva de moeda estagnados.

> "A fim de o dinheiro fluir na função de moeda, tem a moeda de coagular-se em dinheiro. O curso constante da moeda tem por condição paradas constantes em proporções maiores ou menores, nos fundos de reserva de moeda que surgem por toda parte da circulação, condicionando-a; esses fundos se formam, se distribuem, se dissolvem e se reconstituem em mutação contínua, aparecendo e desaparecendo sempre. A. Smith expressou essa transformação incessante da moeda em dinheiro e do dinheiro em moeda, dizendo que todo possuidor de mercadoria precisa sempre possuir em reserva, ao lado da mercadoria particular que vende, certo montante da mercadoria geral com que compra. Vimos que, na circulação de M-D-M, o segundo membro D-M constantemente se reparte numa série de compras que não se efetuam de uma vez, mas sucessivamente, de modo que uma porção de D corre como moeda, enquanto a outra repousa

como dinheiro. O dinheiro aí é, na realidade, apenas moeda com função suspensa, e os diversos elementos da massa corrente de moedas aparecem sempre alternativamente, ora numa forma ora na outra. Assim, essa primeira transformação do meio de circulação em dinheiro representa apenas fator técnico do próprio curso do dinheiro." (Karl Marx, *Zur Kritik der Politischen Oekonomie*, 1859, pp. 105-106. – A palavra "moeda" serve aqui para designar o dinheiro em sua função de mero meio de circulação por oposição ao dinheiro em suas demais funções.)

Quando todos esses meios não bastam, é necessária produção adicional de ouro ou, o que resulta no mesmo, troca direta ou indireta de parte do produto adicional por ouro – produto dos países fornecedores de metais preciosos.

O total da força de trabalho e dos meios de produção social empregados na produção anual de ouro e prata como instrumentos da circulação constitui pesada parcela dos custos improdutivos mas necessários da produção capitalista e de todo modo de produção baseado na produção de mercadorias. Por isso, deixa de ser socialmente utilizado total correspondente de meios possíveis, adicionais de produção e consumo que significam riqueza efetiva. Para a mesma escala de produção ou para dado grau de sua expansão, a produtividade do trabalho social aumenta na medida em que diminuem os custos dessa dispendiosa maquinaria de circulação. Na medida em que têm esse efeito os expedientes que se desenvolvem com o sistema de crédito, aumentam eles diretamente a riqueza capitalista, seja porque grande parte do processo social de produção e de trabalho se efetua sem qualquer intervenção de dinheiro real, seja porque acresce a capacidade operacional da massa de dinheiro que efetivamente funciona.

Fica assim resolvida a insulsa questão de saber se a produção capitalista seria possível em sua amplitude atual sem o sistema de crédito (mesmo considerado apenas do ponto de vista exposto), com circulação puramente metálica. Evidentemente que não. Ela ficaria limitada pelo volume da produção dos metais preciosos. Entretanto, não tem cabimento formular ideias místicas sobre a força produtiva do crédito, por tornar disponível ou movimentar capital-dinheiro. Não chegamos ainda ao lugar em que devemos continuar a desenvolver este assunto.

Observaremos agora o caso em que não há verdadeira acumulação, isto é, ampliação direta da escala de produção, mas parte da mais-valia realizada vai sendo, por mais ou menos tempo, posta de reserva, a fim de transformar-se mais tarde em capital produtivo.

A coisa é por si mesma evidente quando o que se acumula é dinheiro adicional. Esse dinheiro só pode ser parte do ouro suplementar fornecido pelos países que produzem ouro. Observemos, de passagem, que o produto nacional utilizado para importar esse ouro não mais existe no país. Foi remetido ao exterior em troca de ouro.

Se, ao contrário, supomos que não se altera a massa de dinheiro existente no país, o dinheiro acumulado ou que se acumula procederá da circulação; o que muda é apenas sua função. De dinheiro circulante, se transforma em capital-dinheiro latente, que se vai formando pouco a pouco.

O dinheiro assim acumulado é a forma dinheiro de mercadoria vendida e justamente da parte de seu valor a qual para seu possuidor representa mais-valia. (Por ora, estamos supondo que não existe crédito.) O capitalista que acumulou esse dinheiro vendeu montante correspondente a essa reserva sem comprar.

Se encaramos a ocorrência de maneira parcial, nada há para explicar. Parte dos capitalistas guarda fração do dinheiro obtido com a venda de seu produto, em vez de retirar do mercado produto equivalente. Outra parte, ao contrário, transforma em produto todo o seu dinheiro, excetuado o capital-dinheiro sempre recorrente, necessário para movimentar a produção. Parte do produto lançado ao mercado como veículo da mais-valia consiste em meios de produção ou nos elementos reais do capital variável, os meios de subsistência necessários. Pode, portanto, servir imediatamente para ampliar a produção, pois não estamos supondo que parte dos capitalistas acumula capital-dinheiro, enquanto a outra consome inteiramente sua mais-valia, e sim apenas que parte realiza sua acumulação sob a forma dinheiro, constitui capital-dinheiro latente, enquanto a outra acumula realmente, isto é, amplia a escala de produção, expande seu capital produtivo de maneira efetiva. A massa de dinheiro existente continua a ser bastante para as necessidades da circulação, mesmo quando alternativamente uns capitalistas amontoam dinheiro, enquanto outros ampliam a escala de produção, e vice-versa. Além disso, a amontoação de dinheiro pode efetuar-se num dos lados, sem metal sonante, simplesmente juntando-se títulos de crédito.

A dificuldade aparece quando consideramos, em vez da acumulação parcial, a acumulação geral de capital-dinheiro da classe capitalista. Segundo nossa hipótese – domínio geral e exclusivo da produção capitalista –, além dessa classe só existe a classe trabalhadora. Tudo o que a classe trabalhadora compra é igual à soma dos salários, à soma do capital variável adiantado pelo conjunto da classe capitalista. Esse dinheiro a esta reflui com a venda de seus produtos à classe trabalhadora. Seu capital variável readquire assim a forma dinheiro. Vamos supor que x x 100 libras esterlinas seja a soma do capital variável, não adiantado, mas empregado durante o ano. O valor desse capital variável adiantado em dinheiro durante o ano, em montante que varia com a velocidade da circulação, em nada altera o problema que está sendo examinado. Com essas x x 100 libras esterlinas de capital, a classe capitalista compra certa quantidade de força de trabalho, ou paga salários a certo número de trabalhadores: primeira transação. Os trabalhadores compram dos capitalistas quantidade de mercadorias pelo mesmo montante, refluindo assim para as mãos dos capitalistas a soma de x x 100 libras esterlinas: segunda transação. E isto se repete sem cessar. A soma de x x 100 libras esterlinas nunca poderá capacitar a classe trabalhadora para comprar a parte do produto que representa o capital constante, para não falarmos daquela parte que figura a mais-valia da classe capitalista. Com essas x x 100 libras esterlinas, os trabalhadores nunca poderão comprar mais que uma fração do valor do produto social, e essa fração é igual à parte do valor na qual se expressa o valor do capital variável adiantado.

Excetuado o caso em que a acumulação de dinheiro significa a repartição, não importa em que proporções, de metal precioso adicionalmente importado, entre os diferentes capitalistas – como poderia então a classe capitalista conjuntamente acumular dinheiro?

Teriam todos de vender, sem comprar, parte de seu produto. Todos possuem determinado fundo em dinheiro que, tendo em vista o próprio consumo, lançam na circulação como meio de circulação; e da circulação reflui para cada um certa parte desse fundo. Nada existe aí de misterioso. Mas esse fundo em dinheiro existe precisamente como fundo de circulação, em virtude da conversão da mais-valia em dinheiro, e de maneira nenhuma como capital-dinheiro latente.

Observando o que se passa na realidade, vemos que o capital-dinheiro latente, acumulado para emprego posterior, abrange:

1) Depósitos bancários, ficando de fato nas mãos do banco uma soma relativamente ínfima de dinheiro. Amontoa-se capital-dinheiro apenas nominalmente. O que se amontoa realmente são créditos que só podem converter-se em dinheiro (na medida em que isto ocorre), porque se estabelece equilíbrio entre as retiradas e os depósitos. O que fica no banco como dinheiro é sempre soma relativamente pequena.

2) Títulos da dívida pública, os quais de modo nenhum são capital, mas simples créditos sobre o produto anual da nação.

3) Ações. Ressalvados os casos de logro, constituem elas títulos de propriedade sobre capital efetivo pertencente a uma sociedade e representam direito sobre a mais-valia que daí anualmente flui.

Em todos esses casos, não se amontoa dinheiro: o que aparece de um lado como capital-dinheiro amontoado, apresenta-se do outro como contínuo dispêndio efetivo de dinheiro. Não importa que o dinheiro seja empregado pelo próprio dono ou por outros, dele devedores.

No regime de produção capitalista, o entesouramento como tal nunca constitui fim, mas resulta de retardamento da circulação – assumindo massas de dinheiro a forma tesouro em quantidade maior que a de costume – ou decorre das acumulações condicionadas pela rotação, ou finalmente da formação de capital-dinheiro, provisoriamente em forma latente, destinado a funcionar como capital produtivo.

Se, portanto, se retira da circulação parte da mais-valia realizada em dinheiro, para ser acumulada como tesouro, ao mesmo tempo se transforma constantemente outra parte da mais-valia em capital produtivo. Excetuada a repartição do metal precioso adicional pela classe capitalista, a acumulação sob a forma dinheiro, a amontoação de dinheiro, nunca se dá simultaneamente em todos os pontos.

A parte do produto anual que representa a mais-valia sob a forma de mercadoria está subordinada às mesmas regras válidas para a outra parte do produto anual. Para sua circulação, é necessária certa soma de dinheiro. Essa soma pertence à classe capitalista, do mesmo modo que o volume de mercadorias anualmente produzido que representa a mais-valia. A própria classe capitalista lança-a originalmente na circulação. Através da própria circulação, sua distribuição se renova constantemente entre os capitalistas. Conforme geralmente se dá com a circulação da moeda, parte dessa massa encalha em pontos que variam sem cessar, enquanto outra parte circula constantemente. Não importa que parte dessa acumulação seja intencional, destinando-se a constituir capital-dinheiro.

Abstraímos dos azares da circulação pelos quais um capitalista se apodera de uma porção da mais-valia e mesmo do capital de outro, havendo assim acumulação e centralização unilaterais de capital-dinheiro e de capital produtivo. Por exemplo, parte da mais-valia usurpada por A e acumulada como capital-dinheiro pode ser uma porção da mais-valia de B que não conseguiu tê-la de volta.

TERCEIRA SEÇÃO

A REPRODUÇÃO E A CIRCULAÇÃO DE TODO O CAPITAL SOCIAL

XVIII.[34]
Introdução

34 Tirado do manuscrito II.

1. MATÉRIA A INVESTIGAR

O processo imediato de produção do capital é seu processo de trabalho e de valorização. Tem por resultado o produto-mercadoria e por motivo determinante a produção de mais-valia.

O processo de reprodução do capital abrange esse processo imediato de produção e ainda as duas fases do processo de circulação propriamente dito, ou seja, todo o ciclo, que, como processo periódico – a renovar-se constantemente em determinados períodos – constitui a rotação do capital.

Consideremos o ciclo na forma D...D' ou na forma P...P, o processo imediato de produção P é dele apenas um estádio. Numa forma, serve de intermediário ao processo de circulação, e na outra o processo de circulação lhe serve de intermediário. Sua renovação permanente, o reaparecimento constante do capital como capital produtivo, tem por condição, nos dois casos, as transformações por que passa no processo de circulação. O processo de produção constantemente renovado é, por sua vez, a condição das metamorfoses por que está passando continuamente o capital na esfera da circulação, aparecendo, ora como capital-dinheiro, ora como capital-mercadoria.

Mas cada capital separadamente não é mais do que fração autônoma, dotada por assim dizer de vida individual, mas componente do conjunto do capital social, do mesmo modo que cada capitalista isolado é apenas elemento individual da classe capitalista. O movimento do capital social consiste na totalidade dos movimentos de suas frações dotadas de autonomia, na totalidade das rotações dos capitais individuais. A metamorfose de cada mercadoria é elemento da série de metamorfoses do mundo das mercadorias, da circulação das mercadorias, e do mesmo modo a metamorfose do capital individual, sua rotação, constitui elemento do ciclo do capital social.

Este processo global abrange o consumo produtivo (o processo imediato de produção), juntamente com as mutações de forma (as trocas materialmente consideradas) que o possibilitam, e ainda o consumo individual, com as mutações de forma ou trocas que o asseguram. Compreende a transformação do capital variável em força de trabalho e, portanto, a incorporação da força de trabalho no processo capitalista de produção. Aí o trabalhador aparece como vendedor de sua mercadoria, a força de trabalho, e o capitalista como comprador dela. Mas na venda das mercadorias inclui-se a compra delas pela classe trabalhadora, portanto o consumo individual por esta realizado. Aí a classe trabalhadora aparece como compradora e a capitalista como vendedora de mercadorias aos trabalhadores.

A circulação do capital-mercadoria inclui a da mais-valia, portanto as compras e vendas por meio das quais os capitalistas efetuam seu consumo individual, o consumo da mais-valia.

O ciclo dos capitais individuais dentro do conjunto do capital social, em sua totalidade, abrange, portanto, não só a circulação do capital, mas também a circulação geral das mercadorias. Esta, na origem, só pode constituir-se de dois elementos: 1) o próprio ciclo do capital, e 2) o ciclo das mercadorias que entram no consumo individual, portanto as mercadorias nas quais o trabalhador gasta seu salário e o capitalista sua mais-valia ou parte dela. Sem dúvida o ciclo do capital abrange também a circulação da mais-valia quando esta consiste em parte do capital-mercadoria, e ainda a transformação do capital variável em força de trabalho, o pagamento de salários. Mas o gasto dessa mais-valia e dos salários em mercadorias não constitui elemento da circulação do capital, embora pelo menos o gasto dos salários seja condição dessa circulação.

No Livro 1 estudamos o processo de produção capitalista como ocorrência isolada e como processo de reprodução: a produção da mais-valia e a produção do próprio capital. Pressupusemos, sem nos deter nelas, as mudanças de forma e de substância por que passa o capital dentro da esfera da circulação. Supusemos, em consequência, que o capitalista de um lado compra o produto pelo valor e do outro encontra na esfera da circulação os meios materiais de produção para recomeçar o processo ou para nele prosseguir ininterruptamente. A compra e venda da força de trabalho, condição fundamental da produção capitalista, foi o único ato da esfera da circulação que examinamos então detidamente.

Na Primeira Seção deste Livro 2 observaram-se as diferentes formas que o capital assume em seu ciclo e as diferentes formas do próprio ciclo. Ao tempo de trabalho estudado no Livro 1 acresce agora o tempo de circulação.

Na Segunda Seção examinamos o ciclo do ponto de vista da periodicidade, ou seja, a rotação do capital. Mostramos como os vários componentes do capital (fixo e circulante) efetuam o ciclo das formas em tempos diferentes e de maneira diferente, e examinamos as circunstâncias que fazem variar a extensão do período de trabalho e do período de circulação. Vimos a influência do período do ciclo e da variação na proporção entre os componentes desse período sobre o volume do processo de produção e sobre a taxa anual da mais-valia. Na Primeira Seção examinamos principalmente as formas sucessivas que o capital em seu ciclo assume e abandona sem cessar, e na Segunda Seção vimos como, dentro desse fluxo e sucessão de formas, um capital de determinada grandeza se reparte simultaneamente, embora em proporções diversas, nas formas de capital produtivo, capital-dinheiro e capital-mercadoria, de modo que elas se alternam entre si e diferentes partes do valor-capital global continuamente aparecem e funcionam, umas ao lado das outras, nesses diferentes estados. O capital-dinheiro, sobretudo, apresentou uma particularidade que não se revelara no Livro 1. Encontramos determinadas leis pelas quais componentes quantitativamente diversos de dado capital têm de ser permanentemente adiantados e renovados sob a forma de capital-dinheiro, segundo as condições da rotação, a fim de manter em funcionamento permanente capital produtivo de dada magnitude.

Mas, tanto na primeira quanto na Segunda Seção, tratava-se apenas de um capital individual, do movimento de uma fração autônoma do capital social.

Mas os ciclos dos capitais individuais se ligam uns com os outros, se supõem e se determinam reciprocamente, e justamente esse entrelaçamento constitui o movimento de todo o capital social. Na circulação simples das mercadorias, a metamorfose completa de uma mercadoria representa elo da série de metamorfoses do mundo das mercadorias; do mesmo modo, a metamorfose do capital individual constitui elo da série de metamorfoses do capital social. Mas, se a circulação simples das mercadorias não inclui necessariamente a circulação do capital, podendo ocorrer em regime de produção não capitalista, o ciclo da totalidade do capital social abrange, conforme já observamos, ainda a circulação de mercadorias que não entram no ciclo do capital individual, ou seja, a circulação das mercadorias que não constituem capital.

Cabe-nos examinar agora o processo de circulação (em sua totalidade, forma do processo de reprodução) dos capitais individuais como componentes do conjunto do capital social, portanto o processo de circulação de todo o capital social.

2. O PAPEL DO CAPITAL-DINHEIRO

[Passamos a estudar desde já o assunto que segue, antecipando o momento em que deveria ser tratado: o capital-dinheiro como componente do capital social total.]

Quando observamos a rotação do capital individual, vimos o capital-dinheiro sob dois aspectos.

Primeiro: constitui a forma na qual aparece em cena cada capital individual, iniciando seu processo como capital. Patenteia-se, portanto, o primeiro motor, dando impulso a todo o processo.

Segundo: a duração do período de rotação e a proporção entre seus dois componentes, o período de trabalho e o período de circulação, fazem variar do valor-capital adiantado a porção que tem de ser permanentemente adiantada e renovada sob a forma dinheiro, em relação ao capital produtivo que põe em movimento, isto é, em relação à escala a ser ininterruptamente mantida. Mas, qualquer que seja essa relação, a parte do valor-capital em movimento, que pode funcionar continuamente como capital produtivo, está em todas as circunstâncias limitada pela parte de valor-capital adiantado que tem de existir sempre sob a forma dinheiro ao lado do capital produtivo. Estamos referindo-nos apenas à rotação normal, média abstrata. Estamos abstraindo de capital-dinheiro adicional empregado para compensar as interrupções da circulação.

Quanto ao primeiro aspecto. A produção de mercadorias supõe a circulação delas, e a circulação das mercadorias supõe que a mercadoria tome a forma de dinheiro, a circulação do dinheiro; o desdobramento da mercadoria em mercadoria e dinheiro é uma lei da configuração do produto em mercadoria. Do mesmo modo, a produção capitalista de mercadorias, do ponto de vista social e do ponto de vista individual, supõe o capital sob a forma dinheiro ou o capital-dinheiro como motor permanente e, para todo negócio que começa, como primeiro motor. O capital circulante em particular supõe o aparecimento continuamente repetido em períodos mais curtos do capital-dinheiro, na função de motor. Todo o valor-capital adiantado, isto é, todos os componentes do capital que consistem em mercadorias – a força de trabalho, os meios de trabalho e as matérias de produção –, têm de ser adquiridos com dinheiro, sendo as compras continuamente renovadas. O que estamos dizendo a respeito do capital individual aplica-se ao capital social, que funciona apenas sob a forma de muitos capitais individuais. Mas, conforme já vimos no Livro 1, nem mesmo em regime capitalista se segue daí que o campo de ação do capital, a escala da produção, em seus limites *absolutos*, dependam do montante do capital-dinheiro em funcionamento.

Ao capital incorporam-se elementos de produção cuja elasticidade, dentro de certos limites, não depende da magnitude do capital-dinheiro adiantado. Com o mesmo pagamento, pode-se explorar mais extensiva ou intensivamente a força de trabalho. Se o capital-dinheiro aumenta (isto é, elevam-se os salários) com essa exploração maior, esse aumento não é proporcional, não tendo correspondência com o acréscimo de exploração.

As matérias naturais empregadas produtivamente que não constituem elemento do valor do capital – terra, mar, minerais, florestas etc. – são exploradas mais extensiva ou intensivamente, com a aplicação de maior esforço do mesmo número de forças de trabalho, sem haver acréscimo do capital-dinheiro. Aumentam assim os elementos reais do capital produtivo, sem ser necessário acrescer o capital-dinheiro. Se esse acréscimo é necessário para a compra de matérias acessórias adicionais, o capital-dinheiro em que se configura o valor-capital adiantado não aumenta proporcionalmente à ampliação da eficácia do capital produtivo, não lhe guardando, portanto, exata correspondência.

Os mesmos meios de trabalho, o mesmo capital fixo, portanto, podem ser empregados de maneira mais eficaz, sem dispêndio adicional de dinheiro em capital fixo, seja prolongando o tempo diário de sua utilização, seja aumentando a intensidade de seu emprego. Dá-se então simplesmente rotação mais rápida do capital fixo, sendo também mais rápida a obtenção dos elementos de sua reprodução.

Pondo-se de lado as matérias naturais, podem as forças da natureza, que nada custam, incorporar-se ao processo de produção como agentes mais ou menos eficazes. O grau dessa eficácia depende de métodos e progressos científicos que nada custam ao capitalista.

O mesmo se pode dizer da combinação social da força de trabalho no processo de produção e da habilidade acumulada pelos trabalhadores individuais. Carey calcula que o proprietário da terra nunca recebe o suficiente, pois não lhe é pago todo o capital, ou seja, todo o trabalho desde tempos imemoriais aplicado ao solo, que assim adquiriu a atual capacidade de produção (não se fala, naturalmente, da capacidade de produção que lhe é extraída). Seguindo esse raciocínio, cada trabalhador deveria ser pago de acordo com o trabalho que teve toda a espécie humana para fazer de um primitivo um mecânico moderno. Seria mais lógico dizer: computando-se todo o trabalho não retribuído empregado no solo e convertido em dinheiro pelos proprietários e pelos capitalistas, vê-se que todo o capital investido na terra foi muitas vezes recuperado com juros de usurário, e que, portanto, há muito tempo a sociedade já remiu muitas vezes a propriedade fundiária.

A elevação da produtividade do trabalho, se não supõe dispêndio suplementar de valor-capital, só aumenta, na primeira instância, a massa do produto, e não seu valor, excetuado o caso em que torna possível, com o mesmo trabalho, reproduzir mais capital constante, conservando portanto o valor deste. Ao mesmo tempo, forma nova matéria-capital, por conseguinte a base de acumulação acrescida do capital.

Quando a organização do próprio trabalho social, a elevação da produtividade social do trabalho, portanto, exige produção em grande escala e por conseguinte que o capitalista individual antecipe capital-dinheiro em grandes quantidades, verificamos que isto, conforme expusemos no Livro 1,[I] ocorre em parte por meio da centralização dos capitais em poucas mãos, sem ser necessário o acréscimo absoluto do montante dos valores-capital e, por consequência, do montante do capital-dinheiro em que se adiantam esses valores. A magnitude dos capitais individuais pode crescer pela centralização em poucas mãos, sem que aumente sua soma social. Varia apenas a repartição dos capitais individuais.

Finalmente, na parte anterior vimos que o encurtamento do período de rotação permite pôr em movimento o mesmo capital produtivo com menos capital-dinheiro ou mais capital produtivo com o mesmo capital-dinheiro.

Tudo isto, evidentemente, nada tem a ver com a verdadeira questão do capital-dinheiro. Mostra apenas que o capital adiantado, dada soma de valor que, em sua forma livre, em sua forma de valor, se constitui de certa soma em dinheiro, após sua transformação em capital produtivo, abrange potências produtivas cujos limites não são estabelecidos pelos limites do seu valor, podendo atuar dentro de certo domínio com extensão ou intensidade variáveis. Dados os preços dos elementos de produção – os meios de produção e a força de trabalho –, fica determinada a magnitude do capital-dinheiro, necessária para adquirir determinada quantidade desses elementos de produção existentes na forma de mercadorias. Ou seja, fica determinada a magnitude do valor do capital a ser adiantado. Mas é elástica e variável a amplitude em que esse capital funcionará como força formadora de valor e de produtos.

Quanto ao segundo aspecto. É evidente que a parte do trabalho social e dos meios de produção, todo ano necessariamente despendida para produzir ou para comprar o ouro destinado a repor o desgaste das moedas, cons-

---

I Ver Livro 1, pp. 633-636, 767-768.

titui uma redução correspondente no volume da produção social. No tocante ao montante de dinheiro (ouro)[I] que funciona em parte como meio de circulação e em parte como tesouro, ele existe uma vez por todas como coisa adquirida, ao lado da força de trabalho, dos meios de produção produzidos e das fontes naturais da riqueza. Não se pode considerar que os esteja limitando. Convertendo-se ele em elementos de produção, através do intercâmbio com outros povos, poder-se-ia ampliar a escala da produção. Mas isto supõe que o dinheiro (ouro)[II] continue desempenhando seu papel de dinheiro universal.

A quantidade de capital-dinheiro necessária para pôr em movimento o capital produtivo varia com a magnitude do período de rotação. Vimos também que a divisão do período de rotação em tempo de trabalho e tempo de circulação determina acréscimo, na forma de dinheiro, do capital latente ou em reserva.

Quando o período de rotação é determinado pela duração do período de trabalho, é por ser determinado, não se alterando as demais circunstâncias, pela natureza material, e não pelo caráter social específico do processo de produção. Mas, no regime de produção capitalista, operações mais extensas, de maior duração, exigem adiantamentos maiores de capital-dinheiro, por tempo mais longo. Nesses casos, a produção depende dos limites dentro dos quais o capitalista individual dispõe de capital-dinheiro. Servem para ultrapassar essa barreira o crédito e as associações com ele relacionadas, as sociedades anônimas, por exemplo. Por isso, perturbações no mercado de dinheiro paralisam esses negócios, que, por sua vez, provocam perturbações nesse mercado.

Na base de produção socializada cabe determinar a escala em que essas operações – que retiram por longo tempo força de trabalho e meios de produção, sem fornecer durante esse tempo produto como resultado útil –, podem ser executadas sem prejudicar os ramos de produção que, continuamente ou várias vezes por ano, além de retirar força de trabalho e meios de produção, fornecem meios de subsistência e meios de produção. Seja a produção socializada ou capitalista, os trabalhadores, nos ramos de produção de períodos de trabalho curtos, retiram por pouco tempo produtos, sem fornecer em compensação seu produto; nos ramos de períodos

---

I A palavra entre parênteses é do tradutor.
II *Idem*.

de trabalho longos, fazem continuamente retiradas por longo tempo, até que comecem suas restituições. Essa circunstância decorre das condições materiais do processo de trabalho em causa, e não de sua forma social. Não entra em cogitação na produção socializada o capital-dinheiro. A sociedade reparte a força de trabalho e os meios de produção nos diferentes ramos de atividade. Os produtores poderão, digamos, receber um vale que o habilita a retirar dos estoques sociais de consumo uma quantidade correspondente a seu tempo de trabalho. Esses vales não são dinheiro. Não circulam.

Vimos que, quando decorre da duração do período de trabalho, a necessidade de capital-dinheiro está condicionada por duas circunstâncias. *Primeira*: o dinheiro é, em suma, a forma em que (pondo-se de lado o crédito) tem de aparecer todo capital individual, a fim de transformar-se em capital produtivo; isto é consequência da natureza da produção capitalista, da produção de mercadorias em geral. *Segunda*: a magnitude do adiantamento necessário em dinheiro decorre de se retirarem da sociedade continuamente, durante longo tempo, força de trabalho e meios de produção, sem receber ela de volta, durante esse tempo, um produto transformável em dinheiro. A primeira circunstância, a de o capital ter de ser adiantado sob a forma dinheiro, não fica eliminada com a forma assumida pelo dinheiro, a metálica, a de crédito, a simbólica etc. A segunda circunstância em nada se altera com o meio financeiro ou a forma de produção que possibilitam retirar trabalho, meios de subsistência e meios de produção, sem lançar de volta na circulação qualquer equivalente.

XIX.[35]
Estudos anteriores da matéria

35 Começa o manuscrito VIII.

1. OS FISIOCRATAS

O *Tableau Économique* de Quesnay mostra em grandes traços como o resultado anual, em valor, da produção nacional é repartido pela circulação, de modo a poder realizar-se, não variando as condições, sua reprodução simples, isto é, reprodução na mesma escala. A colheita do ano anterior constitui objetivamente o ponto de partida do período de produção. Os inumeráveis atos individuais da circulação são, em massa, diretamente englobados em seu movimento social característico – na circulação entre as grandes classes sociais, com funções econômicas determinadas. Eis o que nos interessa nesse sistema: parte do produto global serve apenas de veículo do antigo valor-capital que reaparece na mesma forma natural, e, enquanto objeto de uso, é, como qualquer outra parte desse produto global novo, resultado do trabalho do ano decorrido. Não circula, mas permanece nas mãos dos produtores, os arrendatários, para recomeçar sua função de capital. Nesse capital constante que é parte do produto anual inclui Quesnay certos elementos indevidos, mas acerta no fundamental, se considerarmos os horizontes limitados de sua época, em que a agricultura era o único domínio em que se produzia mais-valia com a aplicação de trabalho humano, portanto o único realmente produtivo sob o prisma capitalista. O processo econômico de reprodução, qualquer que seja seu caráter social específico, entrelaça-se sempre nesse domínio (o da agricultura) com um processo natural de reprodução. As condições palpáveis deste esclarecem as daquele e afastam as confusões provocadas pelas fantasmagorias da circulação.

A etiqueta de um sistema distingue-se da pregada nos artigos por iludir não só o comprador, mas frequentes vezes também o vendedor. O próprio Quesnay e seus discípulos mais próximos acreditavam em sua tabuleta feudal. Até hoje, nossos professores se deixam nutrir por essa crença. Mas, na realidade, o sistema fisiocrático é a primeira concepção sistemática da produção capitalista. São os representantes do capital industrial – a classe dos arrendatários agrícolas – que dirigem todo o movimento econômico. A agricultura é explorada segundo o modo capitalista, isto é, como empreendimento em grande escala do arrendatário capitalista; quem cultiva diretamente o solo é o trabalhador assalariado. A produção gera não só artigos úteis, mas também o valor deles: entretanto, tem por motivo determinante a obtenção da mais-valia que nasce na esfera da produção, e não na da circulação. Entre as três classes que figuram como agentes do processo social de reprodução propulsado pela circulação, o arrendatário capitalista, o explorador imediato do trabalho "produtivo", o produtor da mais-valia, se distingue dos que apenas dela se apropriam.

O caráter capitalista do sistema fisiocrático já provocava em seu período de florescimento a oposição, de um lado, de Linguet e Mably, e, do outro, a dos defensores da pequena propriedade fundiária livre.

O retrocesso de A. Smith[36] na análise do processo de reprodução surpreende tanto mais quando se considera que ordinariamente ele não só desenvolve análises acertadas feitas por Quesnay, por exemplo, ao generalizar seus "adiantamentos primitivos" e "adiantamentos anuais", qualificando-os respectivamente de capital "fixo" e capital "circulante",[37] mas ainda, por vezes, reincide por completo em erros dos fisiocratas. Para demonstrar, por exemplo, que o arrendatário produz maior valor que qualquer outra espécie de capitalista, diz ele:

> Nenhum capital, de igual magnitude, põe em movimento quantidade maior de trabalho produtivo que o do arrendatário. Não só seus trabalhadores braçais, mas também os animais de trabalho são trabalhadores produtivos (quanta cortesia para com os trabalhadores braçais!). Na agricultura *trabalha* também a natureza, ao lado do homem; e embora *seu trabalho não custe qualquer despesa*, seu produto, entretanto, possui valor *do mesmo modo que o dos trabalhadores mais dispendiosos.* As operações mais importantes da agricultura parecem ter por fim não tanto aumentar a fecundidade da natureza, embora atinjam também esse objetivo, quanto o de dirigi-la para a produção das plantas mais úteis ao ser humano. Frequentes vezes, um campo coberto de espinhos e de plantas rasteiras ostenta tanta exuberância quanto o mais bem cultivado dos vinhedos ou trigais. A plantação e a cultura muitas vezes servem mais para regular a natureza do que para torná-la mais fecunda; e, depois de o trabalhador cessar seu esforço, ainda fica muito para ela fazer. Os trabalhadores e as bestas de trabalho (!) ocupados na agricultura não se limitam a reproduzir, como os trabalhadores das manufaturas, valor igual ao próprio consumo ou ao capital que os ocupa,

---

36 Ver Livro 1, p. 650, nota 32.

37 Também aí preparam-lhe o caminho alguns fisiocratas, principalmente Turgot. Este já emprega, mais frequentemente que Quesnay e os demais fisiocratas, a palavra capital em lugar de adiantamentos, e identifica ainda mais os adiantamentos ou capitais dos manufatores com os dos arrendatários. Por exemplo: "Como estes" (os empresários das manufaturas) "devem eles" (os arrendatários, isto é, os arrendatários capitalistas) "procurar obter, além do retorno dos capitais etc." (Turgot, *Oeuvres*, ed. Daire, Paris, 1844, Tomo I, p. 40.)

> acrescido do lucro do capitalista: reproduzem valor bem maior. Além do capital do arrendatário e de todo o seu lucro, reproduzem ainda regularmente a renda do proprietário da terra. A renda pode ser considerada produto das forças naturais cujo uso o proprietário empresta ao arrendatário. Ela varia com o nível do rendimento atribuído a essas forças, em outras palavras, com a fertilidade natural ou artificialmente obtida que se supõe possuir o solo. É a obra da natureza, ficando depois de se deduzir ou de se repor tudo o que possa ser considerado trabalho humano. Raramente representa menos de um quarto, sendo a miúdo superior a um terço do produto total. Nenhuma quantidade igual de trabalho produtivo empregado na manufatura pode resultar em tão grande reprodução. Na manufatura, nada faz a natureza; quem faz tudo é o homem, e a reprodução tem de ser sempre proporcional à força dos agentes que a efetuam. Eis por que o capital investido na agricultura, além de pôr em movimento quantidade maior de trabalho produtivo que qualquer outro de igual magnitude investido na manufatura, ainda acrescenta, em relação à quantidade de trabalho produtivo que ocupa, valor bem maior ao produto anual do solo e do trabalho de um país, à riqueza e à renda reais de seus habitantes. (Livro II, Capítulo 5, pp. 242, 243.)

A. Smith diz no Livro II, Capítulo 1:

> Do mesmo modo, todo o valor das sementes é capital fixo no verdadeiro sentido.

Temos aí, portanto, capital = valor-capital; o valor-capital existe em forma "fixa".

> As sementes vão do solo para o celeiro e vice-versa, mas não mudam de proprietário e por isso não circulam realmente. O arrendatário obtém seu lucro não vendendo-as, mas fazendo com que se multipliquem (p. 186).

A limitação de Smith estava em que, ao contrário de Quesnay, não via no reaparecimento do valor do capital constante em forma renovada importante fator do processo de reprodução, mas apenas uma ilustração a mais, e ainda por cima falsa, da diferença que fazia entre capital fixo e capital circulante. Quando Smith traduz "adiantamentos primitivos" e "adiantamentos anuais" por "capital fixo" e "capital circulante", o progresso consiste na palavra "capital", cujo conceito se generaliza, desprendendo-se da esfera "agrícola" de investimento dos fisiocratas; o retrocesso está em considerar que a diferença decisiva é a assinalada pelos termos "fixo" e "circulante", aferrando-se a ela.

2. ADAM SMITH

a) Ideias gerais de Smith

No Livro I, Capítulo 6, p. 42, diz ele:

"Em toda sociedade, o preço de qualquer mercadoria se reduz finalmente a uma ou outra ou a todas essas três partes (salário, lucro, renda da terra), ou em todas as três; e em toda sociedade adiantada, todas essas três partes entram mais ou menos como componentes no preço da maioria das mercadorias, como componentes dele";[38] ou, conforme se lê adiante, p. 63: "salário, lucro e renda da terra são as *três fontes originais* de toda renda e de todo valor de troca."

Continuaremos a examinar mais de perto essa teoria de A. Smith sobre os "componentes do preço das mercadorias", ou de "todo valor de troca". Prossegue ele:

> Uma vez que isto é verdadeiro para cada mercadoria isoladamente considerada, tem de ser válido também para todas as mercadorias em sua totalidade, ao constituírem elas *todo o produto anual* da terra e do trabalho de cada país. O *preço global ou o valor de troca* desse produto anual tem de *reduzir-se* a essas três partes, e *distribuir-se* entre os habitantes do país, como *salário* do trabalho, ou como *lucro* do capital, ou como *renda* da terra. (Livro II, Capítulo 2, p. 190.)

Depois de ter decomposto o preço de toda mercadoria isoladamente considerada e "o preço global ou o valor de troca [...] do produto anual da terra e do trabalho de cada país" em salário, lucro e renda da terra, ou seja, nas três fontes de renda, a do assalariado, a do capitalista e a do proprietário do solo, teve A. Smith de arranjar um desvio a fim de contrabandear um

38 A fim de que o leitor não se desoriente com a frase "o preço de quase todas as mercadorias", vejamos como A. Smith precisa mais sua ideia. Por exemplo, no preço da pesca não entra renda, mas apenas salário e lucro; no preço dos calhaus escoceses, só entra salário: "Em certas regiões da Escócia, pobres têm a profissão de apanhar na praia pedras multicolores, conhecidas pelo nome de calhaus escoceses. O preço que o lapidário lhes paga consiste apenas em salário, uma vez que renda da terra e lucro não constituem parte dele."

quarto elemento, a saber, o capital. É o que fez, utilizando a distinção entre renda bruta e renda líquida:

> A renda *bruta* de todos os habitantes de um grande país compreende o produto global anual da terra e do trabalho; a renda *líquida*, a *parte* que lhes fica à disposição *depois de deduzidos os custos de conservação*, primeiro do *capital fixo* e segundo do *circulante*; ou a parte que, sem corroer o capital, podem pôr no estoque de consumo ou despender para seu sustento, conforto e prazer. Sua verdadeira riqueza está assim em relação não com sua renda bruta, mas com sua renda líquida. (*Ibidem*, p. 190.)

Cabe, aí, observar:

1) A. Smith trata aí expressamente apenas da reprodução simples, e não da reprodução em escala ampliada, ou seja, da acumulação; fala dos dispêndios exclusivamente destinados à conservação (*maintaining*) do capital que funciona. A renda líquida é igual à parte do produto anual, seja da sociedade, seja do capitalista individual, a qual pode entrar no "fundo de consumo", mas o volume desse fundo não deve chegar ao ponto de corroer o capital em funcionamento (*encroach upon capital*). Parte do valor do produto individual, assim como do produto social, não se reduz a salário nem a lucro, nem a renda da terra, e sim a capital.

2) A. Smith evade-se da própria teoria por meio de um jogo de palavras, a distinção entre renda bruta e renda líquida, entre *gross revenue* e *net revenue*. O capitalista individual, assim como toda a classe capitalista ou o que se chama de nação, recebe, em lugar do capital consumido na produção, um produto-mercadoria, cujo valor, representável em partes proporcionais desse produto, repõe: de um lado, o valor-capital empregado, constituindo, portanto, receita e ainda mais literalmente *revenue* (de *revenu*, particípio de *revenir* = retornar), mas, atentem bem, renda-capital ou receita-capital; e, de outro lado, os componentes do valor que "se repartem entre os habitantes do país como salário do trabalho, ou como lucro do capital ou como renda da propriedade da terra", o que se entende por renda (*revenue*) na vida comum. Assim, o valor do produto global é receita para alguém, para o capitalista individual ou para todo o país, mas, de um lado, é renda-capital e, do outro, "renda" (*revenue*) em sentido diferente de renda-capital. O que Smith afasta, ao analisar os elementos componentes do valor da mercadoria, introduz depois pela porta dos fundos, o duplo sentido da pa-

lavra "*revenue*". Mas só os componentes de valor que já existem no produto podem ser "recebidos" como receita. Para haver receita ou entrada de capital sob a forma de retorno (*revenue*), é mister antes gastar capital.

Prossegue A. Smith:

"É necessário que a taxa mínima usual de lucro seja sempre algo mais que o suficiente para compensar as perdas ocasionais a que se expõe qualquer emprego de capital. Apenas esse excedente representa lucro puro ou líquido."

[Que capitalista entenderia por lucro despesas necessárias de capital?]

"O que se chama lucro bruto abrange, de ordinário, além desse excedente, a parte retida para essas perdas extraordinárias." (Livro I, Capítulo 9, p. 72.)

Mas isso significa exclusivamente que parte da mais-valia, considerada componente do lucro bruto, tem de construir um fundo de seguro para a produção. Esse fundo é gerado por parte do trabalho excedente que, nessa função, produz capital diretamente, isto é, o fundo destinado à reprodução. Quanto aos custos de "conservação" do capital fixo etc. (ver as passagens anteriormente citadas), a reposição do capital fixo consumido por novo não constitui novo investimento de capital, mas simplesmente reaparecimento do antigo valor-capital em nova forma. No tocante à reparação do capital fixo, incluída também por A. Smith nas despesas de conservação, seu custo faz parte do preço do capital adiantado. A circunstância de o capitalista, não sendo obrigado a investi-lo de uma vez, fazê-lo pouco a pouco, segundo as necessidades, durante o funcionamento do capital, podendo empregar lucro já embolsado, em nada altera a origem desse lucro. A parte do valor da qual provém evidencia simplesmente que o trabalhador fornece trabalho excedente tanto para o fundo de seguro quanto para o de reparação.

Continuando, diz A. Smith que da renda líquida, isto é, da renda no sentido específico, deve excluir-se todo o capital fixo e ainda toda a parte do capital circulante necessária tanto para a manutenção e reparação do capital fixo, quanto para sua renovação, com efeito, todo capital que não está em forma natural destinada ao fundo de consumo.

"Todas as despesas destinadas a conservar o capital fixo devem evidentemente ser excluídas da renda líquida da sociedade. Não fazem parte dessa renda as matérias-primas necessárias para manter em condições as máquinas e os instrumentos úteis, nem tampouco o produto do trabalho exigido para dar a essas matérias-primas a forma requerida. O *preço* desse trabalho pode sem dúvida constituir parte daquela renda, uma vez que os trabalhadores assim ocupados podem despender todo o valor do salário no estoque de consumo imediato. Mas, noutros gêneros de trabalho, tanto o *preço*" [isto é, o salário pago por esse trabalho) "quanto o *produto*"(em que se corporifica esse trabalho] "entram no estoque de consumo; o preço, no estoque do trabalhador, e o produto, no de outras pessoas cujo nível de subsistência, conforto e distrações elevam-se por meio do trabalho desses trabalhadores." (Livro II, Capítulo 2, pp. 190-191.)

A. Smith topa aí com uma distinção extremamente importante, a que existe entre os trabalhadores ocupados na produção de *meios de produção* e os ocupados na produção direta de *meios de consumo.* O valor do produto-mercadoria dos primeiros contém componente igual à soma dos salários, isto é, ao valor da parte do capital investida na compra de força de trabalho; esse componente de valor existe materialmente como certa cota dos meios de produção produzidos por esses trabalhadores. O dinheiro recebido como salário constitui para eles renda, mas seu trabalho não criou para eles, nem para outros, produtos que sejam consumíveis. Esses produtos não constituem, portanto, elemento da parte do produto anual destinada ao estoque social de consumo, no qual pode realizar-se a "renda líquida". A. Smith esquece aí de acrescentar que o que diz dos salários se estende à parte do valor dos meios de produção, a qual constitui a renda (em primeira mão) do capitalista industrial, a mais-valia sob as categorias de lucro e renda da terra. Esses componentes do valor também existem nos meios de produção, em objetos não consumíveis; só depois de convertidos em dinheiro é que esses meios de produção podem retirar, proporcionalmente a seu preço, certa quantidade de meios de consumo produzidos pelo outro gênero de trabalhadores, transferindo-os para o fundo de consumo individual de seus possuidores. Mais uma razão para A. Smith ter visto que a parte do valor dos meios de produção anualmente produzidos – a qual iguala o valor dos meios de produção aplicados nessa esfera, onde os meios de produção produzem meios de produção, constituindo, portanto, uma porção de valor igual ao valor do capital constante aí consumido – está absolutamente excluída de qualquer componente de valor que represente renda, não só pela forma natural em que existe, mas também em virtude de sua função de capital.

Quanto ao segundo gênero de trabalhadores, que produzem diretamente meios de consumo, não são inteiramente exatas as conceituações de A. Smith. Ele diz, com efeito, que nessas espécies de trabalho tanto o preço do trabalho quanto o produto entram no estoque de consumo imediato:

> o *preço* (o dinheiro recebido como salário), no estoque de consumo dos *trabalhadores*, e o *produto*, no de outras pessoas cujo nível de subsistência, conforto e distrações é acrescido pelo trabalho desses trabalhadores.

Mas o trabalhador não pode viver do preço de seu trabalho, do dinheiro com que lhe pagam o salário; realiza esse dinheiro, comprando meios de consumo; estes podem consistir parcialmente em mercadorias que foram por ele mesmo produzidas. Demais, o próprio produto pode ser um desses que só entra no consumo dos exploradores do trabalho.

Depois de ter assim completamente excluído o capital fixo da "renda líquida" de um país, continua A. Smith:

> Embora estejam necessariamente excluídas da renda líquida da sociedade todas as despesas para conservar o capital fixo, o mesmo não ocorre com as despesas para conservar o capital circulante. Das quatro partes em que consiste este capital – dinheiro, meios de subsistência, matérias-primas e produtos acabados –, as três últimas, conforme dissemos, dele se transferem regularmente ou para o capital fixo da sociedade ou para o estoque destinado a consumo imediato. Aquela parte dos artigos consumíveis que não se aplica para conservar o primeiro [o capital fixo] é sempre transferida para o último [o estoque destinado a consumo imediato] e constitui parte da renda líquida da sociedade. Por isso, a conservação[I] dessas três partes do capital circulante só diminui a renda líquida da sociedade pela fração do produto anual, necessária para conservar o capital fixo. (Livro II, Capítulo 2, pp. 191, 192.)

É uma simples tautologia: a parte do capital circulante que não entra na produção de meios de produção, entra na de meios de consumo, portanto, na parte do produto anual destinada a constituir o estoque de consumo da sociedade. É importante o que diz a seguir:

> A esse respeito, o capital circulante de uma sociedade difere do de um indivíduo. O de um indivíduo está totalmente excluído da renda líquida e nunca poderá

I Conservação = reprodução simples. Ver p. 393.

> integrá-la; esta só pode consistir em seu lucro. Embora o capital circulante de cada indivíduo constitua parte do capital circulante da sociedade de que é membro, nem por isso está esse capital excluído da renda líquida da sociedade nem impedido de fazer parte dessa renda. Não é possível ao vendeiro transferir para o próprio estoque de consumo imediato todas as mercadorias que armazena, mas elas podem pertencer ao estoque de consumo de outras pessoas que, utilizando renda obtida de outra fonte, repõem o valor das mercadorias juntamente com o lucro do vendeiro, sem reduzir o capital deste nem o delas. (*Ibidem.*)

Assim ficamos sabendo o seguinte:

1) Como o capital fixo e o capital circulante necessário à reprodução e manutenção do primeiro (cujo funcionamento se esquece), o capital circulante de todo capitalista individual empregado na produção de meios de consumo está totalmente excluído da renda líquida *desse* capitalista, a qual só pode consistir em seus lucros. Logo, a parte de seu produto-mercadoria que substitui seu capital não é redutível a componentes de valor que constituam para ele renda.

2) O capital circulante de qualquer capitalista individual constitui parte do capital circulante da sociedade, analogamente ao que se dá com todo capital fixo individual.

3) O capital circulante da sociedade, embora seja apenas a soma dos capitais circulantes individuais, distingue-se, pelo caráter, do capital circulante de cada capitalista individual. O segundo nunca pode constituir parte da *renda do capitalista individual*, ao passo que parte do primeiro (a consistente em meios de consumo) pode constituir ao mesmo tempo parte da *renda da sociedade*, ou, conforme ele já disse, necessariamente não diminui a renda líquida da sociedade de parte do produto anual. Na realidade, o que A. Smith chama aí de capital circulante consiste no capital-mercadoria anualmente produzido, que os capitalistas fornecedores dos meios de consumo lançam todo ano em circulação. Todo esse produto anual compõe-se de artigos consumíveis e forma por isso o estoque em que se realizam ou se despendem as rendas líquidas (inclusive os salários) da sociedade. Em vez de tomar para exemplo as mercadorias do armazém do vendeiro, deveria A. Smith ter escolhido as massas de bens que estão estocadas nos depósitos dos capitalistas industriais.

Se A. Smith tivesse coordenado as múltiplas ideias que a ele se impunham, quando observou a reprodução do que denomina capital fixo e quando examinou o que chama capital circulante, teria ele chegado ao seguinte resultado:

I) O produto social anual constitui-se de duas seções: a primeira abrange os meios de produção, e a segunda, os meios de consumo; é mister tratá-las separadamente.

II) O valor global da parte do produto anual composta de *meios de produção* divide-se da seguinte maneira: uma fração é simplesmente o valor dos meios de produção consumidos para elaborar esses meios de produção, é apenas, portanto, valor-capital que reaparece em forma renovada; a segunda fração é igual ao valor do capital despendido em força de trabalho, ou à soma dos salários pagos pelos capitalistas dessa esfera de produção; a terceira fração, finalmente, constitui a fonte dos lucros dos capitalistas industriais dessa categoria, inclusive das rendas fundiárias.

A primeira fração, segundo A. Smith a parte reproduzida do capital fixo de todos os capitais individuais ocupados na primeira seção, está "evidentemente excluída da renda líquida e nunca poderá fazer parte dela", trate-se do capitalista individual ou da sociedade. Funciona sempre como capital, nunca como renda. Até aí o "capital fixo" do capitalista individual em nada se distingue do capital fixo da sociedade. Mas as outras frações do valor do produto anual da sociedade constituído de meios de produção – frações de valor que, portanto, existem também em partes alíquotas dessa massa global de meios de produção – representam ao mesmo tempo as *rendas de todos os agentes que participam dessa produção,* os salários dos trabalhadores, os lucros e as rendas fundiárias dos capitalistas. Mas, *para a sociedade*, não constituem renda, e sim *capital*, embora o produto anual da sociedade consista exclusivamente na soma dos produtos dos capitalistas individuais que dela fazem parte. Os produtos da primeira seção, pela própria natureza, só podem funcionar de ordinário como meios de produção, e mesmo aqueles que, se necessário, poderiam servir de meio de consumo, destinam-se a ser empregados como matéria-prima ou matéria auxiliar de nova produção. Exercem essa função, esse papel de capital, portanto, não nas mãos de quem os produziu, mas nas mãos de quem os aplica, e aí entram:

III) Os capitalistas da segunda seção, os produtores imediatos dos *meios de consumo.* Os produtos da primeira seção lhes servem para repor o capital consumido na produção dos meios de consumo (estamos abstraindo da parte que se transforma em força de trabalho e consiste, portanto, na soma dos salários dos trabalhadores da segunda seção), enquanto esse capital consumido, que então está sob a forma de meios de consumo nas mãos dos capitalistas que os produziu, constitui por sua vez, do ponto de vista social, o *fundo de consumo em que os capitalistas e os trabalhadores da primeira seção realizam suas rendas.*

Se A. Smith tivesse levado tão longe sua análise, ficaria faltando pouco para resolver totalmente o problema. Esteve quase a ponto de consegui-lo, pois já observara que determinadas frações do valor de *um* (meios de produção) dos dois gêneros dos capitais-mercadorias, que formam o produto anual global da sociedade, constituem na realidade renda para os trabalhadores e capitalistas individuais ocupados em sua produção, mas não são componentes da renda (*revenue*) da sociedade, enquanto porção do valor do *outro* gênero (meios de consumo) constitui valor-capital para seus possuidores individuais, os capitalistas ocupados nessa esfera, mas apesar disso representam apenas parte da renda (*revenue*) social.

Do que acabamos de ver, resulta o seguinte:

Primeiro. O capital social é igual à soma dos capitais individuais, e, por isso, o produto-mercadoria anual (ou o capital-mercadoria) da sociedade é igual à soma dos produtos-mercadorias desses capitais individuais; por conseguinte, a decomposição do valor-mercadoria em seus elementos, se se aplica ao capital-mercadoria individual, deve estender-se ao de toda a sociedade e, no final de contas, se estende realmente. Entretanto, *difere* a forma em que aparecem no conjunto do processo de reprodução social.

Segundo. Mesmo no domínio da reprodução simples, além da produção de salários (capital variável) e de mais-valia, produz-se diretamente novo valor-capital constante, embora a jornada de trabalho consista apenas em duas partes, uma em que o trabalhador repõe o capital variável, produzindo efetivamente um equivalente para a compra de sua força de trabalho, e a outra em que produz mais-valia (lucro, renda fundiária etc.). Com efeito, o trabalho diário, despendido na reprodução dos meios de produção e cujo valor se reparte em salário e mais-valia, realiza-se em novos meios de produção que repõem a parte do capital constante consumida para produzir os meios de consumo.

As dificuldades principais, que ficam solucionadas em sua maior parte através do exposto, aparecem não quando se estuda a acumulação, e sim a reprodução simples. Por isso, A. Smith (Livro II) e anteriormente Quesnay (*Tableau Économique*) partem da reprodução simples, quando se trata do movimento do produto anual da sociedade e de sua reprodução efetuada por intermédio da circulação.

b) Smith reduz o valor de troca a v + m

Segundo o dogma de A. Smith, o preço ou o valor de troca (*exchangeable value*) de cada mercadoria e, portanto, de todas as mercadorias que em conjunto formam o produto anual da sociedade (ele estabelece o adequado pressuposto de produção capitalista universal) constitui-se de três partes componentes (*component parts*), ou seja, reduz-se a (*resolves itself into*): salário + lucro + renda fundiária. Esse dogma pode ser expresso pela fórmula: valor-mercadoria = v + m, isto é, igual ao valor do capital variável adiantado acrescido da mais-valia. Podemos fazer esta conversão do lucro e da renda fundiária a uma unidade comum que chamamos m, com permissão expressa de A. Smith, conforme demonstram as citações seguintes, em que não examinaremos por ora os pontos acessórios e, em particular, o desvio aparente ou real do dogma: o valor-mercadoria consiste exclusivamente nos elementos que denominamos v + m.

Na manufatura:

> O valor que os trabalhadores acrescentam aos materiais reduz-se [...] a duas partes, das quais uma paga seus salários e a outra o lucro que o empregador tem sobre todo o capital por ele adiantado em materiais e salários. (Livro I, Capítulo 6, pp. 40, 41.) O salário do trabalhador manufatureiro, embora adiantado pelo patrão, na realidade nada custa a este, uma vez que em regra o valor desse salário, juntamente com lucro, se fixa (*reserved*) no valor acrescido do objeto em que se empregou esse trabalho pago. (Livro II, Capítulo 3, p. 221.)

A parte do capital (*stock*) despendida

> no sustento de trabalho produtivo [...] depois de lhe ter servido [ao empregador] na função de capital [...] constitui uma renda para eles [os trabalhadores] (Livro II, Capítulo 3, p. 223).

No capítulo que acabamos de citar, diz expressamente A. Smith:

> Todo o produto anual da terra e do trabalho de cada país [...] reparte-se naturalmente em duas porções. Uma, e de ordinário a maior, se destina em primeiro lugar a repor um capital e a renovar os meios de subsistência, matérias-primas e produtos acabados, obtidos de um capital; a outra se destina a constituir uma renda, seja para o proprietário desse capital, como *lucro do capital*, seja para outrem, como renda de sua *propriedade fundiária*. (p. 222.)

Segundo A. Smith já nos informou, somente uma parte do capital constitui ao mesmo tempo renda para alguém, a saber, a investida na compra de trabalho produtivo. Essa parte, o capital variável, exerce inicialmente nas mãos do empregador e para ele "a função de capital", e em seguida "constitui uma renda" para o próprio trabalhador produtivo. O capitalista transforma parte de seu valor-capital em força de trabalho e, justamente por isso, em capital variável; apenas em virtude dessa conversão funciona como capital industrial, além dessa parte, o seu capital por inteiro. O trabalhador, o vendedor da força de trabalho, recebe o valor dela na forma de salário. Em suas mãos, a força de trabalho não passa de mercadoria vendável, mercadoria de cuja venda vive, e que constitui por isso sua única fonte de renda; a força de trabalho só funciona como capital variável nas mãos de seu comprador, o capitalista, e o preço de compra, adianta-o o capitalista apenas na aparência, uma vez que seu valor lhe é fornecido antes pelo trabalhador.

Depois de nos ter mostrado que o valor do produto na manufatura = v + m, sendo m = lucro do capitalista, diz-nos A. Smith que, na agricultura, os trabalhadores, além de

> reproduzirem um valor igual ao próprio consumo ou ao capital que os ocupa [variável], acrescido do lucro do capitalista, realizam ainda regularmente, acima do capital do arrendatário e de todo o seu *lucro*, a reprodução da *renda* do proprietário da terra. (Livro II, Capítulo 5, p. 243.)

Não altera o problema que estamos examinando a circunstância de a renda fundiária ir parar nas mãos do proprietário. Antes de chegar a ele, tem de passar pelas mãos do arrendatário, o capitalista industrial. Tem de ser parcela do valor do produto, antes de constituir renda para quem quer que seja. Para o próprio A. Smith, portanto, renda fundiária e lucro são simplesmente parcelas da mais-valia, reproduzidas de maneira ininterrupta pelo trabalhador produtivo juntamente com o respectivo salário, o valor do capital variável. Renda fundiária e lucro são, portanto, parcelas da mais-valia m, e assim, de conformidade com A. Smith, o preço de todas as mercadorias fica reduzido a v + m.

O dogma de que o preço de todas as mercadorias (e, portanto, da produção anual de mercadorias) se reduz a salário + lucro + renda fundiária assume, na parte esotérica que de vez em quando aparece na obra de Smith, essa forma: o valor de cada mercadoria e, portanto, da produção anual de mercadorias da sociedade = v + m = valor-capital despendido em força de trabalho e sempre reproduzido pelos trabalhadores, aumentado da mais-valia que acrescentam com seu trabalho.

Esse resultado final a que chega A. Smith serve também para evidenciar, conforme veremos, a fonte de sua análise unilateral dos elementos componentes a que é redutível o valor-mercadoria. Nem a determinação da magnitude de cada um desses elementos nem o limite da soma do valor deles decorrem da circunstância de constituírem ao mesmo tempo fontes diferentes de renda de diferentes classes que funcionam na produção.

Ao dizer que

> salário, lucro e renda fundiária são as três fontes originais de toda renda e de todo valor de troca, e em última análise deriva de uma delas qualquer outra espécie de renda (Livro I, Capítulo 6, p. 43),

gera A. Smith uma série de quiproquós.

1) Todos os membros da sociedade que não figuram na reprodução, com ou sem trabalho, só podem obter sua quota na produção anual de mercadorias, seus meios de consumo, portanto, buscando-os na fonte, nas mãos das classes às quais cabe imediatamente a produção, os trabalhadores produtivos, os capitalistas industriais e os proprietários das terras. Desse ponto de vista, suas rendas derivam materialmente de salário (dos trabalhadores produtivos), de lucro e renda fundiária, aparecendo, portanto, como derivadas em relação àquelas rendas originais. Entretanto, os recebedores dessas rendas derivadas, no sentido considerado, obtêm-nas por meio de sua função social, de rei, sacerdote, professor, soldado, prostituta etc., e podem considerar as respectivas funções as fontes originais de sua renda.

2) E agora culmina a extravagante arremetida de A. Smith. Depois de ter começado a determinar acertadamente os componentes do valor da mercadoria e a soma do produto-valor objetivada nas mercadorias, e de ter demonstrado que esses componentes constituem outras tantas fontes diferentes de renda;[39] depois de ter assim derivado as rendas do valor, toma

39 Reproduzo a frase literalmente como está no manuscrito, embora no presente contexto pareça estar em contradição com o anteriormente exposto e com o que vem a seguir. Essa contradição aparente desaparecerá mais adiante no item 4: Capital e renda segundo A. Smith. — F.E.

posição oposta que fica sendo sua ideia dominante: as rendas deixam de ser "partes componentes" (*component parts*) e passam a ser "*fontes originais* de todo valor de troca", preparando-se com isso o mais amplo caminho para a economia vulgar (ver nosso Roscher).

c) A parte constante do capital

Vejamos agora como A. Smith procura exorcizar do valor-mercadoria o valor da parte constante do capital.

> No preço do trigo, por exemplo, uma parte paga a renda do proprietário da terra.

A origem dessa parcela do valor nada tem a ver com a circunstância de recebê-la o proprietário da terra e de constituir para ele receita sob a forma de renda fundiária, do mesmo modo que a origem das outras parcelas do valor não decorre de constituírem elas fontes de receita como lucro e salário.

> Outra parte paga o salário e sustento dos trabalhadores [e dos animais de trabalho, acrescenta ele] empregados em sua produção, e a terceira parte paga o lucro do arrendatário. Essas três partes parecem [na realidade, apenas aparentam] constituir imediatamente ou em última análise o preço global do trigo.[40]

Esse preço global, isto é, a determinação de sua magnitude, não depende absolutamente de distribuir-se por três classes de pessoas.

> Uma quarta parte pode parecer necessária para repor capital do arrendatário ou o desgaste de seus animais de trabalho e de outros instrumentos agrícolas. Mas é mister levar em conta que o preço de qualquer instrumento agrícola, o de um cavalo de lavoura, por exemplo, compõe-se por sua vez das três partes acima referidas: a renda da terra onde se cria, o trabalho de criação e o lucro do arrendatário, que adianta tanto a renda dessa terra quanto o salário desse trabalho. Por isso, embora o preço do trigo possa incluir tanto o preço quanto o custo de manutenção do cavalo, em sua totalidade reduz-se sempre, imediatamente ou em última análise, a essas mesmas três partes: renda da terra, trabalho [ele quer dizer salário] e lucro. (Livro I, Capítulo 6, p. 42.)

---

40 Abstraímos inteiramente da circunstância de Adam ter sido bastante infeliz ao escolher seu exemplo. O valor do trigo só se reduz a salário, lucro e renda da terra, se considerarmos como salário dos animais de trabalho a alimentação que consomem, como assalariados esses animais, o que implica equiparar o assalariado ao animal de trabalho (aditamento tirado do manuscrito II).

Literalmente, é tudo o que A. Smith apresenta para fundamentar sua espantosa doutrina. Para demonstrá-la, limita-se apenas a repetir a mesma afirmação. Admite, por exemplo, que o preço do trigo não consiste somente em v + m, mas ainda no preço dos meios de produção consumidos na produção de trigo, num valor-capital, portanto, que o arrendatário não investiu em força de trabalho. Mas, diz ele, como o preço do trigo, os preços de todos esses meios de produção se decompõem por sua vez em v + m; apenas esquece de acrescentar que se decompõem também no preço de outros meios de produção consumidos em sua própria produção. Ele se desloca de um ramo de produção para outro e daí para um terceiro. A afirmação de que o preço global das mercadorias se reduz "imediatamente" ou "em última análise" (*ultimately*) a v + m só deixaria de ser mero subterfúgio se ficasse demonstrado que os produtos-mercadorias, cujo preço se decompõe imediatamente em c (preço dos meios de produção consumidos) + v + m, têm uma compensação final de produtos-mercadorias que, além de repor, em toda a magnitude, aqueles "meios de produção consumidos", são produzidos com dispêndio apenas de capital variável, isto é, o aplicado em força de trabalho. O preço destes últimos seria então imediatamente = v + m. Assim, o preço dos primeiros, c + v + m, em que c representa a parte constante do capital, seria finalmente redutível a v + m. A. Smith não supunha ter fornecido esta demonstração com seu exemplo dos apanhadores de calhaus escoceses, os quais, entretanto, segundo ele: 1) não produzem mais-valia de qualquer espécie, mas apenas o próprio salário; 2) não empregam meios de produção (embora os devam empregar sob a forma de cestos, sacos e outros recipientes para transportar os calhaus).

Já vimos que A. Smith, mais tarde, deita abaixo a própria teoria, sem reparar nas contradições em que ele estava envolvido. É mister procurar a origem delas nos pontos de partida científicos de A. Smith. O capital convertido em trabalho produz valor maior que o que possui. Como? Os trabalhadores, responde A. Smith, incorporam às coisas que elaboram durante o processo de produção um valor que, além do equivalente ao preço por que foram comprados, contém mais-valia (lucro e renda fundiária) que cabe não a eles, mas a seus empregadores. Mas é tudo o que fazem e podem fazer. O que é válido para o trabalho industrial de um dia, aplica-se também ao trabalho posto em movimento por toda a classe capitalista durante um ano. A massa global do produto-valor anual da sociedade é assim redutível a v + m, a equivalente com que os trabalhadores repõem o valor-capital despendido no preço por que foram comprados, e a um valor adicional que têm de fornecer a seu empregador. Ambas essas parcelas do valor das mercadorias, porém, constituem ao mesmo tempo fontes de renda das diferentes classes que participam na reprodução: a primeira, o salário, a renda dos trabalhadores; a segunda, a mais-valia, da qual o capitalista industrial conserva para si uma parte sob a forma de lucro, e cede outra como renda fundiária, a renda do proprietário da terra. Donde proviria então outra parcela de valor, uma vez que o produto-valor anual não contém outros elementos além de v + m? Estamos no domínio da reprodução simples. Uma vez que toda a soma anual de trabalho se reduz a trabalho necessário para reproduzir o valor-capital despendido em força de trabalho, e a trabalho necessário para criar mais-valia, donde poderia provir o trabalho para produzir valor-capital que não seja despendido em força de trabalho?

A coisa fica posta da seguinte maneira:

1) A. Smith determina o valor de uma mercadoria pela massa de trabalho que o assalariado acrescenta (*adds*) ao objeto de trabalho. "Aos materiais", diz literalmente, pois se refere à manufatura que se serve de produtos já elaborados; mas isto em nada altera o problema. O valor que o trabalhador acrescenta à coisa (e "*adds*" é a expressão de Adam) não depende absolutamente da circunstância de a coisa já ser ou não valor antes desse acréscimo. O trabalhador cria portanto, sob a forma de mercadoria, um produto-valor; parte deste é, segundo A. Smith, equivalente ao salário, sendo, portanto, determinada pela magnitude do valor do salário; assim, se aumentar este, terá o operário de acrescentar mais trabalho, a fim de produzir ou reproduzir um valor igual ao de seu salário. Mas o trabalhador, ultrapassando esse limite, acrescenta ainda mais trabalho, a fim de constituir a mais-valia do capitalista que o emprega. A mais-valia não experimenta absolutamente alteração qualitativa (continua sendo mais-valia do mesmo jeito) nem quantitativa, em virtude da alternativa de ficar totalmente nas mãos do capitalista ou de ser por este em parte cedida a terceira pessoa. É valor como qualquer outra parte do valor do produto, com a diferença de que o trabalhador não recebeu nem receberá em troca um equivalente: o capitalista se apropria desse valor sem qualquer contraprestação de um equivalente. O valor global da mercadoria é determinado pela quantidade de trabalho que o trabalhador despendeu para produzi-la; parte desse valor global fica determinada por ser igual ao valor do salário, portanto equivalente ao salário. A segunda parte fica,

por conseguinte, necessariamente determinada: é igual ao valor global do produto menos a parte equivalente ao salário; é igual, portanto, ao que sobra do produto-valor criado na fabricação da mercadoria, depois de retirada fração de valor equivalente ao salário.

2) O que vale para a mercadoria produzida numa empresa industrial isoladamente considerada por um trabalhador individual aplica-se ao produto anual de todos os ramos da produção. O que vale para a jornada individual do trabalhador produtivo aplica-se ao trabalho anual realizado por toda a classe dos trabalhadores produtivos. O trabalho "fixa" (expressão de Smith) no produto anual um valor global determinado pela quantidade do trabalho anual despendido, e esse valor global se divide em duas partes: uma determinada pela fração do trabalho anual com a qual a classe trabalhadora cria um equivalente a seu salário anual, na realidade esse salário mesmo; a outra determinada pelo trabalho anual suplementar com que o trabalhador cria mais-valia para a classe capitalista. O produto-valor anual contido na produção do ano consiste, portanto, em dois elementos, o equivalente ao salário anual recebido pela classe trabalhadora e a mais--valia anualmente fornecida à classe capitalista. O salário anual constitui a renda da classe trabalhadora, e o montante anual da mais-valia, a renda da classe capitalista; ambos configuram, portanto (e esse ponto de vista está certo quando se trata da reprodução simples), as participações relativas no fundo de consumo anual e nele se realizam. E assim não sobra lugar para o valor-capital constante, para a reprodução do capital que funciona sob a forma de meios de produção. A. Smith diz expressamente, na introdução à sua obra, que todas as partes do valor-mercadoria que funcionam como renda coincidem com o produto anual do trabalho, destinado ao fundo de consumo da sociedade:

> O objetivo desses quatro primeiros livros é esclarecer em que consiste a renda do povo, ou qual tem sido a natureza do fundo que [...] tem provido (*supplied*) a seu consumo anual (p. 12).

E, logo no primeiro período da introdução, diz:

> O trabalho anual de cada nação é o fundo que originalmente a prove de todos os bens que consome durante o ano e que são sempre ou produto direto desse trabalho ou coisas compradas a outras nações com esse produto (p. 11).

O primeiro erro de A. Smith consiste em igualar o *valor dos produtos* do ano ao *produto-valor* anual. Este último é *apenas* produto do trabalho do ano decorrido; o primeiro inclui, além disso, todas as parcelas de valor consumidas na elaboração do produto anual, mas *produzidas no ano anterior e parcialmente em anos bem mais afastados*: os meios de produção cujo valor apenas *reaparece*, os quais, no tocante ao valor, não foram produzidos nem reproduzidos pelo trabalho despendido no último ano. A confusão de A. Smith leva-o a escamotear do produto anual a parte constante do valor. Essa confusão, por sua vez, decorre de outro erro em sua concepção fundamental. Ele não percebe o duplo caráter do trabalho: o que, como dispêndio de força de trabalho, cria valor, e o que, como trabalho concreto, útil, gera objetos úteis (valor de uso). A soma global das mercadorias anualmente produzidas, todo o *produto do ano*, é o produto do trabalho *útil* realizado no último ano; todas essas mercadorias existem apenas porque trabalho socialmente aplicado foi despendido num sistema muito ramificado de diferentes trabalhos úteis; só por isso se conserva em seu valor global o valor dos meios de produção consumidos para elaborá-las, reaparecendo sob nova forma específica. O *produto anual* global é, portanto, resultado do trabalho *útil* despendido durante o ano; mas durante o ano só se criou parte do *valor dos produtos*; essa parte é o *produto-valor* anual em que se representa a soma do trabalho mobilizado durante o ano.

Quando, portanto, A. Smith, na passagem que acabamos de citar, diz que

> o trabalho anual de cada nação é o fundo que originalmente a prove de todos os bens que consome durante o ano etc.,

coloca-se do ponto de vista exclusivo do trabalho útil, que, sem dúvida, deu a todos esses bens forma consumível. Mas esquece então que isto teria sido impossível sem a ajuda dos meios e dos objetos de trabalho oriundos de anos anteriores, e que por conseguinte o "trabalho anual", ao constituir valor, não cria todo o valor do produto que elabora. Ele não viu que o produto-valor é menor que o valor dos produtos.

Não se pode criticar Smith por não ter, em sua análise, ido mais longe que os seus sucessores (embora os fisiocratas já apresentassem um começo numa direção acertada). Mas ele acaba se perdendo num verdadeiro caos, principalmente porque sua concepção "esotérica" do valor-mercadoria se mistura com ideias exotéricas que de modo geral o dominam, embora seu instinto científico de vez em quando faça ressurgir o ponto de vista esotérico.

d) Capital e renda segundo A. Smith

A parte do valor de cada mercadoria (e, portanto, do produto anual também), a qual constitui apenas equivalente do salário, é igual ao capital adiantado pelo capitalista em salário, isto é, é igual à parte variável do capital global que adianta. O capitalista recupera essa parcela do valor-capital adiantado com parcela de valor reproduzida pelos assalariados na mercadoria que fornecem. O capitalista adianta o capital variável de várias maneiras: paga em dinheiro ao trabalhador a parte que a este cabe num produto que não está pronto para venda, ou que já está pronto mas ainda não está vendido, ou paga-lhe com dinheiro que já recebeu com a venda da mercadoria fornecida pelo trabalhador, ou com dinheiro que obtém antecipado por meio de crédito. Em todos esses casos, o capitalista despende capital variável que flui como dinheiro para os trabalhadores, e dispõe, em troca, do equivalente desse valor-capital na parte do valor de suas mercadorias, na qual o trabalhador reproduziu a quota que lhe cabe no valor global, ou seja, produziu o valor do próprio salário. O capitalista não paga essa parte do valor ao trabalhador com a forma natural do produto que este produziu, mas com dinheiro. Para o capitalista, a parte variável do valor-capital adiantado transformou-se em mercadoria, enquanto para o trabalhador o equivalente de sua força de trabalho vendida transformou-se em dinheiro.

Assim, enquanto a parte do capital adiantado, transformada em capital variável pela compra de força de trabalho, funciona no processo de produção como força de trabalho operante e com o dispêndio dessa força é produzida, ou melhor, é reproduzida como novo valor sob a forma de mercadoria, havendo, portanto, reprodução, ou seja, nova produção de valor-capital adiantado, despende o trabalhador o valor ou o preço da força de trabalho vendida em meios de subsistência, em meios de reprodução de sua força de trabalho. Uma soma de dinheiro igual ao capital variável constitui sua receita, sua renda, portanto, que só dura enquanto pode vender sua força de trabalho ao capitalista.

A mercadoria do assalariado, a própria força de trabalho, só funciona como mercadoria quando, incorporada ao capital do capitalista, exerce o papel de capital; por outro lado, o capital despendido como capital-dinheiro na compra de força de trabalho funciona como renda nas mãos do vendedor da força de trabalho, o assalariado.

Entrelaçam-se aí diferentes processos de circulação e produção que A. Smith não consegue separar:

Primeiro. Atos pertencentes ao processo de *circulação*: o trabalhador vende sua mercadoria, a força de trabalho, ao capitalista; este compra-a com dinheiro que emprega para produzir mais-valia, e que é, portanto, capital-dinheiro; não é despendido, mas adiantado (esse é o verdadeiro sentido do "adiantamento" dos fisiocratas, não importando a fonte onde o capitalista obtém o dinheiro. Para o capitalista, todo valor que paga, tendo em mira o processo de produção, aconteça isto antes ou depois do resultado, é um adiantamento; é adiantamento feito ao próprio processo de produção). Ocorre simplesmente o que se observa em qualquer venda de mercadoria: o vendedor desfaz-se de um valor de uso (aqui a força de trabalho) e recebe seu valor (realiza seu preço) em dinheiro; o comprador troca seu dinheiro por mercadoria, no caso, a força de trabalho.

Segundo. No processo de *produção*, a força de trabalho comprada constitui então parte do capital operante, e o próprio trabalhador passa a funcionar simplesmente como forma natural particular desse capital, distinta dos elementos dele existentes especificamente sob a forma de meios de produção. Durante o processo, com o dispêndio da força de trabalho, o trabalhador acrescenta aos meios de produção que converte em produto um valor igual ao de sua força de trabalho (além da mais-valia); reproduz, portanto, para o capitalista, sob a forma de mercadoria, a parte do capital que este lhe adiantou ou lhe adiantará em salário; produz um equivalente dessa parte para o capitalista, portanto o capital que este pode novamente "adiantar" para comprar força de trabalho.

Terceiro. Com a venda da mercadoria, parte do preço repõe o capital variável adiantado pelo capitalista, permitindo-lhe comprar novamente força de trabalho, e ao trabalhador, vendê-la de novo.

Em qualquer compra e venda, considerada a transação em si mesma, não interessa saber o que faz o vendedor com o dinheiro obtido com a mercadoria, nem o que faz o comprador com o objeto de uso que adquiriu. Por conseguinte, se consideramos apenas o processo de circulação, absolutamente não importa a circunstância de a força de trabalho adquirida pelo capitalista reproduzir para ele valor-capital, nem a de o dinheiro recebido como preço de compra da força de trabalho constituir renda para o trabalhador. A magnitude do valor do artigo de comércio do trabalhador, sua força de trabalho, não é influenciada por constituir "renda" para ele, nem pela circunstância de o uso desse artigo pelo comprador reproduzir valor-capital para esse comprador.

O valor da força de trabalho, isto é, o preço de venda adequado dessa mercadoria, é determinado pela quantidade de trabalho necessária à reprodução dela, e essa quantidade, por sua vez, é determinada pela quantidade de trabalho exigida para produção dos meios de subsistência necessários ao trabalhador, ou seja, para a conservação da sua vida. Por isso, o salário se torna a renda da qual tem de viver o trabalhador.

É totalmente falsa a afirmação de A. Smith (p. 223):

> *A parte do capital* empregada no sustento do trabalho produtivo [...] depois de lhe ter servido (ao capitalista) na função de capital, [...] constitui renda para eles (os trabalhadores).

O dinheiro com que o capitalista paga a força de trabalho adquirida "lhe serve na função de capital", na medida em que por esse meio incorpora a força de trabalho aos elementos materiais de seu capital e só assim coloca seu capital em condições de funcionar como capital produtivo. Distingamos: para o trabalhador, a força de trabalho é *mercadoria*, e não capital, e constitui renda na medida em que pode repetir sua venda de maneira ininterrupta; funciona como capital, depois da venda, em poder do capitalista, durante o processo de produção. No caso, o que tem função dupla é a força de trabalho: nas mãos do trabalhador, como mercadoria, que é vendida pelo valor; nas mãos do capitalista que a comprou, como força que produz valor e valor de uso. Mas o dinheiro que o trabalhador recebe do capitalista, só o recebe depois de ter fornecido o uso de sua força de trabalho, depois que esta já está realizada no valor do produto de seu trabalho. O capitalista dispõe desse valor antes de pagá-lo. Não é, portanto, o dinheiro que funciona duas vezes, primeiro como a forma dinheiro do capital variável, depois como salário, e sim a força de trabalho: primeiro, como *mercadoria* na venda da força de trabalho (o dinheiro, ao estipular-se o salário a pagar, exerce apenas o papel de medida ideal do valor, ocasião em que o capitalista ainda não precisa dispor dele), e, segundo, no processo de produção, como *capital*, isto é, como elemento que nas mãos do capitalista cria valor-deusa e valor. Ela já forneceu, sob a forma de mercadoria, o equivalente a pagar ao trabalhador, antes de o capitalista pagar ao trabalhador em dinheiro. O próprio trabalhador cria, por conseguinte, o próprio fundo de pagamento com o qual o capitalista lhe paga. Mas não é tudo.

O dinheiro que o trabalhador recebe, despende-o a fim de manter sua força de trabalho, por conseguinte, consideradas a classe capitalista e a classe trabalhadora em seu conjunto, a fim de conservar o instrumental sem o qual o capitalista não pode continuar sendo capitalista.

A compra e venda ininterrupta da força de trabalho eterniza, portanto, a força de trabalho como elemento do capital. Por isso, o capital aparece como criador de mercadorias, artigos de uso que possuem valor, e é reconstituída de maneira incessante, pelo produto da força de trabalho, a parte do capital que a compra. O próprio trabalhador, portanto, cria continuamente o fundo de capital, com que é pago. Por outro lado, a venda ininterrupta da força de trabalho torna-se para o trabalhador a fonte em renovação permanente de seu sustento, e a força de trabalho aparece como o patrimônio donde retira a renda de que vive. No caso, renda não é mais do que a ação de apropriar-se de valores, derivada da venda continuamente repetida de uma mercadoria, a força de trabalho, servindo esses valores apenas para reproduzir de maneira permanente a mercadoria a vender. Até aí, A. Smith tem razão em dizer que a parte do valor do produto criado pelo próprio trabalhador, pela qual o capitalista lhe paga um equivalente na forma de salário, torna-se para o trabalhador fonte de renda. Mas isso não muda a natureza ou a magnitude dessa parte do valor da mercadoria, do mesmo modo que não modifica o valor dos meios de produção a circunstância de servirem de valor-capital, nem a natureza e a magnitude de uma linha reta a de ela servir de base a um triângulo ou de diâmetro a uma elipse. Há tanta independência na determinação do valor da força de trabalho, quanto na do valor dos meios de produção. Essa parte do valor da mercadoria *não consiste* em renda como fator constitutivo autônomo, *nem se reduz* a renda. Da circunstância de o valor novo sempre *reproduzido* pelo trabalhador constituir para ele renda, não se pode inferir, reciprocamente, que sua renda constitui componente do valor novo por ele *produzido*. É a magnitude da participação no valor novo por ele criado que determina a magnitude de sua renda, e não o contrário. A circunstância de essa parte do valor novo constituir para ele renda mostra apenas o que se faz dela, a natureza de sua aplicação, e nada tem a ver com sua criação nem com qualquer outra criação de valor. Se tem uma receita semanal de 10 libras esterlinas, o fato dessa receita em nada altera a *natureza* nem a *magnitude* do valor dessas 10 libras. Como qualquer outra mercadoria, o valor da força de trabalho é determinado pela quantidade de trabalho necessária para reproduzi-la; essa quantidade de trabalho é determinada pelo valor dos meios de subsistência necessários ao trabalhador, e é, portanto, igual ao trabalho necessário para reproduzir suas próprias condições de vida, estando aí a peculiaridade dessa mercadoria (a força de trabalho), peculiaridade entretanto que não é maior que a decorrente de determinar-se o valor das bestas de carga pelo valor dos meios de subsistência necessários a seu sustento, portanto pela massa de trabalho humano necessária para produzi-los.

Mas todos os males que acometeram A. Smith decorrem da categoria "renda". As diferentes espécies de renda constituem para ele *component parts*, as parcelas componentes do valor-mercadoria criado de novo, anualmente produzido, enquanto, reciprocamente, as duas partes em que o valor-mercadoria se reparte *para o capitalista* – o equivalente de seu capital variável adiantado em dinheiro para comprar trabalho, e a outra parte que também lhe pertence mas nada lhe custou, a mais-valia – constituem fontes de renda. O equivalente do capital variável é novamente adiantado, investido em força de trabalho, constituindo então uma renda para o trabalhador na forma de salário; a outra parte, a mais-valia, não tendo de repor para o capitalista qualquer adiantamento de capital, pode ser despendida por ele em meios de consumo (necessários ou de luxo), ser consumida como renda, em vez de formar valor-capital de qualquer espécie. O pressuposto dessa renda é o próprio valor-mercadoria e para o capitalista só cabe distinguir entre o componente desse valor que é *equivalente* do valor-capital variável que adiantou e *o que excede* esse valor. Ambos os componentes consistem exclusivamente em força de trabalho despendida durante a produção de mercadorias objetivada em trabalho. Consistem em dispêndio, não em receita ou renda, e sim em dispêndio de trabalho.

Depois desse quiproquó em que a renda se torna a fonte do valor-mercadoria, em vez de este ser a fonte da renda, o valor-mercadoria aparece como se fosse a "conjunção" das diferentes espécies de renda; estas são estabelecidas independentes umas das outras, e determina-se o valor global da mercadoria adicionando-se os montantes de valor correspondentes a essas rendas. Mas, pergunta-se, como determinar o valor de cada uma dessas rendas nas quais teria sua origem o valor-mercadoria? Isto se consegue com o salário, pois este é o valor da respectiva mercadoria, a força de trabalho, e esse valor é determinável (como o de qualquer outra mercadoria) pelo trabalho necessário para reproduzi-la. Mas, como determinar a mais-valia, ou melhor, segundo o estilo de A. Smith, suas duas formas, o lucro e a renda fundiária? Nesse ponto, tudo se reduz a palavrório vazio. A. Smith ora apresenta o salário e a mais-valia (ou salário e lucro) como partes que compõem o valor-mercadoria ou o preço, ora, e muitas vezes quase na mesma linha, como parcelas a que se reduz (*resolves itself*) o preço da mercadoria; contradizendo a primeira, a segunda afirmação significa que o dado primário é o valor-mercadoria e que diferentes parcelas desse valor já estabelecido cabem, na forma de rendas distintas, a diferentes pessoas que participam no processo de produção. Isto nada tem de idêntico com a ideia de que o valor se constitui daquelas três "partes componentes". Determinar de maneira independente três segmentos distintos de reta e formar com eles como "partes componentes" um quarto segmento igual à soma dos três não é a mesma coisa que tomar um segmento dado de reta e, para um fim qualquer, dividi-lo ou, por assim dizer, "reduzi-lo a" três partes. No primeiro caso, o comprimento do quarto segmento varia absolutamente com o comprimento dos três segmentos dos quais constitui a soma; no segundo, o comprimento das três porções está de antemão delimitado por serem elas partes de um segmento de reta dado.

A. Smith estabelece acertadamente que o valor de novo criado pelo trabalho anual e contido na produção anual de mercadorias da sociedade (o mesmo se aplica a qualquer mercadoria isolada, ou à produção diária, semanal etc.) é igual ao valor do capital variável adiantado (portanto, à parte do valor destinada a readquirir força de trabalho), acrescido da mais-valia, que o capitalista pode realizar, admitindo-se reprodução simples e inalteráveis as demais condições, em meios de consumo individual; confunde o trabalho que cria valor, sendo dispêndio de força de trabalho, e o trabalho que cria valor de uso, isto é, que se despende em forma útil, adequada a um fim. Fixados esses aspectos, vemos que toda a concepção nos leva ao seguinte: o valor de toda mercadoria é o produto do trabalho; também o é tanto o valor do produto do trabalho anual quanto o valor da produção anual de mercadorias da sociedade. Mas, uma vez que todo trabalho se reduz a (1) tempo de trabalho necessário, quando o trabalhador simplesmente reproduz um equivalente ao capital adiantado na compra de sua força de trabalho, e (2) trabalho excedente, com o qual fornece ao capitalista um valor por que este não paga equivalente algum, sendo portanto mais-valia, todo valor-mercadoria só pode decompor-se nessas duas distintas partes componentes e assim constitui finalmente, como salário, a renda da classe trabalhadora, e, como mais-valia, a da classe capitalista. Quanto ao valor-

-capital constante, isto é, o valor dos meios de produção, consumidos na elaboração do produto anual, não se pode dizer como esse valor entra no valor do produto novo (exceto afirmar que o capitalista o põe na conta do comprador ao realizar a venda); mas, no fim de tudo, *ultimately*, pode essa parte do valor, uma vez que os próprios meios de produção são produto do trabalho, consistir por sua vez em equivalente do capital variável e em mais-valia; em produto de trabalho necessário e de trabalho excedente. Se os valores desses meios de produção, continua o raciocínio smithiano, funcionam nas mãos de quem os emprega como valor-capital, nada impede que "na origem", se formos ao fundo das coisas, em outras mãos, embora em época distante, sejam redutíveis a essas duas partes do valor, portanto a duas fontes distintas de renda.

Um ponto acertado nesse raciocínio: movimento do capital social, isto é, da totalidade dos capitais individuais, apresenta aspecto diferente do que se vê quando se trata isoladamente de cada capital individual, quando se olha a coisa do ponto de vista do capitalista individual. Para este, o valor-mercadoria se reduz (1) a um elemento constante (o quarto elemento de Smith) e (2) à soma de salário e mais-valia, ou de salário, lucro e renda fundiária. Entretanto, do ponto de vista social, desaparece o quarto elemento de Smith, o valor-capital constante.

e) Sumário

Em A. Smith, a fórmula absurda segundo a qual as três rendas, salário, lucro e renda fundiária, constituem as três "partes componentes" do valor-mercadoria decorre da forma mais plausível segundo a qual o valor-mercadoria se reduz a essas três partes componentes. Isto também é falso, mesmo admitindo-se que o valor-mercadoria só seja redutível ao equivalente da força de trabalho consumida e à mais-valia por ela criada. Mas, ainda aí, o erro se radica em algo mais profundo, verdadeiro. A produção capitalista baseia-se em que o trabalhador produtivo vende a própria força de trabalho, sua mercadoria, ao capitalista, em cujas mãos passa a funcionar como simples elemento de seu capital produtivo. Essa operação, compra e venda da força de trabalho, pertencente à circulação, não só inicia o processo de produção, mas ainda determina implicitamente seu caráter específico. A produção de um valor de uso, inclusive de uma mercadoria (que pode resultar do labor de trabalhadores produtivos independentes), constitui então, para o capitalista, apenas meio de produzir mais-valia absoluta e relativa. Por isso, ao analisar o processo de produção, vimos como a produção de mais-valia absoluta e relativa determina (1) a duração do processo quotidiano de trabalho, e (2) toda estruturação social e técnica do processo de produção capitalista. É dentro deste processo que se efetiva a diferenciação entre mera conservação de valor (o valor-capital constante), reprodução real de valor adiantado (equivalente da força de trabalho) e produção de mais-valia, isto é, de valor pelo qual o capitalista não adianta qualquer equivalente, nem antes nem depois do fato consumado.

O ato de apropriar-se de mais-valia, o valor que sobra depois de tirado o equivalente ao capital adiantado pelo capitalista, embora se inicie com a compra e venda da força de trabalho, só se concretiza dentro do próprio processo de produção, constituindo dele um fator essencial.

A operação que o inicia, ato que faz parte da circulação, a compra e venda da força de trabalho, fundamenta-se por sua vez numa distribuição dos *elementos* de produção, a saber, a dissociação entre a força de trabalho como mercadoria do trabalhador e os meios de produção como propriedade de não trabalhadores. Essa distribuição antecede a distribuição dos *produtos* sociais, e esta a supõe.

Mas, ao mesmo tempo, o ato de apropriar-se da mais-valia ou essa separação da produção do valor em reprodução de valor adiantado e produção de valor novo que não é reposto por qualquer equivalente (mais-valia) em nada altera a substância do próprio valor nem a natureza da produção do valor. A substância do valor é e continua sendo nada mais que força de trabalho despendida – trabalho, independentemente do caráter útil particular desse trabalho – e a produção de valor é simplesmente o processo desse dispêndio. Assim, o servo despende durante 6 dias força de trabalho, trabalha durante 6 dias e esse dispêndio continua a existir da mesma maneira, realize ele, por exemplo, três dessas jornadas na própria lavoura e as três outras na lavoura do senhor. O trabalho voluntário para si e o trabalho forçado para o senhor constituem trabalho da mesma natureza. Não há diferença a fazer nesse trabalho de 6 dias, com relação aos valores nem com relação aos produtos úteis que cria. A diferença refere-se apenas às condições diversas que levam ao dispêndio de sua força de trabalho durante as duas metades desse período. O mesmo se pode dizer do trabalho necessário e do trabalho excedente do assalariado.

O processo de produção acaba na mercadoria. A circunstância de ter sido despendida força de trabalho em sua elaboração faz aparecer agora, como qualidade material da mercadoria, a de possuir valor. Mede-se a magnitude desse valor pela magnitude do trabalho despendido; a isto e a mais nada se reduz, nisto e em mais nada consiste o valor-mercadoria. Se traço um segmento de reta, terei "produzido" (apenas simbolicamente, está claro), desenhando de acordo com regras (leis) que de mim são independentes, uma linha reta. Se dividir esse segmento em três porções (que, por sua vez, podem corresponder a determinado problema), cada uma dessas porções continua a ter a natureza de linha reta, e o segmento inteiro de que são parte não muda de natureza com essa divisão, tornando-se, por exemplo, uma linha curva. Também não posso dividir o segmento de maneira que a soma de suas porções seja maior que o segmento inteiro; o comprimento do segmento inteiro não é, portanto, determinado pelos comprimentos dessas porções, qualquer que seja o modo como são determinados. Pelo contrário, os comprimentos relativos dessas porções estão de antemão delimitados pelos extremos do segmento de que são partes.

Sob o aspecto considerado, a mercadoria produzida pelo capitalista em nada se distingue da elaborada por trabalhador independente ou por comunidades de trabalhadores ou por escravos. Entretanto, no caso do capitalista, todo o produto do trabalho e todo o seu valor lhe pertencem. Como qualquer outro produtor, tem de transformar, com a venda, a mercadoria em dinheiro, a fim de prosseguir em seu negócio; tem de convertê-la à forma de equivalente geral.

Observemos o produto-mercadoria, antes de transformar-se em dinheiro. Pertence por inteiro ao capitalista. Como produto de trabalho útil, como valor de uso, é apenas produto do processo de trabalho donde saiu; o mesmo não se pode dizer de seu valor. Parte desse valor é apenas valor dos meios de produção consumidos na elaboração da mercadoria e que reaparece em nova forma; esse valor não foi produzido durante o processo de produção dessa mercadoria, pois os meios de produção já o possuíam independentemente desse processo, antes dele; entram nesse processo como veículo desse valor; o que se renovou e mudou foi simplesmente a forma sob a qual ele aparece agora. Essa parte do valor-mercadoria constitui para o capitalista um equivalente da parte consumida, durante a produção de mercadorias, do valor-capital constante que adiantou. Ela existia antes na forma de meios de produção; existe agora como parte componente do valor da mercadoria novamente produzida. Esse valor passa a existir em dinheiro, logo que a mercadoria se converte em dinheiro, e ele tem novamente de transformar-se em meios de produção, de assumir sua forma primitiva determinada pelo processo de produção e por sua função nele. A natureza do valor de uma mercadoria em nada muda por exercer esse valor a função de capital.

Segunda porção do valor da mercadoria é o valor da força de trabalho que o assalariado vende ao capitalista. É determinado, como o valor dos meios de produção, independentemente do processo de produção em que deve entrar a força de trabalho, sendo estabelecido num ato de circulação, a compra e venda dessa força antes de ela entrar no processo de produção. Em virtude de sua função, o dispêndio da força de trabalho, produz o assalariado um valor-mercadoria igual ao valor que o capitalista lhe tem de pagar pela utilização dessa força. Dá em mercadoria esse valor ao capitalista que lhe paga em dinheiro. Que essa parte do valor-mercadoria para o capitalista seja simplesmente um equivalente do capital variável a adiantar em salário, em nada muda a circunstância de ela ser valor-mercadoria novamente criado durante o processo de produção e que, como a mais-valia, consiste exclusivamente em dispêndio anterior de força de trabalho. Também não importa para essa circunstância que o valor da força de trabalho pago pelo capitalista ao trabalhador na forma de salário assuma para o trabalhador a forma de renda, e que por este meio se reproduza continuamente, além da força de trabalho, a classe dos assalariados como tal, e por conseguinte a base de toda a produção capitalista.

A soma dessas duas porções de valor não perfaz o valor-mercadoria por inteiro. Há um excedente além delas: a mais-valia. Esta é, do mesmo modo que a porção de valor que repõe o capital variável adiantado em salário, valor novamente criado pelo trabalhador durante o processo de produção – trabalho solidificado. A única diferença é que nada custa ao possuidor de todo o produto, o capitalista. Esta gratuidade permite-lhe realmente consumir a mais-valia por inteiro como renda, se não tiver de ceder frações dela a outros participantes, como a renda fundiária ao dono da terra, caso em que essas frações constituirão as rendas dessas terceiras pessoas. A mesma gratuidade foi o motivo que levou nosso capitalista a ocupar-se com a produção de mercadorias. Não modifica a natureza da mais-valia a prévia e generosa intenção do capitalista de apoderar-se dela, nem o dispêndio posterior que dela fazem ele e outros. A mais-valia continua a ser trabalho solidificado que não é pago, e nada se altera em sua magnitude, que é inteiramente determinada por outras condições.

Se, ao iniciar o estudo do valor-mercadoria, A. Smith quisesse, como costumava fazer, ocupar-se em saber que papel cabe a diferentes partes desse valor no processo global de reprodução, teria ele visto que, se certas partes funcionam como renda, outras funcionam continuamente como capital e por isso, de acordo com sua lógica, teriam também de ser classificadas como partes componentes do valor-mercadoria ou partes a que este se reduz.

A. Smith identifica produção de mercadorias em geral com produção capitalista de mercadorias; antes de mais nada, os meios de produção são o capital e o trabalho, trabalho assalariado. Em consequência, "por toda a parte o número dos trabalhadores úteis e produtivos [...] é proporcional à quantidade do capital aplicado para empregá-los" (*to the quantity of the capital stock which is employed in setting them to work*) (*Ibidem, Introduction*, p. 12).

Em suma, os diferentes fatores do processo de trabalho, materiais e pessoais, aparecem, desde o primeiro momento, sob os disfarces da era da produção capitalista. Por isso, a análise do valor-mercadoria coincide diretamente com o problema de investigar até que ponto esse valor constitui mero equivalente do capital despendido e até que ponto um valor "gratuito" que não tem de repor valor-capital adiantado, ou seja, a mais-valia. Comparadas desse ponto de vista, as partes do valor-mercadoria se transformam, sub-repticiamente, em "partes componentes" autônomas e, finalmente, em "fontes de todo valor". Outra consequência: o valor-mercadoria se compõe de rendas de diferentes espécies e, alternativamente, se decompõe nelas, de modo que o valor-mercadoria não constitui as rendas, mas as "rendas", o valor-mercadoria. Não altera a natureza de um valor-mercadoria enquanto valor-mercadoria ou do dinheiro como dinheiro a circunstância de funcionar como valor-capital, nem modifica tampouco um valor-mercadoria a circunstância de funcionar mais tarde como renda para este ou aquele. A mercadoria de que trata A. Smith é, de início, capital-mercadoria (que abrange mais-valia, além do valor-capital consumido na produção da mercadoria), sendo, portanto, produzida por capitalista, resultando do processo de produção capitalista. Tal processo, portanto, deveria ter sido analisado previamente e por conseguinte também o processo nele implícito de gerar mais-valia e de produzir valor. Uma vez que este, por sua vez, tem por pressuposto a circulação das mercadorias, sua caracterização exige uma análise independente e prévia da mercadoria. Mesmo quando o A. Smith esotérico marcha transitoriamente no caminho certo, só atenta para a produção do valor quando analisa a mercadoria, isto é, o capital-mercadoria.

3. ECONOMISTAS POSTERIORES[41]

Ricardo reproduz quase literalmente a teoria de A. Smith:

> Devemos concordar em que todos os produtos de um país são consumidos, mas há a maior diferença entre o consumo feito pelos que reproduzem e o feito pelos que não reproduzem outro valor. Quando dizemos que renda se poupa e é juntada ao capital, queremos dizer que a parte da renda adicionada ao capital é consumida por trabalhadores produtivos, e não por improdutivos. (*Principles*, p. 163.)

Ricardo aceita inteiramente a teoria de A. Smith sobre a redução do preço da mercadoria a salário e mais-valia (ou capital variável e mais-valia). Entretanto, diverge dele (1) quanto à constituição da mais-valia, desta eliminando como elemento necessário a renda da terra, e (2) *divide* o preço da mercadoria naquelas partes componentes. A magnitude do valor é, portanto, o dado primário. Estabelece ele o princípio de que a soma das partes componentes é grandeza dada, decorrente daquela magnitude, e não o contrário, como sustenta muitas vezes A. Smith, em contradição com a própria visão mais profunda, fazendo a magnitude do valor da mercadoria derivar, em última análise, da adição das partes componentes.

Ramsay objeta a Ricardo:

> Para Ricardo, o produto por inteiro se decompõe apenas em salário e lucro, e ele esquece que é necessária uma parte para repor o capital fixo. (*An Essay on the Distribution of Wealth*, Edimburgo, 1836, p. 174.)

Ramsay entende por capital fixo o que chamamos de capital constante:

> O capital fixo existe em forma que lhe permite contribuir para a produção da mercadoria a fabricar, mas não para o sustento dos trabalhadores (p. 59).

41 Daqui até o fim do capítulo, aditamento tirado do manuscrito II.

A. Smith, embora reduzisse o valor-mercadoria e, portanto, o valor da produção anual da sociedade, a salário e mais-valia, ou seja, a mera renda, opunha-se à consequência necessária desse postulado, a possibilidade de ser consumida toda a produção anual. Não são os pensadores originais que tiram as consequências absurdas de suas teorias. Deixam essa tarefa por conta dos Say e MacCulloch.

Say vê tudo fácil. O que para uns é adiantamento de capital, para outros é renda e produto líquido ou era produto líquido; é puramente subjetiva a diferença entre produto bruto e produto líquido, e

> assim o valor global de todos os produtos se distribui na sociedade como renda (Say, *Traité d'écon. pol.*, 1817, II, p. 64). O valor global de cada produto se compõe dos lucros dos proprietários das terras, dos capitalistas e dos industriosos [salário figura como lucros dos industriosos!] que concorreram para sua produção. Isto faz com que a renda da sociedade seja igual ao ***valor bruto produzido***, e não igual ao produto líquido da terra, como imaginava a seita dos economistas [os fisiocratas] (p. 63).

Proudhon, dentre outros, apoderou-se dessa descoberta de Say. Storch aceita em princípio a doutrina de A. Smith, mas acha insustentável a aplicação que dela faz Say.

> Se admitimos que a renda de uma nação é igual a seu produto bruto, não havendo capital a deduzir [devia ter dito capital constante], temos de admitir também que essa nação pode consumir improdutivamente todo o valor de seu produto anual, sem causar o menor dano a sua renda futura. [...] Não são consumíveis os produtos que constituem o capital [constante] de uma nação. (Storch, *Considérations sur la nature du revenu national*, Paris, 1824, pp. 147, 150.)

Storch, entretanto, esquece de dizer como a existência desse capital constante se harmoniza com a análise smithiana do preço por ele aceita, segundo a qual o valor-mercadoria contém apenas salário e mais-valia e nada de capital constante. Vê em Say os absurdos a que leva essa análise do preço, e, a respeito, finalmente diz

> que é impossível converter o preço necessário em seus elementos mais simples (*Cours d'écon. pol.*, Petersburgo, 1815, II, p. 141).

Sismondi, que se ocupa especialmente da relação entre capital e renda e na realidade faz de sua concepção particular sobre essa relação a diferença marcante de seus *Nouveaux Principes*, não diz uma única palavra científica acerca do problema, em nada contribui para esclarecê-lo.

Barton, Ramsay e Cherbuliez intentam ultrapassar a concepção smithiana. Fracassam, pois partem de uma formulação unilateral do problema, não distinguindo entre a diferença que existe entre capital constante e variável e a que existe entre capital fixo e circulante.

Também John Stuart Mill reproduz, com a habitual presunção, a doutrina que A. Smith lega a seus sucessores.

Resultado: a confusão smithiana continua a existir até hoje, e seu dogma constitui artigo de fé na ortodoxia da economia política.

XX.
Reprodução simples

1. FORMULAÇÃO DO PROBLEMA

Os capitalistas[42] individuais constituem apenas frações cujo movimento, embora singular, é parte integrante do movimento do capital social. Se observarmos, do ponto de vista do resultado, o funcionamento anual do capital social, do capital em seu conjunto, isto é, se observarmos o produto-mercadoria que a sociedade fornece durante o ano, veremos como o processo de reprodução do capital social se efetua, que caracteres distinguem esse processo do processo de reprodução de um capital individual e que caracteres a ambos são comuns. O produto anual abrange as partes do produto social que repõem capital, ou seja, a reprodução social, e as partes que cabem ao fundo constituído de mercadorias consumidas por trabalhadores e capitalistas: portanto, o consumo produtivo e o consumo individual. A reprodução compreende a da classe capitalista e a da classe trabalhadora (a conservação delas), por conseguinte também a do caráter capitalista da totalidade do processo de produção.

Evidentemente, o que temos de analisar é a figura da circulação

$$\text{M}' - \begin{bmatrix} \text{D-M}\ldots\text{P}\ldots\text{M}' \\ \text{d}-\mu \end{bmatrix}$$

e nela o consumo desempenha necessariamente um papel, pois o ponto de partida M' = M + μ, o capital-mercadoria, abrange, além do valor-capital constante e variável, a mais-valia. Seu movimento abrange, portanto, o consumo individual e o produtivo. Nos ciclos D-M...P...M'-D' e P...M'-D' M...P, o ponto de partida e o de chegada são o movimento do *capital*, o que inclui também o consumo, pois tem de ser vendida a mercadoria, o produto. Mas, suposta a venda, não importa para o movimento do capital individual o que vem a ser dessa mercadoria. No movimento M'...M', ao contrário, são perceptíveis as condições da reprodução social justamente porque é necessário demonstrar o que é feito de cada parte do valor do produto global M'. Aí o processo global de reprodução inclui tanto o processo de consumo, que se efetua por intermédio da circulação, quanto o processo de reprodução do próprio capital.

---

42 Tirado do manuscrito II.

E, para o objetivo que temos em mira, é mister examinar o processo de reprodução do ponto de vista da reposição tanto do valor quanto da matéria de cada um dos componentes de M'. Agora não podemos mais contentar-nos, como na análise do valor do produto do capitalista individual, com o *pressuposto* de que o capitalista individual pode converter em dinheiro os componentes de seu capital, vendendo seu produto-mercadoria, e em seguida reconvertê-los em capital produtivo, readquirindo no mercado os elementos de produção. Esses elementos de produção, enquanto consistem em coisas, constituem parte do capital social, do mesmo modo que o produto individual acabado que se troca e é substituído por eles. Por outro lado, o movimento da parte do produto-mercadoria social, consumida pelo trabalhador ao despender o salário e pelo capitalista ao despender a mais-valia, constitui não só elemento integrante do movimento do produto global, mas também se entrelaça com o movimento dos capitais individuais, e, para explicar sua ocorrência, não basta simplesmente pressupô-la.

A questão que se levanta imediatamente é a seguinte: como se repõe em valor o *capital* consumido na produção, por fração do produto anual, e como o processo dessa reposição se entrelaça com o consumo da mais-valia pelos capitalistas e do salário pelo trabalhador? Antes de mais nada, portanto, trata-se da reprodução em escala simples. Além disso, suporemos que os produtos se trocam conforme seu valor e que não há revolução de valor nos componentes do capital produtivo. Embora os preços se desviem dos valores, essa circunstância não pode influir sobre o movimento do capital social. Em geral, continuarão a ser trocadas as mesmas massas de produtos, embora os capitalistas individuais passem a participar no valor em proporções que não correspondem mais aos respectivos adiantamentos nem às massas de mais-valia por cada um deles individualmente produzida. Quanto às revoluções no valor, enquanto se repartem de maneira geral e uniforme, em nada modificam as proporções entre os componentes do produto anual global. Quando se distribuem de maneira parcial e desigual, representam perturbações que só podem ser entendidas como tais se as consideramos *desvios* de relações de valor constantes; *além disso*, estabelecido que parte do valor do produto anual repõe capital constante, e outra, capital variável, uma revolução, seja no valor do capital constante, seja no do capital variável, em nada alteraria essa lei; modificaria apenas a magnitude relativa das duas frações de valor consideradas, pois outros valores teriam tomado o lugar dos valores primitivos.

Quando examinamos, do ponto de vista individual, a produção do valor e o valor dos produtos do capital, não importava, para a análise, a forma específica do produto-mercadoria, consistisse ela em máquinas, trigo ou espelhos. Qualquer exemplo, tirado de qualquer ramo, poderia servir de ilustração. Tínhamos de nos ocupar com o próprio processo direto de produção, que se apresenta sempre como processo de um capital individual. Como se tratava da reprodução do capital, bastava supor que, dentro da esfera da circulação, a parte do produto-mercadoria, que representa valor-capital, encontrava oportunidade de reconverter-se em seus elementos de produção e retornar assim a sua figura de capital produtivo, do mesmo modo que era suficiente supor que trabalhador e capitalista encontravam no mercado as mercadorias em que despendem salário e mais-valia. Essa maneira puramente formal de apresentar as coisas não serve mais para o estudo da totalidade do capital social e do valor de seu produto. A reversão a capital de parte do valor dos produtos, a transferência de outra parte para o consumo individual da classe capitalista e da classe trabalhadora, constituem movimento dentro do próprio valor dos produtos em que resultou a totalidade do capital; e esse movimento é uma reposição tanto de valor quanto de matéria, sendo assim condicionado pelas relações recíprocas entre os componentes do valor do produto social e ainda pelo valor de uso desses componentes, por sua configuração material.

A reprodução simples,[43] em escala imutável, patenteia-se abstração no sentido de ser estranha ao sistema capitalista a hipótese da ausência de toda acumulação ou reprodução em escala ampliada e no de não corresponder à realidade a suposição de que permaneçam absolutamente invariáveis as condições em que se produz nos diversos anos. Fica estabelecido que um capital social de valor dado fornece, neste como no ano anterior, a mesma massa de valores-mercadorias e satisfaz a mesma quantidade de necessidades, embora possam variar as formas das mercadorias no processo de reprodução. Entretanto, desde que haja acumulação, a reprodução simples dela constitui uma parte; pode, portanto, ser analisada em si mesma e é fator real da acumulação. Pode diminuir o valor do produto anual, e ficar a mesma a massa dos valores de uso; pode o valor ficar o mesmo, e diminuir a massa dos valores de uso; podem a soma dos valores e a soma dos valores

---

43 Tirado do manuscrito VIII.

de uso reproduzidos diminuir simultaneamente. Tudo isto se reduz a que a reprodução se terá dado em condições mais favoráveis que as anteriores, ou em condições mais difíceis que podem resultar em reprodução imperfeita, defeituosa. Tudo isto só pode interessar ao aspecto quantitativo dos diversos elementos da reprodução, mas não ao papel que desempenham no processo global como capital que reproduz ou como renda reproduzida.

2. AS DUAS SEÇÕES DA PRODUÇÃO SOCIAL[44]

O produto global, ou seja, toda a produção da sociedade, se divide em duas grandes seções:

I. *Meios de produção*, mercadorias que, por sua forma, devem ou pelo menos podem entrar no consumo produtivo.

II. *Meios de consumo*, mercadorias que, por sua forma, entram no consumo individual da classe capitalista e da classe trabalhadora.

Os diferentes ramos de produção se agregam numa ou na outra dessas seções, formando em cada uma das duas um grande ramo, o dos meios de produção e o dos meios de consumo. Todo o capital aplicado em cada um desses dois ramos constitui uma grande seção particular do capital social.

Em cada seção, o capital se divide em dois componentes:

I. *Capital variável.* Em *valor*, é igual ao valor da força de trabalho social empregada nesse ramo da produção, por conseguinte à soma dos salários pagos. Materialmente, consiste na própria força de trabalho em ação, isto é, no trabalho vivo, posto em movimento por esse valor-capital.

II. *Capital constante*, isto é, o valor de todos os meios de produção empregados na produção do ramo. Estes meios se dividem, por sua vez, em capital *fixo*: máquinas, instrumentos de trabalho, construções, animais de trabalho etc.; e em capital constante circulante: materiais de produção, tais como matérias-primas e matérias auxiliares, produtos semiacabados etc.

O valor da totalidade do produto anual obtido em cada uma das duas seções com a ajuda desse capital se divide em duas porções: a que representa o capital constante e consumido na produção e simplesmente transferido em seu valor ao produto, e a porção que é acrescida pela totalidade do trabalho anual. Esta última se decompõe em duas partes: uma repõe o capital variável v adiantado, e a outra, o excedente desse capital, constitui a

---

44 No essencial, tirado do manuscrito II. O esquema é do manuscrito VIII.

mais-valia m. Assim, o valor da totalidade do produto anual de cada seção, como o de cada mercadoria isolada, se reduz a c + v + m.

A parte c do valor, a qual representa o capital constante *consumido* na produção, não coincide com o valor do capital constante *empregado* na produção. Os materiais de produção se consomem por inteiro, e por isso seu valor se transfere por inteiro ao produto. Mas só parte do capital *fixo* empregado é inteiramente consumida, e assim transferido ao produto o valor dela. Outra parte do capital fixo (máquinas, edifícios etc.) continua a existir e prossegue funcionando, embora com o valor reduzido pelo desgaste anual. Do ponto de vista do valor do produto, não existe essa parte do capital fixo que continua a funcionar. Passa a constituir parte do valor-capital, independente do valor-mercadoria novamente produzido, existindo ao lado dele. Já tínhamos verificado isto ao examinar o valor do produto de um capital individual (Livro 1, Capítulo VI, pp. 238, 239). Agora, porém, temos de pôr de lado provisoriamente o método então adotado. Ao examinar o valor do produto do capital individual, vimos que o valor retirado do capital fixo pelo desgaste se transfere ao produto-mercadoria elaborado durante o tempo desse desgaste, quer se reponha ou não durante esse tempo, materialmente, por meio desse valor transferido, parte desse capital fixo. Mas, ao examinar agora o produto global da sociedade e seu valor, somos forçados, por ora, a abstrair da parte do valor transferida ao produto, durante o ano, pelo desgaste de capital fixo, quando esse capital fixo não seja materialmente reposto no mesmo período. Em seção ulterior deste capítulo, trataremos desse ponto em separado.

Para nossa pesquisa sobre a reprodução simples, tomaremos por base o esquema abaixo, em que c = capital constante, v = capital variável, m = mais-valia, e presumimos ser a taxa da mais-valia $\frac{m}{v}$ = 100%. Os números podem representar milhões de marcos, francos ou libras esterlinas.

I. Produção de meios de produção:
Capital $4.000_c + 1.000_v = 5.000$
Produto-mercadoria $4.000_c + 1.000_v + 1.000_m = 6.000$,
existentes em meios de produção.

II. Produção de meios de consumo:
Capital $2.000_c + 500_v = 2.500$
Produto-mercadoria $2.000_c + 500_v + 500_m = 3.000$
existentes em meios de consumo.

Em suma, totalidade do produto-mercadoria anual:

I. $4.000_c + 1.000_v + 1.000_m = 6.000$ meios de produção

II. $2.000_c + 500_v + 500m = 3.000$ meios de consumo.

Valor global = 9.000, donde se exclui o capital fixo, que prossegue funcionando em sua forma natural, de acordo com suposição estabelecida.

Se examinarmos as transações necessárias na base da reprodução simples, onde a mais-valia por inteiro se consome improdutivamente, pondo de lado, por ora, a circulação monetária que as possibilita, descobriremos, imediatamente, três grandes pontos de referência importantes.

1. Os 500_v, salários dos trabalhadores, e os 500_m, mais-valia dos capitalistas, na seção II, têm de ser gastos em meios de consumo. Mas seu valor existe nos meios de consumo no valor de 1.000, que, nas mãos dos capitalistas da seção II, repõem os 500_v adiantados e representam os 500_m. Salário e mais-valia da seção II trocam-se dentro dessa seção contra produto dela. Assim, desaparecem, do produto global II, $500_v + 500_m = 1.000$ em meios de consumo.

2. Os $1.000_v + 1.000_m$ da seção I têm de ser despendidos também em meios de consumo, portanto em produto da seção II. É necessário, portanto, trocá-los pelo que ainda resta desse produto a parte constante de capital, de igual valor, isto é, 2.000_c. Com isso, a seção II recebe importância igual em meios de produção em produto de I em que se corporifica o valor dos $1.000_v + 1.000_m$ de I. Assim, desaparecem da conta 2.000_c de II e $1.000_v + 1.000_m$ de I.

3. Restam ainda 4.000_c de I. Consistem em meios de produção que só podem ser utilizados na seção I, a fim de repor o capital constante consumido, e, por isso, são liquidados através da troca recíproca entre os capitalistas de I, do mesmo modo que, em II, os $500_v + 500_m$ se liquidam pela troca entre os trabalhadores e os capitalistas ou ainda pela troca entre os capitalistas individuais.

Por ora, isto basta para facilitar a compreensão do que segue.

3. TROCAS EFETUADAS ENTRE AS DUAS SEÇÕES: V + M DE I POR C DE II[45]

Começamos pelo intercâmbio entre as duas seções: $1.000_v + 1.000_m$ de I, esses valores que, nas mãos dos seus produtores, estão na forma natural de

45 Daqui em diante, manuscrito VII.

meios de produção trocam-se por 2.000_c de II, por valores que estão na forma natural de meios de consumo. A classe capitalista de II reconverte assim seu capital constante = 2.000: este passa da forma de meios de consumo para a de meios de produção dos meios de consumo, forma em que, na qualidade de valor-capital constante, pode funcionar de novo como fator do processo de trabalho e assegurar a produção da mais-valia. Além disso, o equivalente da força de trabalho de I, 1.000_v, e a mais-valia do capitalista de I, 1.000_m, realizam-se em meios de consumo; ambos deixam a forma natural de meios de produção para assumir forma natural em que podem ser consumidos como renda.

Esse intercâmbio se efetua através de circulação de dinheiro, a qual tanto o possibilita quanto lhe dificulta o entendimento, sendo, contudo, de importância decisiva, pois a parte variável do capital tem sempre de reaparecer sob a forma dinheiro, como capital-dinheiro que perde a forma monetária e se converte em força de trabalho. O capital variável tem de ser adiantado sob a forma dinheiro em todos os ramos de atividade, os quais se movimentam paralela e simultaneamente por toda a extensão da sociedade, pertençam eles à categoria I ou II. O capitalista compra a força de trabalho antes de ela entrar no processo de produção, mas só a paga em prazos convencionados, depois de ela já ter sido gasta na produção de valores de uso. Pertence-lhe, do produto, além do restante do valor, a parte que constitui equivalente do dinheiro despendido para pagar força de trabalho, ou seja, a parte (do valor) que representa o valor-capital variável. Mas é reconvertendo a mercadoria em dinheiro, vendendo-a, que o capitalista recupera seu capital variável como capital-dinheiro, podendo adiantá-lo de novo para comprar força de trabalho.

Na seção I, o conjunto dos capitalistas paga, portanto, 1.000 libras esterlinas (mencionamos libras esterlinas simplesmente para indicar que se trata de valor em *dinheiro*) = 1.000_v aos trabalhadores pela porção de valor do produto I, a qual já existe como parte v desse produto, ou seja, dos meios de produção que esses trabalhadores produziram. Com essas 1.000 libras esterlinas, os trabalhadores compram dos capitalistas de II meios de consumo pelo mesmo valor e, assim, transformam em dinheiro metade do capital constante de II; por sua vez, os capitalistas de II compram dos capitalistas de I meios de produção no valor de 1.000; com isso, para os últimos, o valor-capital variável = 1.000_v, existente, como parte de seu produto, na forma natural de meios de produção, reconverte-se em dinheiro e, podendo então funcionar de novo nas mãos dos capitalistas de I como capital-dinheiro, se transforma em força de trabalho, o elemento mais essencial do capital produtivo. Assim, em virtude da realização de parte de seu capital-mercadoria, reflui para eles o capital variável sob a forma dinheiro.

O dinheiro necessário para trocar a parte m do capital-mercadoria de I pela segunda metade da parte constante do capital de II pode ser adiantado de diversas maneiras. Na realidade, essa circulação abrange massa imensa de compras e vendas distintas dos capitalistas individuais das duas categorias; mas, em todos os casos, o dinheiro tem de provir desses capitalistas, pois já está descontada a massa de dinheiro lançada em circulação pelos trabalhadores. Um capitalista da categoria II pode comprar meios de produção de capitalistas da categoria I, utilizando capital-dinheiro de que disponha ao lado do capital produtivo, ou, ao contrário, um capitalista da categoria I pode comprar meios de consumo a capitalistas da categoria II, lançando mão de fundo em dinheiro destinado a despesa pessoal e não a dispêndio de capital. Conforme já vimos na Primeira e Segunda Seções deste Livro, é mister, em todos os casos, supor que existam nas mãos do capitalista, ao lado do capital produtivo, certas provisões em dinheiro, tanto para adiantamento de capital quanto para dispêndio de renda. Vamos supor que a metade do dinheiro – a proporção não importa ao que se quer demonstrar – seja adiantada na compra de meios de produção pelos capitalistas de II a fim de repor seu capital constante, e que a outra metade seja despendida em consumo pelos capitalistas de I. Assim, temos: a seção II adianta 500 libras esterlinas, comprando de I meios de produção; com isso, se incluirmos as 1.000 libras anteriores oriundas dos trabalhadores de I, repõe na forma natural ¾ de seu capital constante; a seção I compra, com as 500 libras esterlinas assim recebidas, meios de consumo de II e, com isso, efetua, para a metade da parte consistente em m de seu capital-mercadoria, a circulação μ-d-μ, realizando assim essa fração de seu produto em fundo de consumo. Através desse segundo processo, as 500 libras esterlinas retornam aos capitalistas de II como capital-dinheiro de que dispõem ao lado de seu capital produtivo. Além disso, I antecipa – por conta da metade, ainda estocada como produto (antes de vendê-la), da parte m de seu capital-mercadoria – dispêndio em dinheiro no montante de 500 libras esterlinas, para comprar em II meios de consumo. Com essas 500 libras esterlinas, II compra em I meios de produção e com eles repõe materialmente por inteiro seu capital constante (1.000 + 500 + 500 = 2.000), enquanto I terá realizado toda a sua mais-valia em meios de consumo.[I] Ao todo, trocar-se-iam mercadorias no montante de 4.000 libras esterlinas, com uma circulação monetária de 2.000 libras esterlinas, magnitude esta atingida apenas porque apresentamos as trocas relativas a todo o produto anual, como se fossem realizadas em poucas grandes partidas. O que importa aí é o seguinte: II reconverte, na forma de meios de produção, o capital constante que reproduz na forma de meios de consumo, e, além disso, lhe refluem as 500 libras esterlinas que adiantou à circulação na compra de meios de produção: I, por sua vez, readquire em dinheiro, como capital-dinheiro, de novo conversível diretamente em força de trabalho, o capital variável que reproduz na forma de meios de produção, e, além disso, lhe retornam as 500 libras esterlinas que despende antecipadamente na compra de meios de consumo, isto é, antes de vender parte da mais-valia de seu capital. Mas retornam-lhe não em virtude do dispêndio efetuado, e sim através da venda posterior de parte de seu produto-mercadoria, portadora de metade da mais-valia.

Temos nos dois casos: o capital constante de II se reconverte, a partir da forma produto, na forma natural de meios de produção, a única em que pode funcionar como capital; de I, a parte variável do capital se converte em dinheiro, e parte da mais-valia dos meios de produção, em forma consumível como renda. Além disso retornam a II as 500 libras esterlinas de capital-dinheiro que adiantou na compra de meios de produção, antes de ter vendido a parte (existente na forma de meios de consumo) do valor do capital constante, a qual lhes corresponde e as compensa; também retornam a I as 500 libras esterlinas que despendeu antecipadamente na compra de meios de consumo. Se retornam aos respectivos antecipadores o dinheiro que II adianta por conta de fração da parte constante de seu produto-mercadoria, e o que I adianta por conta de parte da mais-valia de

I Houve ao todo (excluído o que ocorreu com os salários da seção I) 4 operações de compra e venda entre I e II, as quais podem ser representadas no diagrama abaixo:

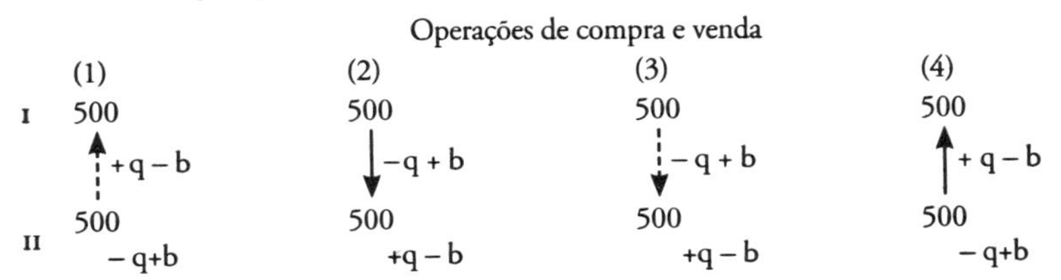

Seta pontilhada = compra com dinheiro de provisão. Seta cheia = compra com dinheiro obtido da venda anterior. A seta aponta sempre para o vendedor. – q + b = desembolso de dinheiro e recebimento de mercadoria; + q – b = recebimento de dinheiro e entrega de mercadoria.
O leitor poderá representar outros conjuntos de compra e venda entre I e II, descritos mais adiante, utilizando o modelo com as necessárias modificações.

seu produto-mercadoria é apenas porque os capitalistas de II lançam em circulação, além das 500 libras esterlinas em dinheiro, o capital constante existente na forma de mercadoria, e os de I, além da mesma quantia em dinheiro, a mais-valia existente na forma de mercadoria. Acabam todos recíproca e integralmente pagos através da troca dos respectivos equivalentes-mercadorias. O dinheiro que lançaram na circulação acima dos valores de suas mercadorias, como meio de troca, volta a cada um deles de acordo com a quantidade que cada um lançou na circulação. Nada obtém a mais, por isso. II possuía capital constante = 2.000 em forma de meios de consumo + 500 em dinheiro; possui agora 2.000 em meios de produção e 500 em dinheiro, como dantes. I possui, como dantes, mais-valia de 1.000 (em mercadorias, meios de produção agora transformados em fundo de consumo) + 500 em dinheiro. Daí tiramos a conclusão geral: o dinheiro que os capitalistas industriais lançam na circulação para possibilitar a circulação de suas mercadorias, façam-no por conta da parte constante do valor da mercadoria ou por conta da mais-valia existente nas mercadorias, desde que esta seja consumida como renda, retorna a suas mãos em quantidade igual à que lançaram na circulação monetária.

Vejamos como o capital variável da seção I reverte à forma dinheiro. Começa a existir para os capitalistas de I, depois de eles o terem despendido em salários, sob a forma de mercadoria, e é sob essa forma que os trabalhadores lhes fornecem esse capital. Daqueles, viera para as mãos destes, em dinheiro, como o preço da força de trabalho. Então, os capitalistas de I não fazem mais do que pagar a parte do valor de seu produto-mercadoria, a qual iguala esse capital variável despendido em dinheiro. Mas encontram sua compensação em serem possuidores também dessa parte do produto-mercadoria. Contudo, a parte da classe trabalhadora que empregam não compra os meios de produção que ela mesma produz, e sim adquire os meios de consumo produzidos em II. O capital variável adiantado em dinheiro para pagar a força de trabalho não volta, portanto, diretamente para os capitalistas de I. Com as compras dos trabalhadores, passa às mãos dos capitalistas produtores das mercadorias necessárias e acessíveis aos trabalhadores, indo, portanto, para os capitalistas de II, e só quando estes aplicam o dinheiro assim recebido para comprar meios de produção retorna o capital variável, por esse rodeio, às mãos dos capitalistas de I.

Infere-se daí que, na reprodução simples, a soma de valor v + m do capital-mercadoria I (e, portanto, parte correspondente proporcional do produto-mercadoria global de I) tem de ser igual ao capital constante II (também destacado, como parte proporcional, do produto-mercadoria global da seção II); ou $I_{(v + m)} = II_c$.

4. AS TROCAS DENTRO DA SEÇÃO II. MEIOS DE SUBSISTÊNCIA E ARTIGOS DE LUXO

Do valor do produto-mercadoria da seção II restam a pesquisar ainda os componentes v + m. Essa pesquisa nada tem a ver com a mais importante questão que nos preocupa agora: a de saber até onde a decomposição do valor do produto-mercadoria do capitalista individual em c + v + m, embora apareça em formas diversas, é também válida para o valor do produto global do ano. Esse problema encontrará sua solução através da troca de $I_{(v + m)}$ por II_c e através da pesquisa, reservada para mais tarde, da reprodução de I_c no produto-mercadoria anual de I. Existindo $II_{(v + m)}$ na forma natural de meios de consumo, tendo os trabalhadores, em suma, de despender em meios de consumo o capital variável adiantado para pagar força de trabalho, e sendo a parte de valor m das mercadorias, de acordo com o pressuposto da reprodução simples, despendida em meios de consumo como renda, fica logo à primeira vista evidente que os trabalhadores de II, com o salário recebido dos capitalistas de II, o que fazem é recuperar parte de seu próprio produto, de acordo com o montante do valor em dinheiro recebido como salário. Assim, os capitalistas de II reconvertem em dinheiro o capital-dinheiro adiantado para pagar a força de trabalho; é como se os trabalhadores tivessem sido pagos com meros vales. Quando os trabalhadores os realizam comprando parte do produto-mercadoria por eles produzido e pertencente aos capitalistas, voltam esses vales às mãos dos capitalistas; neste caso, entretanto, os vales, além de representar, encerram valor em sua materialidade áurea ou argêntea. Mais adiante, examinaremos mais de perto essa espécie de retorno do capital variável adiantado em dinheiro, através do processo em que a classe trabalhadora aparece como compradora e a classe capitalista como vendedora. Agora, importa ventilar outra questão, relativa a esse retorno do capital variável ao ponto de partida.

A seção II da produção anual de mercadorias constitui-se dos mais variados ramos industriais, que, porém, podem ser reduzidos, com referência aos produtos, a duas grandes subseções:

a) Meios de consumo que entram no consumo da classe trabalhadora e, sendo meios necessários de subsistência, constituem parte do consumo da classe capitalista, embora muitas vezes diferentes em qualidade e valor dos consumidos pelos trabalhadores. De acordo com o fim de nossa pesquisa, podemos colocar toda a subseção sob o título: meios de consumo *necessários*, não importando no caso que o produto – o fumo, por exemplo – seja ou não necessário do ponto de vista fisiológico; basta que o seja convencionalmente.

b) Meios de consumo de *luxo*, que só entram no consumo da classe capitalista e, assim, podendo apenas ser trocados por mais-valia, que nunca chega ao bolso do trabalhador.

Na primeira subseção, é evidente que o capital variável adiantado para produzir os tipos de mercadorias compreendidos na sua esfera tem de retornar em dinheiro diretamente aos capitalistas de II que produzem esses meios de subsistência, isto é, aos capitalistas de II*a*. Estes vendem-nos aos seus próprios trabalhadores no montante do capital variável que lhes pagaram em salários. Esse retorno é *direto* do ponto de vista de toda a subseção *a* da classe capitalista II, por mais numerosas que sejam as transações entre os capitalistas dos mais diversos ramos industriais dela participantes, e, através dessas transações, esse capital variável que retorna se distribui *pro rata.* São processos de circulação cujos meios são fornecidos diretamente pelo dinheiro despendido pelos trabalhadores. É diferente, porém, o que se passa com a subseção II*b*. A parte do produto-valor com a qual temos de ver aqui, a $\text{II}b_{(v + m)}$, consiste por inteiro na forma natural de artigos de luxo, isto é, artigos que a classe trabalhadora não pode comprar, havendo a mesma impossibilidade com relação ao valor-mercadoria I_v, consistente na forma de meios de produção, embora esses meios de luxo sejam produto dos próprios trabalhadores, como aqueles meios de produção. O modo de o capital variável adiantado nessa subseção retornar em dinheiro aos produtores capitalistas não pode, portanto, ser direto, precisando de um fator intermediário, como acontece com I_v.

Vamos supor, para toda a seção II, v = 500 e m = 500, como anteriormente, e que o capital variável e a correspondente mais-valia se distribuam como segue:

Subseção *a,* meios de subsistência necessários: v = 400, m = 400, havendo assim uma massa de mercadorias em meios de consumo necessários no valor de $400_v + 400_m = 800$, ou seja, II*a* ($400_v + 400_m$).

Subseção *b*: meios de consumo no valor de $100_v + 100_m = 200$, ou seja, II*b* ($100_v + 100_m$).

Os trabalhadores de II*b* recebem, em pagamento da força de trabalho 100 em dinheiro, digamos, 100 libras esterlinas; com elas, compram dos capitalistas de II*a* meios de consumo no valor de 100. Esses capitalistas compram com esse dinheiro 100 em mercadorias de II*b*, retornando assim em dinheiro aos capitalistas de II*b* seu capital variável.

Em II*a* já existem recuperados em dinheiro 400_v nas mãos dos capitalistas, em virtude da troca com seus próprios trabalhadores; além disso, da parte consistente em mais-valia de seu produto, a quarta parte foi cedida aos trabalhadores de II*b* e, em compensação, retirados de II*b* 100_v em artigos de luxo.

Se admitirmos que os capitalistas de II*a* e de II*b* repartem o dispêndio de suas rendas na mesma proporção em meios de subsistência necessários e em meios de luxo, que cada um dos dois grupos gasta, digamos, $^3/_5$ em meios de subsistência necessários e $^2/_5$ em artigos de luxo, despenderão os capitalistas de II*a* $^3/_5$ de 400_m, portanto 240 de sua renda (a mais-valia), nos produtos da própria subseção, em meios de subsistência necessários, e $^2/_5 = 160$, em artigos de luxo. Os capitalistas de II*b* repartirão sua mais-valia = 100_m da mesma maneira: $^3/_5 = 60$ em meios de subsistência necessários e $^2/_5 = 40$ em artigos de luxo, produzidos e trocados dentro da própria subseção.

Os 160 em artigos de luxo recebidos por (II*a*)*m* afluem para os capitalistas de II*a* da seguinte maneira: dos 400_m de II*a* trocaram-se, conforme vimos, 100 em forma de meios de subsistência necessários por montante igual de $(\text{II}b)_v$, existente em artigos de luxo, e, além disso, 60 em meios de subsistência necessários por (II*b*) 60_m em artigos de luxo. Globalmente, temos a seguinte conta:

II*a*: $400_v + 400_m$, e II*b*: $100_v + 100_m$

1) 400_v de *a* são consumidos pelos trabalhadores de II*a* e constituem parte do produto (meios de subsistência necessários) que elaboraram; os trabalhadores compram-nos dos capitalistas produtores de sua subseção. Assim, voltam a estes 400 libras esterlinas em dinheiro, o valor-capital variável que pagaram a esses mesmos trabalhadores, e com elas podem readquirir a força de trabalho.

2) Parte dos 400_m de *a* igual aos 100_v de *b*, ¼ portanto da mais-valia de *a*, realiza-se em artigos de luxo do seguinte modo: os trabalhadores

de *b* recebem dos capitalistas deste setor 100 libras esterlinas em salários; com elas compram ¼ de m do setor *a,* isto é, mercadorias que consistem em meios de subsistência necessários; com esse dinheiro, os capitalistas de *a* compram pelo mesmo montante artigos de luxo = 100_v de *b*, isto é, metade de toda a produção de luxo. Assim, retorna em dinheiro aos capitalistas de *b* o capital variável, e eles podem, renovando a compra da força de trabalho, recomeçar sua reprodução, uma vez que o capital constante por inteiro de toda a seção II já está substituído pela troca de $I_{(v + m)}$, por II_c. A força de trabalho dos trabalhadores empregados na produção de artigos de luxo só pode, portanto, ser vendida porque a parte do próprio produto criada como equivalente de seu salário é levada para o fundo de consumo dos capitalistas de II*a*, que fruem esses artigos (o mesmo é válido para a compra da força de trabalho de I, pois II_c, por que se troca $I_{(v + m)}$, consiste em artigos de luxo e em meios de subsistência necessários e o que se renova com $I_{(v + m)}$ são os meios de produção dos artigos de luxo e dos meios de subsistência necessários).

3) Chegamos agora às trocas entre *a* e *b* nas quais participam exclusivamente os capitalistas das duas subseções. Em virtude do exposto, está eliminado o capital variável 400_v e parte da mais-valia 100_m de *a* e o capital variável de 100_v de *b.* Admitiu-se que os capitalistas nos dois setores despendem sua renda de acordo com a proporção média de $^2/_5$ para luxo e $^3/_5$ para as necessidades de subsistência. Além dos 100 já despendidos em luxo, cabem ainda, à subseção *a* 60, e, de acordo com a proporção estabelecida cabem 40 à *b.*

$(IIa)_m$ se reparte, portanto, em 240 para meios de subsistência e 160 para artigos de luxo = 240 + 160 = 400_m (II*a*).

$(IIb)_m$ reparte-se em 60 para meios de subsistência e 40 para luxo: 60 + 40 = 100_m (II*b*). Os 40 consumidos pelos capitalistas desse setor provêm de seu próprio produto ($^2/_5$ de sua mais-valia), e os 60 de meios de subsistência recebem-na, trocando 60 de seu produto excedente por 60_m de *a.*

Temos, portanto, para toda a classe capitalista da seção II: (em que v + m existe na subseção *a* em meios de subsistência necessários, e na *b,* em artigos de luxo):

II*a* $(400_v + 400_m)$ + II*b* $(100_v + 100_m)$ = 1.000; com o movimento, ficam realizados 500_v $(a + b)$ + 500_m $(a + b)$ = 1.000. [500_v se realiza em 400_v de *a* e 100_m de *a*; 500_m, em 300_m de *a* + 100_v de *b* + 100_m de *b.*]

Para as subseções *a* e *b*, cada uma tomada à parte, temos a seguinte realização:

$$a)\ \frac{v}{400_v\ (a)} + \frac{m}{240_m\ (a) + 100_v\ (b) + 60_m\ (b)} = 800$$

$$b)\ \frac{v}{100_m\ (a)} + \frac{m}{60_m\ (a) + 40_m\ (b)} = \frac{200}{1.000}$$

Para simplificar, vamos conservar a mesma proporção entre capital variável e capital constante (o que, diga-se de passagem, absolutamente não é necessário), e assim corresponderá a 400, de *a* um capital constante = 1.600, e a 100_v de *b*, um capital constante = 400, ficando as subseções *a* e *b* caracterizadas da seguinte maneira:

II*a*) $1.600_c + 400_v + 400_m = 2.400$
II*b*) $400_c + 100_v + 100_m = 600$
e, totalizando, temos:

$$2.000_c + 500_v + 500_m = 3.000.$$

Por conseguinte, dos 2.000 II_c em meios de consumo, trocados por 2.000 $I_{(v + m)}$, 1.600 se convertem em meios de produção de meios de subsistência necessários e 400 em meios de produção de artigos de luxo.

Os 2.000 $I_{(v + m)}$ se repartiriam por sua vez em (800_v + 800_m) I para *a* = 1.600 meios de produção de meios de subsistência necessários, e em (200_v+ 200_m) I para *b* = 400 meios de produção de artigos de luxo.

É da mesma natureza parte significativa dos meios de trabalho em sentido estrito e das matérias-primas e matérias auxiliares etc., destinados às duas seções. Mas essa repartição em nada importa às transformações das diversas frações do valor do produto global $I_{(v + m)}$. Os 800 I_v e os 200 I_v realizam-se porque o salário se despende em meios de consumo 1.000 II_c e, assim, o capital-dinheiro nele adiantado, ao retornar, se reparte regularmente entre os capitalistas produtores de I, repondo *pro rata* em dinheiro o capital variável que adiantaram; além disso, esses capitalistas, no tocante aos 1.000 I_m, retiram na proporção da magnitude do respectivo m, da metade de II_c = 1.000, 600 II*a* e 400 II*b* em meios de consumo; os que repõem o capital constante de II*a* retiram, portanto:

480 (= 3/5 de 800) de 600_c (IIa) e 320 (= 2/5 de 800) de 400_c (IIb) = 800;
os que repõem o capital constante de IIb:
120 (= 3/5 de 200) de 600_c (IIa) e 80 (= 2/5 de 200) de 400_c (IIb) = 200
Soma...... 1.000

O que há de arbitrário aqui, tanto para I quanto para II, é a proporção entre capital variável e capital constante, e a circunstância de essa proporção ser a mesma para I e II e para as respectivas subseções. Foi só para simplificar que se admitiu essa identidade de proporção, e supor proporções diversas absolutamente em nada modificaria as condições do problema nem sua solução. Mas, suposta a reprodução simples, chega-se necessariamente ao seguinte resultado:

1) O novo produto-valor do trabalho anual (decomponível em v + m), criado sob a forma natural de meios de produção, é igual ao valor-capital constante c do valor dos produtos elaborados pela outra parte do trabalho anual, reproduzido sob a forma de meios de consumo. Se for menor do que II_c, não poderá II repor por inteiro seu capital constante; se for maior, haverá um excedente inútil. Nos dois casos, fica violado o pressuposto da reprodução simples.

2) No produto anual reproduzido na forma de meios de consumo, o capital variável v adiantado em dinheiro, se quem os recebe são os trabalhadores das indústrias de luxo, só é realizável na parte dos meios de subsistência necessários, a qual, para seus produtores capitalistas, é a mais-valia em sua primeira configuração; por conseguinte, o v, despendido na produção de luxo, é igual em valor a uma parte do m produzido sob a forma de meios de subsistência necessários, e tem, portanto, de ser menor que o m inteiro, ou seja, $(IIa)_m$, e o capital variável adiantado em dinheiro só volta aos capitalistas produtores dos artigos de luxo quando esse v se realiza nessa parte de m. É fenômeno análogo ao que se dá com a realização de $I_{(v+m)}$ em II_c; a diferença é que, no segundo caso, $(IIb)_v$ realiza-se em *parte* de $(IIa)_m$ a qual lhe é igual em quantidade de valor. Essas relações são qualitativamente determinantes em toda distribuição do produto anual global, quando este entra efetivamente no processo da reprodução anual realizada através da circulação. $I_{(v+m)}$ só pode realizar-se em II_c, que, por sua vez, em sua função de componente do capital produtivo, só é renovável por meio dessa realização; do mesmo modo, $(IIb)_v$ só é realizável em parte de $(IIa)_m$, e só assim $(IIb)_v$ pode retornar a sua forma de capital-dinheiro. Naturalmente, o que dissemos só é válido quando tudo isto resulta realmente do próprio

processo de reprodução, quando, por exemplo, os capitalistas de II*b* não obtêm capital-dinheiro para v noutra parte, por meio de crédito. Quantitativamente, as trocas entre as diversas partes do produto anual só podem ocorrer nas proporções acima indicadas se a escala e as relações de valor da produção permanecerem estacionárias e enquanto essas relações rígidas não forem alteradas pelo comércio exterior.

Se disséssemos, à maneira de A. Smith, que $I_{(v + m)}$ se reduz a II_c e II_c se reduz a $I_{(v + m)}$, ou, como ele costumava dizer, sustentando absurdo ainda maior, que $I_{(v + m)}$ contém os componentes do preço (ou do valor; ele diz valor de troca) de II_c, e que II_c constitui todo o componente do valor de $I_{(v + m)}$ poder-se-ia e dever-se-ia do mesmo modo dizer que $(IIb)_v$ se reduz a $(IIa)_m$ ou $(IIa)_m$ a $(IIb)_m$, ou que $(IIb)_v$ constitui componente da mais-valia de II*a* e vice-versa: assim, a mais-valia se reduziria a salário, ou a capital variável, e o capital variável constituiria "componente" da mais-valia. Esse absurdo encontra plena justificativa em A. Smith, para quem o salário é determinado pelo valor dos meios de subsistência necessários, e esses valores-mercadorias, pelo valor do salário (capital variável) e mais-valia neles contidos. Está tão absorvido pelas frações em que, no sistema capitalista, é decomponível o produto-valor de um dia de trabalho, isto é, em v + m, que esquece inteiramente o seguinte: do ponto de vista apenas da troca de mercadorias, não importa que os equivalentes existentes nas diversas formas específicas se constituam de trabalho pago ou não pago, pois num ou noutro caso a produção custa a mesma quantidade de trabalho; também não importa que a mercadoria de A seja um meio de produção e a de B um meio de consumo, ou que uma mercadoria, após a venda, tenha de servir de componente de capital, e outra, ao contrário, entre no fundo de consumo, para, segundo Adam, ser consumida como renda. O uso que o comprador individual faz de sua mercadoria nada tem a ver com a troca de mercadorias, com a esfera da circulação, e não atinge o valor da mercadoria. Isto não se modifica com a circunstância de, na análise da circulação do produto anual global da sociedade, ser mister levar em conta a destinação de uso estabelecida, considerar sob o aspecto do consumo as diversas partes componentes desse produto.

Nas trocas acima observadas de $(IIb)_v$ por fração de $(IIa)_m$ de igual valor e nas trocas ulteriores entre $(IIa)_m$ e $(IIb)_m$, não se supõe que tenha de ser a mesma a proporção em que os capitalistas individuais de II*a* e de II*b* ou as respectivas coletividades repartam sua mais-valia entre meios de consumo necessários e artigos de luxo. Um pode gastar mais no consumo destes; outro, mais no consumo daqueles. Para haver a reprodução simples, o que se supõe apenas é que montante de valor igual a toda a mais-valia se realiza em fundo de consumo. Os limites ficam, portanto, determinados. Em cada setor é possível que um despenda mais em *a*, outro mais em *b*, mas essas diferenças podem compensar-se reciprocamente, de modo que as classes capitalistas *a* e *b*, tomadas como um todo, participem cada uma em ambos os setores na mesma proporção. Mas são dadas necessariamente em cada caso concreto, as relações de valor – a proporção em que as duas espécies de produtores *a* e *b* participam no valor global do produto II, estabelecendo-se, portanto, relação quantitativa determinada entre os dois ramos de produção. É hipotética a proporção apresentada no exemplo. Se escolhermos outra, não se modificarão os aspectos qualitativos, só haverá mudanças nas determinações quantitativas. Mas se, por qualquer circunstância, ocorrer alteração real nas relações de grandeza entre *a* e *b*, haverá modificação correspondente nas condições da reprodução simples.

Da circunstância de $(IIb)_v$ realizar-se em fração equivalente de $(IIa)_m$ decorre: se a parte em artigos de luxo do produto anual aumenta e, portanto, a quantidade de força de trabalho absorvida na produção de luxo, o capital variável adiantado em $(IIb)_v$ deve, em proporção correspondente, reconverter-se em capital-dinheiro que funciona de novo como a forma dinheiro do capital variável. Por isso, a existência e a reprodução do setor da classe trabalhadora ocupado em II*b*, seu abastecimento de meios de consumo necessários, dependem da prodigalidade da classe capitalista, da troca de parte apreciável da mais-valia por artigos de luxo.

Toda crise restringe passageiramente o consumo de artigos de luxo; atrasa, retarda a operação em que $(IIb)_v$ se reconverte em capital-dinheiro, permitindo-a apenas parcialmente, e assim lança à rua parte dos trabalhadores das indústrias de luxo, ao mesmo tempo que, por isso mesmo, enfraquece e restringe as vendas do meios de consumo necessários. Estamos abstraindo dos trabalhadores improdutivos, despedidos na ocasião, os quais recebem por seus serviços parte das despesas de luxo dos capitalistas (sob esse aspecto, esses trabalhadores são artigos de luxo) e também têm participação considerável no consumo dos meios de subsistência necessários. O contrário se dá no período de prosperidade, sobretudo quando floresce a especulação: então, já por outras razões, cai o valor relativo do dinheiro expresso em mercadoria (sem ser precedida de verdadeira revolução de valor), elevando-se, portanto, o preço das mercadorias, independentemente do próprio valor. Não aumenta apenas o consumo dos meios de subsistência necessários; a classe trabalhadora (estando em atividade todo o seu exército de reserva) passa momentaneamente a participar no consumo de artigos de luxo que de ordinário lhe são inacessíveis e ainda no daqueles artigos de consumo necessários que, noutras condições, são na maior parte "necessários" apenas para os capitalistas, o que, por sua vez, faz subir os preços.

É mera tautologia dizer que as crises decorrem da carência de consumo solvente ou de consumidores capazes de pagar. O sistema capitalista não conhece outra espécie de consumo além do solvente, excetuados os casos do indigente e do gatuno. Ficarem as mercadorias invendáveis significa apenas que não encontraram compradores capazes de pagar, isto é, consumidores (sejam as mercadorias compradas, em última análise, para consumo produtivo ou para consumo individual). Mas se, para dar a essa tautologia aparência de justificação mais profunda, se diz que a classe trabalhadora recebe parte demasiadamente pequena do próprio produto, e que o mal-estar seria remediado logo que recebesse parte maior, com aumento dos salários, bastará então observar que as crises são sempre preparadas justamente por um período em que os salários geralmente sobem e a classe trabalhadora tem, de maneira efetiva, participação maior na fração do produto anual destinada a consumo. Esse período, de acordo com o ponto de vista desses cavaleiros de "simples" (!) bom-senso, teria, ao contrário, de afastar as crises. A produção capitalista patenteia-se, portanto, independentemente da boa ou má vontade dos homens, implicando condições que permitem aquela relativa prosperidade da classe trabalhadora apenas momentaneamente e como sinal prenunciador de uma crise.[46]

Já vimos como a relação proporcional entre a produção de meios de consumo necessários e a produção de artigos de luxo condiciona a repartição de $\text{II}_{(v+m)}$, entre II*a* e II*b*, portanto a de II_c entre $(\text{II}a)_c$ e $(\text{II}b)_c$. Influencia, portanto, o caráter e as relações quantitativas da produção até as raízes e é fator essencial determinante de sua configuração geral.

A reprodução simples, por definição, tem como finalidade o consumo, embora a obtenção de mais-valia se patenteie no motivo propulsor dos capitalistas individuais; a mais-valia, porém, qualquer que seja sua magnitude

46 O fato exige a atenção de eventuais adeptos da teoria das crises de Rodbertus. — F.E.

proporcional, deve ter aqui por função única e definitiva servir ao consumo individual dos capitalistas.

Enquanto a reprodução simples é parte, e a parte mais importante, de toda reprodução anual em escala ampliada, fica o objetivo de consumir associado e em oposição ao motivo de enriquecer pura e simplesmente. A coisa se apresenta confusa, na realidade, porque os participantes (*partners*) do esbulho, da mais-valia do capitalista, surgem independentes deste como consumidores.

5. A CIRCULAÇÃO MONETÁRIA COMO VEÍCULO DAS TROCAS

De acordo com o exposto, a circulação entre as diferentes classes de produtores se realiza segundo o esquema seguinte:

1) Entre a classe I e a classe II:

I. $4.000_c + \underline{1.000_v + 1.000_m}$

II............$\overline{2.000_c}$.............. $+ 500_v + 500_m$

Temos aí a circulação de $II_c = 2.000$, trocado por I $(1.000_v + 1.000_m)$.

Resta ainda (por ora, pomos de lado 4.000 I_c) a circulação de v + m dentro da classe II. $II_{(v + m)}$ reparte-se entre as subseções II*a* e II*b* como segue:

2) II. $500_v + 500_m = a\ (400_v = 400_m) +$
$+ b\ (100_v + 100_m)$.

Os 400_v (a) circulam dentro da própria subseção; os trabalhadores assim pagos, com esse dinheiro, compram meios de subsistência necessários por eles mesmos produzidos a seus empregadores, os capitalistas de II*a*.

Uma vez que os capitalistas das duas subseções gastam $^3/_5$ de sua mais-valia em produtos de II*a* (meios de subsistência necessários) e $^2/_5$ em produtos de II*b* (artigos de luxo), $^3/_5$ da mais-valia de *a*, ou seja, 240, são consumidos dentro da própria subseção II*a*; do mesmo modo, $^2/_5$ da mais-valia de *b* (produzida e existente em artigos de luxo), dentro da subseção II*b*.

Entre II*a* e II*b* ainda restam a trocar, portanto:

de II*a*: 160_m,

de II*b*: $100_v + 60_m$.

São magnitudes que se compensam. Os trabalhadores de II*b* compram a II*a*, com 100 em salários recebidos em dinheiro, meios de subsistência necessários no montante de 100. Os capitalistas de II*b* compram também a II*a* os meios de subsistência necessários no montante de 3/5 de sua mais--valia = 60. Assim, os capitalistas de II*a* recebem o dinheiro necessário para empregar os referidos 2/5 de sua mais-valia = 160_m nas mercadorias de luxo produzidas por II*b* (100_v que estão nas mãos do capitalista de II*b* como produto que substitui o salário pago, e 60_m). A operação se enquadra no seguinte esquema:

$$\begin{array}{ll} 3.\ \text{II}a.\ (400_v) + (240_m) & \underline{+\ 160_m} \\ \quad b\ldots\ldots\ldots\ldots\ldots & 100_v + 60_m + (40_m), \end{array}$$

em que as magnitudes entre parênteses são as que só circulam e são consumidas dentro da própria subseção.

A reversão direta do capital-dinheiro adiantado a capital variável, a qual só ocorre no setor dos capitalistas de II*a*, que produzem os meios de subsistência necessários, não passa de manifestação, modificada por condições especiais, da lei geral anteriormente mencionada segundo a qual o dinheiro que os produtores de mercadorias adiantam à circulação a eles volta se a circulação das mercadorias se efetua de maneira normal. Daí o corolário: se há atrás do produtor de mercadorias um capitalista financeiro que por sua vez adianta capital-dinheiro (no sentido mais estrito da palavra, valor-capital em forma dinheiro) ao capitalista industrial, o verdadeiro ponto de retorno desse dinheiro é o bolso desse capitalista financeiro. Desse modo, embora o dinheiro circule mais ou menos por todas as mãos, a massa do dinheiro circulante pertence à seção do capital-dinheiro organizada e concentrada em bancos etc. E a maneira como esta seção adianta seu capital condiciona o retorno constante e final desse capital na forma de dinheiro, embora essa operação só se efetue depois que o capital industrial se reconverte em capital-dinheiro.

Duas coisas são necessárias à circulação das mercadorias: mercadorias lançadas em circulação e dinheiro lançado em circulação. "O processo de circulação não se extingue, como se dá com a troca direta de produtos, ao mudarem de lugar ou de mãos os valores de uso. O dinheiro não desaparece quando sai definitivamente do circuito das metamorfoses de dada mercadoria. Ele se deposita em qualquer ponto da circulação que as mercadorias desocupam etc." (Livro 1, Capítulo III, p. 139.)

Por exemplo, na circulação entre II_c e $\text{I}_{(v+m)}$ admitimos que II adiantou para essa circulação 500 libras esterlinas em dinheiro. No número infindável dos processos de circulação em que se decompõe a circulação entre grandes grupos sociais de produtores, ora é um deste grupo, ora é outro daquele quem primeiro aparece como comprador, quem lança, portanto, dinheiro em circulação. Isto já é condicionado, se abstraímos de circunstâncias individuais pela diversidade dos períodos de produção e, portanto, das rotações dos diferentes capitais-mercadorias. Assim, com 500 libras esterlinas, II compra pelo mesmo valor meios de produção de I, e este compra a II por 500 libras esterlinas meios de consumo; o dinheiro retorna, portanto, a II, mas este não fica mais rico com este retorno. Lançou primeiro em circulação 500 libras esterlinas em dinheiro e dela retirou mercadorias no mesmo valor; em seguida, vende mercadorias por 500 libras esterlinas e retira da circulação dinheiro no mesmo montante; assim lhe voltam as 500 libras esterlinas. Na realidade, II lançou na circulação 500 libras em dinheiro e 500 libras em mercadorias, o que perfaz 1.000 libras esterlinas, e retirou dela 500 libras em mercadorias e 500 libras em dinheiro. Para a troca de 500 libras de mercadorias (I) por 500 libras de mercadorias (II), a circulação precisa apenas de 500 libras em dinheiro. Assim, quem adianta o dinheiro ao comprar mercadoria alheia recebe-o ao vender a própria. Por isso, se a primeira compra fosse de I, adquirindo a II mercadorias por 500 libras esterlinas, e se, em seguida, vendesse a II mercadorias por 500 libras esterlinas, essa quantia voltaria para I, e não para II.

Na seção I, o dinheiro empregado em salários, isto é, o capital variável adiantado na forma de dinheiro, não retorna diretamente nessa forma, mas de maneira indireta, através de um rodeio. Em II, ao contrário, as 500 libras esterlinas em salários retornam diretamente dos trabalhadores para os capitalistas: esse retorno é sempre direto quando compra e venda se repetem entre as mesmas pessoas que, de maneira contínua, se confrontam alternativamente como compradoras e vendedoras de mercadorias. O capitalista paga em dinheiro a força de trabalho; por esse meio, incorpora a força de trabalho a seu capital, e só em virtude dessa ocorrência da circulação, que para ele é apenas transformação de capital-dinheiro em capital produtivo, exerce o papel de capitalista industrial perante o trabalhador convertido em seu assalariado. Em seguida, o trabalhador, que na primeira instância era vendedor, mercador da própria força de trabalho, confronta-se, na segunda, como comprador, como possuidor de dinheiro, com o capitalista vendedor de mercadorias; assim, retorna a este o dinheiro que despendeu em salários. A venda dessas mercadorias, desde que não haja fraude etc. e se troquem equivalentes em mercadorias e dinheiro, não constitui processo por meio do qual se enriqueça o capitalista. Este não paga ao trabalhador duas vezes, uma em dinheiro e outra em mercadoria; seu dinheiro lhe retorna depois de transmutado para ele em mercadoria pelo trabalhador.

O capital-dinheiro transformado em capital variável, portanto o dinheiro adiantado em salário, desempenha papel fundamental na própria circulação monetária, pois, nas condições precárias em que vive, a classe trabalhadora não pode fornecer créditos longos aos capitalistas industriais, sendo mister adiantar capital variável em dinheiro, por prazos curtos, uma semana etc., ao mesmo tempo, numa infinidade de pontos localmente diversos da sociedade. Esse adiantamento se repete em intervalos relativamente rápidos (quanto mais curtos esses intervalos, tanto menor relativamente pode ser a soma global de dinheiro de uma vez lançada por esse canal na circulação), quaisquer que sejam os diferentes períodos de rotação dos capitais nos diversos ramos industriais. Em todo país de produção capitalista, o capital-dinheiro assim adiantado constitui parte relativamente decisiva da circulação global, e cresce em importância porque o mesmo dinheiro, antes de voltar ao ponto de partida, percorre os mais variados canais e serve de meio de circulação para inúmeros outros negócios.

Observemos agora, de outro ponto de vista, a circulação entre $\text{I}_{(v + m)}$ e II_c.

Os capitalistas de I adiantam 1.000 libras esterlinas para pagar salários, com os quais os trabalhadores compram meios de subsistência por 1.000 libras esterlinas aos capitalistas de II, e estes, por sua vez, adquirem, com o mesmo dinheiro, meios de produção aos capitalistas de I. Estes recuperam o capital variável na forma de dinheiro, enquanto os capitalistas de II reconverteram em capital produtivo a metade de seu capital constante que estava na forma de capital-mercadoria. Demais, os capitalistas de II adiantam 500 libras esterlinas em dinheiro, a fim de obter meios de produção em I; os capitalistas de I despendem o dinheiro em meios de consumo de II; essas 500 libras esterlinas refluem, assim, para os capitalistas de II; estes desembolsam-nas novamente, a fim de reconverter em sua forma natural produtiva a quarta parte de seu capital constante transformado em mercadoria. Esse dinheiro volta a I, que procura obter de II meios de consumo em montante igual; assim, as 500 libras esterlinas refluem para II, cujos capitalistas estão agora, como dantes, de posse de 500 libras esterlinas em dinheiro e 2.000 libras em capital constante, que deixou a forma de capital-mercadoria e se reconverteu em capital produtivo. Com essas 1.500 libras em dinheiro, circulou uma massa de mercadorias de 5.000 libras, realizando-se as seguintes operações: 1) I paga aos trabalhadores 1.000 libras esterlinas por força de trabalho de igual valor; 2) os trabalhadores compram com essas 1.000 libras esterlinas meios de subsistência de II; 3) II compra com o mesmo dinheiro meios de produção de I, que assim restaura em dinheiro 1.000 libras esterlinas de capital variável; 4) II compra a I 500 libras esterlinas de meios de produção; 5) I compra a II, com essas 500 libras esterlinas, meios de consumo; 6) II, com as mesmas 500 libras esterlinas, compra a I meios de produção; 7) I compra, com o mesmo dinheiro, meios de subsistência a II. Para II refluíram 500 libras esterlinas, as quais lançara na circulação, além das suas 2.000 libras esterlinas em mercadorias, e pelas quais não retirou dela qualquer equivalente em mercadorias.[47]

Eis como se processam as operações:

1) I paga 1.000 libras esterlinas em dinheiro por força de trabalho, ou seja, por mercadoria = 1.000 libras esterlinas.

2) Os trabalhadores, com seus salários, compram a II meios de consumo no montante de 1.000 libras esterlinas em dinheiro; portanto, mercadoria = 1.000 libras esterlinas.

3) II compra a I, pelas 1.000 libras obtidas dos trabalhadores, meios de produção do mesmo valor; portanto, mercadoria = 1.000 libras esterlinas. Assim, retornaram a I 1.000 libras esterlinas em dinheiro como forma dinheiro do capital variável.

4) II compra a I meios de produção por 500 libras esterlinas; portanto, mercadoria igual a 500 libras esterlinas.

5) I compra a II meios de consumo pelas mesmas 500 libras esterlinas; por conseguinte, mercadoria = 500 libras esterlinas.

6) II compra a I meios de produção pelas mesmas 500 libras esterlinas; mercadoria = 500 libras esterlinas.

7) I compra a II meios de consumo por essas 500 libras esterlinas; mercadoria = 500 libras esterlinas.

Soma do valor-mercadoria trocado = 5.000 libras esterlinas.

Retornaram a II as 500 libras esterlinas que adiantou em compra.

Resultado:

---

47 Surge agora pequena divergência em relação ao que se disse anteriormente (pp. 423-425). Antes I também lançava na circulação uma grandeza independente de 500. Agora II sozinho fornece à circulação o material dinheiro adicional. Isto porém em nada altera o resultado final. — F.E.

1) I possui capital variável em forma dinheiro no montante de 1.000 libras esterlinas, as quais originalmente adiantou à circulação; além disso, gastou, para seu consumo individual, 1.000 libras esterlinas, forma do próprio produto-mercadoria, isto é, gastou o dinheiro que recebeu pela venda de meios de produção no montante de 1.000 libras esterlinas.

Por outro lado, a forma natural em que se converte o capital variável existente sob a forma dinheiro, a saber, a força de trabalho, é mantida e reproduzida pelo consumo e prossegue existindo como único artigo de comércio de seus possuidores, que têm de vendê-la, se quiserem viver. Assim, reproduz-se também a relação entre assalariados e capitalistas.

2) Repõe-se fisicamente o capital constante de II, e retornam-lhe as 500 libras esterlinas que adiantou à circulação.

A circulação para os trabalhadores de I é a simples de M-D-M: $\overset{1}{\text{M}}$ (força de trabalho). $-\overset{2}{\text{D}}$ (1.000 libras esterlinas, a forma dinheiro do capital variável de I). $-\overset{3}{\text{M}}$ (meios de subsistência necessários no montante de 1.000 libras esterlinas); essas 1.000 libras esterlinas realizam em dinheiro, até o montante do próprio valor, o capital constante de II, existente, na forma de mercadoria, de meios de subsistência.

Para os capitalistas de II, o processo é M-D, conversão de parte de seu produto-mercadoria à forma dinheiro, para reconverter-se em componentes do capital produtivo, isto é, em parte dos meios de produção que lhes são necessários.

No adiantamento de D (500 libras esterlinas), feito pelos capitalistas de II para comprar as outras partes dos meios de produção, antecipa-se a forma dinheiro da parte do II_c existente ainda na forma de mercadoria (meios de consumo): no ato D-M, em que II compra com D e I vende M, transforma-se o dinheiro (II) em parte do capital produtivo, enquanto M (I), através do ato M-D, transforma-se em dinheiro, que, porém, não representa componente algum do valor-capital de I, e sim mais-valia convertida em dinheiro, que só pode ser despendida em meios de consumo.

Na circulação D-M...P...M'-D', a primeira operação D-M de um capitalista é a última M'-D' (ou parte desta) de outro; para a circulação de mercadorias propriamente, não importa que esse M, através do qual D se converte em capital produtivo, represente, para o vendedor de M (que, portanto, converte esse M em dinheiro), capital constante, capital variável ou mais-valia.

Quanto ao componente v + m do produto-mercadoria, a seção I retira da circulação mais dinheiro do que nela lançou. Primeiro, retornam-lhe as 1.000 libras esterlinas de capital variável; segundo, vende (ver acima operação 4) meios de produção por 500 libras esterlinas, ficando assim convertida em dinheiro metade de sua mais-valia; terceiro, vende novamente (operação 6) por 500 libras esterlinas meios de produção, a segunda metade de sua mais-valia, retirando assim da circulação, sob a forma dinheiro, toda a mais-valia. Temos, portanto, sucessivamente: 1) capital variável reconvertido em dinheiro = 1.000 libras esterlinas; 2) a metade da mais-valia convertida em dinheiro = 500 libras esterlinas; 3) a outra metade da mais-valia = 500 libras esterlinas; e tudo isto perfaz a soma: 1.000_v + 1.000_m convertidos em dinheiro = 2.000 libras esterlinas. I só lançou na circulação (estamos abstraindo das circunstâncias a examinar posteriormente que possibilitam a reprodução de I_c) 1.000 libras esterlinas, mas dela retirou o dobro. Naturalmente, o m convertido em dinheiro (transformado em D) desaparece, indo para outras mãos (II), ao ser esse dinheiro despendido em meios de consumo. Os capitalistas de I retiraram em *dinheiro* a quantidade de valor que lançaram em *mercadoria*; a circunstância de esse valor ser mais-valia, de nada tem custado ao capitalista, em nada absolutamente altera o valor dessas mercadorias, não tendo, portanto, a menor importância quando se trata da troca de valores ocorrente na circulação das mercadorias. Naturalmente, a conversão da mais-valia em dinheiro é transitória, como todas as outras formas percorridas pelo capital adiantado em suas transformações. Precisamente, dura apenas o tempo que decorre entre a transformação da mercadoria I em dinheiro e a transformação subsequente do dinheiro I em mercadoria II.

Se admitimos períodos de rotação mais curtos, ou, do ponto de vista da circulação simples das mercadorias, curso mais rápido do dinheiro, menos dinheiro ainda bastaria para fazer circular os valores-mercadorias trocados: dado o número das trocas sucessivas, o montante de dinheiro fica determinado pela soma dos preços, isto é, dos valores das mercadorias que circulam. No caso não importa a proporção em que a mais-valia e o valor-capital entram nessa soma de valores.

Se em nosso exemplo o salário em I fosse pago quatro vezes por ano, teríamos 4 x 250 = 1.000. Assim, 250 libras esterlinas em dinheiro bastariam para a circulação I_v – ½ II_c e para a circulação entre o capital variável I_v e a força de trabalho I. Se a circulação entre I_m e II_c, se efetuasse em quatro rotações, bastariam do mesmo modo 250 libras esterlinas e, portanto, ao todo, para a circulação de mercadorias no montante de 5.000 libras esterlinas, uma soma em dinheiro ou um capital-dinheiro de 500 libras esterlinas. A mais-valia não se dividiria em duas, mas em quatro partes sucessivamente convertidas em dinheiro.

Se, na operação 4, I aparecesse como comprador, em lugar de II, gastando em dinheiro 500 libras esterlinas em meios de consumo de igual valor, II compraria então, na operação 5, meios de produção com as mesmas 500 libras, e I, na 6, compraria meios de consumo com essas 500 libras; na 7, II compraria com essas 500 libras meios de produção; por conseguinte, as 500 libras esterlinas voltariam por fim a I, como retornaram antes a II. Neste caso, os capitalistas produtores da mais-valia convertem-na em dinheiro por meio do dinheiro gasto por eles mesmos em consumo individual e que representa renda antecipada, a provir da mais-valia encerrada na mercadoria a vender. A conversão da mais-valia em dinheiro não se efetua por meio do retorno das 500 libras esterlinas, uma vez que, depois das 1.000 libras esterlinas em mercadoria I_v lança I em circulação, com a operação 4, 500 libras esterlinas em dinheiro, uma quantia suplementar, pelo que sabemos, e não produto de mercadoria vendida. Quando esse dinheiro retorna a I, terá ele recuperado seu dinheiro suplementar, e não convertido em dinheiro sua mais-valia. A conversão em dinheiro da mais-valia de I só se efetua por meio da venda das mercadorias I_m em que ela se encerra, e, de cada vez, só perdura enquanto o dinheiro recebido com a venda da mercadoria não é de novo gasto em meios de consumo.

I compra a II, com dinheiro suplementar (500 libras esterlinas), meios de consumo; esse dinheiro é gasto por I, que obtém o equivalente em mercadoria II; o dinheiro retorna pela primeira vez em virtude de II comprar a I mercadoria por 500 libras esterlinas; retorna, portanto, como equivalente da mercadoria vendida por I, mas esta mercadoria nada lhe custou, constituindo para ele mais-valia, e, assim, *o dinheiro que I lançou na circulação converte em dinheiro sua própria mais-valia*; do mesmo modo, com a segunda compra (operação 6), I recebe o equivalente em mercadoria II. Admitindo-se agora que II não compre a I meios de produção (operação 7), I teria na realidade pagado 1.000 libras esterlinas por meios de consumo, consumido toda a sua mais-valia como renda, a saber, 500 em suas mercadorias I (meios de produção) e 500 em dinheiro; entretanto, teria ainda armazenadas mercadorias I (meios de produção) no montante de 500 libras esterlinas e ter-se-ia desfeito de 500 libras esterlinas em dinheiro.

Por outro lado, II teria reconvertido em capital produtivo três quartos de seu capital constante que estava sob a forma de capital-mercadoria; mas uma quarta ficaria na forma de capital-dinheiro (500 libras esterlinas), na realidade de dinheiro ocioso, que interrompe sua função, à espera de nova oportunidade. Prolongando-se a situação, II teria de reduzir de um quarto a escala da reprodução. Mas os 500 em meios de produção que entalam I não são mais-valia existente na forma de mercadoria; estão no lugar das 500 libras esterlinas em dinheiro adiantadas, as quais I possuía ao lado de sua mais-valia de 1.000 libras esterlinas em mercadoria. Enquanto dinheiro, os 500 estão sempre em forma realizável; enquanto mercadoria, são momentaneamente invendáveis. Está bem claro que reprodução simples (em que se tem de repor cada elemento do capital produtivo de I e de II) só é possível, no caso, se as 500 pombas áureas voltarem ao pombal de I donde originalmente saíram.

Quando um capitalista (continuamos considerando apenas os capitalistas industriais, que ao mesmo tempo representam todos os outros) gasta dinheiro em meios de consumo, esse dinheiro está para ele perdido, desapareceu. O dinheiro só pode retornar-lhe se o retira da circulação trocando-o por mercadorias, utilizando, portanto, seu capital-mercadoria. Como o valor de todo o seu produto-mercadoria anual (= capital-mercadoria, para ele), o de cada elemento desse produto, isto é, o de cada mercadoria isolada, é decomponível em valor-capital constante, valor-capital variável e mais-valia. A conversão em dinheiro de cada mercadoria isolada (que constitui elemento do produto-mercadoria) é, ao mesmo tempo, portanto, transformação em dinheiro de certa quantidade de mais-valia que está encerrada em todo o produto-mercadoria. No caso considerado, é portanto literalmente exato dizer que o próprio capitalista lançou na circulação, gastando em meios de consumo, o dinheiro em que se converte sua mais-valia, em que esta se realiza. Não se trata, naturalmente, de peças idênticas de dinheiro, mas de montante em dinheiro sonante igual à totalidade ou à parte do que lançou na circulação para atender a necessidades pessoais. Na prática, isto acontece de duas maneiras: se a empresa começou no ano em curso, dura algum tempo, na melhor hipótese alguns meses até que o capitalista possa obter do negócio receita em dinheiro para gastar em seu consumo pessoal. Nem por isso interrompe seu consumo. Adianta a si mesmo dinheiro (no caso, não importa que seja do próprio bolso ou de bolso alheio, através do crédito) por conta de mais-valia a colher ainda; assim fazendo, adianta meio circulante para a realização da mais-valia a ser convertida em dinheiro mais tarde. Mas se um negócio já vem funcionando regularmente há muito tempo, os pagamentos e os recebimentos se distribuem durante o ano por diferentes prazos. Há uma coisa que prossegue sem interrupção: o consumo do capitalista antecipadamente efetivado e cujo montante se calcula segundo certa proporção da receita habitual ou estimada. Com cada partida de mercadoria que se vende, realiza-se parte da mais-valia que se colherá durante o ano. Se, porém, durante o ano, da mercadoria produzida só se vender o estritamente necessário para repor o valor-capital constante e o variável nela encerrados, ou se caírem os preços de tal modo que, com a venda de todo o produto-mercadoria anual, só se realize o valor-capital adiantado nele contido, patentear-se-á claramente que constitui antecipação o dispêndio em dinheiro por conta de mais-valia futura. Se nosso capitalista falir, os credores e a justiça investigarão se suas despesas pessoais antecipadamente feitas estão em proporção adequada com a dimensão do negócio e com a correspondente receita habitual ou normal, oriunda da mais-valia.

Considerando-se toda a classe capitalista, a tese de ela mesma ter de lançar na circulação o dinheiro para realizar sua mais-valia (e também para fazer circular seu capital, constante e variável) não parece paradoxal e, ademais, constitui condição necessária do mecanismo inteiro, pois só temos aqui duas classes: a classe trabalhadora, que só dispõe da força de trabalho, e a classe capitalista, que tem o monopólio dos meios de produção sociais e do dinheiro. Seria paradoxal se a classe trabalhadora, em primeira instância, adiantasse, de seus próprios recursos, o dinheiro necessário para realizar a mais-valia encerrada nas mercadorias. O capitalista individual faz esse adiantamento, mas sempre agindo como comprador: *despende* dinheiro na aquisição de meios de consumo ou *adianta* dinheiro na aquisição de elementos de seu capital produtivo, sejam eles força de trabalho ou meios de produção. Só cede dinheiro em troca de um equivalente. Só adianta dinheiro à circulação da maneira como adianta mercadoria. Age como ponto de partida da circulação de ambos.

Duas circunstâncias obscurecem o que realmente se passa:

1) No processo de circulação do capital industrial, aparecem o *capital mercantil* (cuja primeira forma é sempre o dinheiro, pois o comerciante

como tal não cria "produto" nem "mercadoria") e o *capital-dinheiro*, manipulados por uma espécie particular de capitalistas.

2) Repartição da mais-valia, que necessariamente vai em primeiro lugar para as mãos do capitalista industrial, por diversas categorias cujos representantes aparecem ao lado do capitalista industrial: o proprietário das terras (renda fundiária), o usurário (juros), o governo e seus funcionários, os *rentiers* etc. Para o capitalista industrial, esses cavalheiros são compradores e, nessa qualidade, convertem as mercadorias por ele produzidas em dinheiro: figuram também entre os que lançam "dinheiro" na circulação, e o capitalista industrial o recebe deles. Com isso, ninguém se lembra donde lhes vem originalmente o dinheiro e donde lhes continua sempre vindo.

6. O CAPITAL CONSTANTE DA SEÇÃO I[48]

Resta ainda a investigar o capital constante da seção 1= 4.000 I_c. Este é o valor dos meios de produção consumidos na produção do produto-mercadoria I, neste reaparecendo. Esse valor que reaparece, que não foi produzido neste processo de produção I, mas nele entrou no ano anterior como valor constante, como valor dado de seus meios de produção, existe agora em toda a porção do produto-mercadoria I, que não é absorvida pela categoria II, e o valor dessa porção, que fica nas mãos dos capitalistas de I, é igual a $^2/_3$ do valor de todo o produto-mercadoria anual. Com referência ao capitalista isolado que produz um meio de produção particular, poderíamos dizer: vende seu produto-mercadoria, converte-o em dinheiro. Ao convertê-lo em dinheiro, também reconverte em dinheiro a parte constante do valor de seu produto. Com essa parte do valor transformada em dinheiro, volta a comprar seus meios de produção de outros vendedores de mercadorias, isto é, transforma a parte constante do valor de seu produto na forma específica em que pode funcionar de novo como capital constante produtivo. Mas agora não é possível formular essa hipótese. A classe capitalista I abrange a totalidade dos capitalistas que produzem meios de produção. Além disso, o produto-mercadoria de 4.000 que ficou nas suas mãos é fração do produto social que não pode mais ser trocada por outra, pois não existe mais essa outra parte do produto anual. Excetuados esses 4.000, ninguém mais dispõe de coisa alguma desse produto; uma parte

---

48 Daqui em diante, manuscrito II.

está absorvida pelo fundo de consumo social e outra tem de repor o capital constante da seção II, que já trocou tudo de que podia se desfazer no intercâmbio com a seção I.

A dificuldade resolve-se facilmente se ponderamos que todo o produto-mercadoria I, em sua forma natural, constituiu-se de meios de produção, dos elementos materiais do próprio capital constante. Verifica-se aqui, embora sob outro aspecto, o mesmo fenômeno anteriormente observado em II. Aí, todo o produto-mercadoria consistia em meios de consumo; parte do mesmo, determinada pela soma do salário e da mais-valia nele contidos, podia ser, portanto, consumida pelos próprios produtores. Em I, todo o produto-mercadoria consiste em meios de produção – construções, maquinaria, recipientes, matérias-primas e matérias auxiliares etc. Parte deles, aquela que repõe o capital constante aplicado nessa esfera, pode, portanto, funcionar imediatamente de novo, em sua forma natural, como componente do capital produtivo. Quando penetra na circulação, circula dentro da seção I. Em II, parte do produto-mercadoria em espécie é objeto do consumo individual dos próprios produtores; em I, parte do produto em espécie é objeto do consumo produtivo de seus produtores capitalistas.

Na parte do produto-mercadoria I = 4.000_c, reaparece o valor-capital constante consumido nessa categoria, e em forma natural, em que imediatamente pode funcionar de novo como capital constante produtivo. Em II, do produto-mercadoria de 3.000, a parte que tem valor igual à soma dos salários e da mais-valia (= 1.000) entra diretamente no consumo individual dos capitalistas e dos trabalhadores de II, enquanto o valor-capital constante desse produto-mercadoria (= 2.000) não pode mais entrar no consumo produtivo dos capitalistas de II, devendo ser reposto por meio de troca com I.

Em I, ao contrário, a parte (do produto-mercadoria de 6.000) de valor igual à soma dos salários e da mais-valia (= 2.000) não entra no consumo individual de seus produtores, nem poderia entrar em virtude de sua forma natural. É mister trocá-la antes com II. Inversamente, a parte constante do valor desse produto = 4.000 encontra-se em forma natural, em que, considerando-se toda a classe capitalista I, pode de novo funcionar diretamente como capital constante dela. Em outras palavras, todo o produto da seção I consiste em valores de uso que, por sua forma natural, no modo de produção capitalista, só podem servir de elementos do capital constante. Assim, desse produto no valor de 6.000, $^1/_3$ (2.000) repõe o capital constante da seção II, e os $^2/_3$ restantes, o capital constante da seção I.

O capital constante I consiste numa massa de diversos grupos de capitais investidos nos diferentes ramos que produzem meios de produção: tanto nas usinas siderúrgicas, tanto nas minas de carvão etc. Cada um desses grupos de capitais ou cada um desses capitais de agregados sociais compõe-se, por sua vez, de massa maior ou menor de capitais individuais que funcionam de maneira autônoma. Antes de mais nada, o capital da sociedade, digamos, 7.500 (cifra que pode representar milhões etc.), se distribui por diferentes grupos de capitais; o capital social de 7.500 decompõe-se em frações particulares, cada uma investida num ramo particular de produção; do valor-capital da sociedade, cada fração empregada nos diversos ramos de produção consiste, com referência à forma natural, nos meios de produção de cada esfera particular de produção e na correspondente força de trabalho habilitada, necessária para movimentá-la. Essa força de trabalho é modificada pela divisão do trabalho, ajustando-se ao tipo específico de trabalho a executar em cada esfera da produção. A fração do capital social investida em cada ramo particular de produção consiste, por sua vez, na soma dos capitais individuais nele investidos e que funcionam de maneira autônoma. Isto é naturalmente válido para as seções I e II.

O valor-capital constante reaparece em I sob a forma de seu produto-mercadoria e, em parte, entra na esfera particular de produção (ou mesmo na empresa singular) da qual saiu como produto, ao retornar a ela como meio de produção. É o que se dá, por exemplo, com o trigo na triticultura, com o carvão na indústria carbonífera, com o ferro na forma de máquinas na produção de ferro etc.

Os produtos parciais, em que consiste o valor-capital constante I, quando não entram na própria esfera particular ou individual de produção, apenas mudam de lugar. Então, em sua forma específica, entram noutra esfera de produção da seção I, enquanto o produto de outras esferas de produção da seção I repõe materialmente a forma específica de seu capital constante. Os produtos apenas trocam de lugar. Todos entram diretamente em I, como fatores que repõem capital constante, neste ou naquele grupo. A troca que se efetua entre os capitalistas individuais de I é a de uma forma natural de capital constante por outra forma natural de capital constante, de uma espécie de meios de produção por outras espécies de meios de produção. É a troca das diferentes partes individuais de capital constante de I. Os produtos, quando não servem diretamente de meio de produção no próprio ramo de produção, se transferem do seu local de produção para outro, e assim se estabelece entre eles um processo de reposição. Em outras palavras (analogamente ao que sucede com a mais-valia em II): cada capitalista em I retira dessa massa de mercadorias os correspondentes meios de produção que lhe são necessários, na proporção em que é coproprietário desse capital constante de 4.000. Se a produção, em vez de capitalista, fosse coletiva, é claro que esses produtos da seção I não se redistribuiriam como meios de produção de maneira menos contínua, entre os diferentes ramos de produção dessa seção, para os fins de reprodução; uma parte se aplicaria na própria esfera de produção donde saiu como produto e outra transferir-se-ia para outros locais de produção, estabelecendo-se assim um ir e vir contínuo entre os diferentes locais de produção dessa seção.

7. O CAPITAL VARIÁVEL E A MAIS-VALIA NAS DUAS SEÇÕES

O valor global dos meios de consumo anualmente produzidos é, portanto, igual ao valor-capital variável II reproduzido durante o ano, acrescido da mais-valia II de novo produzida (isto é, igual ao valor produzido em II durante o ano) mais o valor-capital variável I reproduzido durante o ano, aumentado da mais-valia I de novo produzida (portanto, mais o valor produzido em I durante o ano).

Desde que se supõe reprodução simples, o valor global dos meios de consumo anualmente produzidos é igual ao produto-valor anual, isto é, igual a todo o valor produzido durante o ano pelo trabalho da sociedade, e assim tem de ser, pois na reprodução simples esse valor é consumido por inteiro.

A totalidade da jornada de trabalho social se divide em duas partes: 1) trabalho necessário; cria no decurso do ano um valor de 1.500_v; 2) trabalho excedente; cria valor excedente ou mais-valia de 1.500_m. A soma desses valores = 3.000 é igual ao valor dos meios de consumo anualmente produzidos (3.000). O valor total dos meios de consumo produzidos durante o ano é, portanto, igual ao valor total produzido durante o ano pela totalidade da jornada social de trabalho; é igual à soma do valor do capital variável social e da mais-valia social, ou seja, ao produto-novo anual total.

Mas sabemos que, embora essas duas magnitudes coincidam, nem por isso o valor total das mercadorias II, dos meios de consumo, foi produzido nesta seção da produção social. Coincidem porque o valor-capital constante que reaparece em II é igual ao valor de novo produzido em I (valor-capital variável + mais-valia); por isso, $I_{(v + m)}$ pode comprar a parte do produto de II a qual representa valor-capital constante para seus produtores (na seção II). Eis aí por que, embora, para os capitalistas de II, o valor de seu produto se decomponha em c + v + m, o valor desse produto, do ponto de vista social, é decomponível em v + m. Isto só acontece porque aqui $II_c = I_{(v + m)}$ e esses dois componentes do produto social, ao se trocarem, toma um a forma do outro; após essa operação, II_c volta a existir sob a forma de meios de produção e $I_{(v + m)}$ passa a existir em meios de consumo.

É esta circunstância que levou A. Smith a afirmar que o valor do produto anual se reduz a v + m. Essa afirmação é válida (1) apenas para a parte do produto anual a qual consiste em meios de consumo, mas (2) não no sentido de que esse valor total seja produzido em II e que seja o valor de seus produtos = valor-capital variável adiantado em II + mais-valia produzida em II. A proposição tem validade apenas no sentido de que $II_{(c + v + m)} = II_{(v + m)} + I_{(v + m)}$, ou porque $II_c = I_{(v + m)}$.

E mais.

A jornada de trabalho social (isto é, o trabalho despendido por toda a classe trabalhadora durante o ano inteiro) se divide como toda jornada de trabalho individual, em duas partes apenas, em trabalho necessário e trabalho excedente, e, por consequência, o valor produzido por essa jornada se decompõe em duas partes, o valor-capital variável, isto é, a parte do valor com a qual o trabalhador compra os próprios meios de reprodução, e a mais-valia, que o capitalista pode gastar no próprio consumo individual. Entretanto, do ponto de vista social, parte da jornada de trabalho social só se emprega na *produção de capital constante novo*, em produtos que se destinam exclusivamente a funcionar como meios de produção no processo de trabalho e por isso como capital constante no processo de produzir mais-valia que acompanha o processo de trabalho. Segundo nossa suposição, toda a jornada de trabalho social está representada num valor em dinheiro de 3.000, dos quais $^1/_3$ = 1.000 se produz na seção II que produz os meios de consumo, isto é, as mercadorias em que se realizam finalmente a totalidade do valor-capital variável e a da mais-valia da sociedade. De acordo com esta suposição, $^2/_3$ portanto da jornada de trabalho social se aplicam na produção de capital constante novo. Do ponto de vista dos capitalistas individuais e dos trabalhadores da seção I, esses $^2/_3$ da jornada de trabalho social servem apenas para produzir valor-capital variável e mais-valia, do mesmo modo que o último terço da jornada de trabalho social da seção II. Entretanto, esses $^2/_3$ da jornada de trabalho social do ponto de vista da sociedade e ainda do valor de uso do produto só fazem repor o capital constante aplicado, ou seja, consumido no processo de consumo produtivo. Também do ponto de vista individual, esses $^2/_3$ da jornada de trabalho produzem um valor total = valor-capital variável + mais-valia, mas não produzem valores de uso de espécie em que se possa gastar salário ou mais-valia; seu produto é um meio de produção.

Antes de mais nada, é mister observar que nenhuma parte da jornada de trabalho social, na seção I ou II, serve para produzir o valor do capital constante aplicado e que funciona nessas duas grandes esferas da produção. Elas só produzem valor adicional, 2.000 $\text{I}_{(v+m)}$ + 1.000 $\text{II}_{(v+m)}$, a ser agregado ao valor-capital constante = 4.000 I_c + 2.000 II_c. O valor novo produzido sob a forma de meios de produção não é ainda capital constante, embora se destine a funcionar como tal no futuro.

Todo o produto de II, os meios de consumo, é, do ponto de vista do valor de uso, concretamente, em sua forma natural, produto do terço, efetuado por II, da jornada de trabalho social, é o produto dos trabalhos em sua forma concreta, o do artesão, o do padeiro etc., os quais foram empregados nesta seção. Então, só se considera o trabalho que funciona como elemento subjetivo do processo de trabalho. Mas a parte constante do valor desse produto apenas reaparece em novo valor de uso, em nova forma natural, a forma de meios de consumo, tendo existido antes na forma de meios de produção. O processo de trabalho transferiu seu valor da velha forma natural para a nova. E o *valor* desses $^2/_3$ do valor dos produtos = 2.000 não foi criado no processo de valorização, efetuado por II, no mesmo ano.

Do ponto de vista do processo de trabalho, o produto II resulta de trabalho vivo que de novo funciona e dos meios de produção fornecidos que esse trabalho supõe, encontrando neles as condições objetivas para se materializar; analogamente, do ponto de vista do processo de valorização, o valor dos produtos II (= 3.000) compõe-se do valor novo (500_v + 500_m = 1.000), produzido com a adição de $^1/_3$ da jornada de trabalho social, e de um valor constante em que se configuram $^2/_3$ de uma jornada de trabalho social anterior, decorrida antes do processo de produção II que estamos examinando agora. Esta fração do valor do produto II está representada numa parte do próprio produto. Existe numa quantidade de meios de consumo no valor de 2.000 = $^2/_3$ de uma jornada de trabalho social. Reaparece nessa nova forma de uso. Ao se trocar a parte dos meios de consumo = 2.000 II_c por meios de produção I = I (1.000_v + 1.000_m), estarão sendo realmente trocados $^{2}/_{3}$ da jornada de trabalho social, os quais não constituem parte do trabalho deste ano, pois se efetuaram antes, por $^{2}/_{3}$ da jornada de trabalho social do ano atual, nele acrescentada. Só podem ser empregados $^{2}/_{3}$ da jornada de trabalho social deste ano a fim de produzir capital constante e ao mesmo tempo criar capital variável e mais-valia para os próprios produtores, por serem trocados por parte do valor dos meios de consumo anualmente consumidos, na qual se inserem $^{2}/_{3}$ de uma jornada de trabalho despendida e realizada antes deste ano, e não no seu decurso. É troca de $^{2}/_{3}$ de jornada de trabalho deste ano por $^{2}/_{3}$ de jornada de trabalho despendidos antes deste ano, permuta entre tempo de trabalho deste ano e tempo de trabalho de ano anterior. Fica assim explicado o mistério, a razão por que o produto-valor da totalidade da jornada de trabalho social pode reduzir-se a valor-capital variável + mais-valia, embora os $^{2}/_{3}$ dessa jornada não tenham sido gastos na produção de objetos em que se possa realizar capital variável ou mais-valia, e sim na produção de meios de produção destinados a repor capital desgastado durante o ano. A razão é bem simples: $^{2}/_{3}$ do valor dos produtos de II, nos quais capitalistas e trabalhadores de I realizam o valor--capital variável e a mais-valia que produziram (e os quais constituem $^{2}/_{9}$ de todo o valor dos produtos do ano), são, do ponto de vista do valor, o produto de $^{2}/_{3}$ de uma jornada de trabalho social anteriormente efetuada.

A totalidade do produto social de I e II, dos meios de produção e dos meios de consumo, vistos como valor de uso, concretamente, em sua forma natural, obtidos no curso de determinado ano, é o produto do trabalho desse ano, apenas quando se considera esse trabalho como trabalho útil, concreto, o que não é válido para o trabalho visto como dispêndio de força de trabalho, como trabalho que cria valor. E a primeira afirmação só é verdadeira no sentido de que os meios de produção só se transformaram em produto novo, no produto desse ano, em virtude do trabalho vivo que lhes foi acrescentado e que os manipulou. E, reciprocamente, o trabalho desse ano não poderia ter se transformado em produto sem meios de produção independentes dele, sem meios de trabalho e matérias de produção.

8. O CAPITAL CONSTANTE NAS DUAS SEÇÕES

A análise do valor global do produto, 9.000, e das categorias em que se decompõe não oferece dificuldade maior que a do valor do produto de um capitalista individual: no fundo, é a mesma análise.

A totalidade do produto anual da sociedade encerra aqui três jornadas de trabalho sociais de um ano cada uma. O produto-valor de cada uma dessas jornadas de trabalho sociais é de 3.000; por consequência, o valor do produto total = 3 x 3.000 = 9.000.

Assim, precederam o processo de produção anual cujo produto analisamos: na seção I, 4/3 de jornada de trabalho (produto-valor 4.000), e, na seção II, 2/3 de jornada de trabalho (produto-valor 2.000). Ao todo, duas jornadas de trabalho sociais, com produto-valor = 6.000. Por isso, figuram 4.000 I_c + 2.000 II_c = 6.000_c como o valor dos meios de produção que reaparece no valor do produto global da sociedade, ou seja, como o valor-capital constante.

Além disso, da nova jornada de trabalho social anual acrescentada, 1/3 constitui trabalho necessário na seção I, ou seja, trabalho que repõe o valor do capital variável 1.000 I_v e paga o preço do trabalho empregado em I. Do mesmo modo, 1/6 constitui trabalho necessário da jornada de trabalho social da seção II, correspondendo-lhe um valor produzido de 500. Assim, 1.000 I_v + 500 II_v = 1.500_v, expressão do valor obtido de meia jornada de trabalho social, traduz o valor produzido na primeira metade, consistente em trabalho necessário, da jornada de trabalho global anual adicionada.

Finalmente em I, 1/3 da jornada de trabalho global, com produto-valor = 1.000, é trabalho excedente; em II, 1/6 da jornada de trabalho, com produto-valor = 500, é trabalho excedente: perfazem juntos a outra metade da jornada de trabalho global adicionada. Daí resulta a mais-valia global produzida = 1.000 I_m + 500 II_m = 1.500_m.

Temos, portanto:

Porção de capital constante no valor do produto da sociedade (c):

duas jornadas de trabalho despendidas antes do processo de produção; produto-valor = 6.000.

Trabalho necessário despendido durante o ano (v):

meia jornada de trabalho despendida na produção do ano; produto-valor = 1.500:

Trabalho excedente despendido durante o ano (m):

meia jornada de trabalho despendida na produção do ano; produto-valor = 1.500.

Produto-valor do trabalho anual (v +m) = 3.000.

Valor do produto total (c + v + m) = 9.000.

A dificuldade não reside, portanto, na análise do próprio valor do produto social. Surge ao se compararem os componentes do *valor* do produto social com seus componentes *materiais*.

A parte constante do valor, a qual apenas reaparece, é igual ao valor da fração desse produto constituída de *meios de produção* e que se corporifica nessa fração.

O novo produto-valor do ano = v + m é igual ao valor da fração desse produto constituída de *meios de consumo*, e nela está corporificado.

Com exceções que não vêm ao caso, meios de produção e meios de consumo são totalmente diferentes entre si, como mercadorias, pela forma natural ou de uso e pelos tipos de trabalhos concretos exigidos para sua produção. O trabalho que utiliza máquinas para produzir meios de subsistência é totalmente diferente do trabalho que faz máquinas. A totalidade da jornada de trabalho anual, que produz valor = 3.000, aparece gasta na produção de meios de consumo = 3.000, nos quais não reaparece parte constante do valor, pois esses $3.000 = 1.500_v + 1.500_m$, reduzindo-se a valor-capital variável + mais-valia. Além disso, o valor-capital constante (= 6.000) reaparece num gênero de produtos, os meios de produção, inteiramente diversos aos meios de consumo, e nenhuma parte da jornada de trabalho social aparece despendida na produção desses novos produtos; essa jornada de trabalho parece consistir por inteiro apenas em gêneros de trabalho que não resultam em meios de produção, e sim em meios de consumo. O mistério já está decifrado. O produto-valor do trabalho anual = valor do produto da seção II = valor total de meios de consumo novamente produzidos. Mas esse valor do produto é por $^2/_3$ maior que a parte do trabalho anual despendida na produção de meios de consumo (seção II). Somente $^1/_3$ do trabalho anual se despendeu nessa produção. Os $^2/_3$ restantes desse trabalho anual foram empregados para produzir meios de produção, ou seja, na seção I. O produto-valor criado durante esse tempo em I = valor-capital variável + mais-valia, produzidos em I = valor-capital constante de II, que neste reaparece em meio de consumo. Por isso, podem mutuamente trocar-se e substituir-se em espécie. O valor total dos meios de consumo de II é, portanto, igual à soma do novo produto-valor de I + II, ou $II_{(c+v+m)} = I_{(v+m)} + II_{(v+m)}$, a soma do novo valor produzido pelo trabalho anual, na forma de v + m.

Por outro lado, o valor total dos meios de produção (I) é igual à soma do valor-capital constante que reaparece na forma de meios de produção (I) e do que reaparece na forma de meio de consumo (II), igual, portanto, ao valor-capital constante que reaparece no produto total da sociedade. Esse valor total é igual à soma do valor resultante de 4/3 de jornada de trabalho anteriores ao processo de produção de I e do resultante de 2/3 anteriores ao processo de produção de II, o que perfaz, portanto, duas jornada de trabalho inteiras.

No produto anual da sociedade, portanto, a dificuldade decorre de a parte constante do valor representar-se numa espécie de produto, os meios de produção, completamente diversa da espécie, os meios de consumo, em que se representa o novo valor v + m acrescentado a essa parte constante do valor. Isto dá a ilusória aparência de que, do ponto de vista do valor, 2/3 da massa de produtos consumida voltam a encontrar nova forma, como produto novo, sem a sociedade ter despendido qualquer trabalho em sua produção. Não há essa aparência com o capital individual. Cada capitalista individual emprega determinada espécie concreta de trabalho, que transforma em produto os meios de produção que lhe são peculiares. Por exemplo, seja o capitalista fabricante de máquinas, o capital constante despendido durante o ano = 6.000_c, o variável = 1.500_v, a mais-valia = 1.500_m, o produto = 9.000, digamos, produto de 18 máquinas, cada uma = 500. O produto inteiro existe na mesma forma, a de máquinas (se produz vários tipos, cada um será contabilizado de *per se*). Todo o produto-mercadoria é produto do trabalho despendido durante o ano na construção de máquinas, combinação do mesmo tipo de trabalho concreto com os mesmos meios de produção. Por isso, as diferentes partes do valor do produto se configuram na mesma forma natural: 12 máquinas encerram 6.000_c, 3 máquinas, 1.500_v e as outras 3 máquinas, 1.500_m. Está claro que o valor das 12 máquinas é igual a 6.000_c, não porque se corporifique nessas 12 máquinas apenas trabalho efetuado antes de fabricá-las, e não trabalho despendido em sua construção. O valor dos meios de produção para 18 máquinas não se transformou por si mesmo em 12 máquinas, mas o valor dessas 12 máquinas (que consiste em $4.000_c + 1.000_v + 1.000_m$) é igual ao total do valor-capital constante contido nas 18 máquinas. Por isso, o construtor de máquinas tem de vender 12 das 18 máquinas a fim de repor o capital constante despendido, pois sem essa reposição não poderá reproduzir 18 máquinas novas. Mas a coisa ficaria inexplicável se o trabalho aplicado, embora se destine apenas a construir máquinas, tivesse por resultado: 6 máquinas = $1.500_v + 1.500_m$, além de ferro, cobre, parafusos, correias etc. no valor de 6.000_c, isto é, os meios de produção das máquinas em sua forma natural, os quais o capitalista individual, fabricante de máquinas, notoriamente não produz, mas tem de repor através do processo de circulação. Entretanto, o produto anual da sociedade parece, à primeira vista, reproduzir-se dessa maneira absurda.

O produto do capital individual, isto é, de cada fração do capital social dotada de vida própria, funcionando de maneira autônoma, pode ter qualquer forma natural. A condição única limitante é que tenha realmente forma de uso, valor de uso, que dele faça elemento capaz de circular no mundo das mercadorias. Não importa, e é fortuita, a possibilidade de voltar como meio de produção ao mesmo processo de produção donde sai como produto, ou seja, a circunstância de a parte de seu valor que representa capital constante possuir forma natural que efetivamente lhe permita exercer de novo a função de capital constante. Se este não é o caso, essa parte do valor do produto, através de venda e subsequente compra, se transformará nos elementos materiais de sua produção e, assim, o capital constante reproduzir-se-á em sua forma natural capaz de funcionar.

É diferente o que se dá com o produto do capital global da sociedade. Todos os elementos materiais da reprodução têm de constituir, em sua forma natural, partes desse mesmo produto. Só e possível repor, com a produção global, a parte constante do capital consumida, se toda a parte constante do capital, a qual reaparece no produto, se apresentar na forma natural de novos meios de produção que possam efetivamente exercer a função de capital constante. Pressuposta a reprodução simples, o valor da parte do produto constituída de meios de produção tem de ser, portanto, igual ao valor da parte constante do capital social. Do ponto de vista individual, o capitalista produz, do valor de seu produto, apenas o capital variável e a mais-valia, acrescentados por novo trabalho, enquanto o valor da parte constante do capital é transferido ao produto pela natureza concreta desse novo trabalho.

Do ponto de vista social, a fração da jornada de trabalho social que produz meios de produção, acrescentando-lhes valor novo e transferindo-lhes o valor dos meios de produção consumidos em sua produção, nada mais faz que produzir novo capital constante destinado a repor o capital constante consumido sob a forma dos antigos meios de produção, tanto na seção I quanto na II. Apenas cria produto que se destina à esfera do consumo produtivo. Por conseguinte, todo o valor desse produto é apenas valor que pode funcionar de novo como capital constante, permitir reaquisição de capital constante em sua forma natural, e que, por isso, do ponto de vista social, não se reduz a capital variável nem a mais-valia. Por outro lado, a parte da jornada de trabalho social que produz meios de consumo nada produz do capital social de reposição. Só gera produtos que, por sua forma natural, se destinam a valor do capital variável e a mais-valia de I e de II.

Se nos colocamos do ponto de vista social, se examinamos, portanto, o produto global da sociedade, o qual abrange a reprodução do capital social e o consumo individual, não nos devemos iludir com a ideia de Proudhon, copiada da economia burguesa, achando que uma sociedade de modo de produção capitalista perderia esse seu caráter específico, econômico-histórico, se fosse observada em bloco, como um todo. Ao contrário, temos de nos avir com o capitalista global. É como se o capital global fosse o capital por ações de todos os capitalistas individuais tomados em conjunto. Essa sociedade por ações tem isso de comum com muitas outras sociedades por ações: cada um sabe o que nela põe, mas não o que dela vai retirar.

9. EXAME RETROSPECTIVO DAS IDEIAS DE A. SMITH, STORCH E RAMSAY

O valor global do produto social atinge $9.000 = 6.000_c + 1.500_v + 1.500_m$; em outras palavras: 6.000 reproduzem o valor dos meios de produção e 3.000 o valor dos meios de consumo. O valor da renda social (v + m) só é, portanto, $^1/_3$ do valor do produto global, e só até o montante do valor desse terço pode a totalidade dos consumidores, trabalhadores e capitalistas, retirar mercadorias, produtos, do produto global da sociedade e incorporá-los a seu fundo de consumo. Por outro lado, $6.000 = {}^2/_3$ do valor do produto representam o valor do capital constante que é mister repor materialmente. Assim, meios de produção nesse montante têm de incorporar-se de novo ao fundo de produção. Storch reconhece que assim é necessariamente, sem poder demonstrá-lo:

> É claro que o valor do produto anual se biparte em capitais e lucros, e cada um desses dois elementos do valor do produto anual compra regularmente os produtos de que a nação precisa, tanto para manter seu capital quanto para repor seu fundo de consumo [...] os produtos que constituem o capital de uma nação não são absolutamente consumíveis. (Storch, *Considérations sur la nature du revenu national*, Paris, 1824, pp. 134, 135, 150.)

A. Smith, entretanto, estabeleceu o fabuloso dogma, até hoje objeto de fé, de que todo o valor do produto da sociedade se reduz a renda, isto é, a salário + mais-valia ou, conforme diz, a salário + lucro (juros) + renda da terra. Esse dogma continua a sobreviver também na forma mais vulgar, que sustenta serem os *consumidores* quem tem de pagar, em última análise, aos produtores *o valor total do produto*. É um dos lugares-comuns defendidos pela crença mais inabalável, ou melhor, constitui uma das verdades eternas da chamada ciência da economia política. Vejamos como se procura torná-la plausível. Tomemos um artigo qualquer, por exemplo, camisas de linho. Primeiro, o fabricante de fio de linho tem de pagar ao produtor da fibra todo o valor dela, que inclui: sementes, adubos, forragem dos animais de trabalho etc.; a parte do valor do capital fixo do produtor (construções, instrumentos agrícolas etc.) cedida a essa matéria-prima; os salários pagos para produzi-la; a mais-valia (lucro, renda da terra) nela encerrada; e, finalmente, os custos para transportá-la do local de produção para a fiação. Em seguida, a tecelagem terá de restituir à fiação: o preço da matéria-prima, a parte do valor das máquinas, das construções etc., em suma, do capital fixo, acrescentada à fibra, o preço das matérias auxiliares consumidas durante o processo de fiação, os salários dos fiandeiros, a mais-valia etc. E assim prossegue com a branquearia, os custos de transporte do tecido acabado e, por fim, com o fabricante de camisas, que paga o preço global de todos os produtores precedentes que apenas lhe fornecem matéria-prima a elaborar. Em suas mãos, há novo acréscimo de valor, em virtude do capital constante consumido na fabricação de camisas, sob a forma de meios de trabalho, matérias-primas etc., e em virtude do trabalho aí despendido, que acrescenta ao produto o valor dos salários, além da mais-valia do fabricante. Vamos supor que todas as camisas produzidas custem, no final de contas, 100 libras esterlinas, e que essa soma represente a parte do valor do produto anual que a sociedade despende em camisas. Os consumidores das camisas pagam as 100 libras esterlinas que compreendem, portanto: o valor de todos os meios de produção contidos nas camisas, os salários e a mais-valia relacionados com a produção da fibra, com a fiação, a tecelagem, a branquearia, a fabricação de camisas e as empresas de transporte. Até aí, absolutamente correto. Qualquer criança vê isso. Mas acrescenta-se: o mesmo se dá com o valor de todas as outras mercadorias. Dever-se-ia acrescentar: assim acontece com o valor de *todos os meios de consumo*, com o valor da parte do produto social a qual entra no fundo de consumo e pode, portanto, ser despendida como renda. A soma dos valores de todas essas mercadorias é sem dúvida igual ao valor de todos os meios de produção nelas consumidos (parte constante do capital), acrescido do valor criado (salários e mais-valia) pelo último trabalho adicionado. A totalidade dos consumidores pode pagar toda essa soma de valores, porque o valor de cada mercadoria isoladamente considerada consiste em c + v + m, mas a soma dos valores de todas as mercadorias que entram no fundo de consumo tomadas em conjunto só pode ser igual, no máximo, à parte do valor do produto social que se reduz a v + m, ou seja, ao valor que o trabalho despendido durante o ano acrescenta aos meios de produção preexistentes, ao valor-capital constante. Quanto ao valor-capital constante, já vimos que se repõe de duas maneiras, através da massa de produtos da sociedade. *Primeiro*, pela troca dos capitalistas de II, que produzem os meios de consumo, com os capitalistas de I, que produzem os correspondentes meios de produção. E foi aí que teve origem a frase: o que é capital para um, é renda para outro. Mas as coisas não se passam dessa maneira. Os 2.000 II_c, que existem em meios de consumo no valor de 2.000, constituem para os capitalistas de II valor-capital constante. Por conseguinte, não podem consumi-lo, embora o produto pela forma natural deva ser consumido. Por outro lado, 2.000 $\text{I}_{(v + m)}$ são os salários e a mais-valia apresentados pela classe capitalista e pela classe trabalhadora de I. Existem na forma natural de meios de produção, de coisas nas quais o próprio valor não pode ser consumido. Temos, assim, uma soma de valores de 4.000, dos quais, antes e depois da troca, a metade só serve para repor capital constante, e a outra metade só constitui renda. *Segundo*, o capital constante da seção I é reposto materialmente, por troca entre os capitalistas de I ou mediante substituição direta em cada empresa individual.

A proposição de que os consumidores têm finalmente de pagar todo o valor do produto anual só seria exata se fossem consideradas duas espécies bem diversas de consumidores: os consumidores individuais e os produtivos. Mas dizer que parte do produto deve ser consumida *produtivamente* significa apenas que ela tem de exercer a *função de capital* e não pode ser *consumida como renda.*

Inversamente, o capital variável parece desaparecer e o capital, do ponto de vista social, consistir apenas em capital constante, quando repartimos o valor do produto global (= 9.000) em $600_c + 1.500_v = 1.500_m$ e consideramos os $3.000_{(v + m)}$ exclusivamente em sua qualidade de renda. É que o que originalmente aparecera como 1.500_v reduziu-se a parte da renda social, a salários, a renda da classe trabalhadora, e assim perdeu o caráter de capital. Ramsay já formulara essa conclusão. Segundo ele, do ponto de vista social, o capital consiste somente em capital fixo, mas por capital fixo compreende capital constante, a massa de valor constituída de meios de produção, sejam eles meios de trabalho ou material de trabalho, como matérias-primas, semimanufaturados, matérias auxiliares etc. Chama o capital variável de circulante:

> Capital circulante consiste somente nos meios de subsistência e noutros artigos indispensáveis adiantados aos trabalhadores antes de concluírem o produto de seu trabalho. [...] Só o capital fixo, e não o circulante, é, propriamente falando, fonte de riqueza nacional. [...] O capital circulante não é agente direto da produção, nem de modo algum essencial a ela; é mero expediente que se tornou necessário em virtude da pobreza deplorável da massa do povo. [...] Só o capital fixo constitui elemento dos custos de produção, de um ponto de vista nacional. (Ramsay, *op. cit.*, pp. 23-26 *passim.*)

Ramsay esclarece melhor sua ideia sobre capital fixo – que para ele é o capital constante – na seguinte passagem:

> O tempo durante o qual uma porção do produto desse trabalho (trata-se de trabalho aplicado na fabricação de qualquer mercadoria) existe como capital fixo, isto é, em forma na qual, embora contribua para produzir mercadoria futura, não mantém trabalhadores (p. 59).

Vemos aí novamente o mal causado por A. Smith, ao diluir a diferença entre capital constante e capital variável na diferença entre capital fixo e capital circulante. O capital constante de Ramsay consiste em meios de trabalho; o capital circulante, em meios de subsistência; ambos são mercadorias de valor dado. Nem um nem outro podem produzir mais-valia.

10. CAPITAL E RENDA: CAPITAL VARIÁVEL E SALÁRIOS[49]

Toda a reprodução anual, todo o produto de um determinado ano, é produto do trabalho útil desse ano. Mas o valor desse produto global é maior

49 Daqui em diante, manuscrito VIII.

do que a parte do valor na qual se corporifica o trabalho anual, a força de trabalho despendida durante esse ano. O *produto-valor*[I] do ano, o novo valor criado sob a forma de mercadoria, é menor do que o *valor do produto*, o valor global da massa de mercadorias produzida durante o ano. O resto que obtemos quando subtraímos do valor global do produto este ano o valor que lhe foi adicionado pelo trabalho anual não constitui efetivamente valor reproduzido, mas valor que apenas reaparece em nova forma de existência; valor transferido ao produto anual e que provém de valor preexistente, podendo ser de data mais ou menos afastada, conforme a duração dos componentes do capital constante que atuaram este ano no processo de trabalho da sociedade; valor que pode proceder de um meio de produção que veio ao mundo no ano anterior ou no decurso de vários anos anteriores. De qualquer modo, valor transferido de meios de produção de anos anteriores para o produto do corrente ano. De acordo com nosso esquema, temos, após a troca entre I e II e dentro de II, dos elementos até agora estudados:

I. $4.000_c + 1.000_v + 1.000_m$ (os últimos 2.000 se realizam nos meios de consumo II_c) = 6.000.

II. 2.000_c (reproduzidos por meio de troca com $I_{(v + m)}$) + $500_v + 500_m$ = 3.000.

Valor total = 9.000.

Encerra-se exclusivamente em v e m o novo valor produzido durante o ano. O total do produto-valor deste ano é, portanto, igual à soma de v + m = 2.000 $I_{(v + m)}$ + 1.000 $II_{(v + m)}$ = 3.000. Todas as demais frações do valor do produto deste ano são apenas valor transferido, oriundo do valor de meios de produção gerados anteriormente e consumidos na produção deste ano. O trabalho do ano corrente não produziu mais valor que o de 3.000, que é todo o produto-valor anual.

Mas, conforme vimos, os 2.000 $I_{(v + m)}$ repõem os 2.000 II_c da classe II, na forma natural de meios de produção. Os dois terços do trabalho anual, despendidos na seção I, produziram novamente o capital constante de II, em todo o seu valor e em sua forma natural. Assim, do ponto de vista social, dois terços do trabalho despendido durante o ano criaram novo valor-capital constante, na forma material adequada à seção II. Gastou-se, portanto, a maior parte do trabalho anual da sociedade na produção de

I Produto-valor significa valor produzido. Ver Livro 1, pp. 239-241, 561, 566-568 e 579.

novo capital constante (valor-capital existente em meios de produção a fim de repor o valor-capital constante despendido na produção de meios de consumo. O que distingue a sociedade capitalista selvagem não é, como pretende Senior,[50] a circunstância de o selvagem possuir o privilégio e a peculiaridade de despender, durante certo tempo, trabalho que não lhe traz resultados conversíveis em renda, isto é, em meios de consumo. A diferença consiste nisto:

a) A sociedade capitalista emprega a maior parte do trabalho anual disponível na produção de meios de produção (logo de capital constante), que não são redutíveis a renda na forma de salário nem na de mais-valia, mas só podem exercer a função de capital.

b) Quando o selvagem faz arcos, flechas, martelos e machado de sílex, cestos etc., sabe perfeitamente que o tempo assim aplicado não se destinou a produzir meios de consumo, mas a atender suas necessidades de meios de produção, e nada mais. Além disso, o selvagem incorre em grave pecado econômico por não se impor com o desperdício de tempo, aplicando às vezes, conforme nos conta Tyler, um mês inteiro para fazer uma seta.[51]

Parte dos economistas procura evadir-se da dificuldade teórica relativa à compreensão das condições reais apegando-se à ideia corrente, segundo a qual o que é capital para uns é renda para outros, e vice-versa. A ideia é em parte correta, mas torna-se inteiramente falsa quando generalizada. Assim, é completamente errônea quanto à totalidade do processo de troca que se dá na reprodução anual, sustentando-se na ignorância do fundamento efetivo da verdade parcial que contém. As condições reais em que se baseia o acerto parcial dessa ideia têm sido mal interpretadas. É o que veremos agora, ao examiná-las em conjunto.

1) O capital variável exerce a função de capital nas mãos do capitalista e de renda nas mãos do trabalhador assalariado.

O capital variável começa a existir nas mãos do capitalista como *capital-dinheiro*; tem a função de *capital-dinheiro* quando serve para comprar força de trabalho. Enquanto permanece em mãos na forma dinheiro, nada mais é que determinado valor existente nessa forma, portanto magnitude

---

50 "Quando o selvagem fabrica arcos, exerce uma indústria, mas não pratica a abstinência." (Senior, *Principes fondamentaux de l'écon. pol.*, trad. Arrivabene, Paris, 1836, pp. 342, 343). – "Quanto mais progride a sociedade, mais necessária é a abstinência" (*ibid*, p. 342). Livro 1, p. 656.

51 E.B. Tyler, *Farschungen über die Urgeschichte der Menschheit*, tradução de H. Müller. Leipzig, [s.d.], p. 240.

constante, e não variável. É apenas capital variável em potencial, justamente por sua capacidade de transformar-se em força de trabalho. Só se torna capital variável efetivo depois de despojar-se da forma dinheiro, depois de transformar-se em força de trabalho, passando esta a exercer a função de componente do capital produtivo no processo capitalista.

Assim, o *dinheiro*, que inicialmente estava nas mãos do capitalista como a forma dinheiro do capital variável, passa agora a funcionar nas mãos do trabalhador como a forma dinheiro do salário que se converte em meios de subsistência; portanto, como a forma dinheiro da *renda* que o trabalhador obtém com a venda sempre renovada de sua força de trabalho.

Temos diante de nós este fato simples: o *dinheiro* do comprador, no caso o capitalista, vai de suas mãos para as mãos do vendedor, no caso o vendedor da força de trabalho, o trabalhador. Não é o *capital* variável que exerce duas funções, a de capital para o capitalista e a de renda para o trabalhador, mas o mesmo *dinheiro* que inicialmente existe nas mãos do capitalista como forma dinheiro do capital variável, como capital variável em potencial, portanto, e que, depois de o capitalista convertê-lo em força de trabalho, passa a ser, nas mãos do trabalhador, o equivalente da força de trabalho vendida. A circunstância de o mesmo dinheiro ter nas mãos do vendedor aplicação diferente da que lhe deu o comprador é fenômeno inerente a toda compra e venda de mercadoria.

Economistas apologéticos apresentam a coisa erroneamente. É o que fica bem evidente, quando, sem nos preocuparmos por ora com o que vem depois, nos detemos no ato de circulação D-F (= D-M), conversão de dinheiro em força de trabalho pelo comprador capitalista, e F-D (= M-D), conversão da mercadoria força de trabalho em dinheiro pelo vendedor, o trabalhador. Dizem eles: o mesmo dinheiro realiza no caso dois capitais; o comprador, o capitalista, converte seu capital-dinheiro em força de trabalho viva que incorpora ao capital produtivo; o vendedor, o trabalhador, transforma sua mercadoria, a força de trabalho, em dinheiro que despende como renda, e isto o põe em condições de renovar sempre a venda de sua força de trabalho e manter-se: a própria força de trabalho é, portanto, o capital que possui em forma de mercadoria e donde lhe vem continuamente a renda. Na realidade, a força de trabalho é seu patrimônio (que sempre se renova e se reproduz), mas não seu capital. É a única mercadoria que pode e tem de vender continuamente para viver, e que só opera com capital (variável) quando está nas mãos do comprador, o capitalista. A circunstância de um ser humano estar sempre constrangido a vender a outro sua força de trabalho, ele mesmo, demonstra, segundo esses economistas, que ele é um capitalista, pois continuamente tem de vender "mercadoria" (ele mesmo). Com esse modo de ver, o escravo seria capitalista, embora alguém o compre de uma vez por todas como mercadoria, pois a natureza dessa mercadoria, o escravo trabalhador, acarreta que seu comprador, além de fazê-la trabalhar de novo cada dia, lhe dê também os meios de subsistência, graças aos quais pode sempre voltar a trabalhar. (Ver sobre o assunto Sismondi e Say nas cartas a Malthus.)

2) Na troca de 1.000 I_v + 1.000 I_m por 2.000 II_c, o que é capital constante para uns (2.000 II_c) torna-se capital variável e mais-valia, em suma, renda para outros; e o que para uns é capital variável e mais-valia (2.000 $I_{(v + m)}$), enfim renda, torna-se para outros capital constante.

Observemos primeiro a troca de I_v por II_c, colocando-nos inicialmente do ponto de vista do trabalhador.

O conjunto dos trabalhadores de I vende por 1.000 sua força de trabalho ao conjunto dos capitalistas de I; recebe esse valor em dinheiro pago na forma de salários. Com esse dinheiro, compra a II meios de consumo que representam valor no mesmo montante. O capitalista II é para ele vendedor de mercadorias, e nada mais, mesmo quando o trabalhador compra de seu próprio capitalista como é o caso (ver p. 476) da troca dos 500 II_v. A forma de circulação efetuada pela mercadoria força de trabalho é a da simples circulação das mercadorias M (força de trabalho)-D-M (meios de consumo, mercadoria II), destinada meramente a satisfazer necessidades, a suprir o consumo. Resultado dessa ocorrência: o trabalhador mantém-se como força de trabalho do capitalista I e, a fim de prosseguir nessa condição, tem sempre de repetir o processo F (M)-D-M. O salário realiza-se em meios de consumo, despende-se como renda e, para o conjunto da classe trabalhadora, não cessa de assim despender-se.

Vejamos agora a mesma troca I_v por II_c, do ângulo do capitalista. Todo o produto-mercadoria de II consiste em meios de consumo, portanto em coisas destinadas a entrar no consumo anual, servindo para realizar a renda de alguém, no caso o conjunto dos trabalhadores I. Mas, para o conjunto dos capitalistas II, fração de seu produto-mercadoria, igual a 2.000, é agora a forma convertida em mercadoria do valor-capital constante de seu capital produtivo. Essa fração tem de deixar essa forma mercadoria e reconverter-se na forma natural em que pode funcionar de novo como parte constante do capital produtivo. O que o capitalista II conseguiu até agora foi reconverter em forma dinheiro, com suas vendas aos trabalhadores I, a metade de seu valor-capital constante reproduzido em forma mercadoria (meios de consumo). Assim, transformou-se nessa primeira metade do valor-capital constante II_c, não o capital variável I_v, mas o dinheiro que exercera a função de capital-dinheiro na troca por força de trabalho e por isso caíra em poder do vendedor da força de trabalho, para quem não representa capital, mas renda em dinheiro, a ser gasta na compra de meios de consumo. Por outro lado, o dinheiro = 1.000 que flui dos trabalhadores I para os capitalistas II não pode exercer a função de elemento constante do capital produtivo II. É ainda a forma dinheiro de seu capital-mercadoria, a transformar-se em elemento fixo ou circulante do capital constante. Por isso, II compra a I, por 1.000, meios de produção com o dinheiro obtido dos trabalhadores I, os compradores de sua mercadoria. Assim, a metade do montante do valor-capital constante II volta à forma material em que pode servir novamente de elemento do capital produtivo II. No caso, a circulação tomou a forma M-D-M: meios de consumo no valor de 1.000 – dinheiro = 1.000 – meios de produção no valor de 1.000.

Aqui, porém, M-D-M é movimento de capital. M, vendido ao trabalhador, transforma-se em D, e esse D se converte em meios de produção; é a mercadoria que se reconverte nos elementos materiais de sua fabricação. Se o capitalista II tem aí, para I, apenas a função de comprador de mercadoria, o capitalista I só tem para II a de vendedor de mercadoria. Originalmente, com 1.000 em dinheiro, destinados a servir de capital variável, I comprou força de trabalho no valor de 1.000; por conseguinte, um produto equivalente compensou-o dos 1.000_v desembolsados em forma dinheiro; o dinheiro pertence agora ao trabalhador, que o despende em compras a II; I só pode recuperar esse dinheiro que fluiu para a caixa de II, vendendo a este mercadorias no mesmo montante de valor.

No começo, I dispunha de determinada soma de dinheiro = 1.000, destinada a exercer a função de capital variável; e ela desempenha essa função ao ser trocada por força de trabalho do mesmo valor. Mas, como resultado do processo de produção, fornece-lhe o trabalhador massa de mercadorias (meios de produção) no valor de 6.000, dos quais $^1/_6$ (ou seja, 1.000) constitui equivalente da parte variável do capital adiantada em dinheiro. O valor-capital variável, tanto antes em sua forma dinheiro, quanto agora em sua forma mercadoria, não exerce a função de capital variável; só pode exercê-la depois de converter-se em força de trabalho viva, e enquanto esta funciona no processo de produção. Como dinheiro, o valor-capital variável era apenas capital variável em potencial. Mas encontrava-se em forma em que era diretamente conversível em força de trabalho. Como mercadoria, esse valor-capital variável não é mais do que valor-dinheiro virtual; só retorna à primitiva forma dinheiro com a venda da mercadoria, no caso, quando II comprar por 1.000 mercadoria a I. Temos aqui o movimento de circulação: 1.000_v (dinheiro) – força de trabalho no valor de 1.000 – 1.000 em mercadoria (equivalente do capital variável) – 1.000_v (dinheiro); portanto, D-M...M-D (= D-F...M-D). O processo de produção ocorrente entre M...M não pertence ele mesmo à esfera da circulação; não aparece quando os diferentes elementos da reprodução anual são trocados entre si, embora esta troca envolva a reprodução de todos os componentes do capital produtivo, os componentes constantes e o variável, a força de trabalho. Todos os participantes dessa troca aparecem apenas como compradores ou vendedores, ou nas duas condições; os trabalhadores figuram aí somente como compradores de mercadorias; os capitalistas, alternativamente como compradores e vendedores e, dentro de certos limites, exclusivamente como compradores de mercadorias ou apenas como vendedores de mercadorias.

Resultado: I volta a possuir a parte variável do valor de seu capital na forma dinheiro, a única em que é diretamente conversível em força de trabalho, isto é, volta a possuir essa parte na forma exclusiva em que pode ser efetivamente adiantada como elemento variável do capital produtivo. E o trabalhador, para poder figurar outra vez como comprador de mercadoria, tem novamente de aparecer antes como vendedor de mercadoria, como vendedor de sua força de trabalho.

Com referência ao capital variável da seção II (500 II_v), o processo de circulação se efetua entre capitalistas e trabalhadores dessa seção sem intermediários, se consideramos apenas a existência do conjunto dos capitalistas II e do conjunto dos trabalhadores II.

O capitalista coletivo II adianta 500_v para comprar força de trabalho do mesmo valor; o capitalista coletivo é aqui comprador, e o trabalhador coletivo, vendedor. Em seguida, o trabalhador, de posse do dinheiro recebido por sua força de trabalho, aparece como comprador de parte das mercadorias que ele mesmo produziu. O capitalista desempenha então o papel de vendedor. Com parte do capital-mercadoria II produzido, isto é, com 500_v em mercadoria, o trabalhador substitui, para o capitalista, o dinheiro que este lhe pagou na compra da força de trabalho; o capitalista possui agora em forma mercadoria o mesmo v que possuía na forma dinheiro antes de convertê-lo em força de trabalho; o trabalhador, por seu lado, realizou em dinheiro o valor da força de trabalho, e agora realiza esse dinheiro, despendendo-o como renda, para atender a seu consumo, na compra de parte dos meios de consumo que ele mesmo produziu. Temos aí a troca da renda em dinheiro do trabalhador pela parte 500_v das mercadorias do capitalista, reproduzida nessa forma pelo próprio trabalhador. Assim, esse dinheiro retorna ao capitalista II como a forma dinheiro de seu capital variável. Valor-renda equivalente em forma dinheiro repõe aqui valor-capital em forma mercadoria.

O capitalista não fica mais rico por retirar do trabalhador, com a venda de massa de mercadorias equivalente, o dinheiro que lhe paga ao comprar a força de trabalho. Na realidade, pagaria ao trabalhador duas vezes se, além de lhe pagar 500 na compra da força de trabalho, lhe desse gratuitamente a massa de mercadorias no valor de 500, a qual fez o trabalhador produzir. Mas, se o trabalhador, pelo salário de 500, nada mais produzisse que um equivalente em mercadoria de 500, estaria o capitalista, ao fim da operação, na mesma situação inicial. Mas o trabalhador reproduziu um produto de 3.000; conservou a parte constante do valor do produto, isto é, o valor dos meios de produção consumidos = 2.000, transformando-os em produto novo; além disso, a esse valor preexistente adicionou valor de $1.000_{(v + m)}$. (Segundo ideia desenvolvida por Destutt de Tracy, o capitalista ficaria mais rico embolsando mais-valia oriunda da reversão dos 500 em dinheiro. Pormenores na seção 12 deste capítulo.)

Com a compra de meios de consumo no valor de 500 pelo trabalhador II, volta ao capitalista II, em dinheiro, o valor de 500 II_v, que há pouco possuía em mercadoria: foi em forma dinheiro que primitivamente o adiantara. O resultado imediato da transação, como em qualquer outra venda, é que determinado valor passa da forma mercadoria para a forma dinheiro. E o retorno do dinheiro por esse meio ao ponto de partida nada tem de específico. Se o capitalista II tivesse comprado do capitalista I mercadoria por 500 em dinheiro e depois vendido a I mercadoria no mesmo montante de 500, teria recuperado da mesma maneira 500 em dinheiro. Os 500 teriam sido apenas veículo da troca de uma massa de mercadorias de 1.000 e teriam refluído, segundo lei geral anteriormente enunciada, a quem lançou em circulação o dinheiro que serviu para a troca dessa massa de mercadorias.

Mas os 500 em dinheiro que retornaram ao capitalista II são ao mesmo tempo novo capital variável em potencial na forma dinheiro. E por quê? Dinheiro, e portanto capital-dinheiro, só é capital variável em potencial, porque e enquanto é conversível em força de trabalho. A volta das 500 libras esterlinas ao capitalista II é acompanhada do retorno da força de trabalho II ao mercado. A volta de ambos os fatores situados em polos opostos, e portanto o reaparecimento dos 500 como dinheiro e ao mesmo tempo como capital variável, está condicionada por um processo definido. O dinheiro = 500 retorna ao capitalista II, porque vendeu meios de consumo no montante de 500 ao trabalhador II e este, portanto, despendeu seu salário, a fim de manter a si mesmo, sua família e, por consequência, sua força de trabalho. Para continuar vivendo e poder reaparecer como comprador de mercadoria, tem de vender novamente sua força de trabalho. O retorno dos 500 em dinheiro ao capitalista II é assim, ao mesmo tempo, o retorno ou a permanência da força de trabalho como mercadoria comprável pelos 500 em dinheiro e, por conseguinte, retorno dos 500 em dinheiro como capital variável em potencial.

Quanto à seção II*b* que produz artigos de luxo, o v $(\text{II}b)_v$, comporta-se como I_v. O dinheiro que renova o capital variável dos capitalistas II*b* aflui a estes indiretamente, através dos capitalistas II*a*. Mas a situação se altera se os trabalhadores, ao invés de comprarem meios de subsistência diretamente dos produtores capitalistas a quem vendem a força de trabalho, têm de adquiri-los de outra categoria de capitalistas, por intermédio dos quais o dinheiro reflui para os primeiros. Sendo a classe trabalhadora carente de recursos, compra logo que pode comprar. É diferente o que se dá com o capitalista, por exemplo, na troca de 1.000 II_c contra 1.000 I_v. Ao capitalista não faltam recursos imediatos para viver. O motivo que o impulsiona é a maior valorização possível de seu capital. Por conseguinte, se, em virtude de quaisquer circunstâncias, o capitalista II achar mais vantajoso reter em forma dinheiro, por mais tempo, parcialmente pelo menos, seu capital constante, em vez de renová-lo imediatamente, atrasar-se-á o retorno para I dos 1.000 II_c (em dinheiro) e assim a recuperação de 1.000_v em forma dinheiro. O capitalista I só pode prosseguir produzindo na mesma escala se contar com dinheiro de reserva. De qualquer modo, é necessário capital-dinheiro de reserva, a fim de poder continuar produzindo de maneira ininterrupta, sem levar em conta o retorno mais ou menos rápido do valor-capital variável em dinheiro.

Para investigar a troca dos diferentes elementos da reprodução anual corrente, temos de investigar também o resultado do trabalho do ano passado, do trabalho do ano já concluído. O processo de produção que resultou no produto do ano corrente está atrás de nós, passou, está absorvido por seu produto. É o que se dá, com mais razão ainda, com o processo de circulação que precede o processo de produção ou lhe corre paralelo, isto é, com a transformação do capital variável virtual em efetivo, com a compra e a venda da força de trabalho. O mercado de trabalho não constitui mais parte do mercado de mercadorias que temos agora diante de nós: o trabalhador já vendeu a força de trabalho e, além da mais-valia, forneceu em mercadoria o equivalente ao preço de sua força de trabalho; demais, recebeu o salário, e durante a troca atual, figura apenas como comprador de mercadoria (meios de consumo). Mas o produto anual tem de conter todos os elementos da reprodução, de repor todos os elementos do capital produtivo, principalmente o mais importante, o capital variável. Vimos que, quanto ao capital variável, o resultado da troca é o seguinte: o trabalhador, como comprador de mercadoria, despendendo o salário e consumindo a mercadoria comprada, conserva e reproduz a força de trabalho, a única mercadoria que tem para vender; volta ao capitalista o dinheiro que adiantou para comprar essa força de trabalho, e a força de trabalho volta ao mercado de trabalho como mercadoria que se pode trocar por esse dinheiro. No caso particular de 1.000 I_v eis o resultado: 1.000_v em dinheiro nas mãos dos capitalistas I e, diante deles, força de trabalho no valor de 1.000 constituída pelos trabalhadores I, de modo que todo o processo de reprodução pode começar de novo. Esta é uma das consequências do processo de troca.

O dispêndio dos salários dos trabalhadores I retirou de II meios de consumo no montante de 1.000_c, que passaram assim da forma mercadoria para a forma dinheiro; utilizando essa forma dinheiro, II os reconverteu na forma natural de seu capital constante, comprando mercadorias = 1.000_v a I, para quem assim retornou em forma monetária o valor-capital variável.

O capital variável I experimenta três metamorfoses que, embora não apareçam propriamente na troca do produto anual, transparecem através dela.

1) A primeira forma, 1.000 I_v em dinheiro, que se converte em força de trabalho de igual valor. Na troca de mercadorias entre I e II não aparece diretamente essa transformação, mas seu resultado: a classe trabalhadora I, com 1.000 em dinheiro, enfrenta o vendedor de mercadorias II, do mesmo modo que a classe trabalhadora II enfrenta, com 500 em dinheiro, o vendedor que dispõe de 500 II_v em mercadorias.

2) A segunda forma – a única em que o capital variável varia realmente, exercendo sua função, e em que força criadora de valor aparece substituindo o valor determinado por que se trocou – pertence exclusivamente ao processo de produção que ficou atrás de nós.

3) A terceira forma, em que o capital variável efetivou sua função no resultado do processo de produção, é o produto-valor anual que em I – $1.000_v + 1.000_m = 2.000$ $I_{(v + m)}$. O primitivo valor = 1.000 em dinheiro é substituído por valor duplamente maior em mercadoria = 2.000. Assim, o valor-capital variável – 1.000 em mercadoria passa a constituir apenas a metade do produto-valor criado pelo capital variável como elemento do capital produtivo. Os 1.000 I_v em mercadoria são o equivalente exato da parte variável (em virtude da destinação) do capital global, a qual foi adiantada por I em 1.000_v em dinheiro. Em forma mercadoria, porém, são dinheiro apenas potencialmente (o que só se tornam de fato com a venda) e, portanto, menos diretamente ainda, capital-dinheiro variável. Finalmente, tornam-se capital-dinheiro variável com a venda das mercadorias 1.000 I_v a II_c e com o pronto reaparecimento da força de trabalho como mercadoria comprável, como material em que se pode converter os 1.000_v em dinheiro.

Durante todas essas transformações, o capitalista I mantém sempre o capital variável em suas mãos: 1) no início, como capital-dinheiro; 2) em seguida, como elemento do capital produtivo; 3) depois, como parte do valor do capital-mercadoria, e, valor-mercadoria, portanto; 4) por fim, novamente como capital-dinheiro que a força de trabalho adquirível volta a defrontar. Durante o processo de trabalho, o capitalista tem em suas mãos o capital variável como força de trabalho em ação, criadora de valor e não como valor de grandeza fixa; uma vez que sempre paga ao trabalhador depois de a força de trabalho já ter operado durante certo tempo, já tem em suas mãos, antes de efetuar esse pagamento, o valor de reposição dessa força por ela mesma criado, acrescido de mais-valia.

Uma vez que o *capital variável, qualquer que seja a forma, está sempre nas mãos do capitalista, não se pode dizer de maneira alguma que se converte em renda para quem quer que seja.* Ao contrário, 1.000 I_v em mercadoria se converte em dinheiro com a venda a II, para quem repõe materialmente a metade do capital constante.

O que se reduz a renda não é o capital variável I, 1.000_v em dinheiro; esse dinheiro cessou de funcionar como forma dinheiro do capital variável I, logo que se transformou em força de trabalho, do mesmo modo que o dinheiro de qualquer outro vendedor de mercadoria deixa de representar qualquer coisa que lhe pertença, quando ele, por sua vez, o transforma em mercadoria que adquire. As conversões por que passa o dinheiro nas mãos da classe trabalhadora, recebido como salário, não são conversões do capital variável, mas do valor da força de trabalho, transformado em dinheiro, do mesmo modo que a conversão do produto-valor (2.000 $\text{I}_{(v + m)}$) criado pelo trabalhador é apenas conversão de mercadorias pertencentes aos capitalistas, com a qual nada tem a ver o trabalhador. Mas o capitalista – e mais ainda seu intérprete teórico, o economista – tem dificuldade em se desfazer da ideia de que o dinheiro pago ao trabalhador é dinheiro do próprio capitalista. Se o capitalista é produtor de ouro, a fração variável do valor (o equivalente em mercadoria que repõe o preço de compra do trabalho) aparece diretamente em forma dinheiro, podendo, portanto, funcionar de novo como capital-dinheiro variável, sem ter um retorno de permeio. Quanto aos trabalhadores de II, se abstraímos dos que trabalham na produção de luxo, existem 500, em mercadorias destinadas a seu consumo. Considerados em conjunto, compram-nas diretamente do mesmo conjunto de capitalistas ao qual venderam a força de trabalho. A parte variável do valor do capital II consiste, pela forma natural, em meios de consumo que na maior parte se destinam à classe trabalhadora. Mas não é o capital variável que o trabalhador gasta por essa forma; é o salário, o dinheiro do trabalhador, que, realizando-se nesses meios de consumo, restaura em forma dinheiro o capital variável 500 II_v para o capitalista. O capital variável II_v se reproduz em meios de consumo, do mesmo modo que o capital constante 2.000 II_c; nem um nem outro se reduz a renda. O que se reduz a renda, nos dois casos, é o salário.

Na troca do produto anual, é importante a circunstância de o dispêndio do salário como renda restaurar o capital constante (1.000 II_c) e, mediante retorno direto ou indireto, o variável (1.000 I_v e 500 II_v).

11. REPOSIÇÃO DO CAPITAL FIXO

Quando se trata de expor as trocas da reprodução anual, encontra-se grande dificuldade, apresentada a seguir. Escolhemos a forma mais simples em que a coisa aparece. Assim, consideremos:

(I.) $4.000_c + 1.000_v + 1.000_m +$
(II.) $2.000_c + 500_v + 500_m = 9.000$,
o que se decompõe em:

$4.000\ \text{I}_c + 2.000\ \text{II}_c + 1.000\ \text{I}_v + 500\ \text{II}_v + 1.000\ \text{I}_m + 500\ \text{II}_m = 6.000_c + 1.500_v + 1.500_m = 9.000$. Parte do valor do capital constante, enquanto se constitui de meios de trabalho propriamente ditos (como setor especial dos meios de produção) transfere-se dos meios de trabalho para o produto do trabalho (a mercadoria); esses meios de trabalho prosseguem funcionando como elementos do capital produtivo, e na sua antiga forma natural. É seu desgaste, a perda de valor progressivamente experimentada durante seu funcionamento continuado ao longo de determinado período, que reaparece como elemento do valor das mercadorias produzidas com a utilização deles, transferindo-se assim valor do instrumento de trabalho para o produto do trabalho. Do ponto de vista da reprodução anual, só se levam em conta, de início, os componentes do capital fixo que duram mais de um ano. Os que se extinguem inteiramente durante o ano têm de ser repostos e renovados por inteiro com a reprodução anual, e com eles nada tem a ver a questão a ser examinada aqui. Pode ocorrer, e ocorre frequentemente, que certas partes das máquinas e de outras formas resistentes do capital fixo devam ser totalmente repostas durante o ano, embora o corpo do edifício ou o da máquina durem muito tempo. Essas partes se enquadram na mesma categoria daqueles elementos do capital fixo a serem repostos no decurso de um ano.

Não se deve de maneira alguma confundir esse componente do valor das mercadorias com os custos de reparação. Se a mercadoria é vendida, esse componente se converte em dinheiro, como os demais; mas, após sua transformação em dinheiro aparece sua diferença em relação aos outros elementos do valor. As matérias-primas e matérias auxiliares consumidas na produção das mercadorias têm de ser substituídas materialmente, para que volte a começar a reprodução das mercadorias (principalmente para que seja contínuo o processo de produção das mercadorias); do mesmo modo, a força de trabalho despendida para produzi-las deve ser reposta por nova força de trabalho. O dinheiro obtido através da mercadoria tem, portanto, de ser continuamente reconvertido nesses elementos do capital produtivo, mudando a forma dinheiro para a forma mercadoria. Em nada altera o problema – que se comprem, por exemplo, matérias-primas e matérias auxiliares, por certos prazos, em grandes quantidades, de modo a constituir estoques de produção, não se precisando, portanto, comprar novamente durante certo período esses meios de produção; ou que, enquanto bastam esses meios de produção, se possa juntar dinheiro oriundo da venda de mercadorias, na medida em que sirva ao objetivo de efetuar aquelas compras, e que por isso apareça essa parte do capital constante temporariamente como capital-dinheiro com a função ativa em suspenso. Não há aí capital-renda; há capital produtivo, retido em forma dinheiro. Os meios de produção têm de renovar-se continuamente, embora a forma dessa renovação possa variar com referência à circulação. As compras, esses atos da circulação que renovam, repõem os meios de produção, podem ocorrer após intervalos longos, e, nesse caso, haverá grande investimento de dinheiro de uma vez, compensado por correspondente estoque de produção; ou poderão elas ocorrer em intervalos que se sucedem rapidamente: teremos então dinheiro aplicado em pequenas doses que se sucedem rapidamente, e estoques pequenos em relação à produção. O problema em nada se altera por isto. E o mesmo se dá com a força de trabalho. Quando a produção se efetua continuamente o ano inteiro na mesma escala, há a reposição constante, por nova, da força de trabalho consumida; quando o trabalho se aplica sazonalmente ou em quantidades diferentes em períodos diferentes, como na agricultura, verifica-se compra ora maior ora menor de massa de força de trabalho, segundo as necessidades. Entretanto, é o contrário o que se dá com o dinheiro obtido da venda da mercadoria e que representa, do valor da mercadoria, a parte que é igual ao desgaste do capital fixo: esse dinheiro não se reconverte em elemento do capital produtivo cuja perda de valor repõe. Deposita-se ao lado do capital produtivo e persiste em sua forma dinheiro. Essa deposição de dinheiro se repete até ter decorrido o período de reprodução que abrange número maior ou menor de anos, e durante o qual o elemento fixo do capital constante prossegue funcionando no processo de produção em sua forma natural primitiva. Quando o elemento fixo está gasto, edificações, maquinaria etc., não podendo mais funcionar no processo de produção, seu valor existe a seu lado, inteiramente reposto por dinheiro, pela soma dos depósitos em dinheiro, dos valores que o capital fixo transferiu pouco a pouco às mercadorias para cuja produção concorreu, e que se converteram na forma dinheiro com a venda das mercadorias. Esse dinheiro serve para repor materialmente o capital fixo (ou seus elementos, pois os elementos diferentes têm diversa duração de vida) e assim renovar de maneira efetiva esse componente do capital produtivo. Por conseguinte, esse dinheiro é a forma que assumiu parte do valor-capital constante, a parte fixa deste. Esse entesouramento, portanto, é elemento do processo capitalista de reprodução, ao reproduzir e juntar em dinheiro o valor do capital fixo ou de seus diversos elementos até a ocasião em que está gasto o capital fixo e, por consequência, todo o seu valor já se transferiu para as mercadorias produzidas, devendo ser reposto materialmente. Mas esse dinheiro só perde a forma de tesouro e participa no processo de reprodução do capital, que se efetua por intermédio da circulação, quando se reconverte em novos elementos do capital fixo, que repõem os extintos.

A circulação simples das mercadorias não é idêntica à troca direta dos produtos, e, do mesmo modo, a troca do produto-mercadoria anual não se pode reduzir à simples troca direta e recíproca de seus diversos componentes. O dinheiro desempenha aí papel específico que se destaca na maneira como se reproduz o valor-capital fixo. (Mais adiante, veremos como as coisas se comportam, supondo-se que a produção seja comum e não possua a forma mercantil.)

Em nosso esquema inicial, tínhamos para a seção II $2.000_c + 500_v + 500_m$. Totalidade dos meios de consumo produzidos no decurso do ano = valor de 3.000; cada um dos elementos mercadoria que constituem a soma das mercadorias se decompõe, segundo o valor, em $^2/_{3c} + ^1/_{6v} + ^1/_{6m}$ ou, percentualmente em $66\ ^2/_{3c} + 16\ ^2/_{3v} + 16\ ^2/_{3m}$. As diferentes espécies de mercadorias da seção II podem conter capital constante em proporção diversa; a parte fixa do capital constante por elas absorvida pode variar, e também a duração dos elementos fixos do capital. Por isso, pode variar o desgaste anual desses elementos ou a parte do valor que transferem *pro rata* às mercadorias para cuja produção concorrem. Aqui, porém, nada disso importa. Do ponto de vista do processo social de reprodução, temos a considerar apenas a troca entre as seções II e I, que se confrontam aqui somente em suas relações sociais, de caráter geral. Por isso, a magnitude proporcional da parte e do valor do produto-mercadoria II (único elemento decisivo na questão que ora nos ocupa) é a relação média obtida tomando--se em conjunto todos os ramos de produção situados na seção II.

Assim, cada uma das espécies de mercadorias (e, em grande parte, as espécies não variam) cujo valor global se expressa em $2.000_c + 500_v + 500_m$ passa uniformemente a decompor-se, segundo o valor, em $66\ ^2/_3\%_m + 16\ ^2/_3\%_v + 16\ ^2/_3\%_m$. Isto se aplica a cada valor 100 em mercadorias, figurem elas em c, em v ou em m.

As mercadorias são decomponíveis segundo o valor. Temos, para as que se materializam em 2.000_c:

1) $1.333\ ^1/_{3c} + 333\ ^1/_{3v} + 333\ ^1/_{3m} = 2.000_c$;

em 500_v:
2) $333\ {}^1/{3_c} + 83{}^1/{3_v} + 83{}^1/{3_m} = 500_v$;
e finalmente em 500_m:
3) $333\ {}^1/{3_v} + 83\ {}^1/{3_c} + 83\ {}^1/{3_m} = 500_m$.
Soma dos c em 1, 2 e 3: $1.333\ {}^1/{3_c} + 333\ {}^1/{3_c} + 333\ {}^1/{3_c} = 2.000$. Da mesma maneira, para os v: $333\ {}^1/{3_v} + 83\ {}^1/{3_v} + 83\ {}^1/{3_v} = 500$, e assim também para m. O total nos dá o valor de 3.000 como acima.

Para a massa de mercadorias II no valor de 3.000, todo o valor-capital constante nela contido se encerra em 2.000_c, e nada dele existe em 500_v nem em 500_m. O mesmo raciocínio se aplica a v e a m.

Em outras palavras: existe em 2.000_c toda a porção da massa de mercadorias II que representa o valor-capital constante e é, por isso, conversível novamente à forma natural desse valor ou à forma dinheiro. Em consequência, tudo o que se relaciona com a troca do valor constante das mercadorias II se limita, portanto, ao movimento de 2.000 II_c; e essa troca só se pode efetuar com I ($1.000_v + 1.000_m$).

Do mesmo modo, para a seção I, tudo o que diz respeito à troca de todo o valor-capital constante que lhe pertence deve limitar-se ao exame de 4.000 I_c.

a) Reposição em dinheiro da parte do valor oriunda de desgaste

Para começar, consideremos:

$$\text{I.}\quad 4.000_c + \underbrace{1.000_v + 1000_m}$$

$$\text{II.}\quad 2.000_c \quad + 500_v + 500_m$$

Nessas condições, a troca das mercadorias 2.000 II_c por mercadorias do mesmo valor I ($1.000_v = 1.000_m$) supõe que 2.000 II_c se reconvertem materialmente por inteiro nos componentes naturais do capital constante II produzidos por I. Entretanto, o valor-mercadoria de 2.000 em que existe esse capital constante contém elemento correspondente à perda de valor do capital fixo e que não é logo substituído materialmente, mas transformado em dinheiro que progressivamente se vai juntando para atingir um montante global, até chegar a ocasião de renovar o capital fixo em sua forma natural. Todo ano morre capital fixo que é mister repor nesta ou naquela empresa, neste ou naquele ramo industrial; no mesmo capital individual cabe repor esta ou aquela parte do capital fixo (uma vez que essas partes têm duração diversa). Quando observamos a reprodução anual, mesmo na escala simples, abstraindo de toda acumulação, não começamos na origem; é um ano na fluência do tempo, não é o ano de nascimento da produção capitalista. Os diferentes capitais empregados nos vários ramos de produção da seção II são, portanto, de duração diversa, e, do mesmo modo que anualmente morrem pessoas que funcionam nesses ramos, massas de capitais fixos chegam, no ano, ao término de sua vida e têm de ser renovadas materialmente por meio do fundo em dinheiro que se juntou. Nessas condições, a troca dos 2.000 II_c por 2.000 $I_{(v + m)}$ compreende a conversão de 2.000 II_c, que deixa a forma mercadoria (a de meios de consumo) para transformar-se em elementos naturais que consistem não só em matérias-primas e matérias auxiliares, mas também em elementos naturais do capital fixo, máquinas, ferramentas, edificações etc. Assim, o desgaste a repor-se em *dinheiro* e componente do valor de 2.000 II_c absolutamente não corresponde ao montante do capital fixo em funcionamento, pois todo ano parte deste tem de repor-se materialmente. Mas isto supõe que, em anos anteriores, se tenha juntado nas mãos dos capitalistas II o dinheiro necessário para essa conversão. Esse pressuposto admitido para os anos anteriores é também válido para o ano corrente.

Na troca entre I (1.000$_v$ + 1.000$_m$) e 2.000 II_c cabe inicialmente observar que a soma de valor $I_{(v + m)}$ não contém componente constante do valor, não encerra, portanto, elemento-valor para repor o desgaste, para compensar o valor que a porção fixa do capital constante transferiu às mercadorias, forma natural em que existe v + m. Em II_c, ao contrário, existe esse elemento, e parte desse elemento-valor oriundo do capital fixo não tem de passar imediatamente da forma dinheiro para a forma natural, mas deve, primeiro, permanecer na forma dinheiro. Por isso, na troca de I (1.000$_v$ + 1.000$_m$) por 2.000 II_c logo surge a seguinte dificuldade: os meios de produção I (em cuja forma natural existem os 2.000$_{(v + m)}$), em seu valor global de 2.000, devem ser trocados por equivalente em meios de consumo II, mas os meios de consumo 2.000 II não podem ser trocados, em seu valor global, pelos meios de produção I (1.000$_v$ + 1.000$_m$). É que parte integrante de seu valor (igual ao desgaste ou perda de valor a compensar, do capital fixo) tem de sedimentar-se em dinheiro que não volta a servir de meio de circulação no período anual corrente de reprodução, o único que estamos examinando. Mas o dinheiro em que se realiza monetariamente o elemento-desgaste que se insere no valor-mercadoria 2.000 II_c só pode provir de I, uma vez que II não tem por que se pagar, e sim é pago justamente vendendo sua mercadoria, e além disso, se supõe que $I_{(v + m)}$ compra toda a soma de mercadorias 2.000 II_c. Assim, a seção I, por meio dessa compra, tem de converter em dinheiro aquele desgaste de II. Mas, segundo lei anteriormente exposta, dinheiro adiantado à circulação volta ao produtor capitalista que mais tarde lança na circulação montante igual de mercadoria. Para comprar II_c, I não pode, evidentemente, ceder a II 2.000 em mercadorias e, além disso, soma suplementar de dinheiro de uma vez para sempre (sem que esta lhe volte por meio da operação de troca). Do contrário, compraria a massa de mercadorias II_c acima do valor. Se II troca efetivamente seus 2.000_c com I (1.000_v + 1.000_m), nada mais tem a exigir de I, e o dinheiro que circula durante essa troca volta para I ou para II, dependendo de quem o lançou na circulação, isto é, de quem surgiu primeiro como comprador. Nesse caso, II teria reconvertido seu capital-mercadoria, por todo o valor, na forma natural de meios de produção. Mas supõe-se que parte integrante desse capital-mercadoria, após a venda, não deixa a forma dinheiro durante o período anual corrente de reprodução, a fim de reconverter-se na forma natural dos componentes fixos do capital constante. Por conseguinte, II só poderia ter um saldo em dinheiro se a I vendesse 2.000 e lhe comprasse menos de 2.000, digamos, 1.800. Nesse caso I teria de pagar o saldo com 200 em dinheiro que não retornaria a ele, pois não teria posto em circulação mercadorias no valor de 200 a fim de retirar dela esse dinheiro a ela adiantado. Nessas condições, II teria um fundo em dinheiro por conta do desgaste do capital fixo, mas haveria do lado de I uma superprodução de meios de produção no valor de 200, e assim ruiria toda a base de nosso esquema, a reprodução em escala invariável, que não prescinde da hipótese de completa proporcionalidade entre os diferentes sistemas de produção. Teríamos escapado de uma dificuldade para cair noutra maior.

Uma vez que este problema oferece dificuldades peculiares que até agora não foram tratadas pelos economistas, vamos examinar uma a uma todas as soluções possíveis (pelo menos na aparência), ou melhor, as diferentes formulações do problema.

Começaremos com a suposição há pouco estabelecida segundo a qual II em mercadorias, vende a I 2.000, mas só lhe compra 1.800. No valor-mercadoria 2.000 II_c continham-se 200 para repor o desgaste e que iam constituir reserva em dinheiro; assim, o valor 2.000 II_c repartia-se em 1.800, a serem trocados por meios de produção I, e em 200 correspondentes à reposição do desgaste, a reter em dinheiro, após a venda dos 2.000_c a I. Assim, com relação ao valor, teríamos 2.000 $\text{II}_c = 1.800_c + 200_c$ (d), em que d = desgaste.

Examinemos então a troca:

$$\text{I.}\quad \underbrace{1.000_v + 1000_m}$$
$$\text{II.}\qquad 1.800_c + 200_c(\text{d})$$

Com as 1.000 libras esterlinas que fluíram para os trabalhadores como salário, para pagar força de trabalho, a seção I compra meios de consumo no montante de 1.000 II_c; com as mesmas 1.000 libras esterlinas, II compra meios de produção no montante de 1.000 I_v. Por conseguinte, retorna aos capitalistas I, em forma dinheiro, seu capital variável, e assim poderão, no ano seguinte, comprar força de trabalho no mesmo valor, isto é, repor na forma natural a parte variável do capital produtivo. Em seguida, II adianta 400 libras esterlinas para comprar meios de produção I_m, e I_m compra, com as mesmas 400 libras esterlinas, meios de consumo II_c. Assim, as 400 libras esterlinas que II adiantou à circulação voltaram aos capitalistas II, mas apenas como equivalente de mercadoria vendida. Demais, I compra meios de consumo por 400 libras esterlinas, adiantando-as; II compra a I meios de produção por 400 libras esterlinas, com o que elas voltam a I. Até aí temos o seguinte:

Em mercadoria, I lança em circulação $1.000_v + 800_m$; em dinheiro, 1.000 libras esterlinas em salários e 400 libras esterlinas na compra a II. Após concluída toda a troca, I possui 1.000_v em dinheiro, 800_m convertidos em 800 II_c (meios de consumo) e 400 libras esterlinas em dinheiro.

Em mercadoria (meios de consumo), II lança em circulação 1.800_c, e em dinheiro 400 libras esterlinas; após concluída a transação, possui 1.800 em mercadoria I (meios de produção) e 400 libras esterlinas em dinheiro.

Agora, em I sobram 200_m (em meios de produção), e em II, 200_c (d) (em meios de consumo).

Segundo o pressuposto estabelecido, I compra com 200 libras esterlinas os meios de consumo c (d) no valor de 200; II, porém, retém essas 200 libras esterlinas, pois 200_c (d) representam desgaste, não podendo, portanto, ser diretamente reconvertidos em meios de produção. São, portanto, invendáveis

$200\ \text{I}_m$; 1/5 da mais-valia I, a ser substituído, é irrealizável, inconversível de sua forma natural de meios de produção na de meios de consumo.

Isto, além de contradizer o pressuposto da reprodução simples, não constitui em si mesmo uma hipótese que explique a conversão em dinheiro de 200_c (d); ao contrário, leva-nos a concluir que essa conversão é inexplicável. Não se podendo demonstrar como 200_c (d) se transformam em dinheiro, supõe-se que I tem a gentileza de convertê-los em dinheiro, justamente porque não está em condições de obter a mesma coisa para os 200_m remanescentes. Considerar isso operação normal do mecanismo de troca equivale a supor que todos os anos cai do céu um maná, as 200 libras esterlinas, para converter em dinheiro os 200_c (d).

O absurdo dessa hipótese não salta logo à vista quando I_m, em vez de surgir, como aqui, na forma original de existência (como parcela do valor dos meios de produção, portanto do valor das mercadorias que os produtores capitalistas têm de realizar em dinheiro, vendendo-as), aparece nas mãos dos associados dos capitalistas, por exemplo, como renda do proprietário da terra ou juro do prestamista. Se, com o passar do tempo, não se pode realizar, por meio da venda das mercadorias, o pedaço da mais-valia a ser cedido pelo capitalista industrial como renda fundiária ou juro aos outros coparticipantes da mais-valia, cessarão os pagamentos de renda e juro e não poderá o proprietário da terra nem o prestamista aparecer como *deus ex machina*, fazendo dispêndios para converter em dinheiro, à sua escolha, determinadas partes da reprodução anual. O mesmo se aplica às despesas dos chamados trabalhadores improdutivos, funcionários, médicos, advogados etc. e tudo o mais que constitui o “grande público”, que presta aos economistas o serviço de explicar o que eles não explicam.

Também não chegamos a uma solução, pondo de lado a troca direta entre I e II, entre as duas grandes seções dos produtores capitalistas, e recorrendo ao comerciante que, no desempenho do papel de intermediário, contorna todas as dificuldades com seu “dinheiro”. Nestas condições, os $200\ \text{I}_m$ terão de ser vendidos por fim e definitivamente aos capitalistas industriais II. Podem passar pelas mãos de muitos comerciantes, mas o último, de acordo com nossa hipótese, estará, perante II, na mesma situação em que se encontravam no começo os produtores capitalistas de I, impossibilitados de vender $200\ \text{I}_m$ a II. E a soma já comprometida não poderá renovar o mesmo processo.

Abstraindo de nosso próprio objetivo, estamos vendo que é absolutamente necessário considerar o processo de reprodução em sua forma fundamental, livre de todas as interferências perturbadoras, a fim de desprender-nos de todos os ilusórios subterfúgios que assumem a aparência de explicação "científica" quando tomamos diretamente, como objeto de análise, o processo social de reprodução em sua forma concreta embaraçante.

Nas condições normais da reprodução, simples ou ampliada, o dinheiro, próprio ou de empréstimo, adiantado à circulação pelo produtor capitalista volta necessariamente ao ponto de partida. É lei que exclui definitivamente a hipótese de que 200 II_c (d) se realizem monetariamente com dinheiro adiantado por I.

b) Reposição física do capital fixo

Rejeitada a hipótese que acabamos de examinar, restam-nos apenas as possibilidades que, além da reposição em dinheiro do desgaste, abrangem a reposição física do capital fixo que de todo se extinguiu.

Pressupostos que estabelecemos anteriormente:

A) As 1.000 libras esterlinas aplicadas por I em salários são despendidas pelos trabalhadores em II_c; assim, compram eles meios de consumo no mesmo valor.

Quando dizemos aqui que I adianta em dinheiro 1.000 libras esterlinas, estamos apenas registrando uma realidade existente. Os produtores capitalistas pagam os salários em dinheiro; os trabalhadores, em seguida, gastam-no em meios de subsistência, e os vendedores dos meios de subsistência utilizam-no como meio de circulação quando convertem em capital produtivo a parte constante do capital-mercadoria. Esse dinheiro percorre, na realidade, muitos canais (vendeiros, proprietários de habitações, coletores de impostos, trabalhadores improdutivos como médicos etc. que o próprio trabalhador precisa) e, por isso, só em parte flui diretamente das mãos dos trabalhadores I para as da classe capitalista II. Seu curso pode ficar mais ou menos interrompido e por isso precisarem os capitalistas de novas reservas em dinheiro. Mas nada disto interessa ao estudo da forma fundamental.

B) Ficou estabelecido que I, de um lado, em compras a II, adianta ainda 400 libras esterlinas em dinheiro que lhe reflui, que II, do outro, em compras a I, adianta 400 libras esterlinas que lhe voltam. Esta hipótese se impõe, pois seria arbitrária a suposição oposta de que a classe capitalista I ou a classe capitalista II unilateralmente adianta à circulação o dinheiro necessário para a troca das mercadorias. Anteriormente, na subseção a), ficou demonstrado ser inadmissível a hipótese de que I lance na circulação dinheiro adicional para realizar monetariamente 200 II_c (d). Assim, só restaria a hipótese, aparentemente ainda mais absurda, de que II mesmo lança na circulação o dinheiro com que se realiza monetariamente a parte do valor-mercadoria destinada a repor o desgaste de capital fixo. Por exemplo, a fração de valor que a máquina de fiar da empresa X perde na produção reaparece como fração do valor do fio; o que, de um lado, a máquina de fiar perde em valor com o desgaste surgirá na empresa, do outro, como dinheiro que se amontoa. Será então possível admitir o seguinte: X compra a Y 200 libras esterlinas de algodão, lançando assim na circulação esse montante em dinheiro; Y lhe compra fio com a mesma quantia, e essas 200 libras esterlinas servem a X de fundo para repor o desgaste da máquina de fiar. Isto significa apenas que X, pondo-se de lado sua produção, o produto obtido e a venda deste, tem 200 libras esterlinas disponíveis, para indenizar-se da perda de valor da máquina de fiar, isto é, que à perda de valor da máquina de fiar de 200 libras esterlinas tem de acrescentar, todo ano, outras 200 libras esterlinas tiradas de seu bolso para, no fim de tudo, estar em condições de comprar nova máquina de fiar.

Entretanto, a hipótese é absurda só na aparência. A seção é constituída de capitalistas cujos capitais fixos se encontram nos mais diversos estágios de reprodução. Para uns, chegou a época em que o capital fixo tem de ser fisicamente reposto por inteiro. Para outros, essa época está mais ou menos distante; todos os membros deste segundo grupo têm isto em comum: seu capital fixo não se reproduz em sua materialidade, não se renova fisicamente, não é reposto por novo exemplar da mesma espécie, mas pouco a pouco seu valor se junta em dinheiro. O primeiro grupo encontra-se totalmente (ou parcialmente, no caso não importa) na mesma situação em que estava no início do negócio, quando foi ao mercado com capital-dinheiro para transformá-lo em capital constante (fixo e circulante) e em força de trabalho, em capital variável. Como anteriormente, tem de adiantar agora à circulação esse capital-dinheiro, por conseguinte o valor do capital constante fixo, o do circulante e o do capital variável.

Podemos admitir que, das 400 libras esterlinas postas em circulação pelos capitalistas de II para troca com I, a metade provém daqueles capitalistas de II que têm de renovar fisicamente não só os meios de produção pertencentes ao capital circulante, utilizando suas mercadorias, mas também o capital fixo, utilizando seu dinheiro, e que a outra metade procede dos capitalistas de II que apenas renovam materialmente, com seu dinheiro, a parte circulante do capital constante, sem repor fisicamente seu capital fixo. E nada haverá de contraditório na circunstância de as 400 libras esterlinas que retornam (desde que I as aplique na compra de meios de consumo) se repartirem em proporção diferente pelos dois grupos de II. Refluem para a seção II, mas não retornam às mesmas mãos, vão repartir-se de maneira diferente dentro da seção, mudando de um grupo para outro.

O primeiro grupo de II, pondo-se de lado a parte dos meios de produção finalmente coberta por suas mercadorias, converte em novos elementos físicos do capital fixo a quantia em dinheiro de 200 libras esterlinas. Como no começo do negócio, o dinheiro assim despendido retornar-lhe-á da circulação progressivamente no decurso de anos, como parte do valor das mercadorias a produzir com esse capital fixo, oriunda do desgaste.

O outro grupo de II, ao contrário, não adquiriu mercadorias de I no montante de 200 libras esterlinas, e este lhe paga com o dinheiro com que o primeiro grupo de II lhe comprou elementos do capital fixo. O primeiro grupo de II volta a possuir em nova forma natural seu valor-capital fixo, e o outro ainda está ocupado em juntá-lo em dinheiro, para reposição física posterior de seu capital fixo.

Devemos partir do que sobra das mercadorias a trocar nas duas seções: em I, 400_m e em II, $400_{c,}$[52] deixando de lado as transações que antecedem esse resto. Vamos admitir que II adiante 400 em dinheiro para a troca dessas mercadorias no montante de 800. Metade dos 400 (= 200) tem de ser despendida de qualquer modo pelo grupo de II_c, que juntou 200 em dinheiro como valor derivado de desgaste e deve reconvertê-los agora na forma natural de seu capital fixo.

O valor-capital constante, o valor-capital variável e o valor excedente (mais-valia), nos quais se decompõe o valor do capital-mercadoria (de II ou I), podem ser representados em partes proporcionais integrantes da massa de mercadorias (de II ou I). Do mesmo modo, dentro do valor do capital constante pode ser representada como sua parte integrante a fração que, durante algum tempo, deve ser objeto de entesouramento progressivo, antes de converter-se na forma natural do capital fixo. Determinada quantidade

52 Os números não coincidem com os da hipótese anterior. Mas isto não importa, pois aqui apenas interessam as proporções. — F.E.

das mercadorias II (em nosso caso, a metade do resto = 200), representa agora apenas o valor que provém do desgaste e que, por intermédio da troca, tem de depositar-se em dinheiro. (O primeiro grupo dos capitalistas II, que renova fisicamente o capital fixo, já terá realizado assim fração do valor, oriunda do desgaste, com a parte, correspondente a desgaste, do conjunto das mercadorias, do qual só estamos considerando o resto: mas, desse modo, ficam-lhe por realizar 200 em dinheiro.)

A segunda metade (= 200) das 400 libras esterlinas lançadas por II em circulação, nessa troca restante, compra de I elementos circulantes do capital constante. Parte dessas 200 libras pode ser lançada na circulação por ambos os grupos de II ou apenas pelo que não renova fisicamente o componente fixo do valor.

Com as 400 libras esterlinas, tiram-se de I: 1) mercadorias no montante de 200 libras esterlinas e que consistem em elementos do capital fixo; 2) mercadorias no montante de 200 libras esterlinas e que repõem apenas os elementos físicos da parte circulante do capital constante de II. Assim, I vende a II todo o produto anual que tem para lhe vender: mas $^1/_5$ desse valor, 400 libras esterlinas, está agora em suas mãos na forma de dinheiro. Mas esse dinheiro é mais-valia monetariamente realizada, a ser gasta como renda em meios de consumo. I compra, com essas 400 libras esterlinas, todo o valor-mercadoria de II = 400. O dinheiro retorna, portanto, a II, retirando-lhe as mercadorias.

Nos três casos que vamos supor, chamamos a parte dos capitalistas II que repõe fisicamente o capital fixo de "grupo 1", e a parte que junta em dinheiro o valor decorrente do desgaste do capital fixo de "grupo 2". Especifiquemos os três casos: A) uma parte dos 400 consistentes nas mercadorias restantes de II tem de repor certa quantidade de elementos circulantes do capital constante do grupo 1 e do grupo 2 (digamos, ½ para cada um); B) o grupo 1 vendeu toda a sua mercadoria, de modo que o 2 ainda tem de vender 400; C) o grupo 2 vendeu tudo, menos os 200 que representam o valor-desgaste.

Teremos então as seguintes distribuições:

A) Do valor-mercadoria = 400_m ainda em poder de II. O grupo 1 possui 100 e o 2, 300: desses 300, 200 representam o desgaste. Nesse caso, das 400 libras esterlinas em dinheiro que agora retornam de I para tirar mercadorias de II, 300 foram originalmente desembolsadas pelo grupo 1, sendo 200 em dinheiro para obter de I elementos físicos do capital fixo, e 100 em dinheiro para possibilitar a troca de mercadoria que o grupo 1 efetuou com I; mas, dessas 400 libras esterlinas, o grupo 2 só adiantou $^1/_4$, 100, também para possibilitar sua troca de mercadorias com I.

Dos 400 em dinheiro, o grupo 1 adiantou, portanto, 300, e o 2, 100.

Mas, desses 400, retornam:

Ao grupo 1, 100, $^1/_3$ apenas do dinheiro que adiantou. Mas o grupo 1 possui, graças aos outros $^2/_3$, capital fixo renovado no valor de 200. Deu dinheiro a I e mais nenhuma mercadoria por esse elemento do capital fixo no valor de 200. Nessa operação, só defronta I como comprador, não voltando a defrontá-lo como vendedor. Por isso, esse dinheiro não lhe pode retornar; do contrário, os elementos fixos do capital que recebeu de I lhe teriam sido dados de presente. Quanto ao terço do dinheiro que adiantou e recuperou, o grupo I apareceu inicialmente como comprador de componentes circulantes de seu capital constante. Com o mesmo dinheiro, I compra-lhe o resto de suas mercadorias no valor de 100. O dinheiro retorna assim ao grupo 1, pois este realizou uma venda logo depois de ter surgido como comprador. Se não retornasse, teria II (grupo 1) dado a I, por mercadorias no montante de 100, além de 100 em dinheiro, mais 100 em mercadoria, presenteando-o, portanto, com ela.

Entretanto, no grupo 2, que despendeu 100 em dinheiro, retornam 300 em dinheiro: 100, porque como comprador lançou na circulação 100 em dinheiro e depois os recebe de volta como vendedor; 200, porque funciona apenas como vendedor de mercadorias no montante de 200, deixando de reaparecer como comprador. Assim, o dinheiro não pode refluir para I. O desgaste de capital fixo é, portanto, pago pelo dinheiro que o grupo 1 de II lançou em circulação para comprar elementos do capital fixo; mas chega às mãos do grupo 2 não como o dinheiro do grupo 1, e sim como dinheiro que pertence à seção I.

B) No segundo caso, o resto de II_c se distribui de modo a ficarem 200 em dinheiro com o grupo 1 e 400 em mercadorias com o grupo 2.

O grupo 1 vendeu todas as suas mercadorias, mas 200 em dinheiro são a forma em que se converteram os elementos fixos e seu capital constante, que têm de ser repostos fisicamente. Por conseguinte, reaparece aí apenas como comprador e recebe, por seu dinheiro e no mesmo valor, mercadoria I em elementos físicos do capital fixo. O grupo 2 (se I não adianta dinheiro para a troca de mercadorias entre I e II) tem no máximo 200 libras esterlinas para pôr em circulação, pois, em relação à metade de seu valor-mercadoria, vende a I e nada lhe compra.

Para o grupo 2 refluem, da circulação, 400 libras esterlinas: 200 porque as adiantou como comprador e as recupera como vendedor de 200 em mercadoria; 200, porque vendeu mercadoria a I no valor de 200, sem retirar de I, em mercadorias, o equivalente.

c) O grupo 1 possui 200 em dinheiro e 200_c em mercadoria; o grupo 2, 200_c (d) em mercadorias.

De acordo com esta hipótese, o grupo 2 nada tem em dinheiro para adiantar, defrontando I não mais como comprador, e sim como vendedor apenas, tendo de esperar, portanto, até que lhe comprem.

O grupo 1 adianta 400 libras esterlinas em dinheiro, 200 para troca recíproca de mercadorias com I, e 200 como mero comprador de I. Com estas últimas 200 libras esterlinas em dinheiro, compra os elementos fixos do capital.

Com 200 libras esterlinas em dinheiro, I compra 200 em mercadorias ao grupo 1, que, desse modo, obtém de volta as 200 libras esterlinas em dinheiro que adiantara para essa troca de mercadorias; com as outras 200 libras esterlinas, também recebidas do grupo 1, I compra 200 em mercadorias ao grupo 2, que então consegue o depósito em dinheiro do desgaste de seu capital fixo.

No caso c), o problema em nada se modificaria com a suposição de que, em vez de II (grupo 1), a seção I adianta os 200 em dinheiro para a troca das mercadorias existentes. Se I então é quem de início compra mercadorias por 200 a II (grupo 2) – ficou estabelecido que este só tem esse resto de mercadorias para vender –, essas 200 libras esterlinas não voltam a I, pois II (grupo 2) não mais aparece como comprador; mas II (grupo 1) tem 200 libras esterlinas em dinheiro para fazer compras e ainda 200 em mercadorias para trocar, dispondo ao todo de 400 para permutar com I. Assim, 200 libras esterlinas em dinheiro de II (grupo 1) retornam a I. Se I torna a desembolsá-las, a fim de comprar a II (grupo 1) mercadorias por 200, refluirão elas para ele logo que II (grupo 1) adquira a segunda metade dos 400 em mercadoria de I. O grupo 1 (II) desembolsou 200 libras esterlinas em dinheiro como simples comprador de elementos do capital fixo; elas, por isso, não lhe retornam, mas servem para converter em dinheiro as mercadorias restantes 200_c de II, grupo 2, e o dinheiro, as 200 libras esterlinas, que I adiantou para a troca de mercadorias, lhe volta não via II, grupo 2, mas via II, grupo 1. Por sua mercadoria no valor de 400, recebeu I, em troca, equivalente em mercadorias (400); também refluíram para ele as 200 libras esterlinas em dinheiro que adiantou para a troca dos 800 em mercadorias. Assim, fica tudo em ordem.

A dificuldade que se encontrava na troca:

$$\underbrace{1.000_v + 1000_m}$$

$$\text{II.} \quad 2.000_c$$

foi reduzida à dificuldade que aparece na troca dos restos:

I. 400_m

II. (I) 200 em dinheiro + 200_c em mercadoria + (2) 200_c em mercadoria, ou, expressando mais claramente:

I. $200_m + 200_m$

II. (1) 200 em dinheiro + 200_c em mercadoria + (2) 200_c em mercadoria.

II (grupo 1) troca 200_c em mercadoria por 200 I_m em mercadoria, e todo o dinheiro que circula nessa permuta, entre I e II de 400 em mercadoria reflui para quem o adiantou, I ou II. Por isso, esse dinheiro, como elemento da troca entre I e II, não constitui elemento efetivo do problema que ora nos ocupa. Dito de outro modo: se admitimos que, na troca entre 200 I_m (mercadoria) e 200 II_c (mercadoria de II, grupo 1), o dinheiro funciona como meio de pagamento, não como meio de compra, ou seja, como "meio de circulação" no sentido mais estrito, está claro que, sendo de igual valor as mercadorias 200 I_m, e 200 II_c (grupo 1), meios de produção no valor de 200 se permutam por meios de consumo no valor de 200, e que o dinheiro só funciona aí idealmente, sem que seja mister, na realidade, lançar dinheiro em circulação para liquidar saldo de qualquer dos dois lados. O problema só aparece em seu estado puro quando nos lados I e II cancelamos a mercadoria 200 I_m e seu equivalente, a mercadoria 200 II_c (grupo 1).

Após eliminar esses dois montantes de igual valor (I e II), que reciprocamente se liquidam, fica, portanto, o resto da troca em que o problema se apresenta em seu estado puro, a saber:

I. 200_m em mercadoria

II. (1) 200_c em dinheiro + (2) 200_c em mercadoria.

Está claro que II (grupo 1) compra com 200 em dinheiro os componentes de seu capital fixo 200 I_m; com isso se renova fisicamente o capital fixo de II (grupo 1) e a mais-valia de I, no valor de 200, deixa a forma de mercadoria (meios de produção, mais precisamente elementos do capital fixo), convertendo-se na forma dinheiro. Com esse dinheiro, I compra a II (grupo 2) meios de consumo. Resultado para II: o grupo 1 renova fisicamente componente fixo do capital constante, e o grupo 2 obtém o depósito e dinheiro de outro componente, com o que repõe desgaste do capital fixo. E isto prossegue cada ano, até que esse outro componente tenha de renovar-se fisicamente.

Patenteia-se aqui a condição preliminar: o componente fixo (do capital constante II) cujo valor por inteiro se transformou em dinheiro e, por isso, cada ano deve ser fisicamente renovado (grupo 1) tem de ser igual ao desgaste anual do outro componente fixo (do capital constante II) que prossegue funcionando em sua antiga forma material e cujo desgaste – o valor perdido que transfere às mercadorias para cuja produção concorre – deve, antes de mais nada, ser reposto em dinheiro. Esse equilíbrio parece então ser lei da reprodução em escala invariável; em outras palavras, isto significa que tem de permanecer inalterada a divisão proporcional do trabalho na seção I que fornece os meios de produção, desde que ela produza os componentes circulantes e, além destes, os componentes fixos do capital constante da seção II.

Vejamos como as coisas se comportam quando II_c (1) não é igual a II_c (2); pode ser maior ou menor. Observemos separadamente cada um dos dois casos.

Primeiro caso:

I. 200_m

II. (1) 220_c (em dinheiro) + (2) 200_c (em mercadoria).

Nessas condições, II_c (1) compra, com 200 libras esterlinas em dinheiro, as mercadorias 200 I_m, e I compra com o mesmo dinheiro as mercadorias 200 II_c (2), portanto a parte do capital fixo a ser depositada em dinheiro e que assim se realiza monetariamente. Mas 20 II_c (1) em dinheiro não se pode converter fisicamente em capital fixo.

Esse inconveniente parece remediável se igualarmos o resto de I_m a 220, e não a 200, de modo que dos 2.000 I só teriam sido liquidados pelas transações anteriores 1.780, em vez de 1.800. Teríamos então:

I. 220_m.

II. (1) 220_c (em dinheiro) + (2) 200_c (em mercadoria).

II_c (grupo 1) compra, com 220 libras esterlinas em dinheiro, 220 I_m, e I compra em seguida, com 200 libras esterlinas, 200 II_c (2) em mercadoria. Mas então ficam em mãos de I 20 libras esterlinas em dinheiro, um pedaço da mais-valia que não pode gastar em meios de consumo, mas apenas reter em dinheiro. Assim, nada mais fizemos que transferir a dificuldade de II_c (1) para I_m.

Admitamos que II_c (grupo 1) seja menos do que II_c (grupo 2), e teremos:

Segundo caso:

I. 200_m (em mercadoria).

II. (1) 180_c (em dinheiro) + (2) 200_c (em mercadoria).

II (grupo 1) compra, por 180 libras esterlinas em dinheiro, mercadorias I_m, no montante de 180; I compra com esse dinheiro mercadorias no mesmo valor de II (grupo 2), portanto 180 II_c (2); ficam invendáveis, de um lado, 20 I_m e, do outro, 20 II_c (2); mercadorias no valor de 40 permanecem inconversíveis em dinheiro.

De nada adiantaria supor o resto I = 180; embora nada ficasse sobrando em I, um excedente de 20 em II_c (grupo 2) continuaria sendo invendável, inconversível em dinheiro.

No primeiro caso, em que II (1) é maior do que II (2), fica em II_c (1) um excedente em dinheiro que não se pode reconverter em capital fixo, ou, quando se faz o resto $I_m = II_c$ (1), o mesmo excedente em dinheiro aparece em I_m, inconversível em meios de consumo.

No segundo caso, em que II_c (1) é menor do que II_c (2), fica um déficit em dinheiro para 200 I_m e II_c (2) e superávit equivalente de mercadoria, nos dois lados, ou, quando se faz o resto $I_m = II_c$ (1), haverá déficit em dinheiro e superávit em mercadoria em II_c (2).

Admitamos que os restos I_m são sempre iguais a II_c (1), considerando que as encomendas determinam a produção e que a reprodução não se altera por haver I produzido para o capital constante de II, neste ano, mais componentes fixos e, no seguinte, mais componentes circulantes. Nessas condições, I_m só poderia reconverter-se em meios de consumo, no primeiro caso, se I com I_m comprasse parte da mais-valia pertencente a II, que teria, então, deixado de consumir essa parte, juntando-a como dinheiro; no segundo caso, essa reversão só seria possível se I mesmo gastasse o dinheiro, hipótese já rejeitada.

Com II_c (1) maior do que II_c (2), será necessário importar mercadoria estrangeira para realizar-se a sobra monetária de I_m. Se II_c (1) for menor do que II_c (2), ao contrário, impor-se-á a exportação de mercadoria II (meios de consumo) para que se realize a parte do desgaste II_c ocorrido em meios de produção. Em ambos os casos, é indispensável o comércio exterior.

Estabeleceremos que, para o exame da reprodução em escala invariável, é necessária a hipótese de que permaneçam constantes a produtividade de todos os ramos industriais e as relações quantitativas de valor entre seus diversos produtos-mercadoria. Todavia, os dois últimos casos – II_c (1) maior do que ou menor do que II_c (2) – interessam sempre à produção em escala ampliada, onde sem dúvida podem ocorrer.

c) Resultados

Observações de ordem geral quanto à reposição do capital fixo: se (supostas invariáveis as demais condições, inclusive a escala da produção e sobretudo a produtividade do trabalho) a parte que finda este ano, do elemento fixo de II_c, é maior do que a que se extinguiu no ano anterior, aparecendo parte maior para renovar-se fisicamente, tem de diminuir, em exata correspondência, a parte do capital fixo a caminho da morte e que até lá tem de ser reposta provisoriamente em dinheiro, pois, de acordo com o pressuposto estabelecido, não varia o total (nem a soma dos valores) da parte fixa do capital que funciona em II. Vejamos as consequências que daí decorrem.

Primeiro. Se a parte do capital-mercadoria I constituída pelos elementos do capital fixo de II_c fica maior, tem de se tornar compensatoriamente menor a parte constituída por elementos circulantes de II_c, pois a produção global de I para II permanece inalterada. Se uma parte dessa produção cresce, a outra diminui e vice-versa. Demais, não varia a magnitude da produção global da seção II. Mas como é isto possível quando se reduzem as matérias-primas, produtos semiacabados, matérias auxiliares, em suma, os elementos circulantes do capital constante II?

Segundo. Parte maior do capital fixo II_c recuperada na forma dinheiro, aflui para I, deixando essa forma para reverter à sua forma natural. Mais dinheiro converge para I, além do que circula entre I e II e se destina simplesmente à troca de mercadorias; mais dinheiro que não possibilita a troca recíproca de mercadorias, aparecendo unilateralmente na função de meio de compra. Ao mesmo tempo, porém, teria decrescido compensatoriamente a massa de mercadorias de II_c, a qual representa a reposição do valor de desgaste, isto é, a massa de mercadorias de II que tem de ser trocada, não por mercadoria, mas por dinheiro de I. Mais dinheiro de II teria afluído para I como puro meio de compra, e haveria em II menos mercadorias em relação às quais I teria de funcionar como simples comprador. Parte maior de I_m

(pois I_v já se transformou em mercadorias de II) não poderia converter-se em mercadorias de II, cristalizando-se na forma dinheiro.

Depois disto, não é mais preciso nos determos no caso oposto em que, no ano, é menor o capital fixo a reproduzir, em virtude de morte de seus elementos, e maior a parte correspondente ao desgaste.

O resultado a considerar seria crise, crise de produção, embora se trate de reprodução na mesma escala.

Em suma: na reprodução simples e em circunstâncias invariáveis (sobretudo a produtividade, a quantidade global e a intensidade do trabalho), se não supusermos uma proporção constante entre o capital fixo que se extingue (a renovar) e o que prossegue operando em sua antiga forma material (que acrescenta valor aos produtos, destinado apenas a repor seu desgaste), caberá considerar dois casos. Num, fica a mesma massa dos elementos circulantes a reproduzir, mas terá crescido a massa dos elementos fixos, a reproduzir, e impõe-se acréscimo da produção global de I, ou haverá aí déficit da reprodução, mesmo pondo-se de lado as relações monetárias. No outro caso, diminui a magnitude relativa do capital fixo II a ser reproduzido materialmente e aumenta, na mesma proporção, a parte do capital fixo a ser reposta apenas em dinheiro, mas fica inalterada a massa dos componentes circulantes do capital constante II, reproduzidos por I, e terá decrescido a dos componentes fixos a serem reproduzidos. Nesta hipótese, se a produção global de I não diminuir, haverá superávit (como havia antes déficit), e superávit inconversível em dinheiro.

No primeiro caso, trabalho da mesma espécie pode realmente com acréscimo de produtividade, de quantidade ou de intensidade, produzir mais, e assim se poderia cobrir o déficit; mas essa mudança não poderia efetuar-se sem deslocamento de trabalho e de capital de um para outro ramo de produção de I, e cada deslocamento provocaria perturbações momentâneas. Além disso, I teria mais valor para trocar por menos valor de II, ocorrendo, portanto, uma depreciação do produto de I.

No segundo caso, ao contrário, I é constrangido a contrair a produção, o que significa crise para os trabalhadores e capitalistas aí ocupados, ou a apresentar superávit, o que também quer dizer crise. Essas sobras, por sua natureza, não são males, e sim vantagens; mas constituem males na produção capitalista.

O comércio exterior poderia remediar os dois casos: o primeiro, transformando em meios de consumo a mercadoria I congelada na forma dinheiro, e o segundo, escoando o superávit em mercadoria. Mas o comércio exterior, quando simplesmente não repõe os elementos (também segundo o valor), nada mais faz que transferir as contradições a esfera mais ampla, abrindo-lhes mais vasto campo de ação.

Posta de lado a forma capitalista da reprodução, o problema se reduz ao seguinte: a magnitude da parte que se extingue, do capital fixo (aqui, o que funciona na produção de meios de consumo), a ser substituída materialmente, muda de um ano para outro. Se é muito grande num ano (acima da mortalidade média, como nos seres humanos), será seguramente menor no ano seguinte. Não diminui por isso a massa de matérias-primas, produtos semiacabados e matérias auxiliares necessária para a produção anual dos meios de consumo, desde que não variem as demais circunstâncias; por conseguinte, a produção global dos meios de produção teria num caso de aumentar e, no outro, de diminuir. Só se pode remediar isto por meio de contínua superprodução relativa: produzindo-se capital fixo em quantidade maior que a diretamente necessária, e sobretudo estoques de matérias-primas etc. além das necessidades anuais imediatas (o que é válido especialmente para os meios de subsistência). Dessa maneira, a superprodução equivale a controle da sociedade sobre os meios materiais da própria reprodução. Constitui, entretanto, fator de anarquia, na sociedade capitalista.

É contundente esse exemplo do capital fixo, dentro do quadro da reprodução em escala invariável. Uma das razões prediletas dos economistas para explicar as crises é a desproporção entre a produção do capital fixo e a do capital circulante. Entretanto, constitui novidade para eles que essa desproporção possa e deva aparecer, havendo simples *conservação* do capital fixo, ou quando se supõe produção normal ideal, com reprodução simples do capital social que está funcionando.

12. A REPRODUÇÃO DO MATERIAL MONETÁRIO

Até agora, deixamos inteiramente de lado a reprodução anual de ouro e prata. Na condição de matérias-primas de artigos de luxo, douramento etc., são produtos como quaisquer outros e não caberia aqui mencioná-los especialmente. Entretanto, desempenham importante papel como material monetário e, por isso, como dinheiro potencial. Para simplificar, apenas o ouro será considerado material monetário.

Toda a produção anual de ouro importava, segundo dado antigos, em 800.000-900.000 libras = cerca de 1.100 ou 1.250 milhões de marcos. Entretanto, segundo Soetbeer,[53] a média dos anos 1871-75 montava apenas a 170.675 quilos, no valor aproximado de 476 milhões de marcos. Deste total em milhões de marcos forneceu a Austrália cerca de 167, os Estados Unidos 166, e a Rússia 93. O resto se distribui por diversos países em montante de menos de 10 milhões de marcos para cada um. A produção anual da prata, no mesmo período, ascendeu a perto de 2 milhões de quilos, no valor de 354½ milhões de marcos, e destes, em números redondos, forneceram o México 108, os Estados Unidos 102, a América do Sul 67, a Alemanha 26 etc.

Dos países em que predomina a produção capitalista, só os Estados Unidos são produtores de ouro e de prata; os países capitalistas europeus recebem quase todo seu ouro e a maior parte de sua prata, ou quase toda, da Austrália, dos Estados Unidos, do México, da América do Sul e da Rússia.

Entretanto, imaginaremos que as minas de ouro estejam no país de produção capitalista, do qual estamos analisando a reprodução anual, e isto pela seguinte razão:

Não existe produção capitalista sem comércio exterior. Mas, o pressuposto da reprodução anual normal em dada escala implica o pressuposto de que o comércio exterior se limita a substituir artigos indígenas por artigos diferentes na forma de uso ou natural, sem alterar as relações de valor. Assim, o comércio exterior não alteraria as relações de valor de acordo com as quais se trocam reciprocamente as duas categorias, meios de consumo e meios de produção, nem tampouco as relações entre capital constante, capital variável e mais-valia que compõem o valor do produto de cada uma dessas categorias. Levar em conta o comércio exterior na análise do valor dos produtos anualmente reproduzido só pode, portanto, trazer confusão, e não proporciona qualquer elemento novo ao problema, nem a sua solução. Cabe-nos, portanto, abstrair dele inteiramente e, assim, considerar o ouro elemento direto da reprodução anual, e não elemento-mercadoria importado de fora, através de intercâmbio.

A produção de ouro pertence, como a de metais em geral, à seção I, que abrange a produção dos meios de produção. Seja a produção anual de ouro

53 Ad. Soetbeer, "Edelmettall-Produktion", Gotha, 1879 [p. 112.]

= 30 (suposição feita por comodidade, mas realmente muito exagerada em relação aos números de nosso esquema); dividamos esse valor em 20_c + 5_v + 5_m; 20_c devem ser trocados por outros elementos de I_c, o que se verá mais tarde;[I] mas 5_v + 5_m (I) serão trocados por elementos de II_c, isto é, por meios de consumo.

Quanto a 5_v, começa toda empresa que produz ouro comprando força de trabalho; não com o ouro que ela mesma produz, mas com fração do dinheiro disponível no país. Com esses 5_v, os trabalhadores retiram meios de consumo de II, que utiliza esse dinheiro para comprar meios de produção de I. Se, por exemplo, II comprar a I, por 2, ouro como material etc. (componente de seu capital constante), refluirão para os produtores de ouro de I 2_v em dinheiro que já pertencia anteriormente à circulação. Mesmo que II não compre mais desse material a I, I compra de II, lançando ouro como dinheiro na circulação, pois o ouro pode comprar qualquer mercadoria. A diferença agora consiste apenas em que I não aparece como vendedor, mas exclusivamente como comprador. Os mineradores de ouro podem, a qualquer momento, escoar sua mercadoria que está sempre em forma imediatamente trocável.

Se uma empresa de fiação pagou 5_v a seus trabalhadores, fornecem-lhe estes, além da mais-valia, fios em produto = 5; os trabalhadores compram, por 5, mercadorias de II_c, e este adquire, com 5 em dinheiro, fio de I; assim, os 5_v refluem em dinheiro para a fiação. No caso que estamos considerando, ao contrário: I_o (como chamaremos os produtores de ouro) adianta 5_v a seus trabalhadores em dinheiro que já pertencia anteriormente à circulação; os trabalhadores gastam o dinheiro em meios de subsistência, mas dos 5 só 2 refluem para I, deixando II. Mas I_o pode recomeçar o processo de reprodução tão bem quanto a empresa de fiação, pois seus trabalhadores lhe forneceram 5 em ouro; desses 5, vendeu 2 e lhe basta amoedar[54] ou transformar 3 em bilhetes de banco, para que seu capital variável volte por inteiro às suas mãos sob a forma dinheiro, sem mais intromissão de II.

Mas, já nesse primeiro processo da reprodução anual, ocorreu modificação na massa de dinheiro que pertence real ou virtualmente à circulação. Estamos admitindo que II_c comprou 2_v (I_o) para fins industriais, e que I_o

I Ver nota de pé 55, p. 517.

54 "Os mineradores de ouro levam diretamente quantidade considerável de ouro em barras [...] para a Casa da Moeda de São Francisco". (*Reports of H. M. Secretaries of Embassy and Legation*, 1879, parte III, p. 337.)

voltou a despender 3 em II como forma dinheiro do capital variável. Assim, esses 3 oriundos da massa de dinheiro fornecida pela nova produção de ouro estacionaram em II, ou seja, não refluíram para I. Segundo nossa suposição, II já satisfez suas necessidades de ouro para fins industriais. Os 3 constituem ouro entesourado em suas mãos. Considerando que não podem ser elemento de seu capital constante; que II já possuía antes dinheiro suficiente para a compra de força de trabalho; que, excetuado o elemento desgaste, esses 3 suplementares, embora trocados por uma fração de II_c, não têm dentro deste função a desempenhar, só podendo servir para cobrir, até seu montante, o elemento desgaste, se II_c (1) for menor do que II_c (2), o que é casual; e considerando ainda que, justamente com exceção do elemento desgaste, todo o produto-mercadoria II_c deve ser trocado por meios de produção $I_{(v + m)}$, concluiremos que esse dinheiro tem de transferir-se por inteiro de II_c para II_m, apareça este em meios de subsistência necessários ou em artigos de luxo, e, em troca, valor-mercadoria correspondente tem de passar de II_m para II_c. Resultado: entesoura-se em dinheiro parte da mais-valia.

No segundo ano de reprodução, se continuar sendo a mesma a proporção utilizada, para fins industriais, do ouro anualmente produzido, 2 refluirão para I_o e 3 serão substituídos em espécie, o que significa que ficarão disponíveis em II, entesourados, e assim por diante.

Em suma, quanto ao capital variável: o capitalista I_o, como qualquer I outro, tem de adiantar continuamente esse capital em dinheiro para comprar trabalho. No tocante a v, quem tem de fazer compras a II não é ele, mas seus trabalhadores; aí, nunca surgirá o caso em que apareça como comprador, em que transfira ouro a II sem a iniciativa deste. Mas, quando II lhe compra, transformando seu capital constante em ouro para fins industriais, reflui para ele, vindo de II, parte de (I_o)v, da mesma maneira como acontece com os outros capitalistas de I; e, quando isto não se dá, repõe seu v em ouro, tirado diretamente de sua produção. Mas, na medida em que não reflui para ele o v que adiantou em dinheiro e foi parar em II, parte da circulação existente (o dinheiro que chegou a II vindo de I, mas que não voltou a I) se transforma em tesouro em mãos de II, que, por isso, não gasta parte de sua mais-valia em meios de consumo. Constantemente, inicia-se nova exploração de minas ou antigas se reabrem; assim, determinada proporção do dinheiro a ser despendido por I_o em v constitui sempre parte da massa de dinheiro que existia antes da nova produção de ouro e que I_o lança, por meio de seus trabalhadores, em II. Na medida em que essa parte que passou para II não retorna a I, constitui ela objeto de entesouramento.

Quanto a $(I_o)_m$, pode I_o aparecer sempre como comprador; lança seu m em ouro na circulação e retira em troca meios de consumo II_c; aqui, o ouro é em parte utilizado para fins industriais, funcionando, portanto, como elemento efetivo do componente constante c do capital produtivo de II; e, quando isto não ocorre, torna-se novamente objeto de entesouramento como parte de II_m que cristaliza em dinheiro. Ainda pondo-se de lado I_c, a examinar mais tarde,[55] fica patente que, mesmo na reprodução simples – excluída a acumulação no verdadeiro sentido da palavra,[I] isto é, reprodução em escala ampliada –, inclui-se a acumulação de dinheiro ou entesouramento. E a circunstância de isto repetir-se todos os anos explica o pressuposto de que partimos para observar a produção capitalista, a saber, que, no começo da reprodução, os capitalistas da seção I e da II dispõem de massa de recursos pecuniários, correspondente à troca de mercadorias. Ocorre essa acumulação de numerário, mesmo depois de descontar-se o ouro que se perde com o desgaste do dinheiro circulante.

É evidente que, quanto mais avançada a idade da produção capitalista, tanto maior a massa de dinheiro que se junta em todas as partes e tanto menor a proporção acrescentada a essa massa pela nova produção anual de ouro, embora esse acréscimo possa ser importante do ponto de vista absoluto. Mais uma vez, vamos examinar, em seus aspectos gerais, a objeção feita a Tooke:[II] como é possível que cada capitalista retire do produto anual mais-valia em dinheiro, isto é, retire da circulação mais dinheiro do que nela põe, se em última análise a classe capitalista deve ser considerada a fonte que lança o dinheiro na circulação?

Resumindo o que já expusemos anteriormente (Capítulo XVII), apresentamos as seguintes observações:

1) Só uma condição é necessária aqui, a saber, que há dinheiro suficiente para pôr em circulação os diversos elementos da massa da reprodução anual; essa condição não é prejudicada de maneira alguma pela circunstância de parte do valor-mercadoria consistir em mais-valia. Admitindo-se

---

55 Não está no manuscrito a pesquisa sobre a troca do ouro novamente produzido no domínio do capital constante da seção 1. — F.E.

I Ver Livro 1, pp. 632-633.

II Ver pp. 369-370.

que toda a produção pertença aos próprios trabalhadores, que seu trabalho excedente se destine apenas a eles mesmos e não aos capitalistas, a massa do valor-mercadoria circulante seria a mesma e exigiria para circular, em igualdade de condições, a mesma quantidade de dinheiro. Tanto num como noutro caso, cabe apenas a pergunta: donde vem o dinheiro para pôr em circulação a totalidade desse valor-mercadoria? – E de modo nenhum: donde vem o dinheiro para realizar monetariamente mais-valia?

Repisando o que já dissemos, toda mercadoria singularmente considerada consiste em c + v + m; em consequência, para circulação de toda a massa de mercadorias é necessária determinada soma de dinheiro para a circulação do capital c + v e, além disso, outra soma de dinheiro para a circulação da renda a consumir dos capitalistas, a mais-valia m. Conforme se dá com cada capitalista isoladamente, o dinheiro com que toda a classe capitalista adianta capital difere do dinheiro com que despende renda. Donde provém este? A resposta é simples: da massa de dinheiro que se encontra nas mãos da classe capitalista, em suma, da massa global de dinheiro existente na sociedade, uma parte serve para fazer circular a renda a consumir dos capitalistas. Já vimos acima como todo capitalista que organiza novo negócio recupera o dinheiro que despende em meios de consumo para a própria manutenção, como dinheiro que serve para realizar monetariamente sua mais-valia, quando o negócio se põe em movimento. Mas, falando de modo geral, toda a dificuldade decorre de duas causas:

Primeiro. Se consideramos apenas a circulação e a rotação do capital, se, portanto, enxergamos no capitalista exclusivamente capital em pessoa – e não o jovial consumidor capitalista –, perceberemos que lança constantemente na circulação mais-valia como componente de seu capital-mercadoria, mas deixaremos sempre de notar o dinheiro em suas mãos, na forma de renda a consumir; nunca o veremos lançar dinheiro na circulação para consumir mais-valia.

Segundo. Quando a classe capitalista põe a circular certa soma de dinheiro na condição de renda, fica parecendo que paga um equivalente por essa parte do produto global do ano, a qual cessaria então de representar mais-valia. Mas o produto excedente em que se corporifica a mais-valia nada custa à classe capitalista. Como classe, ela o possui e usufrui gratuitamente, e a circulação monetária não pode alterar esse fato. A modificação que acarreta consiste simplesmente em que todo capitalista, em vez de consumir diretamente seu produto excedente, o que em regra não é possível, retira, até o montante da mais-valia de que se apropriou, mercadorias de toda espécie do estoque global do produto excedente social do ano, apoderando-se delas. Mas o mecanismo da circulação mostrou que, quando a classe capitalista lança dinheiro na circulação, ao despender renda, retira também o mesmo dinheiro da circulação e, portanto, pode recomeçar outra vez o mesmo processo; que assim os capitalistas, como classe, continuam como dantes na posse da soma de dinheiro necessária para realizar monetariamente a mais-valia. Se o capitalista retira do mercado, para seu fundo de consumo, a mais-valia em forma de mercadorias, e, além disso, para ele reflui o dinheiro com que paga essas mercadorias, é claro que subtrai mercadorias da circulação sem a contraprestação de um equivalente. Nada lhe custam, embora as pague com dinheiro. Se compro mercadorias com uma libra esterlina e o vendedor me devolve a libra em troca de produto excedente que nada me custou, é evidente que recebi de graça essas mercadorias. A repetição ininterrupta dessa operação não modifica a circunstância de eu subtrair de maneira incessante mercadorias e, de maneira incessante, ficar de posse da libra, embora me desfaça dela temporariamente para obter as mercadorias. O capitalista recupera sempre esse dinheiro com a conversão em dinheiro da mais-valia que nada lhe custou.

Vimos que, segundo A. Smith, todo o valor do produto social se resolve em renda, em v + m; que o valor-capital constante se reduz, portanto, a zero. Segue-se daí necessariamente que o dinheiro requerido para a circulação da renda anual é também suficiente para a circulação de todo o produto anual; que, portanto, em nosso caso, o dinheiro necessário à circulação dos meios de consumo no valor de 3.000 basta para a circulação de todo o produto anual no valor de 9.000. Essa é, com efeito, a opinião de A. Smith, reiterada por Th. Tooke. Essa ideia errônea sobre a relação entre a massa de dinheiro necessária para converter em dinheiro a renda e a massa de dinheiro que faz circular todo a produto social é resultado inelutável de não terem ambos compreendido e de terem apresentado de maneira inconsequente a reprodução e a reposição anuais dos diversos elementos da matéria e do valor da totalidade do produto de cada ano. Essa ideia já foi refutada.

Ouçamos as próprias palavras de Smith e Tooke.

Diz Smith (Livro II, Capítulo 2):

> A circulação de qualquer país pode dividir-se em duas partes: a que se efetua apenas entre os comerciantes e a que se realiza entre comerciantes e consumidores. Embora as mesmas peças de dinheiro, papel ou metal possam ser

> empregadas ora numa ora noutra circulação, ambas funcionam paralelamente, de maneira contínua e simultânea, e cada uma das duas necessita de determinada massa de dinheiro desta ou daquela espécie para manter-se em movimento. O valor das mercadorias que circulam entre os comerciantes nunca pode ultrapassar o valor das mercadorias que circulam entre os comerciantes e os consumidores, pois o que quer que comprem os comerciantes, tem de ser finalmente vendido aos consumidores. Uma vez que a circulação entre os comerciantes se faz por atacado, exige ela geralmente soma bastante grande para cada transação particular. A circulação entre comerciantes e consumidores, ao contrário, se processa por meio de vendas a retalho e muitas vezes só exige quantias muito pequenas; às vezes, basta um xelim ou mesmo meio pêni. Mas pequenas somas circulam bem mais rápido que grandes. [...] Por isso, embora as compras anuais de todos os consumidores sejam pelo menos iguais em valor às efetuadas pela totalidade dos comerciantes, podem elas em regra ser feitas por massa de dinheiro bem menor etc.

Sobre essa passagem de Adam Smith, Th. Tooke observa (*An Inquiry into the Currency Principle*, Londres, 1844, pp. 34-36 *passim*):

> Não pode haver dúvida de que a distinção aí feita está substancialmente certa. [...] A troca entre comerciantes e consumidores compreende também o pagamento dos salários que constituem a receita principal (*the principal means*) dos consumidores. [...] Todas as transações entre comerciantes, isto é, todas as vendas que vão do produtor ou importador, passando pelos estágios intermediários da manufatura, até o retalhista ou o exportador, são redutíveis a movimentos de transferência de capital. Mas transferências de capital não supõem necessariamente, e na realidade não acarretam, na maioria das trocas, cessão efetiva de bilhetes de banco ou de moedas por ocasião da transferência (isto é, cessão material e não fictícia). [...] O montante global das trocas entre os comerciantes é necessariamente determinado e limitado, em última instância, pelo montante das trocas entre os comerciantes e os consumidores.

Se a última frase estivesse isolada, poder-se-ia acreditar que Tooke se limitara a registrar a existência de uma relação entre as trocas efetuadas entre os comerciantes e as efetuadas entre os comerciantes e os consumidores; em outras palavras, entre o valor da renda global do ano e o valor do capital que a produz. Mas este não é o caso. Ele se pronuncia expressamente a favor da concepção de A. Smith. Por isso, é desnecessária uma crítica especial a sua teoria da circulação.

2) Todo capital industrial, no início, lança na circulação, de uma vez, dinheiro que representa seu componente fixo por inteiro e que só pouco a pouco recupera, no decorrer de vários anos, por meio da venda de seu produto anual. No começo, põe na circulação mais dinheiro do que dela retira. Isto se repete sempre que se renova fisicamente todo o capital; repete-se cada ano para determinado número de empresas cujo capital fixo deve ser renovado fisicamente; repete-se de maneira fragmentária em cada conserto, em cada renovação parcial do capital fixo. Se, num lado da circulação, se lança mais dinheiro do que se retira, no outro se faz o oposto.

Em todos os ramos industriais de período de produção bastante longo (diverso do período de trabalho), lançam os produtores capitalistas continuamente em circulação, durante esse período, dinheiro para pagar a força de trabalho empregada e para comprar os meios de produção a consumir. São assim retirados do mercado: meios de produção, diretamente, e meios de consumo – estes indiretamente, pelos trabalhadores que gastam seus salários, e diretamente pelos capitalistas que de modo algum suspendem seu consumo, embora durante esse período não lancem no mercado um equivalente em mercadorias. Durante esse período lançam em circulação dinheiro que serve para realizar monetariamente valor-mercadoria, inclusive a mais-valia nele contida. Esse elemento é muito importante na produção capitalista desenvolvida, quando se trata de empreendimentos de grande porte, levados a cabo por sociedades anônimas etc., tais como construção de ferrovias, canais, docas, obras urbanas, navios, drenagem de vastas áreas de terras etc.

3) Enquanto os outros capitalistas, excetuado o desembolso em capital fixo, retiram da circulação mais dinheiro do que nela põem comprando força de trabalho e os elementos circulantes, os capitalistas que produzem ouro e prata, pondo-se de lado o metal precioso que serve de matéria-prima, só lançam na circulação dinheiro e dela só retiram mercadorias. Lançam na circulação como dinheiro o capital constante, com exceção da parte correspondente ao desgaste, a maior parte do capital variável e toda a mais-valia, excetuando-se o que porventura entesouram.

4) Circulam como mercadorias várias coisas que não são produzidas durante o ano, a saber, terrenos, casas etc., e, além disso, produtos cujo período de produção dura mais de um ano, figurando entre eles gado, madeira, vinho etc. *Com referência a esses e outros fenômenos, é importante não esquecer que, além da soma de dinheiro exigida para a circulação imediata,*

há sempre certa quantidade em estado latente, inativo, podendo, com dado impulso, entrar em função.[I] Demais, o valor desses produtos muitas vezes circula gradual e progressivamente, como o valor das casas no aluguel de uma série de anos.

Por outro lado, nem todos os movimentos do processo de reprodução se efetuam por intermédio da circulação do dinheiro. Dela estão excluídos todo o processo de produção, uma vez adquiridos seus elementos, e todo produto que é objeto de consumo direto, individual ou produtivo, do próprio produtor, incluindo-se nesse caso o sustento natural obtido pelos trabalhadores agrícolas.

A massa de dinheiro que faz circular o produto anual existe, assim, na sociedade, e foi pouco a pouco acumulada. Não pertence ao produto-valor deste ano, com exceção talvez do ouro destinado a repor as moedas desgastadas.

Nesta exposição, supomos circulação exclusiva de dinheiro feito de metais preciosos e a forma mais simples dela, com compras e vendas à vista. Entretanto, na base da simples circulação metálica pode o dinheiro desempenhar também a função de meio de pagamento, conforme historicamente tem ocorrido, e ainda nessa base desenvolveu-se um sistema de crédito e determinados aspectos de seu mecanismo.

Não nos levaram a essa suposição apenas razões de método cuja importância já se patenteia no fato de Tooke e discípulos, assim como adversários, serem constantemente obrigados, em suas controvérsias, quando o tema era a circulação dos bilhetes de banco, a recorrer à hipótese da circulação puramente metálica. Eram constrangidos a fazê-lo de maneira anacrônica e superficial, o que era inevitável, pois consideravam o ponto de partida matéria incidental da análise.

Entretanto, o mais elementar exame da circulação do dinheiro, configurada em sua forma *original* – fator imanente do processo de reprodução anual –, revela o seguinte:

a) Supondo-se produção capitalista desenvolvida e, portanto, regime de trabalho assalariado, desempenha o capital-dinheiro evidentemente papel fundamental, enquanto forma em que se adianta o capital variável. Na medida em que se desenvolve o sistema de trabalho assalariado, todo produto se transforma em mercadoria e, por isso, com algumas exceções

---

I Ver Livro 1, pp. 150-161.

importantes, tem de converter-se totalmente em dinheiro, conversão que é uma fase de seu movimento. A massa de dinheiro circulante tem de bastar para converter em dinheiro as mercadorias, e a maior parte dessa massa é fornecida na forma de salários, de dinheiro que os capitalistas industriais adiantam como forma dinheiro do capital variável para pagar a força de trabalho. E o mais desse dinheiro nas mãos dos trabalhadores funciona como meio de circulação (meio de compra). Isto se opõe totalmente à economia natural, que predomina na base de qualquer sistema de dependência (inclusive servidão), e ainda mais nas comunas primitivas, nestas haja ou não relações de dependência ou de escravatura.

Na escravidão, o capital-dinheiro despendido na compra da força de trabalho desempenha o papel de forma dinheiro do capital fixo, que vai tendo sua reposição feita progressivamente até o fim do período ativo de vida do escravo. Por isso, os atenienses consideravam o ganho que o senhor de escravos retirava, diretamente, com o emprego industrial de seu escravo, ou, indiretamente, alugando-o a quem o empregasse em exploração industrial (no trabalho das minas, por exemplo), como juros (mais amortização) do capital-dinheiro adiantado. É como acontece na produção capitalista: o capitalista industrial põe na conta como juros e reposição de seu capital fixo uma fração da mais-valia e o desgaste do capital fixo. Isto constitui também a regra para os capitalistas que alugam capital fixo (casas, máquinas etc.). Aqui, não cabe levar em conta escravos domésticos, realizem eles tarefas necessárias ou sirvam apenas à ostentação de luxo; correspondem à classe atual de criador. Mas, enquanto a escravidão é a forma dominante do trabalho produtivo na agricultura, manufatura, navegação etc., como acontecia nos Estados desenvolvidos da Grécia e em Roma, conserva ela aspectos da economia natural. O próprio mercado de escravos é continuamente abastecido da mercadoria força de trabalho, através de guerras, pirataria etc., e essa rapinagem não se efetua por intermédio de um processo de circulação, mas por meio do ato de apropriar-se naturalmente da força de trabalho alheia, com o emprego de coação física direta. Nos Estados Unidos, o território entre os estados do Norte, em regime de trabalho assalariado, e os estados do Sul escravocrata se transformou em área de criação de escravos para o Sul, onde, portanto, o próprio escravo lançado no mercado se tornou um elemento da reprodução anual. Mas isto não bastou por muito tempo, e, para manter o mercado abastecido, o tráfico de escravos africanos prosseguiu pelo maior tempo possível.

b) Fatores a considerar durante o ano de reprodução: o vaivém do dinheiro, na base da produção capitalista, efetua-se espontaneamente nas trocas do produto anual; os adiantamentos de capital fixo feitos de uma vez, por todo o montante de seu valor, enquanto este é retirado da circulação gradualmente, no período de vários anos, sendo portanto reconstituído na forma dinheiro, através do entesouramento anual (totalmente diverso, em sua essência, do entesouramento que corre paralelo, baseado na nova produção anual de ouro); varia o prazo em que é mister adiantar dinheiro, de acordo com os diversos períodos de produção das mercadorias (e, em consequência, o tempo necessário para o dinheiro ser de antemão e de novo entesourado), até que seja possível retirá-lo da circulação por meio da venda de mercadoria; a duração do adiantamento já se diversifica apenas com a diferença de distância entre o local de produção e o mercado; a divergência na magnitude e no período do refluxo, conforme o estado ou a grandeza relativa dos estoques de produção nas diferentes indústrias e nas diversas empresas do mesmo ramo, e, em consequência, os prazos de compra dos elementos do capital constante. Todos esses diversos fatores do movimento espontâneo, uma vez que, pela experiência, se tornem manifestos e evidentes, levam a que se desenvolvam sistematicamente os expedientes mecânicos do crédito e a que se captem os capitais existentes suscetíveis de serem emprestados.

Aí cabe acrescentar a diferença entre as empresas cuja produção, suposta a normalidade das demais condições, se dá continuamente na mesma escala, e as empresas que nas diferentes épocas do ano empregam volume variável de força de trabalho, como é o caso da agricultura.

13. A TEORIA DA REPRODUÇÃO DE DESTUTT DE TRACY[56]

1) Serve para ilustrar a confusa e pretensiosa leviandade intelectual dos economistas, ao estudarem a reprodução social, o grande lógico Destutt de Tracy (ver Livro 1, p. 182, nota 30), que Ricardo levava a sério, chamando-o de insigne escritor *(Principles*, p. 333).

Esse insigne escritor explica o conjunto do processo social de reprodução e de circulação da seguinte maneira:

56 Tirado do manuscrito II.

> Procura-se saber como esses empresários da indústria fazem tão grandes lucros e donde podem tirá-los. Respondo: vendendo tudo o que produzem mais caro do que lhes custou produzir. Vendem seus produtos:
>
> 1) uns aos outros, para todo o consumo destinado à satisfação das próprias necessidades, o que pagam com parte de seus lucros;
>
> 2) aos assalariados pagos por eles e aos pagos pelos capitalistas ociosos, retirando assim dos assalariados a totalidade de seus salários, excetuadas pequenas economias eventuais;
>
> 3) aos capitalistas ociosos que lhes pagam com a parte que ficou da renda, depois de remunerar os assalariados que empregaram diretamente; assim, toda a renda que anualmente lhes pagam os empresários reflui para estes, de uma maneira ou de outra. (Destutt de Tracy, *Traité de la volonté et ses effets*, Paris, 1826, p. 239.)

Assim, os capitalistas se enriquecem, primeiro, defraudando uns aos outros, ao trocar a parte do valor excedente (mais-valia), a qual consagram a seu consumo privado ou gastam como renda. Se essa parte da mais-valia ou dos lucros for igual a 400 libras esterlinas, essa quantia transformar-se-á, digamos, em 500 libras, desde que cada participante dela venda sua parte ao outro majorada de 25%. Agindo todos assim, o resultado é o mesmo que haveria se as vendas recíprocas fossem feitas pelo valor exato. A única diferença é que uma soma de dinheiro de 500 libras corresponderia à circulação de um valor-mercadoria de 400 libras, o que parece antes método de empobrecer que de enriquecer, pois seria necessário conservar improdutivamente grande parte do patrimônio na forma inútil de meios de circulação. Tudo se reduz a que os capitalistas, apesar da elevação geral e nominal de suas mercadorias, só têm para repartir entre si, para seu consumo privado, um estoque de mercadorias no valor de 400 libras esterlinas, mas que se dão o prazer recíproco de fazer circular esse valor-mercadoria de 400 libras esterlinas com a massa de dinheiro requerida pelo valor-mercadoria de 500 libras esterlinas.

Não estamos considerando que Destutt já supõe existindo "parte de seus lucros" e, portanto, um estoque de mercadorias configurando lucro, quando o que nos pretende explicar é justamente a origem do lucro. A massa de dinheiro necessária para fazê-lo circular é questão inteiramente secundária. A massa de mercadorias que corporifica o lucro parece provir de os capitalistas venderem essa massa uns aos outros (o que já é uma ideia bela e profunda), e caro. Ficamos, assim, conhecendo uma fonte de enriquecimento dos capitalistas. Ela equivale ao segredo do "desinspetor" Bräsig:[I] a imensa pobreza vem do grande número de indigentes.

2) Além disso, os mesmos capitalistas vendem

> aos assalariados pagos por eles e aos pagos pelos capitalistas ociosos, retirando assim dos assalariados a totalidade de seus salários, excetuadas pequenas economias eventuais.

O retorno aos capitalistas do capital-dinheiro, forma em que adiantaram os salários aos trabalhadores, constitui para Destutt a segunda fonte de enriquecimento desses capitalistas.

Se os capitalistas pagaram, por exemplo, 100 libras esterlinas aos trabalhadores em salários, e esses trabalhadores lhes compram mercadorias no valor de 100 libras esterlinas, esses capitalistas se enriquecem porque a soma de 100 libras esterlinas que adiantaram como compradores de força de trabalho reflui para eles, quando vendem mercadorias aos trabalhadores por 100 libras esterlinas. Do ponto de vista do senso comum, parece que os capitalistas voltam a apoderar-se das 100 libras esterlinas que possuíam antes. No início do processo, possuem 100 libras esterlinas em dinheiro que lhes servem para comprar 100 libras esterlinas de força de trabalho. O trabalho comprado produz, pelas 100 libras esterlinas em dinheiro, mercadorias no valor, segundo o que sabemos até agora, de 100 libras esterlinas. Com a venda aos trabalhadores de 100 libras esterlinas de mercadorias, recebem os capitalistas de volta 100 libras esterlinas em dinheiro. Recuperam, portanto, as 100 libras esterlinas em dinheiro, e os trabalhadores se apoderam de 100 libras esterlinas de mercadorias que eles mesmos produziram. É incompreensível que os capitalistas possam enriquecer nessas condições. Se as 100 libras esterlinas em dinheiro não refluíssem para eles, teriam incontestavelmente pago aos trabalhadores 100 libras esterlinas pelo trabalho e, além disso, lhes dado grátis o produto desse trabalho, 100 libras esterlinas em meios de consumo. Por conseguinte, o refluxo poderia servir, no máximo, para explicar por que os capitalistas não empobrecem com a operação, mas não por que enriquecem.

I Personagem criado por Fritz Reuter.

Problema bem diferente, por certo, é o de saber como os capitalistas chegam a possuir as 100 libras esterlinas em dinheiro, e por que os trabalhadores, em vez de produzirem mercadorias por sua própria conta, se veem obrigados a trocar sua força de trabalho por essas 100 libras esterlinas. Mas, para um pensador do calibre de Destutt, este problema não precisa de esclarecimento algum.

O próprio Destutt não está inteiramente satisfeito com esse resultado: ele não nos disse que os capitalistas enriquecem despendendo uma soma de dinheiro de 100 libras esterlinas e em seguida recuperando essa mesma soma, com o retorno, portanto, de 100 libras esterlinas em dinheiro, o que apenas mostra por que não se perde esse dinheiro. Ele nos disse que os capitalistas enriquecem

> vendendo tudo o que produzem mais caro do que lhes custou produzir.

Os capitalistas então enriquecem em suas transações com os trabalhadores, por lhes venderem caro. Muito bem!

> Pagam os salários [...] e tudo isto reflui para eles com as despesas de todas as pessoas que lhes pagam [os produtos] mais caro do que lhes [aos capitalistas] custaram em virtude desses salários (p. 240).

Assim, os capitalistas pagam aos trabalhadores 100 libras esterlinas em salários, e em seguida lhes vendem por 120 libras esterlinas as mercadorias que esses trabalhadores produziram, de modo que, além de recuperarem as 100 libras esterlinas, ganham 20 libras esterlinas. Impossível. Os trabalhadores só podem pagar com o dinheiro que tenham recebido em forma de salário. Se recebem dos capitalistas 100 libras esterlinas em salários, só podem comprar 100 libras esterlinas em mercadorias, e não 120. Por aí, a coisa não vai. Mas ainda existe outro caminho: os trabalhadores compram dos capitalistas 100 libras esterlinas de mercadorias, mas só recebem na realidade mercadorias no valor de 80 libras esterlinas. Ficam assim incontestavelmente defraudados em 20 libras esterlinas, e o capitalista, sem dúvida, se enriquece de 20 libras esterlinas, pois efetivamente pagou a força de trabalho 20% abaixo do valor ou, de maneira indireta, fez no salário nominal um desconto de 20%.

A classe capitalista alcançaria o mesmo objetivo se, de antemão, pagasse aos trabalhadores apenas 80 libras esterlinas de salário e lhes fornecesse depois, por essa quantia, mercadorias que tivessem efetivamente o valor de 80 libras esterlinas. Considerando-se a totalidade da classe capitalista, este parece ser o caminho normal, pois, segundo o próprio Destutt, a classe trabalhadora precisa receber "salário suficiente" (p. 219), que lhe permita pelo menos manter a existência e a atividade, "obter a subsistência mais estrita" (p. 180). Se os trabalhadores não receberem esse salário suficiente, a consequência seria, segundo Destutt, "a morte da indústria" (p. 208), o que não parece constituir meio de os capitalistas enriquecerem. Qualquer que seja o montante dos salários pagos pela classe capitalista à classe trabalhadora, têm eles um valor determinado, digamos, 80 libras esterlinas. Se a classe capitalista paga aos trabalhadores 80 libras esterlinas, tem ela de fornecer-lhes por essa quantia mercadorias no valor de 80 libras esterlinas e o retorno das 80 libras esterlinas não a enriquece. Se lhes paga em dinheiro 100 libras esterlinas e vende-lhes, por 100 libras esterlinas, valor-mercadoria de 80 libras esterlinas, então paga-lhes em dinheiro 25% mais que o salário normal e em compensação fornece-lhes, em mercadorias, 25% menos.

Em outras palavras: o fundo donde a classe capitalista retira o lucro seria constituído por meio de deduções do salário normal pelo pagamento da força de trabalho abaixo do valor, isto é, de valor dos meios de subsistência, necessários à reprodução normal dos assalariados. Se for pago, portanto, o salário normal – o que acontece, segundo Destutt –, não existirá fundo de lucro para os capitalistas industriais, nem para os capitalistas ociosos.

Destutt deveria, portanto, ter reduzido todo o segredo do enriquecimento da classe capitalista à dedução feita nos salários. Deixariam então de existir os outros fundos da mais-valia de que fala em 1 e 3.

Em todos os países em que o salário em dinheiro dos trabalhadores está reduzido ao valor dos meios de consumo necessários a sua subsistência, como classe, não existiria, portanto, fundo de consumo nem de acumulação para os capitalistas; a classe capitalista, por conseguinte, não disporia de fundo para viver; em suma, não haveria classe capitalista. E isto era, segundo Destutt, o que ocorria em todos os países ricos e desenvolvidos da antiga civilização, pois aí

> em nossas sociedades antigas, o fundo de sustento dos assalariados [...] é uma grandeza quase constante (p. 202).

Mesmo havendo a redução dos salários, o enriquecimento dos capitalistas não provém de pagarem ao trabalhador 100 libras esterlinas em dinheiro e depois lhe fornecerem, por 100 libras esterlinas em dinheiro, 80 libras esterlinas em mercadorias, fazendo assim circular na realidade 80 libras esterlinas de mercadorias com soma de dinheiro de 100 libras esterlinas, 25% maior. O capitalista se enriquece porque se apodera da parte do produto do trabalhador, a qual corporifica a mais-valia e, além disso, de 25% da parte desse produto, a qual deveria caber ao trabalhador sob a forma de salário. Dentro da concepção simplória de Destutt, não há condições para a classe capitalista lucrar. Paga 100 libras esterlinas em salários e, pela mesma quantia, dá ao trabalhador, do que este produziu, 80 libras esterlinas de mercadorias. Mas, na operação seguinte, tem de adiantar de novo 100 libras esterlinas, procedendo da mesma maneira. Proporciona a si mesma apenas o prazer inútil de adiantar 100 libras esterlinas e depois fornecer, por essa quantia, 80 libras esterlinas de mercadorias, em vez de adiantar 80 libras esterlinas em dinheiro e fornecer, por essa quantia, 80 libras esterlinas em mercadorias. Em suma, adianta contínua e inutilmente capital-dinheiro 25% maior que o necessário para a circulação do capital variável, o que constitui método muito peculiar de enriquecer.

3) A classe capitalista vende finalmente

> aos capitalistas ociosos que lhe pagam com a parte que ficou da renda, depois de remunerar os assalariados que empregaram diretamente; assim, toda a renda que anualmente lhes [aos ociosos] paga reflui para ela, de uma maneira ou de outra.

Anteriormente, vimos que os capitalistas industriais

> pagam com parte de seus lucros [...] todo o consumo destinado à satisfação das próprias necessidades.

Suponhamos que sejam seus lucros = 200 libras esterlinas e que despendam 100 libras esterlinas em seu consumo individual. Mas a outra metade = 100 libras esterlinas não lhes pertencerá, mas aos capitalistas ociosos, isto é, aos que auferem renda fundiária e aos que emprestam a juros. Têm, portanto, de pagar 100 libras esterlinas em dinheiro a esse grupo. Digamos que, desse dinheiro, os capitalistas ociosos precisem de 80 libras esterlinas para o próprio consumo e 20 para a compra de criadagem etc.

Por conseguinte, com as 80 libras esterlinas compram meios de consumo aos capitalistas industriais. Assim, refluem para estes, depois de entregarem 80 libras esterlinas em produtos, 80 libras esterlinas em dinheiro ou $^4/_5$ das 100 libras esterlinas que pagaram aos capitalistas ociosos a título de renda, juros etc. Além disso, a classe dos criados, os assalariados diretos dos capitalistas ociosos, recebeu de seus patrões 20 libras esterlinas. Também compra meios de consumo aos capitalistas industriais, no montante de 20 libras esterlinas. Assim, refluem para estes, ao se desfazerem de 20 libras esterlinas em produtos, 20 libras esterlinas em dinheiro ou o último quinto das 100 libras esterlinas em dinheiro que pagaram aos capitalistas ociosos como renda, juros etc.

Ao fim de tudo, refluíram para os capitalistas industriais as 100 libras esterlinas em dinheiro que entregaram aos capitalistas ociosos em pagamento de renda, juros etc., enquanto a metade de sua mais-valia = 100 libras esterlinas passou de suas mãos para o fundo de consumo dos capitalistas ociosos.

Para a questão em foco evidentemente não tem o menor interesse a repartição das 100 libras esterlinas entre os capitalistas ociosos e seus assalariados diretos. A coisa é simples: os primeiros recebem dos capitalistas industriais, em dinheiro, 100 libras esterlinas, as rendas, juros, em suma, a participação que lhes cabe na mais-valia = 200 libras esterlinas. Com essas 100 libras esterlinas, compram dos capitalistas industriais, direta ou indiretamente, meios de consumo. Reembolsam os capitalistas industriais da quantia de 100 libras esterlinas e deles retiram 100 libras esterlinas em meio de consumo.

Assim, retornam aos capitalistas industriais as 100 libras esterlinas que pagaram aos capitalistas ociosos. Será esse retorno do dinheiro, conforme ressalta Destutt, meio de enriquecimento dos capitalistas industriais? Antes da transação, possuíam valores que somavam 200 libras esterlinas: 100 libras esterlinas em dinheiro e 100 libras esterlinas em meios de consumo. Depois da transação, só possuem a metade do que dispunham: recuperaram as 100 libras esterlinas em dinheiro, mas perderam as 100 libras esterlinas em meios de consumo que passaram para as mãos dos capitalistas ociosos. Perdem, ao invés de ganhar, 100 libras esterlinas. Se, em vez do rodeio de desembolsar 100 libras esterlinas em dinheiro e depois recobrá-las com o pagamento de 100 libras esterlinas de meios de consumo, tivessem pago diretamente renda, juros etc. na forma natural de seus produtos, não refluiriam da circulação para eles 100 libras esterlinas em dinheiro, uma vez que nela não as teriam lançado. Com o pagamento em produtos, a coisa fica bem simples: do produto excedente no valor de 200 libras esterlinas, conservariam para si a metade e a outra metade entregariam, sem a contraprestação de um equivalente, aos capitalistas ociosos. Nem mesmo Destutt se sentiria animado em qualificar isto de meio de enriquecimento.

A terra e o capital – que os capitalistas industriais tomam de empréstimo aos capitalistas ociosos e por que têm de ceder a estes parte da mais-valia na forma de renda, juros etc. – propiciaram lucro àqueles, naturalmente, por ter sido uma das condições da produção do produto em geral e da parte do produto a qual constitui produto excedente ou configura mais-valia. Esse lucro decorre do emprego da terra e do capital emprestados, mas não do preço por eles pago. Ao contrário, esse preço representa redução do lucro. Se assim não fosse, seríamos levados a afirmar que os capitalistas industriais, em vez de mais ricos, ficariam mais pobres, se pudessem conservar para si mesmos a outra metade da mais-valia, em vez de entregá-la aos ociosos. Somos conduzidos a essa confusão quando misturamos fenômenos de circulação, como retorno de dinheiro, com a repartição dos produtos, à qual esses fenômenos apenas servem de veículo.

Entretanto, o próprio Destutt é bastante esperto para observar:

> Donde vêm as rendas dos capitalistas ociosos? Não provirão da renda que lhes pagam, tirando-a dos lucros obtidos, aqueles que fazem trabalhar seus capitais, que, com seus fundos, assalariam trabalho que produz mais do que custa, em suma, os empresários? É mister, portanto, remontar sempre a estes, para encontrar a nascente da riqueza. São eles que na realidade alimentam os assalariados que os primeiros empregam (p. 246).

Agora, o pagamento dessa renda etc. significa redução do lucro dos empresários. Antes era meio de eles enriquecerem.

Mas resta um consolo ao nosso Destutt. Esses bons empresários procedem com os capitalistas ociosos como o fazem entre si e com os trabalhadores. Vendem-lhes caro todas as mercadorias, digamos, por mais 20%. Ficamos então diante do dilema: ou os capitalistas ociosos, além das 100 libras esterlinas que anualmente recebem dos empresários, possuem outros meios financeiros, ou não os possuem. No primeiro caso, os empresários lhes vendem mercadorias e valores de 100 libras esterlinas ao preço, digamos, de 120 libras esterlinas. Refluem, portanto, para os empresários, com a venda das mercadorias, não só as 100 libras esterlinas que pagaram aos ociosos, mas ainda 20 libras esterlinas que constituem efetivamente valor novo. Como ficam então as contas? Os empresários cederam grátis 100 libras esterlinas em mercadoria, pois as 100 libras esterlinas em dinheiro com que foi parcialmente paga constituíam seu próprio dinheiro. Sua mercadoria foi paga com seu próprio dinheiro. Perda de 100 libras esterlinas, portanto. Mas, além disso, receberam 20 libras esterlinas, cobrando preço acima do valor. Ganho de 20 libras esterlinas, portanto; confrontado com a perda de 100 libras esterlinas, fica esta reduzida a 80 libras, o que, ao invés de superávit, constitui déficit. A fraude praticada contra os ociosos atenuou o prejuízo dos empresários, mas não deu para converter a perda de riqueza em meio de enriquecimento. Mas esse método não se pode manter, pois é impossível que os ociosos paguem 120 libras esterlinas em dinheiro anualmente, se só recebem 100.

Vejamos outro método: os industriais vendem mercadorias no valor de 80 libras pelas 100 libras em dinheiro que pagaram aos ociosos. Neste caso, cedem grátis, como anteriormente, 80 libras esterlinas, sob a forma de renda, juros etc. Com essa fraude, reduziram o tributo pago aos ociosos, o qual, entretanto, continua a existir, e os ociosos estão em condições, segundo a mesma teoria de que os preços dependem da boa vontade dos vendedores, de exigir futuramente 120 libras esterlinas em renda, juros etc., por suas terras e por seu capital, em vez das 100 libras esterlinas cobradas até agora.

Essa reluzente gestação é bem o produto genuíno desse pensador profundo que ora diz, copiando A. Smith, que

> o trabalho é a fonte de toda riqueza (p. 242),

que os capitalistas empresários

> empregam seu capital para pagar trabalho que o reproduz com lucro (p. 246),

ora afirma que esses empresários

> alimentam todos os demais seres humanos, aumentam sozinhos a fortuna pública e criam todos os nossos meios de fruição (p. 242),

concluindo que não são os trabalhadores que sustentam os capitalistas, mas estes que sustentam aqueles, e pela brilhante razão de o dinheiro pago à classe trabalhadora não ficar em mãos dela, mas sempre retornar aos capitalistas em pagamento das mercadorias por ela produzidas.

> O que recebem [os trabalhadores] com uma mão, devolvem com a outra. Devemos considerar seu consumo produzido por aqueles que os assalariam (p. 235).

Depois dessa exaustiva exposição sobre a reprodução social e o consumo, tal como se efetuam por intermédio da circulação do dinheiro, prossegue Destutt:

> Temos aí o que completa esse movimento perpétuo da riqueza, movimento que, embora mal conhecido [e como!], é chamado com razão de circulação, pois é realmente circular e volta sempre ao ponto de partida. É neste ponto de partida que se realiza a produção (pp. 239, 240).

Destutt, esse insigne escritor, membro do Instituto da França e da Sociedade Filosófica de Filadélfia, um verdadeiro luminar entre os economistas vulgares, pede finalmente ao leitor que admire a maravilhosa nitidez com que apresenta o curso do processo social, a torrente de luz que lançou sobre a matéria. E chega a condescender em informar ao leitor donde vem tanta luz. Mas só o original pode expressar tudo isso:

> Notarão, espero, quanto essa maneira de considerar nossas riquezas concorda com tudo o que dissemos a respeito de sua produção e de sua distribuição, e, ao mesmo tempo, que clareza ela difunde sobre todo o movimento da sociedade. Donde vêm esta concordância e esta luminosidade? Apenas de termos encontrado a verdade. Isto lembra o efeito desses espelhos onde os objetos se reproduzem nitidamente e em suas justas proporções, quando colocados no ponto certo, e onde tudo parece confuso e desfigurado quando perto ou longe demais (pp. 242, 243).

Eis aí o cretinismo burguês em toda a sua beatitude!

XXI.[57]
Acumulação e reprodução em escala ampliada

57 Até o final, manuscrito VIII.

Vimos no Livro 1 como se efetua a acumulação do ponto de vista do capitalista isoladamente considerado.[I] Ao converter-se o capital-mercadoria em dinheiro, transforma-se também em dinheiro o produto excedente em que se corporifica a mais-valia.

Essa mais-valia transformada em dinheiro, reconverte-a o capitalista em elementos naturais adicionais de seu capital produtivo. No próximo ciclo da produção, o capital acrescentado fornece um produto acrescido. O que sucede com o capital individual aparece necessariamente na reprodução anual global, conforme verificamos, ao observar a reprodução simples: o depósito sucessivo em dinheiro que se entesoura, correspondente aos elementos fixos consumidos do capital individual, manifesta-se também na reprodução anual da sociedade.

Se um capital individual = $400_c + 100_v$, e a mais-valia anual = 100, será o produto anual = $400_c + 1.000_v + 100_m$. Esses 600 convertem-se em dinheiro. Desse dinheiro, 400_c convertem na forma natural de capital constante, 100_v em força de trabalho, e, além disso, se acumular-se toda a mais-valia, 100_m se transformam em capital constante suplementar, convertendo-se em elementos naturais do capital produtivo. Vamos supor que, nas condições técnicas dadas, essa soma é suficiente, tanto para expandir o capital constante em funcionamento, quanto para estabelecer nova empresa industrial. Pode ocorrer também que seja necessário, durante muito tempo, transformar a mais-valia em dinheiro e entesourar esse dinheiro para que depois se torne possível materializar-se esse processo, haver acumulação efetiva, ampliar-se a produção. Estamos ainda supondo que, na realidade, já se tenha estabelecido antes produção em escala ampliada, pois, para ser possível converter o dinheiro (a mais-valia entesourada em dinheiro) em elementos do capital produtivo, é mister que esses elementos existam no mercado como mercadorias vendáveis. Tanto faz que sejam comprados como mercadorias prontas e acabadas ou que sejam produzidas por encomenda. Só são pagas depois de existirem e, em todo o caso, depois de ter havido em relação a elas reprodução efetiva em escala ampliada, expansão da produção até esse tempo normal. Tinham de existir virtualmente, em seus componentes, pois basta serem encomendadas, isto é, haver compra anterior à existência delas e venda antecipada, para serem efetivamente produzidas. O dinheiro que está de um lado faz surgir, do outro, a repro-

---

I Ver Livro 1, pp. 632-640.

dução ampliada, quando esta existe em potencial, independentemente do dinheiro, pois o dinheiro em si mesmo não é elemento da reprodução real.

O capitalista A, por exemplo, durante um ou vários anos, vende quantidades sucessivas de mercadorias que produziu e, ao vendê-las, vai transformando em dinheiro a parte do produto-mercadoria em que está representada a mais-valia, o produto excedente, por conseguinte a mais-valia que produziu em forma de mercadoria, juntando progressivamente esse dinheiro e formando assim novo capital-dinheiro potencial; potencial em virtude da capacidade e da finalidade de transformar-se em elementos do capital produtivo. Na realidade, está apenas entesourando, e o entesouramento não constitui elemento da reprodução efetiva. No começo, limita-se a retirar progressivamente da circulação dinheiro em curso, e esse dinheiro circulante, que põe de reserva, ainda pode, naturalmente, ter sido parte de tesouro alheio antes de entrar na circulação. Esse tesouro de A, que apenas potencialmente é novo capital-dinheiro, não é riqueza social suplementar, como não o seria se fosse despendido em meios de consumo. É dinheiro tirado da circulação, onde, portanto, existia, e pode anteriormente ter sido armazenado como componente de tesouro ou ter assumido a forma dinheiro de salário, ou realizado monetariamente meios de produção ou outras mercadorias, ou feito circular elementos constantes do capital ou renda gasta em consumo por um capitalista. Não constitui riqueza nova, do mesmo modo que, na circulação simples das mercadorias, o dinheiro, além do valor que representa, não fica com o décuplo desse valor, por ter efetuado 10 movimentos durante o dia, realizado 10 valores-mercadorias diferentes. As mercadorias existem sem ele, e ele permanece o que é (ou, antes, míngua pelo desgaste), haja 1 ou 10 movimentos. Na produção de ouro, e só quando se trata do produto excedente, que corporifica a mais-valia, é que se cria nova riqueza em dinheiro potencial, e, quanto a todo o novo produto-ouro, só na medida em que entra em circulação acresce o material monetário de novos capitais-dinheiro virtuais.

A mais-valia entesourada na forma dinheiro, embora não seja nova riqueza social suplementar, representa novo capital-dinheiro potencial, em virtude da função para a qual é juntada. (Mais adiante, veremos que pode nascer novo capital-dinheiro por outro meio além desse da conversão progressiva da mais-valia em ouro.)

Retira-se da circulação e entesoura-se dinheiro, com a venda de mercadorias, sem compra subsequente. Se supomos que essa operação constitui prática geral, fica difícil descobrir donde virão os compradores, pois, nesse processo (que é mister conceber como prática geral, considerando que todo capitalista individual pode encontrar-se em fase de acumulação), cada um quer vender para entesourar, e ninguém quer comprar.

Se imaginamos que o processo de circulação entre as diferentes partes da reprodução anual corre numa reta (o que é falso, pois, fora raras exceções, esse processo consiste em movimentos reciprocamente opostos), teríamos de começar com o produtor de ouro (ou de prata), que compra, sem vender, e pressupor que todos os demais lhe vendem. Assim, iria para ele todo o produto excedente anual da sociedade (que materializa toda a mais-valia), e todos os outros capitalistas repartiriam proporcionalmente entre si o produto excedente dele por natureza existente em dinheiro, a mais-valia naturalmente materializada em ouro, pois a parte do produto do minerador de ouro que deve repor capital em funcionamento já tem sua aplicação comprometida. A mais-valia em ouro do produtor de ouro seria então o único fundo donde todos os demais capitalistas tirariam a matéria para converter em ouro seu produto excedente anual. A magnitude do valor dela deveria, portanto, ser igual a toda a mais-valia anual social que previamente tenha de metamorfosear-se em tesouro. Essas hipóteses tão absurdas serviriam apenas para explicar a possibilidade de um entesouramento geral e simultâneo, mas, com elas, a reprodução, exceto para os produtores de ouro, não avançaria um passo.

Antes de resolvermos essa dificuldade aparente, releva distinguir: acumulação na seção I (produção de meios de produção) e na seção II (produção de meios de consumo). Começamos pela seção I.

1. ACUMULAÇÃO NA SEÇÃO I

a) Entesouramento

É claro que tanto as aplicações de capital nos numerosos ramos industriais em que consiste a seção I, quanto as diferentes aplicações de capitais individuais dentro de cada um desses ramos, conforme a idade, ou seja, a duração de seu funcionamento (pondo-se de lado sua magnitude, condições técnicas, de mercado etc.), se encontram em fases diversas do processo de transformação progressiva da mais-valia em capital-dinheiro potencial, sirva esse capital-dinheiro para ampliar capital em funcionamento ou para empregar-se em novos empreendimentos industriais – as duas formas de expandir a produção. Desse modo, há sempre uma parte dos capitalistas que, por ter seu capital-dinheiro potencial atingido montante adequado, está transformando-o em capital produtivo, isto é, está comprando, com o dinheiro entesourado por meio da conversão da mais-valia em ouro, meios de produção, elementos adicionais do capital constante, enquanto outra parte está ocupada em entesourar seu capital-dinheiro potencial. Os capitalistas dessas duas categorias se confrontam, uns como compradores, outros como vendedores, e cada um exclusivamente limitado a seu papel.

Admitamos, por exemplo, que A venda a B (que pode representar mais de um comprador) 600 (= $400_c + 100_v + 100_m$). Vendeu 600 em mercadorias por 600 em dinheiro, e destes representam a mais-valia 100 que retirou da circulação, entesourando como dinheiro; mas esses 100 são apenas a forma monetária do produto excedente que corporificava um valor de 100. O entesouramento não constitui produção nem acréscimo da produção. A ação do capitalista, no caso, consiste em retirar da circulação o dinheiro obtido com a venda do produto excedente, no valor de 100, retendo-o e mantendo-o sob sua guarda. Essa operação não é praticada apenas por A, aparecendo em numerosos pontos da periferia da circulação realizada por outros capitalistas A', A'', A''', todos igualmente empenhados nessa espécie de entesouramento. Esses numerosos pontos em que dinheiro se retira da circulação e se amontoa em numerosos tesouros individuais ou capitais-dinheiro potenciais, parecem ser outros tantos obstáculos à circulação, pois imobilizam o dinheiro e privam-no de sua capacidade de circular por mais ou menos tempo. Mas releva atentar em que se verifica entesouramento na circulação simples das mercadorias, bem antes de esta basear-se na produção mercantil de caráter capitalista; o montante de dinheiro existente na sociedade é sempre maior que a quantidade de dinheiro que está na circulação ativa, embora essa quantidade aumente ou diminua segundo as circunstâncias. Continuam a existir esses tesouros e esse entesouramento, mas agora como fator imanente ao processo de produção capitalista.

No sistema de crédito, todos esses capitais potenciais, ao se concentrarem nos bancos etc., se tornam capital disponível, que pode ser emprestado, capital-dinheiro, e não mais capital passivo, do futuro, e sim ativo, usurário, em suma, capital que prolifera. Compreende-se a alegria que isso dá aos interessados.

Mas A só efetua esse entesouramento se exerce apenas a função de vendedor com referência a seu produto excedente, sem desempenhar depois o papel de comprador. A condição preliminar de seu entesouramento é, portanto, que produza continuadamente produto excedente, que corporifica sua mais-valia a ser convertida em ouro. No caso atual, em que se considera exclusivamente a circulação ocorrente dentro da seção I, a forma física do produto excedente, assim como a do produto total de que faz parte, é a de um elemento do capital constante I, isto é, pertence à categoria dos meios de produção de meios de produção. Logo veremos o que se faz do produto excedente, para que função serve nas mãos dos compradores B, B', B" etc.

Antes de mais nada, importa fixar o seguinte: embora A, em troca de sua mais-valia, retire dinheiro da circulação e o entesoure, lança nela mercadoria sem dela retirar, em troca, outra mercadoria, o que capacita B, B', B" etc. para porem dinheiro em circulação e dela retirarem somente mercadoria. No caso, essa mercadoria, pela forma física e pela destinação, incorpora-se como capital fixo ou circulante no capital constante de B, B', etc. Entraremos em pormenores sobre este assunto quando tratarmos do comprador do produto excedente, B, B' etc.

De passagem, uma observação. Voltamos a encontrar o que já tínhamos verificado na reprodução simples: a troca dos diversos componentes do produto anual, isto é, sua circulação (que tem de abranger também a reprodução do capital, e mais precisamente sua restauração em suas diversas funções: capital-dinheiro constante, variável, fixo e circulante, capital-mercadoria), não supõe somente compra de mercadoria completada por venda subsequente ou vice-versa. Se assim fosse, só haveria troca de mercadoria por mercadoria, conforme presume a economia política, notadamente a escola livre-cambista, a partir dos fisiocratas e de Adam Smith. Sabemos que o capital fixo, depois de feito o correspondente desembolso, não se renova durante todo o tempo de seu funcionamento, mas prossegue operando em sua antiga forma, enquanto seu valor se deposita progressivamente em dinheiro. Vimos que a renovação periódica do capital fixo II_c (todo o valor do capital II_c se transforma em elementos no valor de $I_{(v+m)}$ pressupõe, de um lado, *compra pura e simples* daquela parte fixa de II_c, que deixa a forma dinheiro para retornar à forma física, correspondendo a essa compra mera venda feita por I_m; do outro, *venda pura e simples*, efetuada por II_c, da parte fixa de seu valor relativa ao desgaste, a qual se deposita em dinheiro, correspondendo a essa venda mera compra realizada por I_m. Para a troca se efetivar normalmente, temos de admitir que a mera compra feita por II_c é igual, pelo montante de seu valor, à mera venda realizada por II_c e, do mesmo modo, que a mera venda por I_m a II_c, grupo 1, é igual a sua mera compra a II_c, grupo 2 (ver p. 514). Do contrário, embaraça-se a reprodução simples; compra pura e simples num ponto tem de ser coberta por venda pura e simples no outro. Aqui também cabe supor que as vendas puras e simples feitas por A, A', A" de I_m, com o fim de constituírem tesouro, estão em equilíbrio com as compras puras e simples feitas por B, B', B" de I_m, convertendo seu tesouro em elementos de capital produtivo adicional.

Quando o equilíbrio se restabelece porque o comprador aparece depois como vendedor de montante de igual valor, e vice-versa, retorna o dinheiro a quem o adiantou na compra e vende antes de comprar novamente. Mas o equilíbrio real na própria troca das mercadorias, na troca das diversas partes do produto anual, depende da igualdade de valor entre as mercadorias trocadas.

Quando, porém, sucedem operações apenas unilaterais, massa de meras compras, de um lado, e, do outro, massa de meras vendas (vimos que a troca normal do produto anual, no sistema capitalista, exige essas metamorfoses unilaterais), só existe equilíbrio se o montante de valor das compras unilaterais coincide com o das vendas unilaterais. Na produção capitalista, por ser a produção de mercadorias sua forma geral, desempenha o dinheiro o papel de meio de circulação e de capital-dinheiro, e se criam certas condições peculiares à troca normal, ao curso normal da reprodução em escala simples ou ampliada, as quais se convertem em outras tantas condições de curso anormal, em possibilidades de crises, uma vez que o próprio equilíbrio é casual no sistema espontâneo dessa produção.

Vimos também que, na troca de I_v por correspondente quantidade de valor de II_c, sem dúvida ocorre, afinal, substituição de mercadoria II por mercadoria I de valor igual, e que, para o conjunto dos capitalistas II, a venda da própria mercadoria se completa com a compra de mercadoria I, por igual valor. Sucede essa reposição mas não há permuta entre os capitalistas I e II nessa troca das respectivas mercadorias. II_c vende sua mercadoria à classe trabalhadora de I; confrontam-se, esta apenas como comprador e aquele apenas como vendedor de mercadoria. Com o dinheiro assim obtido, II_c defronta unicamente como comprador de mercadoria o conjunto dos capitalistas I, e este enfrenta aquele exclusivamente como vendedor de mercadoria até o montante de I_v. Só por meio dessa venda consegue I recuperar, por fim, na forma de capital-dinheiro, seu capital variável. O capital de I, na condição exclusiva de vendedor de mercadoria, enfrenta o de II, até o montante de I_v, e, na condição única de comprador de mercadoria, sua classe trabalhadora, ao comprar força de trabalho. A classe trabalhadora I, na condição exclusiva de compradora de mercadoria (de meios de subsistência), confronta-se com o capitalista II, e, na condição única de vendedora de mercadoria, sua força de trabalho, com o capitalista I.

A oferta contínua de força de trabalho pela classe trabalhadora de I, a reversão de parte do capital-mercadoria I à forma dinheiro do capital variável, a substituição de parte do capital-mercadoria II por elementos físicos do capital constante II_c – todos esses pressupostos indispensáveis se determinam reciprocamente, mas só podem se efetivar por intermédio de um processo muito complicado que envolve três processos de circulação que, embora independentes entre si, se entrelaçam uns com os outros. A complexidade do próprio processo aumenta as possibilidades de um curso anormal.

b) O capital constante adicional

O produto excedente, que corporifica a mais-valia, nada custa àqueles que dele se apropriam, no caso, os capitalistas de I. Não têm de adiantar qualquer espécie de dinheiro ou de mercadoria para obtê-lo. Adiantamento já é, para os fisiocratas, a forma geral do valor corporificado em elementos do capital produtivo. Os capitalistas nada mais adiantam que seu capital constante e seu capital variável. Com o trabalho, o trabalhador lhes conserva o capital constante e repõe-lhes o valor-capital variável com a nova parte de valor criada na forma de mercadoria; além disso, com o trabalho excedente, fornece-lhes mais-valia (valor excedente) na forma de produto excedente. Com a venda continuada desse produto excedente, vão os capitalistas constituindo tesouro, novo capital-dinheiro adicional. No caso que estamos examinando, o produto excedente consiste em meios de produção de meios de produção. Esse produto excedente só funciona como capital constante adicional quando está nas mãos de B, B', B" etc. (seção I); mas já o é virtualmente, antes de ser vendido, quando ainda está nas mãos dos entesouradores A, A', A" (1). Se considerarmos apenas a magnitude do valor da reprodução em I, ficaremos ainda dentro dos limites da reprodução simples, uma vez que não focamos movimento de capital adicional, destinado a criar esse acréscimo de capital constante virtual (o produto excedente), nem qualquer trabalho excedente maior que o despendido na base da reprodução simples. O que faz a diferença aqui é somente a forma do trabalho excedente aplicado, a natureza concreta de sua utilidade particular: esse trabalho excedente foi empregado em meios de produção para I$_c$, e não para II$_c$, em meios de produção de meios de produção, e não em meios de produção de meios de consumo. Na reprodução simples, pressupõe-se que toda a mais-valia I foi gasta como renda, por conseguinte em mercadorias II; corporificava-se assim exclusivamente nos meios de produção, destinados a repor o capital constante II$_c$ em sua forma física. A fim de haver a passagem da reprodução simples para a ampliada, a produção, na seção I, deve estar em condições de fornecer a II menos elementos, e a I, em correspondência com esse decréscimo, mais elementos do capital constante. Facilita essa transição, que nem sempre se realiza sem dificuldades, a circunstância de certo número de produtos de I poderem servir de meios de produção nas duas seções.

Segue-se daí que, considerando-se unicamente a magnitude do valor, encontra-se, dentro da reprodução simples, o substrato material da reprodução ampliada. É simplesmente trabalho excedente da classe trabalhadora I, empregado diretamente para produzir meios de produção, criar capital adicional virtual I. O capital-dinheiro adicional virtual criado por A, A', A" (I), com a venda continuada de seu produto excedente que nada custou em dinheiro ao bolso dos capitalistas, é aqui, portanto, a mera forma dinheiro de meios de produção I adicionalmente produzidos.

No presente caso (e veremos que as coisas podem se apresentar de outra maneira), produção de capital adicional virtual nada mais significa que um fenômeno do próprio processo de produção, produção, em determinada forma, de elementos do capital produtivo.

Produção em grande escala de capital-dinheiro virtual adicional, em numerosos pontos da periferia da circulação, é apenas o resultado e expressão da produção, em vários setores, de capital produtivo virtual adicional, e a origem deste não requer qualquer dispêndio suplementar de dinheiro pelo capitalista industrial.

A transformação progressiva desse capital produtivo adicional virtual em capital-dinheiro virtual (tesouro) por A, A', A" etc. (I), determinada pela venda progressiva do produto excedente (venda repetida e unilateral de mercadorias sem compra que a complete), efetua-se com a retirada repetida de dinheiro da circulação e o correspondente entesouramento. Excetuado o caso em que o comprador é produtor de ouro, esse entesouramento não supõe de modo algum riqueza adicional em metais preciosos, e sim apenas que mude de função o dinheiro até o momento circulando. Deixa este de servir de meio de circulação e passa a funcionar como tesouro, como novo capital-dinheiro virtual em formação. Não há, pois, relação de causa e efeito entre capital-dinheiro adicional e massa de metal precioso existente num país.

Demais, segue-se daí que, quanto maior o capital produtivo que funciona num país (inclusive a força de trabalho nele incorporada, criadora do produto excedente), quanto mais desenvolvida a força produtiva do trabalho e por conseguinte os meios técnicos para expandir a produção de meios de produção, quanto maior, portanto, a massa do produto excedente pelo valor e pela massa dos valores de uso em que aparece, tanto maiores serão:

1) o capital produtivo adicional virtual na forma de produto excedente nas mãos de A, A', A" etc., e

2) a massa desse produto excedente convertido em dinheiro, portanto do capital-dinheiro adicional virtual nas mãos de A, A', A". Fullarton, por exemplo, nada quer saber da superprodução em sentido costumeiro, concentrando seu interesse na superprodução de capital, de capital-dinheiro, e esse fato demonstra uma vez mais quão pouco mesmo os melhores economistas burgueses entendem do próprio sistema.

O produto excedente, diretamente produzido pelos capitalistas A, A', A" (I) que dele se apoderam, é a base real da acumulação do capital, isto é, da reprodução ampliada, embora só entre efetivamente em função depois de chegar às mãos de B, B', B" etc. (I). Mas, quando crisálida, dinheiro, tesouro, apenas capital-dinheiro em formação progressiva, é absolutamente improdutivo, corre paralelo ao processo de produção nessa forma, mas fora dele. É um peso morto da produção capitalista. A cobiça de obter lucro ou renda, aproveitando essa mais-valia que se entesoura como capital-dinheiro virtual, encontra a concretização de seu objetivo no sistema e nos títulos de crédito. Assim, sob outra forma adquire o capital-dinheiro a mais prodigiosa influência sobre o curso e o vigoroso desenvolvimento do sistema de produção capitalista.

O produto excedente convertido em capital-dinheiro virtual será tanto maior quanto maior tiver sido a totalidade do capital já em funcionamento donde proveio. O acréscimo absoluto do montante do capital-dinheiro virtual anualmente reproduzido facilita sua fragmentação, permitindo seu emprego mais rápido em outro negócio, seja essa aplicação feita pelo mesmo capitalista, seja por outros (por exemplo, membros da família, no caso de partilha etc.). Aqui, fragmentação de capital-dinheiro significa que este se separa inteiramente do capital primitivo, a fim de ser aplicado em empresa nova, independente.

A, A', A" etc. (I), vendedores do produto excedente, obtêm-no como resultado direto do processo de produção, que não requer outros atos de circulação além do adiantamento necessário em capital constante e variável para a reprodução simples. Desse modo, fornecem a base real da reprodução em escala ampliada, fabricando de fato capital adicional virtual. Com B, B', B" etc. (I) a coisa é diferente: 1) só em suas mãos funciona efetivamente o produto excedente de A, A', A" etc. como capital constante adicional (por ora, omitiremos o outro componente do capital produtivo; a força de trabalho adicional, o capital variável adicional, portanto); 2) a fim de o produto excedente chegar a suas mãos é indispensável um ato de circulação: têm de comprá-lo.

Quanto ao item 1, cabe aqui observar que grande parte do produto excedente (capital constante adicional virtual) de A, A', A" (I), embora produzida neste ano, só no ano seguinte ou ainda mais tarde pode funcionar efetivamente, nas mãos de B, B', B" (I), como capital industrial; e quanto ao 2, pergunta-se: donde provém o dinheiro necessário ao processo de circulação?

Na medida em que B, B', B" etc. (I) utilizam no processo de produção os produtos daí saídos, compreende-se que determinada fração de seu produto excedente se transfira diretamente (sem a circulação intervir) a seu capital produtivo, nele entrando como elemento adicional do capital constante. Até o montante dessa fração, não convertem eles em ouro o produto excedente de A, A' etc. (I). Mas, pondo-se de lado esse caso, donde vem o dinheiro? Sabemos que entesouraram, utilizando o mesmo processo de A, A' etc., vendendo os respectivos produtos excedentes, e que chegaram ao ponto em que seu capital-dinheiro apenas virtual, acumulado como tesouro, deve funcionar efetivamente como capital-dinheiro adicional. Mas ficamos assim num círculo vicioso. A questão continua a existir: donde proveio o dinheiro que B, B' etc. (I) retiraram antes da circulação, para acumular?

Ao observar a reprodução simples, ficamos sabendo que os capitalistas I e II precisam ter em mãos certo montante de dinheiro, para trocar os respectivos produtos excedentes. Aí, o dinheiro despendido apenas como renda em meios de consumo refluía para os capitalistas na medida em que o tinham adiantado, fazendo circular as mercadorias. Aqui, o mesmo dinheiro reaparece, mas com outra função. Os AA e os BB se fornecem alternativamente o dinheiro para transformar o produto excedente em capital-dinheiro virtual adicional e tornam a pôr alternativamente na circulação o novo capital-dinheiro formado, como meio de compra.

Aqui, supõe-se unicamente que a massa de dinheiro existente num país (não variando a velocidade da circulação etc.) é suficiente tanto para a circulação ativa quanto para a reserva entesourada; o mesmo pressuposto, portanto, que, conforme vimos, tem de ser preenchido na circulação simples das mercadorias. Muda, entretanto, a função dos tesouros. Além disso, a massa de dinheiro existente tem de ser maior pelas razões seguintes: 1) na produção capitalista, todo produto (excetuados metal precioso de nova produção e os poucos produtos consumidos pelo próprio produtor) é produzido como mercadoria, tendo de converter-se em dinheiro; 2) no sistema capitalista, o volume e a magnitude do valor do capital-mercadoria são muito maiores e ainda crescem com velocidade incomparavelmente superior; 3) capital variável cada vez mais vultoso tem de transformar-se continuamente em capital-dinheiro; 4) é mister que novos capitais-dinheiro se formem no mesmo ritmo em que se amplia a produção, tendo de existir o material de sua forma tesouro. Tudo isto é válido, sem dúvida, na primeira fase da produção capitalista, onde o sistema de crédito é acompanhado de circulação preponderantemente metálica, e estende-se também à fase mais desenvolvida do sistema de crédito, na medida em que se baseia na circulação metálica. Nessas condições, a produção adicional dos metais preciosos, com as alternativas de abundância e escassez, pode exercer influências perturbadoras sobre os preços das mercadorias, durante períodos longos ou em curtos intervalos. Mas o mecanismo de crédito, utilizando toda espécie de operações, métodos e dispositivos técnicos, está continuamente empenhado em limitar a efetiva circulação metálica ao mínimo que sempre decresce relativamente, com o que aumentam, em proporção correspondente, o artifício de toda a maquinaria e as possibilidades de distúrbio de sua marcha normal.

Os B, B', B" etc. (I), com o novo capital-dinheiro que deixa de ser virtual para entrar em atividade, podem ter reciprocamente de vender uns aos outros e comprar uns dos outros produtos (partes do produto excedente deles). Nesse caso, o dinheiro adiantado para a circulação do produto excedente, se tudo correr normalmente, volta aos diversos BB, na proporção em que o adiantaram para a circulação das respectivas mercadorias. Se o dinheiro circula como meio de pagamento, só é mister pagar os saldos que resultem de não se compensarem as compras e vendas recíprocas. Entretanto, releva partir sempre do pressuposto da circulação metálica em sua forma mais simples, mais primitiva, conforme temos feito, pois assim fluxo e refluxo, liquidação por compensação, em suma, todos os elementos que aparecem no sistema de crédito como operações conscientemente reguladas, passam a apresentar-se independentes do sistema de crédito: a coisa se manifesta na forma original, e não na forma posterior, racionalizada.

c) O capital variável adicional

Cabe-nos agora examinar o capital variável adicional, pois até o momento só cogitamos do capital constante adicional.

No Livro 1 examinamos amplamente como no sistema de produção capitalista há sempre força de trabalho disponível e como, quando necessário, se pode mobilizar mais trabalho, sem acrescer o número dos trabalhadores ocupados ou a massa da força de trabalho empregada. Por isso, no momento não é necessário voltar ao assunto, bastando supor que a fração transformável em capital variável, do capital-dinheiro novamente constituído, encontrará sempre a força de trabalho em que se converter. Explicamos também no Livro 1 como dado capital, sem acumulação, pode, dentro de certos limites, ampliar o domínio de sua produção. Mas, aqui, trata-se da acumulação de capital no sentido específico, em que o aumento da produção é determinado pela transformação de mais-valia em capital adicional, pelo acréscimo de capital empregado na produção.

O produtor de ouro pode acumular parte de sua mais-valia áurea como capital-dinheiro virtual. Ao atingir esse capital o montante adequado, pode transformá-lo diretamente em novo capital variável, sem ter antes de vender seu produto excedente; pode também convertê-lo em elementos do capital constante. Mas, para fazer esta conversão, precisa encontrar os elementos materiais de seu capital constante, e não importa que os produtores desses elementos armazenem sua produção antes de levá-la pronta e acabada ao mercado, conforme temos admitido até agora, ou que trabalhem por encomenda. Supõe-se, nos dois casos, o acréscimo material da produção, isto é, o produto excedente: no primeiro, como existente na realidade, e, no segundo, como virtualmente pronto para ser fornecido.

2. ACUMULAÇÃO NA SEÇÃO II

Segundo a suposição que fizemos até aqui, os A, A', A" (I) vendem seu produto excedente aos B, B', B" etc. pertencentes à mesma seção I. Vamos supor agora que A (I) converte seu produto excedente em dinheiro, vendendo-o a B da seção II. Isto só pode ocorrer se A (I) vender a B (II) meios de produção e depois não comprar meios de consumo, efetuando, portanto, venda unilateral. II_c só pode deixar a forma de capital-mercadoria e converter-se na forma natural de capital constante produtivo se houver, além da troca de I_v, a de parte pelo menos de I_m por parte de II_c, consistente em meios de consumo; mas A só transforma seu I_m em dinheiro se não consumar essa troca, retirando da circulação o dinheiro que obtém de II com a venda de seu I_m, em vez de comprar com esse dinheiro os meios de consumo II. Nesse caso, do lado de A (I) ter-se-á formado capital-dinheiro virtual adicional, mas, do outro lado, com igual magnitude de valor, parte do capital constante de B (II) estará prisioneira da forma de capital-mercadoria, sem poder converter-se na forma natural de capital constante produtivo. Em outras palavras: fica invendável parcela das mercadorias de B (II), e, conforme logo se vê, justamente a parcela que, se não for vendida, impossibilita seu capital constante de reverter por inteiro à forma produtiva. Por isso, há em relação a B (II) superprodução, que lhe causa transtorno à reprodução, mesmo em escala invariável.

Neste caso, o capital-dinheiro virtual adicional de A (I) é precisamente a forma convertida em dinheiro de produto excedente (mais-valia); mas o produto excedente (mais-valia), como tal, ainda é aqui fenômeno da reprodução simples, e não da reprodução em escala ampliada. A fim de que possa efetuar-se em escala invariável a reprodução de II_c, tem ele de ser trocado por $I_{(v+m)}$, e isto é, de qualquer modo, válido para uma fração de I_m. A (I), pelo fato de vender seu produto excedente a B (II), fornece-lhe, em forma física, valor correspondente de parte do capital constante, mas, ao mesmo tempo, ao subtrair dinheiro à circulação, deixando de completar sua venda com compra subsequente, torna invendável parte das mercadorias de B (II), de igual valor. Por isso, se consideramos a totalidade da reprodução social, que abrange igualmente os capitalistas I e II, a transformação do produto excedente de A (I) em capital-dinheiro virtual significa a impossibilidade de um capital-mercadoria, de igual valor, de B (II) reverter a capital produtivo (constante). Da referida transformação, portanto, resultará não a possibilidade de produção em escala ampliada, mas embaraço, déficit da reprodução simples. Sendo a formação e a venda do produto excedente de A (I) fenômenos normais da reprodução simples, já na base desta assinalamos os seguintes fenômenos que se condicionam reciprocamente: formação de capital-dinheiro virtual adicional na seção I (por conseguinte, subconsumo do ponto de vista de II); estagnação de estoques de mercadorias na seção II, os quais não podem reverter a capital produtivo (logo, superprodução relativa em II); sobra de capital-dinheiro em I e déficit na reprodução em II.

Ainda algumas observações sobre este ponto. Na análise da reprodução simples, supusemos que toda a mais-valia de I e II é gasta como renda. Mas, na realidade, uma parte da mais-valia é despendida como renda e outra é transformada em capital. Só ocorrendo esta condição existe acumulação real. Afirmar, de modo genérico, que a acumulação se efetua à custa do consumo é sustentar um princípio ilusório que contradiz a essência da produção capitalista, pois se estará supondo que o fim e a causa propulsora dessa produção é o consumo, e não a conquista da mais-valia e sua capitalização, isto é, a acumulação.

Examinemos agora mais de perto a acumulação na seção II. A primeira dificuldade para II_c – a saber, sua reversão à forma natural do capital constante II, partindo de um componente do capital-mercadoria II – concerne à reprodução simples. Retornemos ao esquema antigo:

$$(1.000_v + 1.000_m)\ I \text{ trocam-se por } 2.000\ II_c.$$

Mas se, por exemplo, a metade do produto excedente – $1.000_m/2$, ou seja, 500 I_m – novamente se incorpora à seção I como capital constante, não poderá essa fração do produto excedente, retida em I, repor parte de II_c. Em vez de ser convertida em meios de consumo (neste segmento da circulação entre I e II, há efetivamente permuta entre duas partes, com dupla mudança de lugar das mercadorias, diferindo da substituição de 1.000 II_c, por 1.000 I_v realizada por intermédio dos trabalhadores), terá em I o papel de meio de produção adicional. Não pode exercer essa função em I e II ao mesmo tempo. O capitalista não pode despender o valor de seu produto excedente em meios de consumo e, ao mesmo tempo, consumi-lo produtivamente, isto é, incorporá-lo a seu capital produtivo. Em vez de 2.000 $I_{(v+m)}$, só há 1.500, isto é, $(1.000_v + 500_m)$ I para serem trocados por 2.000 II_c; assim, 500 II_c não podem deixar a forma mercadoria para converter-se em capital produtivo (constante) II. Por conseguinte, ocorreria em II superprodução, de montante que corresponderia exatamente ao da ampliação efetuada na produção de I. A superprodução de II poderia ter repercussões fortes em I, para este só parcialmente refluindo os 1.000 gastos pelos trabalhadores de I em meios de consumo de II: esses 1.000 não retornariam à forma de capital variável nas mãos dos capitalistas I. Estes encontrariam dificuldade mesmo na reprodução em escala invariável, e tão somente por tentarem ampliá-la. E cabe aqui ponderar que em I só houve realmente reprodução simples, tendo os elementos do esquema se agrupado de maneira diferente, com o objetivo de ampliar a produção no futuro, digamos, no próximo ano.

Poder-se-ia tentar eludir essa dificuldade. Assim, os 500 II_c, imobilizados nos depósitos dos capitalistas, imediatamente inconversíveis em capital produtivo, estão longe de constituir superprodução, representando, ao contrário, elemento indispensável à reprodução, até agora desprezado. Vimos que se acumulam em muitos pontos reservas de dinheiro, que têm de ser retiradas da circulação, para possibilitar a formação de novos capitais-dinheiro em I, ou para conservar na forma dinheiro, durante certo tempo, o valor do capital fixo que vai sendo progressivamente consumido. Mas, uma vez que, segundo nosso esquema, a totalidade do dinheiro e das mercadorias se encontra aprioristicamente nas mãos dos capitalistas I e II, não existindo comerciantes, intermediários financeiros, banqueiros nem categorias de consumidores que não estejam diretamente ligados à produção de mercadorias, será então indispensável em nosso caso a formação permanente de estoques de mercadorias, pelos respectivos produtores, a fim de manter em movimento a maquinaria da reprodução. Os 500 II_c que jazem nos depósitos dos capitalistas II representam o estoque em meios de consumo que assegura a continuidade do processo de consumo, incluído na reprodução, possibilitando, no caso, a transição de um ano para outro. O fundo de consumo ainda nas mãos dos vendedores, aqui ao mesmo tempo produtores, não pode cair a zero neste ano para partir de zero no seguinte, o que também não é possível na transição de um dia para outro. Sendo necessário reconstituir sempre esses estoques, embora em volume variável, nossos produtores capitalistas II precisam dispor de reserva de capital em dinheiro que os capacite a prosseguir no processo de produção, apesar de parte de seu capital produtivo imobilizar-se transitoriamente na forma de mercadoria. De acordo com o pressuposto estabelecido, aliam eles com as da produção todas as atividades do comércio; por isso, necessitam dispor do capital-dinheiro adicional que passa a ficar nas mãos dos comerciantes, quando as diversas funções do processo de reprodução se tornam autônomas, repartindo-se por diferentes espécies de capitalistas.

Objeções que a isto se contrapõem: 1) Essa estocagem se impõe a todos os capitalistas, tanto os de I quanto os de II. Como vendedores de mercadorias, só se distinguem por vender mercadorias de espécies diferentes. O estoque em mercadorias II supõe estoque anterior em mercadorias I. Se, num lado, desprezamos esse estoque, temos de rejeitá-lo, no outro. O problema em nada se altera, se consideramos o estoque nos dois lados. 2) II termina este ano com um estoque de mercadorias, do mesmo modo que começou com um estoque oriundo do ano anterior. Por isso, ao analisar a reprodução anual, reduzida à sua expressão mais abstrata, devemos esquecer esse estoque de duas maneiras: deixando este ano com sua produção por inteiro, que compreende o estoque a transferir para o ano seguinte, e excluindo o estoque recebido do ano anterior. Isto nos dá como objeto de análise o produto global de um ano médio. 3) A simples circunstância de não termos defrontado a dificuldade a contornar, quando examinamos a reprodução simples, demonstra que se trata de fenômeno específico, devido apenas ao agrupamento diferente (para a reprodução) dos elementos I, sem o qual não poderia haver reprodução em escala ampliada.

3. APRESENTAÇÃO ESQUEMÁTICA DA ACUMULAÇÃO

Vejamos agora a reprodução de acordo com o esquema abaixo.

Esquema a

$$\left.\begin{array}{ll} \text{I.} & 4.000_c + 1.000_v + 1.000_m = 6.000 \\ \text{II.} & 1.500_c + 376_v + 376_m = 2.252 \end{array}\right\} \text{Total} = 8.252$$

De início, verificamos que o total do produto anual da sociedade = 8.252 é menor do que o total = 9.000 que figura no primeiro esquema apresentado. Poderíamos tomar para o esquema a soma bem maior, decuplicando-a, se quiséssemos. Escolhemos soma inferior à do esquema I, justamente para evidenciar que a reprodução em escala ampliada (aqui só considerada como tal produção empreendida com aplicação maior de capital) nada tem a ver com a grandeza absoluta do produto; que ela, para dada massa de mercadorias, apenas supõe agrupamento diferente ou destinação funcional diferente dos diversos elementos do produto dado, sendo aprioristicamente, para a totalidade do valor, reprodução simples e nada mais. O que muda não é a quantidade, mas a determinação qualitativa dos elementos dados da reprodução simples, e essa mudança é o pressuposto material da reprodução que virá em seguida, em escala ampliada.[58]

Poderíamos modificar o esquema, estabelecendo proporções diferentes entre o capital constante e o variável. Por exemplo:

Esquema b

$$\left.\begin{array}{l} \text{I. } 4.000_c + 875_v + 875_m = 5.750 \\ \text{II. } 1.750_c + 376_v + 376_m = 2.202 \end{array}\right\} \text{Total} = 8.252$$

O esquema se presta para representar a reprodução simples, sendo a mais-valia inteiramente despendida como renda, excluída, portanto, qualquer acumulação. Tanto em *a* quanto em *b*, temos um produto anual do mesmo valor: a única diferença é que, em *b*, o agrupamento funcional dos elementos é tal que a reprodução recomeça na mesma escala, e, em *a*, constitui a base material da reprodução em escala ampliada. Em *b* trocam-se $(8.750_v + 875_m)$ I = 1.750 $\text{I}_{(v+m)}$ por 1.750 II_c, sem haver resto, enquanto em *a* a troca de $(1.000_v + 1.000_m)$ I = 2.000 $\text{I}_{(v+m)}$ por 1.500 II_c deixa uma sobra de 500 I_m a ser acumulada pela seção I.

Examinemos o esquema mais de perto. Admitamos que, tanto em I quanto em II, metade da mais-valia, em vez de gasta como renda, se acumule, isto é, se transforme em elemento de capital adicional. Acumulando-se de uma forma ou de outra a metade de 1.000 I_m = 500, empregada como capital-dinheiro adicional, transformada em capital produtivo, só serão gastos como renda $(1.000_v + 500_m)$ I. Por isso, apenas 1.500 figuram aqui como a grandeza normal de II_c. Não é mister prosseguir investigando a troca entre 1.500 $\text{I}_{(v+m)}$ e 1.500 II_c, uma vez que já foi apresentada como processo da reprodução simples, nem é preciso considerar 4.000 I_c, pois

58 Isto põe termo, de uma vez por todas, à polêmica sobre acumulação do capital entre James Mill e S. Bailey, apresentada no Livro 1 (p. 670, nota 64) sob outro aspecto, a saber, se é possível aumentar a eficácia do capital industrial, ficando invariável a magnitude desse capital. Voltaremos ao assunto mais tarde.

sua redistribuição, para nova reprodução (agora, em escala ampliada), foi examinada também como processo da reprodução simples.

Por conseguinte, aqui só cabe investigar 500 I_m e (376_v + 376_m) II, no tocante ao movimento entre I e II e às relações internas de ambos. Uma vez que se estabeleceu o pressuposto de que se acumulará também em II metade da mais-valia, devem transformar-se aí em capital 188, dos quais 1/4 em capital variável = 47, digamos, 48 para arredondar; ficam 140 para converter-se em capital constante.

Topamos agora com novo problema, e sua mera existência parecerá chocante aos que se atêm à opinião geral de que diferem as mercadorias que se permutam, de que se troca mercadoria por dinheiro e este por mercadoria de outra espécie. Os 140 II_m só podem converter-se em capital produtivo se forem substituídos por fração equivalente das mercadorias I_m. Está claro que a parte de I a ser trocada por 140 II_m deve consistir em meios de produção, os quais podem entrar tanto na produção de I quanto na de II ou apenas na de II. Só pode haver essa substituição se II comprar unilateralmente, pois todo o produto excedente 500 I_m a ser ainda examinado servirá à acumulação no interior de I, não podendo, portanto, ser trocado por mercadorias II; em outras palavras, I não pode acumulá-lo e consumi-lo ao mesmo tempo. Assim, II tem de comprar 140 I_m com dinheiro efetivo, sem que este lhe volte com venda posterior de sua mercadoria a I. E este é um processo que se repete todos os anos, para cada produção nova, desde que reprodução em escala ampliada. Donde tira II o dinheiro para isso?

Parece não ser possível em II a formação de novo capital-dinheiro, a qual acompanha a acumulação real e, na produção capitalista, a condiciona, mas, no início, se apresenta de fato como simples entesouramento.

Inicialmente, temos 376 II_v; o capital-dinheiro 376, adiantado em força de trabalho, reflui continuamente para o capitalista II como capital variável em forma dinheiro, após a venda de mercadorias II. Essa ida e volta continuamente renovada, em que o ponto de partida e de chegada é o bolso do capitalista, não aumenta de maneira alguma o dinheiro que se move nesse circuito. Isso não constitui, portanto, fonte de acumulação monetária; esse dinheiro não pode ser retirado dessa circulação para constituir novo capital-dinheiro virtual, entesourado.

Mas vejamos se há a possibilidade de extorquir daí algum lucro.

Não devemos esquecer que a seção II possui, perante a I, a vantagem de os trabalhadores que ela emprega terem de lhe comprar as mercadorias que eles mesmos produziram. A seção II é compradora de força de trabalho e ao mesmo tempo vendedora de mercadorias aos possuidores da força de trabalho que emprega.

1) A seção II pode, e também a seção I, rebaixar simplesmente os salários abaixo do nível normal. Assim, libera-se parte do dinheiro que funciona como a forma monetária do capital variável, e isto poderia tornar-se, com a repetição constante do mesmo processo, fonte normal de entesouramento, portanto de formação de capital-dinheiro virtual adicional da seção II. Mas, aqui, trata-se da formação normal de capital, estando fora de cogitação lucros fraudulentos e casuais. E não se deve esquecer que o salário normal efetivamente pago (que determina a magnitude do capital variável, não se alterando as demais condições) não resulta da bondade do capitalista, decorrendo de dadas condições existentes. Assim, eliminamos essa explicação. Se supomos que o capital variável a ser adiantado pela seção II é de 376_v, não devemos, para elucidar um problema emergente, introduzir subitamente a hipótese de que a seção adiantará, digamos, apenas 350_v, e não 276_v.

2) A seção II, considerada em conjunto, tem, conforme vimos, a vantagem de, ao mesmo tempo, comprar a força de trabalho e revender aos trabalhadores as mercadorias produzidas. E a maneira como é possível explorar essa circunstância se patenteia com os dados mais palpáveis, em todos os países industriais: pagamento nominal do salário normal, mas, na realidade, escamoteando-se dele parte que fica sem o correspondente equivalente em mercadorias, sendo, portanto, furtada; para esse fim, utiliza-se o sistema de pagamento em mercadorias ou falsifica-se o meio de circulação (apesar de essa falsificação ser provavelmente ilegal). É o caso da Inglaterra e dos Estados Unidos. (Desenvolver este assunto com exemplos adequados.) Esta operação é a mesma do item anterior apenas dissimulada e executada por via indireta. Temos, portanto, de rejeitá-la, como fizemos com aquela. Aqui, trata-se do salário efetivamente pago, e não do nominal.

Na análise objetiva do mecanismo capitalista, não cabe elidir dificuldades teóricas, mediante o subterfúgio de utilizar certas manchas especiais que ainda o marcam. Mas espanta que a grande maioria dos meus críticos burgueses fique a bradar como se tivesse eu feito injustiça ao capitalista, por admitir, no Livro 1 de *O capital*, que ele paga o valor real da força de trabalho, o que, em grande parte, não faz (Schäffle poderia ser citado aqui, com a magnanimidade que me atribui).

Com 376 II_v, nada obtemos para resolver a questão.

As coisas, porém, parecem ainda mais difíceis com 376 II_m. Aí só se defrontam capitalistas da mesma seção que vendem e compram uns aos outros os artigos de consumo que produziram. O dinheiro necessário a essa troca serve apenas de meio de circulação e, no curso normal das coisas, deve refluir para os participantes na medida em que o adiantaram à circulação, a fim de renovar sempre o mesmo circuito.

Parece haver somente dois meios pelos quais é possível retirar esse dinheiro da circulação, a fim de constituir capital-dinheiro suplementar virtual. Um meio consiste em parte dos capitalistas II fraudar a outra, furtando-lhe assim dinheiro. Sabemos que, para formar novo capital-dinheiro, não é necessário que acresça momentaneamente o meio circulante; basta retirar dinheiro de certos pontos da circulação e entesourá-lo. Em nada alteraria a situação a possibilidade de furtar o dinheiro, de a formação de capital-dinheiro adicional de um grupo dos capitalistas II depender de correspondente perda de dinheiro de outro grupo. O máximo que poderia acontecer seria o grupo fraudado passar a viver com um pouco menos de regalo.

Outro meio consiste em transformar diretamente em novo capital variável, no interior da seção II, parte de II_m, representada em meios de subsistência necessários. Examinaremos essa ocorrência no final deste capítulo (seção 4).

a) Primeiro exemplo

Esquema A: reprodução simples

$$\left.\begin{array}{ll} \text{I.} & 4.000_c + 1.000_v + 1.000_m = 6.000 \\ \text{II.} & 2.000_c + 500_v + 500_m = 3.000 \end{array}\right\} \text{Total} = 9.000$$

Esquema B: ponto de partida da reprodução em escala ampliada

$$\left.\begin{array}{ll} \text{I.} & 4.000_c + 1.000_v + 1.000_m = 6.000 \\ \text{II.} & 1.500_c + 750_v + 750_m = 3.000 \end{array}\right\} \text{Total} = 9.000$$

Supondo-se que no esquema B se acumula a metade da mais-valia de I, 500 portanto, teremos inicialmente ($1.000_v + 500_m$) I ou 1.500 $I_{(v + m)}$ a serem substituídos por 1.500 II_c; restam então, em I, $4.000_c + 500_m$ devendo a última parcela ser acumulada. A substituição de ($1.000_v + 500_m$) I por 1.500 II_c é um processo da reprodução simples, já elucidado.

Admitamos que dos 500 I_m, devam 400 transformar-se em capital constante e 100 em variável. Já foi objeto de estudo a troca no interior de I dos 400_m, destinados assim a capitalizar-se; por conseguinte, podem ser simplesmente anexados a I_c, e então teremos para I:

$4.400_c + 1.000_v + 100_m$ (a converter em 100_v).

Por sua vez, a fim de acumular, II compra a I os 100 I_m (existentes em meios de produção), os quais passam a constituir capital constante adicional de II, enquanto os 100 em dinheiro utilizados em pagamento se convertem na forma dinheiro do capital variável adicional de I. Teremos então, para I, um capital de

$4.400_c + 1.100_v$ (estes em dinheiro) = 5.500.

Agora, o capital constante de II é 1.600_c; para fazê-lo funcionar, precisa desembolsar mais 50_v em dinheiro para adquirir nova força de trabalho, e desse modo seu capital variável aumenta de 750 para 800. Esse acréscimo dos capitais constante e variável de II no total de 150 é custeado por sua mais-valia; dos 750 II_m restam, portanto, apenas 600_m como fundo de consumo dos capitalistas II, e o produto anual deles passa então a repartir-se da seguinte maneira:

II. $1.600_c + 800_v + 600_m$ (fundo de consumo) = 3.000.

Os 150_m, produzidos em meios de consumo, aqui transformados em ($100_c + 50_v$) II, são, em sua forma natural, inteiramente consumidos pelos trabalhadores: 100 pelos trabalhadores I (100 I_v) e 50 pelos trabalhadores II (50 II_v), conforme exposto acima. Na realidade, é mister que em II – em que o produto global é elaborado na forma requerida para a acumulação – parte acrescida (de 100) da mais-valia seja reproduzida na forma de meios de consumo *necessários*. Se começa realmente a reprodução em escala ampliada, os 100 de capital-dinheiro variável de I, por intermédio de sua classe trabalhadora, fluem para II, e este, por sua vez, transfere 100_m em mercadorias a I e, ao mesmo tempo, 50 em mercadorias a sua própria classe trabalhadora.

Agora, a distribuição modificada, tendo em vista a acumulação, é a seguinte:

I. $4.400_c + 1.100_v + 500$ para fundo de consumo = 6.000

II. $1.600_c + 800_c + 600$ para fundo de consumo = 3.000

Como acima, total = 9.000

Aí constituem capital:

I. $4.400_c + 1.100_v$ (dinheiro) = 5.500
II. $1.600_c + 800_v$ (dinheiro) = 2.400 } = 7.900,

tendo a produção começado com

I. $4.000_c + 1.000_v = 5.000$
II. $1.500_c + 750_v = 2.250$ } = 7.250

Se a acumulação real se dá nessa base, produzindo-se efetivamente com esse capital acrescido, teremos no fim do ano:

I. $4.400_c + 1.100_v + 1.100_m = 6.600$
II. $1.600_c + 800_v + 800_m = 3.200$ } = 9.800

Admitamos que I continue acumulando na mesma proporção; gaste 550_m como renda e acumule 550_m. Nessas condições 1.100 I_v são substituídos por 1.100 II_c, e, além disso, é mister realizar em mercadorias II de igual montante, 550 I_m, perfazendo tudo, portanto, 1.650 $\text{I}_{(v+m)}$. Mas o capital constante de II a repor é igual apenas a 1.600, devendo, portanto, os 50 que faltam ser tirados de 800 II_m. Abstraindo por ora do dinheiro, temos o seguinte resultado:

I. $4.400_c + 550_m$ (a capitalizar); realizados em mercadorias II_c, $1.650_{(v+m)}$ o fundo de consumo dos capitalistas e trabalhadores.

II. 1.650_c (aí incluídos 50 tirados de II_m, conforme exposto acima) + $800_v + 750_m$ (fundo de consumo dos capitalistas).

Se em II não se altera a relação entre v e c, para 50_c devem ser despendidos 25_v adicionais, a tirar de 750_m. Assim, obteremos:

II. $1.650_c + 825_v + 725_m$.

Em I, há para capitalizar 550_m, e deles, se não muda a relação anterior, 440 vão constituir capital constante e 110 capital variável. Esses 110 podem ser retirados de 725 II_m, e, neste caso, os trabalhadores I consumirão meios de consumo no valor de 110, em lugar dos capitalistas II que serão forçados a capitalizar esses 110_m, em vez de consumi-los. Dos 725 II_m, ficarão restando 615 II_m. Mas se II transforma esses 110 em capital constante adicional, precisará ele de novo capital variável suplementar de 55, que só pode tirar de sua mais-valia. Deduzidos de 615 II_m ficam 560 para consumo dos capitalistas II. Teremos então, após efetuar todas as transferências reais e potenciais, os seguintes valores-capital:

I. $(4.400_c + 440_c) + (1.100_v + 110_v) =$
$= 4.840_c + 1.210_v$ $= 6.050$

II. $(1.600_c + 50_c + 110_c) + (800_v + 25_v +$
$+ 55_v) = 1.760_c + 880_v$ $= 2.640$

8.690

Para que a coisa ande normalmente, é mister que a acumulação de II se efetue mais rapidamente que a de I, pois, do contrário, a fração de $I_{(v+m)}$, a converter-se em mercadorias II_c e que só pode ser trocada por elas, cresceria mais rapidamente que II_c.

Se a reprodução prosseguir nessa base e não se alterarem as demais condições, teremos no fim do ano seguinte:

$$\left.\begin{array}{ll} \text{I.} & 4.840_c + 1.210_v + 1.210_m = 7.260 \\ \text{II.} & 1.760_c + 880_v + 880_m = 3.520 \end{array}\right\} = 10.780$$

Não se alterando a proporção em que se divide a mais-valia, caberá inicialmente à seção I despender como renda 1.210_v, e a metade de m = 605, ao todo, 1.815. Esse fundo de consumo é de novo maior que II_c, ultrapassando-o em 55, a serem retirados de 880_m, que ficam reduzidos a 825. A conversão de 55 II_m em II_c acarreta em II_m nova redução = 27½, para formar o correspondente capital variável; ficam assim restando, para consumo, 797½ II_m.

Em I, há para capitalizar 605_m, sendo 484 em capital constante e 121 em capital variável, estes últimos a retirar de II_m, que de 797½ passa para 676½ II_m. II converte, por conseguinte, mais 121 em capital constante, e, para isso, precisa de 60½ adicionais em capital variável; estes últimos saem também de II_m, já reduzido a 676½; assim, restam para consumo 616.

Teremos, então, em capital:

I. constante 4.840 + 484 = 5.324
   variável 1.210 + 121 = 1.331

II. constante 1.760 + 55 + 121 = 1.936
   variável 880 + 27½ + 60½ = 968

$$\text{totais: I. } 5.324_c + 1.331_v = 6.655 \quad \text{II. } 1.936_c + 968_v = 2.904 \quad \Big\} = 9.559$$

E, no fim do ano, em produto:

$$\left.\begin{array}{l} \text{I. } 5.324_c + 1.331_v + 1.331_m = 7.986 \\ \text{II. } 1.936_c + 968_v + 968_m = 3.872 \end{array}\right\} = 11.858$$

Repetindo os mesmos cálculos e arredondando frações, teremos, no fim do ano seguinte, um produto de:

$$\left.\begin{array}{l} \text{I. } 5.856_c + 1.464_v + 1.464_m = 8.784 \\ \text{II. } 2.129_c + 1.065_v + 1.065_m = 4.259 \end{array}\right\} = 13.043$$

E no final do ano subsequente:

$$\left.\begin{array}{l}\text{I. } 6.442_c + 1.610_v + 1.610_m = 9.662 \\ \text{II. } 2.342_c + 1.172_v + 1.172_m = 4.686\end{array}\right\} = 14.348$$

No decurso de cinco anos de reprodução em escala ampliada o capital global de I e II aumentou de $5.500_c + 1.750_v = 7.250$ para $8.784_c + 2.782_v = 11.566$, crescendo, portanto, na proporção de 100 para 160. A mais-valia global, que originalmente era de 1.750, passou para 2.782. No começo, a mais-valia consumida era de 500 para I e 600 para II, perfazendo um total de 1.100; no último ano, elevou-se, para I, a 732, para II, a 745, e globalmente a 1.477. Cresceu, portanto, na proporção de 100 para 134.

b) Segundo exemplo

Seja o produto anual de 9.000, em sua totalidade capital-mercadoria nas mãos da classe dos capitalistas industriais, e constitua 1:5 a média geral da proporção entre capital variável e capital constante. Isto supõe desenvolvimento considerável da produção capitalista e, por conseguinte, da produtividade do trabalho social, importante ampliação anterior da escala da produção e, finalmente, desenvolvimento de todas as condições que produzem superpopulação relativa na classe trabalhadora. O produto anual distribuir-se-á, então, arredondando-se frações, da seguinte maneira:

$$\left.\begin{array}{l}\text{I. } 5.000_c + 1.000_v + 1.000_m = 7.000 \\ \text{II. } 1.430_c + \quad 285_v + \quad 285_m = 2.000\end{array}\right\} = 9.000$$

Admitamos que os capitalistas I consumam a metade da mais-valia = 500 e acumulem a outra metade. Seria então mister trocar $(1.000_v + 500_m)$ I = 1.500 por 1.500 II_c. Sendo II_c = 1.430, será necessário retirar 70 da mais-valia = 285, a qual ficará reduzida para 215 II_m. Assim, obteremos:

I. $5.000_c + 500_m$ (a capitalizar) + $1.500_{(v + m)}$ pertencentes ao fundo de consumo dos capitalistas e trabalhadores;

II. $1.430_c + 70_m$ (a capitalizar) + $285_v + 215_m$.

Anexando-se 70 II_m diretamente a II_c, é mister, para pôr em movimento esse capital constante adicional, um capital variável de 70 = 14; esses 14 terão de ser tirados também de II_m já reduzido para 215; ficam restando 201 II_m. Desse modo, temos:

$\text{II}. (1.430_c + 70_c) + (285_v + 14_v) + 201_m.$

A troca entre 1.500 $\text{I}_{(v + ½m)}$ por 1.500 II_c constitui um processo já estudado na reprodução simples. Entretanto, cabe aqui considerar algumas peculiaridades que, na reprodução com acumulação, decorrem da circunstância de $\text{I}_{(v + ½m)}$ não se trocar apenas por II_c, mas por II_c acrescido de parte de II_m.

Supondo-se a acumulação, é claro que $\text{I}_{(v + m)}$ é maior do que II_c, e não igual a II_c, como na reprodução simples, pois: 1) I incorpora parte de seu produto excedente no capital produtivo próprio e dela transforma 5/6 em capital constante, não lhe sendo possível ao mesmo tempo substituir esses 5/6 por meios de consumo de II; 2) I tem de fornecer os elementos materiais do capital constante necessário à acumulação em II, tirando-os de seu produto excedente, do mesmo modo que II tem de fornecer a I os elementos materiais do capital variável que porá em movimento a fração do produto excedente de I por este empregada como capital constante excedente. Sabemos que o capital variável real consiste em força de trabalho, e que se estende naturalmente ao adicional. Não é o capitalista I que compra a II provisões dos meios de subsistência necessários ou os acumula para a força de trabalho adicional que vai empregar, como o dono de escravos era obrigado a fazer. Aí são os próprios trabalhadores que comerciam com II. Isto não impede que, do ponto de vista do capitalista, os meios de consumo da força de trabalho adicional sejam apenas meios de produção e de manutenção de sua eventual força de trabalho adicional, portanto a forma natural de seu capital variável. Sua primeira operação, e, no caso, a de I, consiste em acumular novo capital-dinheiro necessário para a compra de força de trabalho adicional. Quando I a incorpora à produção, o dinheiro passa a ser meio de compra das mercadorias II para essa força de trabalho que tem de encontrar seus meios de consumo.

De passagem. O capitalista – e sua imprensa – está frequentemente insatisfeito com o modo como a força de trabalho despende seu dinheiro e com as espécies de mercadorias II em que o aplica. Nessas ocasiões, filosofa, charla em torno de cultura e de filantropia, como Mr. Drummond, secretário da embaixada inglesa em Washington, que passamos a ouvir. *The*

Nation [um jornal] teria publicado em outubro de 1879 um interessante artigo onde, dentre outras coisas, se dizia:

> O nível cultural dos trabalhadores não tem acompanhado o progresso das invenções; ficaram-lhes acessíveis, em grande quantidade, objetos que não sabem utilizar e para os quais não constituem, portanto, mercado. [Todo capitalista quer naturalmente que o trabalhador compre sua mercadoria.] Não se justifica que o trabalhador não deseje tanto conforto quanto o sacerdote, advogado e médico que estejam ganhando tanto quanto ele. [Essa categoria de advogado, sacerdote e médico tem na realidade de contentar-se com o desejo de muito conforto.] Mas ele não deseja tanto. O problema continua sendo o de torná-lo, por um processo racional e sadio, consumidor de nível mais elevado; não é fácil resolvê-lo, pois toda a sua ambição se concentra na redução das horas de trabalho, e o demagogo o incita muito mais a isto do que a melhorar sua situação, aperfeiçoando as aptidões intelectuais e morais. ("Reports of H. M.'s Secretaries of Embassy and Legation on the Manufactures, Commerce etc., of the Countries in which they reside", Londres, 1879, p. 404.)

Longas horas de trabalho parecem ser o segredo do processo racional e sadio que melhorará a situação do trabalhador, aperfeiçoando suas qualidades intelectuais e morais, e dele fará um consumidor racional. Para se tornar um consumidor racional das mercadorias dos capitalistas, é mister antes de tudo que ele – mas os demagogos o impedem – deixe a própria força de trabalho ser consumida de maneira irracional e nociva à saúde por seu próprio capitalista. O que este entende por consumo racional patenteia-se quando condescende em abastecer de maneira direta seus trabalhadores, sistema em que se inclui, dentre outros negócios, o fornecimento da moradia aos trabalhadores, e neste caso o patrão capitalista passa a ser também o senhorio.

Mr. Drummond, essa bela alma que se comove com o empenho capitalista de melhorar a classe trabalhadora, no mesmo relatório fala, dentre outras coisas, das fábricas têxteis modelares "Lowell & Lawrence Mills". A sociedade anônima, dona dessas fábricas, possui pensionatos para as operárias; as gerentes deles servem a essa sociedade que prescreve as regras de comportamento; nenhuma operária pode chegar depois das 10 horas da noite. E agora o melhor: uma polícia especial da sociedade patrulha as adjacências, para evitar a transgressão do regulamento. Depois das 10 horas da noite, nenhuma operária pode sair nem entrar. Nenhuma operária pode alojar-se fora dos domínios da sociedade, onde cada casa rende por semana um aluguel de 10 dólares. E então aparece fulgindo plenamente o consumidor racional:

> Encontrando-se o infalível piano em muitos dos melhores alojamentos das operárias, desempenham a música, o canto e a dança importante papel pelo menos para as que depois de 10 horas de trabalho contínuo no tear, depois dessa monotonia, precisam mais de recreio que de verdadeiro repouso (p. 412).

Mas vamos saber agora em que consiste o principal segredo para fazer do trabalhador um consumidor racional. Mr. Drummond visita a fábrica de artigos de cutelaria de Turner's Falls (Connecticut River), e Mr. Oakman, o tesoureiro da sociedade anônima, depois de lhe dizer que a cutelaria de mesa americana supera a inglesa em qualidade, acrescenta:

> Bateremos a Inglaterra também em preço; em qualidade já lhe estamos na frente, o que é reconhecido; mas precisamos baixar nossos preços, o que conseguiremos, logo que baratearem o aço e a mão de obra que utilizamos (p. 427).

Redução dos salários e longas horas de trabalho constituem o cerne do processo racional e sadio que elevará o trabalhador à dignidade de um consumidor racional, a fim de que crie um mercado para a massa de objetos que a cultura e o progresso das invenções puseram a seu alcance.

Assim como I tem de fornecer, tirando-o de seu produto excedente, o capital constante adicional de II, tem este, no mesmo sentido, de fornecer o capital variável adicional de I. Quanto ao capital variável, II acumula para I e para si mesmo, na medida em que parte maior de seu produto global, e particularmente de seu produto excedente, for reproduzida na forma de meios de consumo necessários.

Na produção baseada em capital crescente, $I_{(v + m)}$ deve ser igual a II_c acrescido da parte do produto excedente (de I), reincorporada como capital (constante, em I),[I] e da parte adicional de capital constante, necessária para ampliar a produção em II; e o mínimo dessa ampliação é o imprescindível para que se possa levar a cabo a acumulação efetiva, isto é, o aumento real da produção em I.

I As palavras entre parênteses são do tradutor.

Retornando ao último caso observado, verificamos possuir ele a peculiaridade de II_c ser menor do que $\text{I}_{(v + ½m)}$, do que a parte do produto I despendida como renda, de modo que na troca de 1.500 $\text{I}_{(v + m)}$ se realize imediatamente parte do produto excedente II, igual a 70. Quanto a II_c = 1.430, tem de ser reposto, não se alterando as demais condições, por montante do mesmo valor, tirado de $\text{I}_{(v + m)}$, a fim de que possa haver reprodução simples em II, e até aí nada há a considerar. A coisa é diferente com os 70 II_m complementares. O que para I é apenas substituição de renda por meios de consumo, troca de mercadorias com objetivo exclusivo de consumo, é para II processo de acumulação direta, em que parte de sua produção excedente passa da forma de meios de consumo para a de capital constante. Não é como na reprodução simples de II, em que o capital constante, deixando a forma de capital-mercadoria, reverte à forma natural. Se I compra, com 70 libras esterlinas em dinheiro (reserva monetária para troca de mais-valia), os 70 II_m, e II, por sua vez, não comprar 70 I_m com esse dinheiro, mas fizer dele capital-dinheiro acumulado, será este sempre expressão de produto adicional (que é parte do produto excedente de II), embora não de um produto que volte a entrar na produção; nessas condições, essa acumulação de dinheiro significa ao mesmo tempo 70 I_m em meios de produção invendáveis. Haveria, portanto, em I superprodução relativa, correspondente a essa circunstância de não ocorrer em II ampliação simultânea da reprodução.

Abstraiamos dessa ocorrência. Durante o tempo em que 70 em dinheiro, oriundos de I, não voltam a I, ou só parcialmente voltam, mediante compras de II relativas a 70 I_m, figuram 70 em dinheiro total ou parcialmente, como capital-dinheiro virtual suplementar, nas mãos de II. Isto acontece a toda troca entre I e II, enquanto a substituição mútua das respectivas mercadorias não faz o dinheiro refluir ao ponto de partida. No curso normal das coisas, essa situação do dinheiro é transitória. Já no sistema de crédito, em que se procura pôr em funcionamento imediato, como capital-dinheiro suplementar, todo dinheiro adicional temporariamente vadio, pode comprometer-se esse capital-dinheiro em disponibilidade apenas passageira, sendo empregado, por exemplo, em novas empresas de I, embora tivesse de fazer circular o produto adicional que ainda está aí estagnado em empresas já existentes. Além disso, a anexação de 70 I_m ao capital constante II exige ao mesmo tempo acréscimo do capital variável, no montante de 14. Isto supõe (analogamente ao que se dá com a incorporação de produto excedente I_m ao capital I_c) que a reprodução em II já se faça tendo em mira capitalizar, e inclua aumento da parte do produto, constituída de meios de subsistência indispensáveis.

O produto de 9.000 do segundo exemplo, conforme vimos, deve repartir-se da maneira apresentada a seguir, se o objetivo é capitalizar 500 I_m. Excluímos a circulação monetária, considerando apenas as mercadorias.

I. $5.000_c + 500_m$ (a capitalizar) + $1.500_{(v + m)}$ (a consumir) = 7.000 em mercadorias.

II. $1.500_c + 299_v + 201_m$ = 2.000 em mercadorias.

Total: 9.000 em produtos-mercadorias.

A capitalização se processa como segue:

Em I, os 500_m a capitalizar se repartem em $5/6 = 417_c$ e $1/6 = 83_v$. Os 83_v retiram de II_m montante equivalente que compra elementos do capital constante, juntando-se, portanto, a II_c. Um acréscimo de 83 em II_c determina acréscimo de $1/5$ de 83 = 17 em II_v. Depois disso, temos:

$$\text{I. } (5.000_c + 417_m) + (1.500_v + 83_m)_v = \\ = 5.417_v + 1.083_v \qquad = 6.500$$

$$\text{II. } (1.500_c + 83_m)_c + (229_v + 17_m)_v = \\ = 1.583_c + 316_v \qquad = \underline{1.899}$$

$$\text{Total:} \quad = 8.399$$

Em I, o capital elevou-se de 6.000 para 6.500, em $1/12$, e, em II, de 1.715 a 1.899, em $1/9$ quase.

Nessa base, a reprodução no segundo ano apresentará, ao fim deste, em capital:

$$\text{I. } (5.417_c + 452_m)_c + (1.083_v + 90_m)_v = \\ = 5.869_c + 1.173_v \qquad = 7.042$$

$$\text{II. } (1.583_c + 42_m + 90_m)_c + (316_v + 8_m) + \\ + 18_m) = 1.715_c + 342_v \qquad = 2.057$$

e, ao fim do terceiro ano, em produto:

I. $5.869_c + 1.173_v + 1.173_m$
II. $1.715_c + 342_v + 342_m$

Se I continua a acumular a metade da mais-valia, teremos = $I_{(v + ½m)}$ = $1.173_v + 587_{(½m)}$ = 1.760, ultrapassando a totalidade do capital constante de II = 1.715, em 45. Essa diferença de 45 tem de ser compensada com a transferência de meios de produção no mesmo montante a II_c. Assim, II_c cresce de 45, o que determina aumento de 1/5 = 9 em II_v. Os 587 I_m capitalizados se repartem em 5/6 e 1/6, em 489_c e 98_v; esses 98 determinam em II novo acréscimo no capital constante de 98, e esse acréscimo, por sua vez, determina aumento de 1/5 = 20 no capital variável de II. Temos então:

I. $(5.869_c + 489_m)_c + (1.173_v + 98)_v =$
$= 6.358_c + 1.271_v$ = 7.629
II. $(1.715_c + 45_m + 98_m)_c + (342_v + 9_m) +$
$+ 20_m) = 1.858_c + 371_v$ = 2.229
Capital total: = 9.858

Em três anos de reprodução crescente, a totalidade do capital de I aumentou de 6.000 para 7.629, a de II, de 1.715 para 2.229, e o capital global da sociedade, de 7.715 para 9.858.

c) Troca de II_c na acumulação

Na troca de $I_{(v + m)}$ e II_c há diversos casos a considerar.

Na reprodução simples, têm ambos de ser iguais e de substituir-se um ao outro, pois do contrário, conforme vimos, a reprodução simples não pode processar-se sem perturbação.

Na acumulação, importa antes de tudo a taxa de acumulação. Nos casos estudados admitimos que a taxa de acumulação de I = ½ m e que ela permanecia constante nos diversos anos. Só fizemos variar a proporção em que esse capital acumulado se repartia em variável e constante. Daí resultaram três casos:

1) $I_{(v + ½m)} = II_c$; este, portanto, é menor do que $I_{(v + m)}$. Esta condição é imprescindível para que I possa acumular.

2) $I_{(v + ½m)}$ é maior do que II_c. Neste caso, faz-se a reposição, acrescentando-se uma parcela de II_m a II_c, de modo que a soma fique igual a $I_{(v + ½m)}$. Aqui, a troca para II não é reprodução simples de seu capital constante; ela já é acumulação, acréscimo a esse capital da fração do produto excedente que troca por meios de produção I; esse acréscimo faz II aumentar seu capital variável de quantidade adequada retirada de seu produto excedente.

3) $I_{(v + ½m)}$ é menor do que II_c. Neste caso, II não consegue, com a troca, reproduzir por inteiro seu capital constante, tendo de repor a falta, comprando a I. Isto não exige acumulação de capital variável II, pois só com essa compra se completa a reprodução do capital constante em sua magnitude. Demais, em virtude do simples fato dessa transação, o grupo dos capitalistas de I, que apenas junta capital-dinheiro adicional, já realizou parte desta espécie de acumulação.

O pressuposto da reprodução simples, a igualdade entre $I_{(v + m)}$ e II_c, é incompatível com a produção capitalista, o que não exclui a possibilidade de, no ciclo industrial de 10 a 11 anos, aparecer um ou outro ano com produção global inferior à do precedente, não se verificando nem mesmo reprodução simples em relação ao ano anterior. E mais. Com o crescimento natural anual da população, a reprodução simples implicaria que correspondente número maior de servidores improdutivos participaria também do consumo dos 1.500 que representam a mais-valia global. Nessas condições, seria impossível acumulação de capital e, portanto, produção capitalista real. A realidade da acumulação capitalista exclui, assim, a igualdade entre II_c e $I_{(v + m)}$. Entretanto, mesmo na acumulação capitalista pode ocorrer que, em virtude da marcha dos processos de acumulação efetuados no decurso de períodos de produção anteriores, II_c seja igual ou mesmo superior a $I_{(v + m)}$. Assim, haveria em II superprodução que só poderia ser liquidada por um grande craque, em virtude do qual se transferisse capital de II para I. Em nada muda a relação entre $I_{(v + m)}$ e II_c com a circunstância de parte do capital constante de II reproduzir a si mesma, como acontece na agricultura que emprega as próprias sementes. Na troca entre I e II, abstraímos dessa parte de II_c, como o fazemos com I_c. Também não traz nenhuma alteração a possibilidade de parte dos produtos de II entrar em I como meios de produção. Ela é compensada por parte dos meios de produção fornecidos por I, e ambas devem ser aprioristicamente canceladas, se nosso objetivo é investigar em seu estado puro e transparente o intercâmbio entre as duas grandes seções da produção social, a dos produtores de meios de produção e a dos produtores de meios de consumo.

Na produção capitalista, portanto, $\text{I}_{(v + m)}$ não pode ser igual a II_c; em outras palavras, não pode haver equilíbrio na troca entre os dois. Ao contrário, se $\text{I}_{m/x}$ é a parte de I_m gasta pelos capitalistas como renda, pode $\text{I}_{(v + m/x)}$ ser igual, maior ou menor do que II_c; mas $\text{I}_{(v + m/x)}$ tem sempre de ser menor do que $\text{II}_{(c + m)}$, sendo a diferença a fração de II_m a ser de qualquer modo consumida pelos próprios capitalistas II.

Cabe-nos observar que, neste relato sobre a acumulação, não se apresentou de maneira exata o valor do capital constante, enquanto fração de valor do capital-mercadoria para cuja produção concorre. A parte fixa do capital constante (de novo acumulado) só progressiva e periodicamente, segundo a natureza diversa dos elementos fixos, se transfere ao capital-mercadoria; por isso, este, em sua maior parte, substitui os componentes constantes circulantes e o capital variável, sempre que matérias-primas, produtos semiacabados etc. entram em massa na produção de mercadorias. (Pudemos proceder daquele modo em virtude da rotação dos componentes circulantes; admitimos então que, dentro do ano, a parte circulante, juntamente com a fração de valor do capital fixo a ela transferida, efetua as rotações necessárias para que a soma global das mercadorias fornecidas seja igual ao valor de todo o capital que entra na produção anual.) Mas, quando não se utilizam matérias-primas, trabalhando as máquinas apenas com matérias auxiliares, o elemento trabalho v tem de reaparecer como o componente maior do capital-mercadoria. Calcula-se a taxa de lucro, relacionando-se a mais-valia com todo o capital, não importando que seja grande ou pequena a transferência periódica de valor dos elementos fixos ao produto. Mas, quando se calcula o valor de cada capital-mercadoria periodicamente produzido, só se considera a parte fixa do capital constante na medida em que ela, pelo uso, cede em média valor ao próprio produto.

4. OBSERVAÇÕES ADICIONAIS

Para II, a fonte primária de dinheiro é o produto v + m da produção de ouro situada em I, trocado por fração de II_c. Só na medida em que o produtor de ouro acumula mais-valia ou converte-a em meios de produção I, expandindo sua produção, deixa seu produto v + m de incorporar-se a II. Por outro lado, na medida em que acumulação de dinheiro pelo próprio produtor de ouro leva finalmente à reprodução ampliada, parte não gasta como renda, da mais-valia, como capital variável adicional do produtor de ouro incorpora-se a II, provocando aí novo entesouramento ou dando novos meios para comprar a I, sem precisar lhe vender diretamente. Do dinheiro proveniente desse $I_{(v + m)}$ da produção de ouro, deduz-se a parte do ouro, empregada por certos ramos de II como matéria-prima etc., em suma, como elemento de reposição do capital constante. Na troca entre I e II, há elementos para o entesouramento preliminar, destinado à futura reprodução em escala ampliada: em I, apenas quando parte de I_m é vendida unilateralmente (sem haver compra complementar) a II, a quem serve de capital constante adicional; em II, quando aí também se dá venda unilateral de parte de II_m por dinheiro correspondente a capital variável de I, ou quando II_c não compensa parte da mais-valia de I gasta como renda, na compra de parte de II_m, assim convertida em dinheiro. Se $I_{(v + m/x)}$ é maior do que II_c, não precisa II, para sua reprodução simples, repor com mercadorias o que este consumiu de II_m. Releva saber até onde é possível haver entesouramento no intercâmbio que se realiza entre os capitalistas II, e que só pode consistir na troca recíproca de II_m. Vimos que se dá acumulação direta no interior de II, porque parte de II_m se converte diretamente em capital variável, do mesmo modo que, em I, parte de I_m se transforma diretamente em capital constante. Dada a divergência dos períodos de acumulação nos diferentes ramos industriais de II e para as diferentes empresas capitalistas de cada ramo, as coisas se explicam, *mutatis mutandis*, do mesmo modo que em I. Uns se encontram na fase de entesouramento e vendem sem comprar; outros estão cuidando de ampliar a reprodução e compram sem vender. Inicialmente, despende-se capital-dinheiro adicional em força de trabalho suplementar, que compra meios de subsistência aos entesouradores, no caso, proprietários dos meios de consumo adicionais destinados aos trabalhadores. Na medida em que entesouram, o dinheiro não volta ao ponto de partida, sendo acumulado.

TABELA DE PESOS, MEDIDAS E MOEDAS INGLESES

PESOS

TONELADA	= 20 QUINTAIS INGLESES (*HUNDREDWEIGHTS*)	=	1 016,050 KG
QUINTAL INGLÊS (HUNDREDWEIGHT, *CWT*)	= 112 LIBRAS	=	50,802 KG
QUARTA	= 28 LIBRAS	=	12,700 KG
STONE	= 14 LIBRAS	=	6,350 KG
LIBRA	= 16 ONÇAS	=	453,592 KG
ONÇA		=	28,349 KG

MEDIDAS DE COMPRIMENTO

MILHA	= 5.280 PÉS	=	1 609,329 M
JARDA	= 3 PÉS	=	91,439 CM
PÉ	= 12 POLEGADAS	=	30,480 CM
POLEGADAS		=	2,540 CM

MOEDAS

LIBRA ESTERLINA	= 20 XELINS
XELIM	= 12 *PENCE*
PÊNI	= 4 *FARTHINGS*
GUINÉU	= 21 XELINS
SOBERANO (moeda em ouro)	= 1 LIBRA ESTERLINA

ÍNDICE ONOMÁSTICO

ÍNDICE ANALÍTICO

Quando se usam dois travessões seguidos (– –), servem eles para representar epígrafe que possui um travessão, ou, quando a epígrafe não tem travessão e depende de título anterior, serve o primeiro travessão para representar este, e o segundo, aquela.

Este livro foi composto na tipografia Adobe Garamond Pro,
em corpo 11,5/14, e impresso em
papel off-white no Sistema Cameron da
Divisão Gráfica da Distribuidora Record.